HEILBRONNER KLEIST-BLÄTTER
HERAUSGEGEBEN VON
GÜNTHER EMIG

HEILBRONNER KLEIST-BLÄTTER

21

KLEIST-ARCHIV SEMBDNER
HEILBRONN

Zitiertitel: HKB 21

Redaktionsschluß: 10. 10. 2009

Herausgeber
Günther Emig
Direktor des Kleist-Archivs Sembdner
Berliner Platz 12
D-74072 Heilbronn
kleist@kleist.org

Redaktionelle Nachträge siehe
http://diskussionsforum.kleist.org

www.kleist.org

ISBN 978-3-940494-27-6

Redaktion: Günther Emig. Umschlag unter Verwendung einer Zeichnung aus Miriam Sachs' Thuner Skizzenbuch (»Das falsche Kleist-Inseli«)

INHALT

EDITORIAL

Ohne die regelmäßigen Kolumnen *(Kleist auf der Bühne, Kleist an der Hochschule* und die *Abstracts)*, die diesmal aus Umfangsgründen ins Internet ausgelagert werden müssen, nähert sich die vorliegende Ausgabe der *Heilbronner Kleist-Blätter* einer Rekordmarke: mehr als 300 Druckseiten, ein Viertel davon farbig, mit einem Themenspektrum, das sowohl von den Wissenschaftsdisziplinen wie von den Zielgruppen her die Fach- und Sachgrenzen in mehrfacher Weise sprengt:

Dr. Barbara Wilk-Mincu (Berlin), die früher bereits bildnerische Auseinandersetzungen mit Kleists Werken dokumentiert hat (zu *Amphitryon* in *HKB* 16, zum *Käthchen* in *HKB* 17, zur *Marquise* in *HKB* 18, in *HKB* 15 zu Dählings angeblichem *Käthchen*-Bild, in Nr. 19 ihr Hinweis auf eine neue Kleist-Miniatur), untersucht diesmal die Darstellung des Dichters in der Karikatur.

Dr. Doris Fouquet-Plümacher (Berlin) ist auf den Spuren der Kleist-Rezeption am Beispiel von einem halben Jahrhundert ›Klassiker-‹, ›Lese-‹ und ›Volksausgaben‹ – ein Beitrag, der einem Germanisten als abseitig erscheinen mag, der uns aber Grundlegendes zur Wirkungsgeschichte des Dichters bietet.

Dr. Eberhard Siebert (Berlin), Verfasser der großen Kleist-Bildbiographie, die wir kürzlich herausgebracht haben (»opulenter Band«, FAZ), liefert eine historische Folie für das zentrale Motiv in Kleists Erstling *Die Familie Schroffenstein*.

Prof. Dr. Klaus Ley (Universität Mainz) ergänzt seinen Aufsatz über »Bildende Kunst und Krisendiagnostik in Kleists *Die Marquise von O...*« aus *HKB* 20.

PD Dr. Anett Lütteken (Universität Bern) führt ihre Untersuchungen zur Kleist-Rezeption im 19. Jahrhundert fort: im Blickpunkt die ›Aufbereitungen‹ für die Zielgruppen Frauen und Heranwachsende, die politischen Deutungsversuche sowie die Beschäftigung der nachfolgenden Dichtergenerationen mit Kleist.

Prof. Dr. med. Hans Wedler (Stuttgart) schlägt den Bogen von Kleist zu dem amerikanischen Kultautor David Foster Wallace, der vor einem Jahr aus dem Leben geschieden ist, und knüpft damit an seinen Aufsatz zur Suizidalität in der *Penthesilea* (*HKB* 20) an.

Dr. Wolfgang Schmidbauer (München) betrachtet Kleists Paarbeziehungen am Beispiel von Käthchen und Penthesilea – Druckfassung seines Heilbronner Vortrags vom Sommer 2009.

Die Neugestaltung des Kleist-Grabes als Beitrag zum Kleist-Gedenkjahr 2011: Dr. Eberhard Siebert weist auf die Problematik hin, die sich aus der Frage ergibt, ob es eine Verlegung des Grabes gegeben hat.

Dr. Peter Staengle (Universität Heidelberg) trägt Neuigkeiten zu einem maßgeblichen Kleist-Forscher, Sigismund Rahmer, bei.

Horst Häker (Berlin) erinnert an den Roman *Tod in Danzig* von Stefan Chwin und lädt zu einem Lokaltermin in Sachen preußischer Geschichte ein.

Tanja Langer und Wolfgang Siano (Berlin) haben den *HKB* ihre Komödie *Keine Ananas für Herrn von Kleist* in einer neubearbeiteten Fassung zum Druck überlassen.

Die Schauspielerin Miriam Sachs (Berlin) war auf den Spuren Kleists in Thun und schildert ihre Erlebnisse. Auch wenn ihre Skizze auf dem Umschlag dieser *HKB*-Ausgabe das falsche Kleist-Inseli zeigt, so fanden wir es doch als Umschlagmotiv reizvoll genug.

Schließlich noch die Kleist-Bibliographie, deren periodische Veröffentlichung ursprünglich der einzige Grund war, aus dem heraus diese Zeitschrift entstanden ist.

Heilbronn und Niederstetten, 10. Oktober 2009 — Der Herausgeber

BARBARA WILK-MINCU

KLEIST IN DER KARIKATUR

Karikatur beinhaltet grundsätzlich Kritik gegenüber dem behandelten Gegenstand und benutzt dazu Übertreibung, Verzerrung oder die Verkehrung ins Gegenteil. Die Karikatur konzentriert sich »auf die Interpretation komischer Widersprüche, z. B. Mißverhältnis des Ziels zu den Mitteln, der Form zum Inhalt, der Handlung zu den Umständen oder Kontrast zwischen Altem und Neuem, Schönem und Häßlichem, oder Verlust des Gefühls für die Wirklichkeit«[1]. Oder: Widersprüche zwischen »Ideal und Wirklichkeit, Schein und Sein, Wollen und Können, Erwartung und Ergebnis, Zweck und Mittel«.[2] Oft wird sie nur durch einen Titel oder einen kurzen begleitenden Text verständlich. Da sie meist auf aktuelle Ereignisse reagiert oder sich an Insider richtet, ist sie in späteren Zeiten oft schwer zu interpretieren. Ein eigener Gattungsbegriff wurde die Karikatur erst seit dem Ende des 16. und im 17. Jahrhundert. Es hat sie jedoch bereits im alten Ägypten und im klassischen Altertum gegeben, und auch im europäischen Mittelalter kann man sie finden. Ihre Blütezeit hatte sie im 19. Jahrhundert, richtete sich aber das ganze Jahrhundert hindurch nicht gegen Kleist - bis auf eine Ausnahme. Die Grenzen zur Witz- und Nonsense-Darstellung und zur satirischen Grafik sind fließend, so daß diese hier mitberücksichtigt werden. Vereinzelt humoristisch aufgefaßte Zeichnungen in Buchillustrationen zu Werken Kleists sowie Comics zähle ich hingegen nicht dazu.

Die Frage ist, ob man auch literarische Werke karikieren kann. Ist die Karikatur kein selbständiges Werk, sondern eine Buch- oder Zeitschriftenillustration, ist bereits der Text, zu dem sie geschaffen wurde, eine Satire. Bei den Karikaturen zu einigen Werken Kleists nimmt der Karikaturist bereits bei Kleist vorkommende komische Situationen auf und treibt sie auf die Spitze. In anderen Fällen ruft man die Komik durch die Konfrontation der historischen Handlung mit modernen Situationen oder Versatzstücken hervor.

Unter Kleists Werken ist das ganze 19. Jahrhundert hindurch das *Käthchen* wohl das bekannteste und beliebteste Drama Kleists gewesen. Zu Beginn der modernen Kleist-Rezeption trat ihr Gegenstück *Penthesilea* in den Vordergrund des Interesses, während man nun das Verhalten Käthchens kritisieren und karikieren konnte. Die meisten Karikaturen beziehen sich denn auch auf dieses Drama, zu anderen Werken Kleists blieb ihre Zahl gering.

1925 schrieb Lene Voigt (1891-1962) ihre *Säk'schen Glassigger,*[3] in denen sie das

1 Lexikon der Kunst. Architektur, bildende Kunst, angewandte Kunst, Industrieformgestaltung, Kunsttheorie. Begr. von Gerhard Strauss. Hrsg. von H. Olbrich ... Neubearb. Bd. 1-7. Leipzig 1987-1994; Bd 3, S. 648.

2 Lammel, Gisold: Karikatur der Goethezeit. Berlin 1992, S. 7.

3 Voigt, Lene: Säk'sche Glassigger. Zeichnungen von Walter Rosch. 2 Bde. Leipzig 1925 – Seitdem viele weitere Auflagen.

Käthchen und die *Hermannsschlacht* auf Sächsisch nachgedichtet hatte.[4] Jedes Drama wurde von Walter Rosch (1900-1975) mit je einer Karikatur illustriert. Rosch wählt beim Käthchen (Abb. 1) den Augenblick, in dem der Graf Kunigunde bei ihren kosmetischen Künsten überrascht. Kunigunde steht im Korsett vor dem Spiegel und hat noch nicht den künstlichen Busen und das künstliche Haar angelegt, die auf ihrem Schminktisch neben diversen Fläschchen, Kamm, Bürste und Puderquaste liegen. Der Graf in voller Rüstung hat weiche Knie bekommen und muß sich an der Türklinke festhalten.

Walter Roschs zweite Zeichnung gilt der *Hermannsschlacht* (Abb. 2). Der etwas zu klein geratene Ventidius mit seiner römischen Hakennase hat der mächtigen Matrone Thusnelda gerade einen Zopf abgeschnitten. Sie steht ihm wütend gegenüber, und sein Schicksal ist bereits besiegelt, wie das am Boden liegende Bärenfell, das sein Maul in seine Richtung aufreißt, und der Rabe als Todesvogel andeuten. An der Wand hinter Thusnelda hängt eine Jagdtrophäe und ein Porträt Hermanns an der Wand, das ihn ebenfalls böse anschaut. Bezeichnend für Rosch ist, daß er in beiden Fällen nicht die Protagonisten der Dramen, sondern zum Spott herausfordernde Nebenfiguren karikiert.

Zu einem Faschingsfest der literarischen Gesellschaft »Die Argonauten« in München schuf Ernst Penzoldt (1892-1955) 1932 Illustrationen zu Eugen Roths Werk *Die Frau in der Weltgeschichte* (Abb. 3).[5] Zu Lehrzwecken gab es damals Glastäfelchen, die man selbst mit Eiweißlasuren und Tusche bemalen oder beschreiben und die Bilder dann mit der Laterna Magica an die Wand projizieren und betrachten konnte. In der *Frau in der Weltgeschichte* wird beim Mittelalter auch das Käthchen erwähnt:

Wenn Frauen sich zur Eh entschlossen,
Gehn sie aufs Ziel los unverdrossen.
Des zum Beweis, ihr ahnt es schon,
Nenn ich das Käthchen von Heilbronn.
Es war nun halt der Graf vom Strahl
Ihr angebetet Ideal.
Mit Hunden hat er sie gehetzt,
Sie aber hat's doch durchgesetzt.
Denn bei der Frau versagen nie
Die Sanftmut und die Hysterie.[6]

Ernst Penzoldt erzielt die Komik einmal durch die Gegenüberstellung des Grafen in voller Rüstung mit dem Käthchen, das barfuß, nur mit einem Hemd bekleidet und mit offenen Haaren hinter ihm herläuft, und zum anderen aus der bewußt skizzenhaften Darstellung, die in der enormen Vergrößerung einen zusätzlichen komischen

4 *S'Gädchen von Heilbronn. Hisdorisches Schauschbiel von ä Riddr un ä anschdändchn Mädchn* und *De Hermannsschlacht oder's Gamfgewärche im Deidoburcher Walde.*

5 Roth, Eugen: Die Frau in der Weltgeschichte. Ein heiteres Buch. Mit Bildern von Fritz Fliege [d. i. Ernst Penzoldt]. Weimar 1936. 94 S. – Durchges. Neuausg. Mit 60 Bildern von Ernst Penzoldt. München 1990. 159 S.

6 Roth 1990 (wie Anm. 5), S. 114.

Effekt bieten sollte. Penzoldt hat den Kern des Stückes, nämlich die konsequente Verfolgung des Grafen durch Käthchen, karikiert.

Der Künstler Karl Schaper (1920-2008) wurde berühmt durch seine fiktive Korrespondenz mit verschiedenen Persönlichkeiten der Weltgeschichte und literarischen Figuren. Der aus Holz geschnitzte Brief an das Käthchen von Heilbronn von 1972[7] (Abb. 4) ist adressiert »an Käthchen« in »71 Heilbronn«, der damals noch gültigen Postleitzahl, und trägt eine Briefmarke mit dem Porträt des Bundespräsidenten Gustav Heinemann. Im Poststempel erkennt man das Monogramm des Künstlers und die Datierung. Die Klappe des Briefumschlages läßt sich durch ein angebrachtes Scharnier öffnen, und es wird ein scheinbarer Zettel sichtbar, auf dem steht: »Liebes Kätchen! Bist ein nettes Mädchen.« Diesem harmlosen und netten Brief folgen allerdings später Briefe an andere Personen, die der gesellschaftskritischen und politisch engagierten Anschauung des Künstlers eher entsprechen.

Einen weiteren Holzbrief hat es zum *Michael Kohlhaas* von Karl Schaper 1973 gegeben (Abb. 5 und 6).[8] Eigentlich handelt es sich jedoch um eine Postanweisung, mit der der Junker Wenzel von Tronka den unrechtmäßig erhobenen Wegezoll an Michael Kohlhaas zurückzahlt. Auch hier findet eine Verquickung mit der Gegenwart statt, wenn der Betrag in DM eingetragen ist, während der ausgeschriebene Betrag 30 Taler einschließlich 11% Mehrwertsteuer ausweist. Als Verwendungszweck des Geldes ist eingetragen: »Erstattungskosten für 2 (zwei) beschlagnahmte Rappen zum allgem. DM-Kurs des Jahres 1517 umgerechnet.« Auf der Rückseite steht im Feld »Für Mitteilungen an den Empfänger« dann allerdings eine letzte Frechheit: »halts Maul, du Querulant, und verschwinde!! Du würdest H. von Kleist und dem Martin Luther viel Müh & Ärger ersparen wie auch der D.D.R. du Mordbrenner + Konterrevoloutionär [sic!]«. Als Unterschrift des Empfängers lesen wir: »Stellvertr. für M. Kohlhaas: Karl Schaper« und unten beim Auslieferungsvermerk: »die Erben des M. Kohlhaas verweigern die Annahme.«

»Blödeleien« sollen die Zeichnungen des Schnellzeichners Oskar (1922-2006) sein (wirklicher Name: Hans Bierbrauer). Sie wurden 1984 in *Schulzes Schelmischem Schauspielführer*[9] veröffentlicht und geben Arbeiten wieder, die Oskar für Fernsehsendungen im Südwestfunk Baden-Baden und im RIAS Berlin geschaffen hatte. Auch sie verknüpfen wie die von Schaper Altes mit Modernem. Auf dem ersten Bild (Abb. 7) zum Käthchen liegt der Graf nach dem glücklichen Ausgang des Femegerichts im Gras und träumt vom Käthchen, von kleinen Amoretten durch Musik unterhalten, und nicht mit Pfeilen, sondern mit veritablen Raketen beschossen! Die zweite Zeichnung (Abb. 8) zeigt Käthchen, die wie ein mittelalterliches Burgfräulein dargestellt ist, die mit einem großen gerahmten Gemälde unter dem Arm das in

7 An Käthchen von Heilbronn. Holzbrief. 15 x 15 x 4 cm.

8 An Michael Kohlhaas. Holz, geschnitzt, bemalt. 50 x 100 x 4 cm.

9 Knemöller, Felix: Schulzes schelmischer Schauspielführer. Eine Auswahl der schönsten Blödeleien aus den beliebten Radiosendungen des Südwestfunks Baden-Baden und des RIAS Berlin. Als gezielte Produkt-Kurzinformation für eilige Theaterbesucher dargeboten ... Ill. von Oskar. Mit e. »krit.« Vorwort vers. von Friedrich Luft. Freiburg i. Br. 1984.

Flammen stehende Schloß verläßt. Im Hintergrund rechts wollen anachronistische Feuerwehrmänner das brennende Schloß löschen, aber aus ihrem Schlauch kommen nur wenige Tropfen.

Zwei weitere Zeichnungen gelten dem *Prinz Friedrich von Homburg*. Auf der ersten (Abb. 9) sitzt der Prinz auf einer Parkbank vor einem kleinen Blumenbeet, das den Garten andeutet, und setzt sich verträumt den Lorbeerkranz auf. Auf einer Treppe im Hintergrund ist die Schloßgesellschaft zu sehen, die sich darüber amüsiert. Das Ganze ist in eine moderne Umgebung mit Hochhaus, Fabrik, Gasometer und Auto gestellt. Die zweite Zeichnung (Abb. 10) zeigt den Prinzen verzweifelt in seiner Zelle, das Todesurteil in der Hand, bei Wasser und Brot. Auf dem Bord unter dem vergitterten Fenster stehen Bücher mit fiktivem Titel und eine Kerze, aus einem Spinnennetz hängt eine Spinne herunter, und eine Maus schaut aus ihrem Loch. Der Kalender an der Wand zeigt das Datum des 3. Juli 1675, 5 Tage nach der Schlacht bei Fehrbellin. Eine Treppe in unbestimmte Räume scheint einen Ausweg anzudeuten.

Auch der Umgang der Stadt Heilbronn mit ihrer »Lokalheiligen«, wie sie einmal genannt wurde, geriet ins Visier der Karikaturisten. Das Heilbronner Käthchen in Gestalt eines wirklichen, kostümierten Mädchens gibt es seit etwa 1872 als Repräsentationsfigur der Stadt. Seit 1950 wurde diese Symbolfigur für die Stadt Heilbronn neu etabliert, und seit 1970 gibt es alle zwei Jahre eine Käthchenwahl. Bereits 1936 mahnte der Heilbronner Grafiker Bruno Velten (1910-1967) in einer Zeitungskarikatur[10] (Abb. 11) die Heilbronner, das wahre Käthchen zuzulassen, ihm sozusagen ihr Herz zu öffnen, wie es auf der linken Seite dargestellt ist. Käthchen tritt auf der Zeichnung als schlichtes Mädchen aus dem von seinem großen Schloß befreiten Herz hervor, allerdings vom Großteil der Bewohner unbeachtet. Rechts dagegen ist das Repräsentationskäthchen an einer Blume riechend in einer Glorie über dem Käthchenhaus in Heilbronn dargestellt. Der zugehörige Zeitungsartikel fragt: »Heilbronner Käthchen so oder so?«

Sehr viel bissiger ist das Gemälde von Michael Sowa (geb. 1945) von 1988 (Abb. 12),[11] das als Plakat und Katalogumschlag für die Ausstellung »Hapen & Blunzen. Essen und Trinken in Heilbronn 1800–1988« in Heilbronn geschaffen worden war.[12] Käthchen und der Graf sind in die Jahre gekommen und befinden sich zum Essen in ihrer Küche. Käthchen trägt die Tracht des Heilbronner Repräsentationskäthchens und serviert dem am Tisch sitzenden Grafen einen Teller voller Blunzen, d. h. Blutwürsten. Der Graf in Pantoffeln hat die Armschienen seiner Rüstung anbehalten, während sein Helm auf dem Schrank liegt und sein Schwert in der Ecke steht. An

10 [Schrad]-in, [Walter]: Käthchen von Heilbronn / Binder, Gerhard: Werdet Realisten ... Heilbronner Käthchen so oder so? In: Heilbronner Tagblatt, Beil. Heilbronner Chronik, vom 3. 9. 1936, S. 5.

11 Käthchen von Heilbronn. Acryl/Papier. 35 x 40 cm. Privatbesitz, Heilbronn.

12 Hapen & Blunzen. Essen und Trinken in Heilbronn 1800–1988. Begleitheft zur Ausstellung der Städtischen Museen Heilbronn, Abt. Stadt- und Industriegeschichte, im Deutschhof vom 9. Sept. bis zum 27. Nov. 1988. Hrsg.: Albrecht Krause. Heilbronn 1988, Umschlagbild.

der Wand ist ein Gemälde zu sehen, auf dem eine Hape dargestellt ist, das ist ein Laub- oder Rebmesser, mit dem Obstbäume und Rebstöcke beschnitten werden. Um die spießige Idylle voll zu machen, spielen zwei Ferkel auf den aufdringlich schachbrettartig gemusterten Fliesen mit einem Wollknäuel. Der Künstler hat also die typisch schwäbischen Titel-Requisiten der Ausstellung auf dem Bild untergebracht und gleichzeitig eine böse Antwort auf die beliebte Frage gegeben, was wohl später aus den großen Liebespaaren der Weltliteratur geworden wäre.

Schließlich gibt es auch noch zur *Penthesilea* eine Karikatur (Abb. 13), die sich jedoch auf eine Aufführung des Stückes bezieht. In den *Lustigen Blättern*[13] im Jubiläumsjahr 1911 gibt es eine Zeichnung von P. S. (wahrscheinlich Paul Simmel <1887-1933>[14]), die eine kleine und fast schüchtern wirkende Penthesilea vor einer großen Säule zeigt, während vorne ein im Vergleich dazu riesiger Achill vor einem kleinen griechischen Tempel im Hintergrund steht. Beide Figuren sind auf ihren Schilden benannt. Die Zeichnung ist erst durch den beistehenden Text zu verstehen. Offenbar hatte es eine Aufführung gegeben, bei der eine schmächtige mädchenhafte Schauspielerin die Penthesilea spielte. Darüber macht sich der Text lustig, indem alle Wörter verkleinert werden: da heißt es das Amazönchen, Titänchen und Gigäntchen, die mit ihren Händchen Spießchen hält und mit ihren Blickchen Blitzchen sprüht und um sich Tödchen und Entsetzenchen verbreitet usw. Zudem wird der Eindruck vermittelt, Kleist habe in nachgelassenen Schriften eine derartige Regieanweisung hinterlassen! Im Jahre 1911 gab es in Berlin im Abstand von nur einer Woche zwei Aufführungen der *Penthesilea*, eine unter der Regie von Paul Lindau am Königlichen Schauspielhaus und eine in der Regie von Felix Hollaender an Max Reinhardts Deutschem Theater. Die Karikatur meint die Darstellerin der Penthesilea in letzterer Aufführung, Gertrud Eysoldt, und folgt damit in ihrer kritischen Richtung dem Theaterkritiker Siegfried Jacobsohn, der sich ähnlich über ihr Spiel äußerte (während andere Kritiker eher positiv über die Aufführungen urteilten): »Warum soll eine Amazonenkönigin nicht eine Gnomenkönigin, eine Kriegsfurie nicht ein Hirtenbübchen, eine Glanzerscheinung nicht eine Kümmerlichkeit, eine Tigerin nicht ein Frosch und Penthesilea nicht Puck sein?«[15]

Die Personenkarikatur der Neuzeit dagegen ist aus dem Studium und der Übung

13 Lustige Blätter. Schönstes buntes Witzblatt Deutschlands (Berlin) 26 (1911) H. 47, S. 7.

14 Paul Simmel zeichnet seine Blätter im allgemeinen mit vollem Namen in deutscher Schrift, aber für 1914, also zeitnah zu unserer Karikatur, ist auch das Monogramm in der vorliegenden Form nachgewiesen.

15 Jacobsohn, Siegfried: Penthesileen. Zuerst in: Deutsche Montagszeitung (Berlin) vom 25. 9. 1911. - Auch in: Jacobsohn: Das Jahr der Bühne 1. 1911/12 (1912), S. 23-31, hier besonders S. 29f. - Vgl.: Weigel, Alexander: Penthesileen: Siegfried Jacobsohn, »Die Schaubühne« und die Kleist-Ehrung 1911 in Berlin. In: Beiträge zur Kleistforschung (Frankfurt<Oder>) 2003, S. 164-175. - Vgl. zu den Penthesilea-Aufführungen in Berlin 1911 auch: Eloesser, Arthur: Penthesilea auf der Bühne. In: Das literarische Echo 14 (1911), H. 3, Sp. 149-154. - W.: Briefe über das Theater. Penthesilea in Berlin. In: Die Scene (Berlin) 1 (1911) S. 59f. - Außerdem erschienen mehrere Kritiken zu den beiden Aufführungen in der *Schaubühne* vom 21. 9., 28. 9. und 5. 10. 1911.

der Physiognomie hervorgegangen. Die ersten, die sich darin versuchten, sind die Brüder Annibale und Agostino Carracci Ende des 16. Jahrhunderts. Der Kunsttheoretiker Filippo Baldinucci definiert die Porträtkarikatur in seinem Fachwörterbuch[16] 1681 folgendermaßen: »Maler und Bildhauer verstehen darunter eine Methode des Porträtierens, in welcher sie darnach trachten, daß das Ganze der abgebildeten Person möglichst ähnlich sei, wobei sie jedoch aus Freude am Scherz oder manchmal auch zum Spott die Fehler der Züge, die sie abbilden, unverhältnismäßig vergrößern und betonen, so daß das Porträt dann als Ganzes dem Modell gleicht, obwohl die einzelnen Teile verändert sind.«[17] Dem ist eigentlich nichts hinzuzufügen, außer, daß die Karikatur aus dem Interesse für den physiognomischen Ausdruck und aus den Experimenten mit dessen Darstellung entscheidende Impulse erhielt. Dabei spielte immer wieder auch der Mensch-Tier-Vergleich eine große Rolle.[18]

Ein Beispiel für diese Übung ist die erste Karikatur zur Person Kleists bereits zu seinen Lebzeiten, den von Horst Häker in seiner Veröffentlichung der Grafik so genannten *Preußischen Tiergarten* (Abb. 14).[19] Der Kupferstich, in zwei Exemplaren in der Staatsbibliothek zu Berlin erhalten, ist links unten 1802 datiert und zeigt mehrere Hunde und eine Menschenmenge, meist mit Tierköpfen, im Berliner Tiergarten. Wie der Titel des Kupferstichs sagt,[20] soll er karikaturistisch das eben angebrochene 19. Jahrhundert, das neue Goldene Zeitalter darstellen. Der Grafiker benutzt dazu die seit der Antike bis heute bekannte Methode, Menschen durch die Darstellung mit Tierköpfen tierische Eigenschaften zu verleihen oder umgekehrt, Tieren menschliche Eigenschaften zuzuerkennen. Die auf dem Kupferstich dargestellten Damen, die unter ihren durchsichtigen Kleidern nackt zu sein scheinen, tragen darunter – meist jedenfalls – fleischfarbene Trikots, eine mehrere Jahre anhaltende sogenannte Nackt-Mode, die nach den Jahren des Terrors während der Französischen Revolution 1794 aus Frankreich nach England und Deutschland gekommen war und um 1800 ihren Höhepunkt erlebte. Die Gesellschaftskarikatur ist damit gleichzeitig auch eine Modekarikatur, wie sie gerade zu dieser Zeit sehr verbreitet war. Auf einem der Exemplare hat jemand handschriftlich zu deuten versucht, wer sich hinter den dargestellten Tiermenschen verbirgt, und darunter ist auch »Kleist«. Horst Häker hat erkannt, daß die Menschengruppen topographisch angeordnet sind, so daß man sie den verschiedenen Stadtteilen Berlins zuordnen kann. Den mit »Kleist« bezeichneten Mann, der zu einer Gruppe gehört, die im Osten Berlins wohnt, deutet Häker

16 Baldinucci, Filippo: Vocabolario toscano dell' arte del disegno. Firenze 1681.

17 Zit. nach: Gombrich, Ernst H.: Das Experiment der Karikatur. In: dsb.: Kunst und Illusion [Art and Illusion, dt.]. Zur Psychologie der bildlichen Darstellung. Köln 1967, S. 381f.

18 Baur, Otto: Der Mensch-Tier-Vergleich und die Mensch-Tier-Karikatur. Eine ikonographische Studie zur bildenden Kunst des neunzehnten Jahrhunderts. 1973. Köln, Univ., Diss. – Baur, Otto: Bestiarium humanum. Der Mensch-Tier-Vergleich in Kunst und Karikatur. Gräfelfing vor München 1974.

19 Häker, Horst: Ein preußischer »Tiergarten«. In: Jahrbuch Preußischer Kulturbesitz 17 (1980), S. 337-356.

20 »Le Tableau parlant du XIX. Siècle, ou le Nouvel Âge d'Or«

als Gestiefelten Kater. Der Fabelname des Katers Hinz (bei Tieck Hinze[21]) ist eine Koseform des Namens Heinrich. Kleist ist in übergroßen Stiefeln und mit Wanderstab wie auf anderen Darstellungen des Gestiefelten Katers[22] reisefertig dargestellt, eine Anspielung auf den ständigen Wechsel seiner Aufenthaltsorte. Die Kleist gegenüberstehende Gruppe deutet Häker als die Familie Zenge. In der neugegründeten Berliner Zeitschrift *Brennus* erschien Mitte Januar 1802 eine Besprechung des Stichs, in dem er ein »elendes Machwerk« genannt wird. Häker vermutet die Idee und die Herkunft des Stiches bei Mitarbeitern der Zeitschrift selbst, als Camouflage und Werbegag. Den unbekannten Stecher glaubt Häker als Carl Lang (1766-1822) identifizieren zu können, dessen Pseudonym Hirschmann es ihm erlaubte, sich im Hintergrund selbst darzustellen. Zweifel an diesen Deutungen könnten eventuell entstehen, wenn man sich fragt, ob Kleist zu dieser Zeit 1802 schon so bekannt in Berlin war, daß man ihn derart in den Mittelpunkt stellte. Häker schreibt dies dem Einfluß Wilhelm von Humboldts zu, den Kleist auf seiner Parisreise 1801 kennengelernt hatte. Kleist hatte beim Erscheinen der Karikatur erst kurze Zeit in Berlin gelebt, hauptsächlich nach der Würzburger Reise. Sein Vetter, Friedrich Ferdinand Heinrich Emil von Kleist, ab 1814 Graf von Nollendorf, wohnte dagegen von 1799-1803 in Berlin, aber auf ihn treffen die festgestellten Merkmale und die Anspielung auf den Namen Heinrich nicht zu.

Kleist kommt noch auf weiteren Gruppenporträts vor. Wilhelm Schulz (1865-1952) hat Kleist in eine seiner Zeichnungen im *Simplicissimus* mit einbezogen (Abb. 15).[23] Die Zeichnung *Deutsches Theater* von 1922 ist allerdings keine Karikatur Kleists, sondern der Theatersituation im besetzten Rheinland nach dem Ersten Weltkrieg: Die Karikatur wendet sich polemisch gegen den Zwang, französische Stücke aufführen zu müssen, die sie als Schwänke diffamiert. Diese werden durch einen Tierdresseur charakterisiert, der ein Schwein tanzen läßt. Kleist gehört zu den zurückgewiesenen Autoren, die rechts oben auf Wolken zu sehen sind.

Eine ähnliche Tendenz der Zurückweisung Kleists durch das Theater verfolgt Erich Schilling (1885-1945) mit seiner Karikatur im *Simplicissimus* 1927 (Abb. 16), bei der er Kleist in eine Gruppe von Karikaturen einbezieht, die sich »Simpl-Woche: Literaturgrößen« nennt.[24] Vier Zeichnungen karikieren Alfred Kerr, der 1927 seinen 60. Geburtstag beging,[25] Wilhelm von Scholz, der von 1926 bis 1928 Präsident der

21 Tieck, Ludwig: Der Gestiefelte Kater. In: Tieck: Volksmährchen. Hrsg. von Peter Leberecht. Bd 1.2. Berlin 1797.

22 Vgl. Lyser, Johann Peter: Der gestiefelte Kater. Kolorierter Kupferstich in: Goldschmied, Friedrich: Deutsche Volksblumen. Mit einem Bilde, gezeichnet von Jean Pierre Lysèr. Leipzig [1836]. [2] Bl., XIV, 221 [i. e. 294] S. – Speckter, Otto: Der gestiefelte Kater. Illustrationen. Leipzig 1841. [17] Bl.: 1 lithograph. Titelbl., 12 Radierungen als Taf. vor dem Text.

23 *Deutsches Theater* in: Simplicissimus 27 (1922/23) H. 9 vom 31. 5. 1922, S. 120.

24 *Simpl-Woche: Literaturgrößen von Erich Schilling* in: Simplicissimus 32 (1927/28) H. 32 vom 7. 11. 1927, S. 431.

25 *Alfred Kerr, der Sechzigjährige.* Haltung und arroganter Gesichtsausdruck seines lorbeerbekränzten Kopfes scheinen nur leicht übertrieben zu sein. Beischrift: »Ein Leben lang habe

Preußischen Dichter-Akademie war,[26] Carl Zuckmayer, dessen *Schinderhannes* 1927 uraufgeführt wurde,[27] und Kleist, dessen 150. Geburtstag 1927 gefeiert wurde. Die Karikatur »Auch Kleist jubiliert« ist beschriftet: »Die von heute haben es besser – ich werde trotz meines sensationellen Selbstmords von den Berliner Theaterdirektoren totgeschwiegen.« Kleist ist unkarikiert in der üblichen Weise dargestellt, allerdings mit enttäuschtem Gesichtsausdruck, im Hintergrund rast ein Auto vorbei, wohl einer der Theaterdirektoren, die ihn gar nicht beachten.

Im gleichen Jahr wird Kleist auch in der Preußischen Dichter-Akademie als unwillkommen bezeichnet. Eine anonyme Karikatur im *Kladderadatsch* mit dem Titel »Unwillkommener Besuch in der Preußischen Dichter-Akademie« (Abb. 17)[28] stellt wiederum Wilhelm von Scholz dar, dem der Geist Kleists erscheint. Die Beischrift ist ein Dialog zwischen beiden: Heinrich v. Kleist: »Darf ich vielleicht den Herren Kollegen einen kleinen Vortrag über ›deutsches Nationalgefühl‹ halten?« Wilhelm v. Scholz (bedauernd): »Leider zurzeit partout unmöglich: wir würden ja sofort bei Frankreich unten durch sein!« Die politisch-satirische, aber national ausgerichtete Zeitschrift[29] wollte wohl, indem sie sich des »nationalen Dichters« Kleist bedient, die Preußische Dichterakademie, eigentlich die Sektion für Dichtkunst der Preußischen Akademie der Künste, auf die nationalkonservative Richtung festlegen, die von einigen Schriftstellern angestrebt wurde, im Gegensatz zu den »modernen« Schriftstellern, die als international ausgerichtet galten. Zum damaligen Zeitpunkt konnte die Dichter-Akademie aber noch die Mitte zwischen den Extremen bewahren.[30] Die Akademie, die sich in der kurzen Zeit ihres Bestehens 1926-33 hauptsächlich mit ihrem eigenen Selbstverständnis beschäftigte,[31] wurde auch im *Simplicissimus* von

ich mich selbst gefeiert, jetzt feiern mich endlich auch die andern.«

26 *Wilhelm von Scholz und die Dichterakademie.* Scholz sitzt rittlings auf dem Dachfirst der wie ein Tempel dargestellten Dichterakademie, die ziemlich baufällig ist und abgestützt werden muß, und gibt ihr wie einem Pferd die Sporen. Beischrift: »Mein neues Leben blüht aus der Ruine.«

27 *Zuckmayer, der Feuchtfröhliche.* Zuckmayer spielt dem mit Weinlaub bekränzten, sehr rustikal und mit Trachtenhose dargestellten Vater Rhein auf einer Schalmei etwas vor. Beischrift: »Beim Schinderhannes! Ich hab' dem Vater Rhein das Jodeln beigebracht.« Die Zeichnung bezieht sich eher auf Zuckmayers *Fröhlichen Weinberg,* der zwei Jahre früher uraufgeführt worden war.

28 Kladderadatsch (Berlin) 80 (1927) Nr. 45 vom 6. 11. 1927.

29 Vgl. Schulz, Klaus: Kladderadatsch. Ein bürgerliches Witzblatt von der Märzrevolution bis zum Nationalsozialismus 1848-1944. Bochum 1975. (Bochumer Studien zur Publizistik- und Kommunikationswissenschaft. 2) – Heinrich-Jost, Ingrid: Kladderadatsch. Die Geschichte eines Berliner Witzblattes von 1848 bis ins 3. Reich. Köln 1982. (Reihe iLv Leske Republik. Satire und Macht)

30 Mittenzwei, Werner: Der Untergang einer Akademie oder Die Mentalität des ewigen Deutschen. Der Einfluß der nationalkonservativen Dichter an der Preußischen Akademie der Künste 1918 bis 1947. Berlin u. a. 1992. 580 S. (Aufbau-Sachbuch), bes. S. 84 ff.

31 Vgl. Jens, Inge: Dichter zwischen rechts und links. Die Geschichte der Sektion für Dichtkunst an der Preußischen Akademie der Künste, dargestellt nach den Dokumenten. 2., unter Mitarb von Norbert Kampe erw. u. verb. Aufl. Leipzig 1994. 368 S.

Olaf Gulbransson (1873-1958) als verschlafener Verein,[32] nur durch den schwergewichtigen Theodor Däubler an »Gewicht« gewinnend[33] und mit nur geringem Interesse in der Öffentlichkeit karikiert.[34]

Weiter tritt Kleist auf Plakaten auf, die für bestimmte Buchreihen werben. Ralph Bittner (geb. 1965) zeichnete den *Club der toten Dichter*[35] 1994 für die Buchreihe »dtv Klassik« karikaturistisch (Abb. 18).[36] Auf einem roten Sofa sitzen und hinter ihm stehen die Dichter, die in dieser Reihe veröffentlicht werden sollten. Bittner benutzt dazu die Methode der Karikatur, die Gesichter in die Länge zu ziehen. Kleist, der sich in der Mitte hinter dem Sofa befindet, ist als einziger davon ausgenommen, er ist in der üblichen Art nach der Miniatur von Friedel bzw. der Kreidezeichnung und nicht karikaturistisch verzerrt, aber herber und strenger dargestellt. Da auch die Form des Brustbildes beibehalten worden ist, sieht es aus, als ob er hinter dem Sofa sitzt.

Die Berliner sind ja dafür bekannt, daß sie Bauten und Denkmälern oft sehr passende Spitznamen geben. In dem Buch über die *Denkmäler Berlins und den Volkswitz*[37] wird 1900 der Spott über die Kleistherme im Viktoriapark in Berlin-Kreuzberg von Karl Pracht (1866-?) ausgegossen (Abb. 19), die ein Jahr früher fertiggestellt worden war.[38] Sie gehörte zu Hermen einer Gruppe von Dichtern der Befreiungskriege als Ergänzung zu dem National-Denkmal auf dem Gipfel des Kreuzberges (Abb. 20). Kleist legt sinnend seine Hand ans Kinn und hält in der anderen ein Manuskript. Über seiner zeitgenössischen Kleidung trägt er einen antikischen Umhang, der den Übergang vom Körper zur Herme kaschieren soll. Der Zeichner Gustav Brandt (1861-1919) interpretiert die Kleist-Herme folgendermaßen: »Ick hatte doch eben 'n Jedanken; nu is er mir entfallen.« Der Autor des Bandes, Viktor Laverrenz, schildert

32 Die Dichterakademie. In: Simplicissimus 35 (1931) H. 46 vom 9. 2. 1931, S. 543: »Vergessen Sie nicht, uns zu wecken, wenn wieder mal einer austreten will.«

33 Theodor Däubler hebt die Statistik. In: Simplicissimus 32 (1927/28) H. 45 vom 6. 2. 1928, S. 616: »Die deutsche Dichterakademie ergibt mit 31 Mann ein Gesamt-Lebendgewicht von 55,1 Zentnern. Der derzeitige Ernährungszustand der deutschen Literatur ist demnach als durchaus zufriedenstellend zu bezeichnen.«

34 Dichter-Akademie. In: Simplicissimus 34 (1929/30) H. 35 vom 25. 11. 1929: »Verehrte Kollegen! Die Öffentlichkeit interessiert sich zunehmend für uns – so werden wieder von zwei Tageszeitungen, einer Schreibmaschinenfabrik und dem Verlag des Buches ›Rhythmik des Tanzes‹ Gutachten eingefordert.«

35 In Anlehnung an den Film von Peter Weir, Drehbuch Tom Schulman, von 1990.

36 »Club der toten Dichter«. Plakat für die Buchreihe »dtv Klassik«. Aquarell, Bleistift, Feder. 59,3 x 83,9 cm. Sign.u.dat.r.u.: Bittner '94 –

37 Laverrenz, Victor: Die Denkmäler Berlins und der Volkswitz. Humoristisch-satirische Betrachtungen. Neue Folge. Mit Ill. von Gustav Brandt u. Ludwig Stutz. 3 Bde. Berlin; Bd 2, 1900, S. 83-85, Abb. S. [84].

38 Kleist-Herme. Carrara-Marmor, weiß überstrichen. 229 x 70 x 65 cm, 1899. Bez. am Schriftstück: H. v. Kleist – Viktoria-Park, Berlin-Kreuzberg, dort jetzt eine Kopie. 1990 wurde das Marmor-Original in den Hof der Leibniz-Oberschule in Berlin-Kreuzberg, Schleiermacherstr. 23, versetzt.

außerdem, daß das Papier, das Kleist in der Hand hält, wie ein Portemonnaie aussieht und die Statue deshalb »Kleist mit's jroße Portemonnaie« genannt wurde, ein Hohn auf seine chronisch schlechten Geldverhältnisse. Oder man sagte: »57 Fennje habe ick noch; heut is der fünfundzwanzigste. Reicht bis zum Ersten!« Die Kleistherme kam, auch wegen ihres angeblich schäbigen Mantels, also offenbar beim Publikum nicht sehr gut an. Um zu erklären, warum die Kommission sie dennoch angenommen hatte, sagte man, diese sei eben sehr »prachtliebend« gewesen.

Sogar Kleists Grab wurde zum Anlaß von Karikaturen genommen. 1904 war das Kleistgrab durch einen Kanalbau bedroht, und es wurden Überlegungen zu einer Verlegung angestellt. Bereits seit 1870 hatte man in der Gegend am Großen Wannsee kräftig zu bauen angefangen. Wilhelm Conrad kaufte dort große Gebiete, riß die Gaststätte »Stimmings Krug« ab und baute an dessen Stelle die Villa Alsen, die der Ausgangspunkt einer ganzen Villenkolonie, der Colonie Alsen, wurde. Prinz Friedrich Leopold verkaufte die Parzellen am Ostufer des Großen Wannsees, und ab 1874 begann dort der Bau der Villenkolonie Wannsee. Als das Grab nun 1904 bedroht war, schenkte der Prinz das Gelände am Kleinen Wannsee der deutschen Nation, um den Fortbestand des Grabes zu sichern. In dieser Situation erschien in den *Lustigen Blättern* 1904 die anonyme Karikatur (Abb. 21), die den Albtraum wiedergibt, das Grab könnte inmitten eines aus allen Fugen geratenen Verkehrs und Großstadtlebens auf einer Verkehrsinsel enden.[39] Im Vordergrund wird sogar ein Mann überfahren. Das ist natürlich eine maßlose Übertreibung: In der Gegend um den Großen und Kleinen Wannsee entstanden großzügige Villen, keineswegs Innenstadt-Mietshäuser, und Kleists Grab lag immer noch einsam in seinem Waldstück am Kleinen Wannsee, also nicht in der Villenkolonie am Großen Wannsee, wie hier suggeriert wird. Die Bebauung mit Häusern von Rudervereinen neben dem Kleistgrabgelände erfolgte erst nach 1904.

Eine weitere Karikatur zum Kleistgrab von Friedrich Heubner (1886-1974) im *Simplicissimus* von 1912 »Bei Milliardärs« (Abb. 22)[40] geißelt vor allem Reiche, die glauben, daß man mit Geld buchstäblich alles kaufen kann, und gleichzeitig die unqualifizierte und oberflächliche Schwärmerei für Kleist. In einem großzügigen Saal mit Deckenmalerei und Kamin steht ein Flügel, auf dem das Kleistgrab mit Erde, Bäumen, Büschen und Gitter aufgebaut ist. Die Tochter des Hauses erklärt stolz den staunenden Gästen: »Papa hat mir Kleists Grab kommen lassen – ich schwärme so für ihn.«

Der Illustrator und Bühnenbildner Volker Pfüller (geb. 1939) hat 1987 ein Bilderbuch herausgegeben, in dem er 22 kurze Nonsense-Verse und Wortspielereien niederschrieb, die jeweils von einem meist starkfarbigen Bild begleitet werden.[41] Es geht

39 Kleist's Grab. (Im neuen Villenviertel von Wannsee.). In: Lustige Blätter (Berlin) 19 (1904) Nr. 15 vom 13. 4. 1904.

40 Bei Milliardärs. Karikatur in: Simplicissimus 16 (1911/12) H. 46 vom 19. Februar 1912, S. 815. Monogr.r.o.: FH / 12 -

41 Pfüller, Volker: Musenküsse. 22 Verse. Mit Bildern. Augsburg 1987. O. Pag. [24 Bl.] – »Musenküsse« erscheint in einer einmaligen, numerierten und signierten Aufl. von 500

teils um Menschen, teils um Tiere. Einige Dargestellte sind beim Namen genannt, so auch Kleist (Abb. 23). Er wirkt inmitten des lustigen Bilderbuches seltsam fremd, da bei ihm keine Verzerrungen oder Übertreibungen festzustellen sind. Der Künstler hat sich am Gefangenschaftsbild Kleists orientiert und hat sogar dessen Achteckigkeit angedeutet.[42] Eine Spur von Nonsense kommt nur durch den Vers zum Tragen, den Pfüller dem Porträt beigegeben hat:

> Von Heinrich von Kleist
> weiß man nicht, wie er ausssah [!],
> nur wie er heißt.

Ein anderer Nonsense-Zeichner und Dichter hat sich dagegen viel mit Kleist beschäftigt, Robert Gernhardt (1937-2006). Bereits 1976 schuf er seine kleine Zeichnungsfolge »Reiselust« (Abb. 24),[43] in der Kleist als kleiner dicklicher Mann verreisen will, sein Haus verläßt und einen Zettel an die Tür hängt, um dies allgemein kundzutun. Während Gernhardt hier auf die vielen Reisen Kleists anspielt und »Kleist« auf »verreist« reimt, geht es ihm in seinem Buch von 1995 *Wege zum Ruhm* um Kleists Tod.[44] Gernhardt gibt in diesem Buch seinem Patensohn Ratschläge, was er alles beachten muß, um ein erfolgreicher Schriftsteller zu werden, und entlarvt dabei den gesamten Literaturbetrieb schonungslos. Die in Zeichnungen dargestellten Personen sind immer nur als Beinpaar abgebildet (Abb. 25). Gernhardt persifliert damit Wegweiser, die Wanderwege auf diese Weise gekennzeichnet hatten. Zum Schluß seines Buches erörtert er auch die Möglichkeit, durch einen spektakulären Tod berühmt zu werden. Er schildert eine frühere Wanderung auf den Spuren Tucholskys mit den damaligen Wanderkameraden F. W. Bernstein und F. K. Waechter, den befreundeten Zeichnern aus der »Neuen Frankfurter Schule«. Als er auf seiner Wanderung alleine bleibt und an eine hohe Felsnase kommt, die über einen Abgrund hinausragt, taucht plötzlich Tucholsky mit Bernstein und Waechter zusammen auf und fordert sie auf, sich von dem Felsen zu stürzen, denn nach dem Tod werde der Felsen nach demjenigen benannt. Daraufhin wollen alle drei unbedingt als erste springen, aber letztendlich hält sie Tucholsky doch zurück. Die Textzeichnung nimmt auf diese Situation Bezug und zeigt gleichzeitig, wie Tucholsky, der sich in seinem Abschiedsbrief auf Kleists Abschiedsbrief bezogen hatte, in der Nachfolge Kleists in den Tod springt. Auf dem Buchumschlag befindet sich eine auf diesen Sprung reduzierte Zeichnung seitenverkehrt und in farbiger Fassung. Bei der Textillustration befinden

---

Ex. Die 22 Illustrationen, sowie der Umschlagaufkleber, sind Original-Druckgraphiken (Offset-Lithographien).

42 Abb. s. Kleist-Bildnisse von Peter Friedel bis André Masson. Sonderausstellung des Kleist-Museums, 15. Oktober 2000 – 30. Juni 2001. Kleist-Museum Frankfurt (Oder). Mit Erl. und e. Essay von Barbara Wilk-Mincu. Red.: Wolfgang Barthel. Frankfurt (Oder) 2000, S. 13.

43 Gernhardt, Robert u. F. W. Bernstein: Besternte Ernte. Gedichte aus 15 Jahren. Frankfurt a. M. 1976.

44 Gernhardt, Robert: Wege zum Ruhm. 13 Hilfestellungen für junge Künstler und 1 Warnung. Zürich 1995.

sich Bernstein und Waechter noch auf einer Treppe, deren Stufen »Reden, Schreiben, Schweigen« heißen. Es handelt sich um die berühmte Treppe Tucholskys, die er in seinem Sudelbuch, einem Tagebuch, das er nach den Sudelbüchern Georg Christoph Lichtenbergs benannt hat, selbst gezeichnet hatte.[45] Man deutet diese Treppe als den Weg des Schriftstellers.

Auf einer weiteren Zeichnung tritt Kleist nicht einmal mehr als Beinpaar, sondern gar nicht mehr auf (Abb. 26). Sie betrifft auch eigentlich Kafka. Der Dichter wird in Rückenansicht sitzend mit großen abstehenden Ohren gezeigt, neben ihm ein großer Käfer, der ihn umarmt, eine Anspielung auf Kafkas Erzählung *Die Verwandlung*. Die Zeichnung heißt jedoch: »Kafka liest Kleist.« So kommt wiederum Kleist ins Spiel, den Kafka, wie er in einem Brief an Felice Bauer schreibt, zu seinen Blutsverwandten zählt.[46] Die Zeichnung gehört zu der Grafikfolge *Deutsche Leser*, die Gernhardt 1986 für die Literaturbeilage der *ZEIT* geschaffen hatte.[47]

Rainer Ehrt (geb. 1960) hat 1994 satirische Grafiken zu Preußen unter dem Titel *Preußisches Narrenschiff* ausgestellt und in einem Katalogbuch veröffentlicht. Er geißelt darin besonders den preußischen Militarismus. Kleist, der auch dargestellt ist (Abb. 27), stellt darin eher ein positives Beispiel dar, da er dem Militär abgeschworen hatte. Aber Ehrt stellt ihn auch dar als vom Militär weiterhin Bedrängten, da der Soldat mit Stechschritt und Regimentsfahne immer noch, vielleicht sogar in seinen Gedanken, vorhanden ist. Die Kragenecken, die an den erst später üblich werdenden sogenannten »Vatermörder« erinnern und auf Kleists Augen gerichtet sind (eines scheint bereits ausgestochen zu sein), symbolisieren zusammen mit dem Soldaten die Bedrohung durch den preußischen Militarismus. In dem drei Jahre später herausgegebenen Büchlein *Preußisches Panoptikum* wiederholen sich einige der Grafiken, andere sind verändert, so auch Kleist (Abb. 28). Der Soldat tanzt ihm jetzt sogar auf dem Kopf herum. Verzerrt ist die Darstellung Kleists nicht, nur ein wenig in Untersicht dargestellt.

Die Zeichnung des amerikanischen Karikaturisten David Levine (geb. 1926) von 1982 (Abb. 29) ist eine der wenigen wirklichen Karikaturen Kleists.[48] In der üblichen Manier sitzt Kleist mit großem Kopf auf kleinem Körper an einem Tisch. Sein

---

45 Tucholsky, Kurt: Sudelbuch. Reinbek b. Hamburg 1993. Zeichnung auf der letzten ungezählten Seite. Allerdings heißt es bei Tucholsky: Sprechen, Schreiben, Schweigen.

46 Brief an Felice Bauer vom 2. 9. 1913: »Sieh, von den vier Menschen, die ich (ohne an Kraft und Umfassung mich ihnen nahe zu stellen) als meine eigentlichen Blutsverwandten fühle, von Grillparzer, Dostojewski, Kleist und Flaubert, hat nur Dostojewski geheiratet, und vielleicht nur Kleist, als er sich im Gedränge äußerer und innerer Not am Wannsee erschoß, den richtigen Ausweg gefunden.«

47 «Kafka liest Kleist« aus der Reihe »Deutsche Leser« in: Die Zeit (Hamburg) vom 5. 12. 1986, Literatur S. 7.

48 Federzeichnung, 34,9 x 27,9 cm, sign.u.dat.unten Mitte: D. Levine 82 – Zuerst veröffentlicht bei: Schwartz, Sanford: The Prince of Pure Feeling. In: The New York Review of Books 29 (1983) Nr. 21 & 22 vom 20. 1. 1983 = Rezension von: An Abyss Deep Enough. Letters of Heinrich von Kleist with a Selection of Essays and Anecdotes ed. and transl. by Philip B. Miller. New York 1982.

Gesicht scheint von einer Hautkrankheit entstellt zu sein, und er versteckt sich fast hinter einem riesigen Kragen. Dennoch schaut er den Betrachter mit großen Augen direkt und intensiv an.

Der italienische Karikaturist, Maler und Zeichner Tullio Pericoli (geb. 1936) hat jahrelang für die Literaturzeitschrift *L'Indice* Schriftstellerporträts gezeichnet. Auch sein erstes Kleistporträt erschien 1989 in dieser Zeitschrift. Er hat sich dazu das zweifelhafte Bildnis aus der Berliner Staatsbibliothek[49] als Vorbild genommen und dessen Merkmale verstärkt, so daß Kleist wie geschminkt aussieht. Ganz ähnlich ist das Porträt, das er dann in seiner berühmten Porträtsammlung *I ritratti* 1989 veröffentlicht hat (Abb. 30). Im Besitz von Burkhard Wolter gibt es eine Bleistiftzeichnung, die wahrscheinlich die Vorzeichnung zu dieser Darstellung ist.

Zwei weitere Karikaturen stammen von dem brasilianischen Karikaturisten Loredano (wirklicher Name: Silva Loredano Cássio, geb. 1948). 1984 lebte Loredano in Europa, wo er bereits in den Jahren davor auch für mehrere deutsche Zeitungen arbeitete. Zu einem Artikel in der FAZ gestaltete er eine Kleist-Karikatur nach der Miniatur (Abb. 31),[50] und bei einem Aufenthalt in Deutschland 2001 zeichnete er spontan eine Karikatur ebenfalls nach der Miniatur auf einen abgerissenen Zettel und widmete das Blatt dem Kleist-Museum.[51] Er übertreibt Kleists kugelförmigen Kopf und stattet ihn mit einem winzigen Mündchen aus. Das eine riesige Auge ist eine Spezialität, die er bei allen Karikierten anwendet, und sozusagen sein Erkennungszeichen. Auf dem Zettel hat er die ovale Form der Miniatur beibehalten.

In den letzten Jahren sind einige Kleist-Porträts geschaffen worden, die, wahrscheinlich ungewollt, karikaturistische Züge zu tragen scheinen. Bei näherer Betrachtung stellt man fest, daß das jeweilige Kleist-Porträt Merkmale zeigt, die der Künstler auf alle von ihm dargestellten Personen anwendet. Diese Porträts sind nicht einmal sofort als Kleist-Bildnisse zu erkennen. Erkennbarkeit ist jedoch eine wichtige Voraussetzung der Karikatur, wie wir oben ausgeführt haben, da sonst auch die Kritik und der Spott ins Leere gehen.

Dagegen versucht der junge Künstler Thomas Leibe (geb. 1977) in seinem Gemälde von 2002 wiederum mit einer anderen Art der Verzerrung eine Karikatur Kleists zu schaffen (Abb. 32). Er drückt das Gesicht des Porträtierten zusammen, so daß man es noch einigermaßen als Kleist erkennt. Auch die Buchstütze von Bernhard Siller (geb. 1952) will ausdrücklich eine Karikatur sein (Abb. 33). Der Künstler bedient sich wiederum der bereits im 19. Jahrhundert angewendeten Methode des großen Kopfes auf kleinem Körper und gibt Kleist als Erkennungszeichen einen zerbrochenen Krug in die Hand. Der Künstler hat sich völlig auf derartige Buchstützen

49 Abb. s. Kleist-Bildnisse 2000 (wie Anm. 42), S. 9.

50 Kleist-Karikatur zu Walser, Martin: Die uns beleben, das sind Klassiker. Von der Brauchbarkeit unserer Dichter und Denker. In: FAZ Nr. 294 vom 29. 12. 1984, Bilder und Zeiten. Außerdem sind Goethe, Schiller und Heine dargestellt.

51 Federzeichnung auf abgerissenem und auf der Rückseite bereits benutztem Blatt Papier. 25 x 16,5 cm. Dat.l.u. [Tinte]: 3.IV.2001 – Bez.u.sign.darunter: Nach dem Bildnis von 1801. Für das Kleist-Museum Frankfurt an der Oder. Loredano, Rio de Janeiro –

spezialisiert, die er in sehr großer Zahl vor allem zu Größen der Kultur anfertigt und vertreibt, und bleibt damit im Bereich des Kunstgewerbes.

Die Nicht-Erkennbarkeit Kleists bei verzerrter Darstellung und das Problem, ihn zu karikieren, liegt wahrscheinlich daran, daß wir als Vorlage im wesentlichen nur das Jugendbild kennen, auf dem das jugendliche Gesicht keine auffallenden Besonderheiten aufweist, die man übertreiben könnte. So fiel Kleist immer wieder aus den Karikaturen heraus. Sowohl auf den Gruppenporträts als auch in satirischen Illustrationszyklen wirkte er als einziger unverzerrt und wurde meist nach dem Vorbild der Friedel-Miniatur, nur selten nach anderen Vorbildern dargestellt. Meist war Kleist gar nicht der Kritisierte, sondern das »Opfer«, er wurde von Theatern falsch oder gar nicht aufgeführt, von Künstlern nicht angemessen dargestellt, seine Ratschläge wurden nicht angehört, sein Grab pietätlos behandelt. Fast ausschließlich die großen internationalen Karikaturisten sahen sich in der Lage, Kleist zu karikieren, in seinem Heimatland ist er vielleicht immer noch unangreifbar und schwer zu fassen. Sehen wir uns ein letztes Beispiel an:

Achtung! Lesen gefährdet Ihre Dumheit [!] nannte F. W. Bernstein (geb. 1938) sein satirisches »Autorenalphabet« von 1996, in dem er Autoren-Karikaturen alphabetisch anordnete.[52] Manchmal wurden sie szenisch ein wenig erweitert oder durch einen Vers ergänzt. Nur Kleist fällt wieder aus dem Rahmen. Die Zeichnung heißt »Heinrich v. Kleists Ende« und stellt den soeben erfolgten Doppelselbstmord dar (Abb. 34). Die Darstellung ist wie eine Miniatur einem Oval eingeschrieben. Kleist und Henriette Vogel liegen als ganz kleine Figürchen und kaum sichtbar im Hintergrund, noch dazu hinter einem Baum. Die Bildmitte in der verschneiten Landschaft nimmt ein Rabe, der Todesvogel, ein. Eine Karikatur kann man das sicherlich nicht nennen. Der Künstler selbst gab eine Kapitulation vor der Aufgabe, Kleist zu karikieren, im Gespräch zu und behalf sich deshalb mit dieser Darstellung.[53] Dem Buch ist eine »Bitte um Nachsicht« vorangestellt:

> Wie war es vorgeschrieben? Alphabetische Reihe!
> Ordnen die Dichter sich ein? Einige! Einige nicht!

Kleist ordnete sich offensichtlich nicht ein.

*

Der Aufsatz ist die überarbeitete und erweiterte Fassung eines Vortrages beim Kleist-Salon in Frankfurt (Oder) während der Tagung der Kleist-Gesellschaft im November 2008 in Berlin.

52 Bernstein, F. W.: (Achtung!) Lesen gefährdet Ihre Dumheit [!]. Ein Autorenalphabet mit Leserstimmen und einem Vorwort von Hans Traxler. Zürich1996.

53 Mündlich gegenüber Burkhard Wolter.

Abb. 1: W. Rosch: Käthchen 1925, Zeichnung, aus Lene Voigt, Säk`sche Glassigger, Hamburg 1979, S. 48.

Abb. 2: W. Rosch: Hermannsschlacht 1925, Zeichnung, aus Lene Voigt, Säk`sche Glassigger, Hamburg 1979, S. 132.

Abb. 3: E. Penzoldt: Käthchen 1932, Eiweißlasuren und Tusche auf Glas, aus Eugen Roth: Die Frau in der Weltgeschichte, München 1990, S. 114.

Abb. 4: K. Schaper: »An Käthchen von Heilbronn« 1972, Holzbrief, aus K. Schaper, Unter diesen Umständen, Ausstellung Ludwigshafen 1986, S. 25.

Abb. 5 und 6: K. Schaper: »An Michael Kohlhaas« 1973, Holz, geschnitzt, bemalt. Von Schapers Sohn, Hans Schaper, freundlich zur Verfügung gestellt.

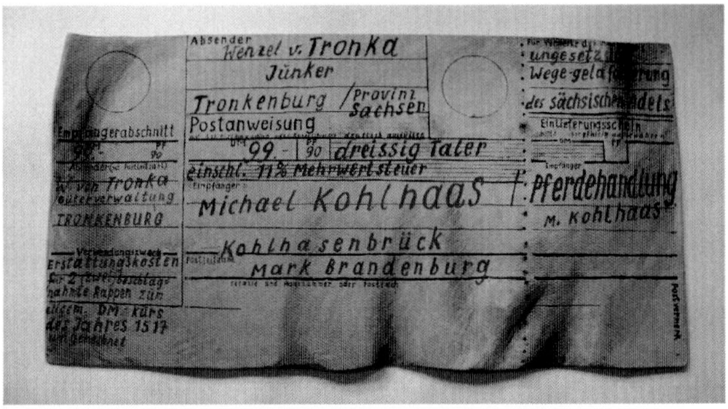

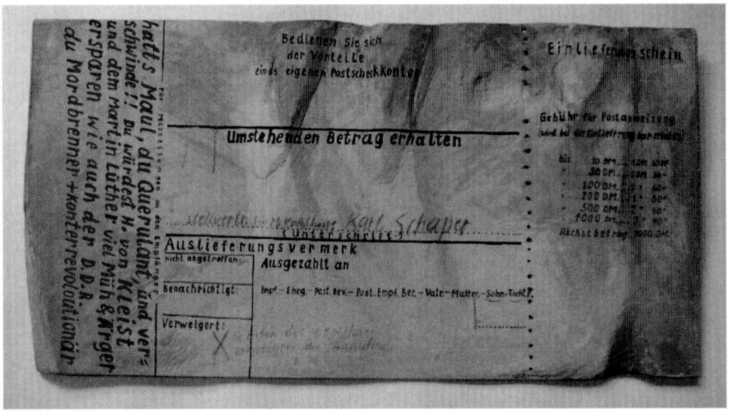

Abb. 7: Oskar: Käthchen, Zeichnung, aus Felix Knemöller, Schulzes schelmischer Schauspielführer, Freiburg i.Br. 1984, S. 153.

Abb. 8: Oskar: Käthchen, Zeichnung, aus Felix Knemöller, Schulzes schelmischer Schauspielführer, Freiburg i.Br. 1984, S. 161.

Abb. 9: Oskar: Prinz von Homburg, Zeichnung, aus Felix Knemöller, Schulzes schelmischer Schauspielführer, Freiburg i.Br. 1984, S. 171.

Abb. 10: Oskar: Prinz von Homburg, Zeichnung, aus Felix Knemöller, Schulzes schelmischer Schauspielführer, Freiburg i.Br. 1984, S. 181.

Abb. 11: B. Velten: »Heilbronner Käthchen so oder so?«, aus Heilbronner Tagblatt, Beil. Heilbronner Chronik, vom 3. 9. 1936, S. 5.

Abb. 12: M. Sowa: »Käthchen von Heilbronn« 1988, Acryl auf Papier, aus M. Sowa, Bilder aus zwei Jahrhunderten. Ausstellung Hannover 1992, Zürich 1992, Farbabb. Nr. 6.

Abb. 13: P. S[immel?]: »Penthesilea.« aus Lustige Blätter (Berlin) 26 (1911) H. 47, S. 7.

Abb. 14: K. Lang (?): »Le Tableau parlant du XIX. Siècle, ou le Nouvel Âge d`Or« 1802, farbiger Kupferstich, aus H. Häker, Kleists Berliner Aufenthalte. Berlin 1989, Abb. 31, S. 34.

Abb. 15: W. Schulz: »Deutsches Theater«, aus Simplicissimus 27 (1922/23) H. 9 vom 31. 5. 1922, S. 120.

Abb. 16: E. Schilling: »Simpl-Woche: Literaturgrößen« aus Simplicissimus 32 (1927/28) H. 32 vom 7. 11. 1927, S. 431.

Abb. 17: »Unwillkommener Besuch in der Preußischen Dichter-Akademie«, aus Kladderadatsch (Berlin) 80 (1927) Nr. 45 vom 6. 11. 1927.

Abb. 18: R. Bittner: »Club der toten Dichter« 1994, Aquarell, Bleistift, Feder. © Ralph Bittner. Abdruck mit freundlicher Erlaubnis des Künstlers.

Abb. 19: G. Brandt: »Ick hatte doch eben `n Jedanken; nu is er mir entfallen.«, aus V. Laverrenz, Die Denkmäler Berlins und der Volkswitz. N. F. Berlin, Bd 2, 1900, S 84.

Abb. 20: K. Pracht: Kleist-Herme 1899, Marmor, Viktoria-Park, Berlin-Kreuzberg, Original jetzt im Hof der Leibniz-Oberschule.

Abb. 21: »Kleist`s Grab. (Im neuen Villenviertel von Wannsee.)« aus Lustige Blätter (Berlin) 19 (1904) Nr. 15 vom 13. 4. 1904.

Abb. 22: F. Heubner: »Bei Milliardärs« aus Simplicissimus 16 (1911/12) H. 46 vom 19. 2. 1912, S. 815.

Abb. 23: V. Pfüller: Kleist, Offsetlithographie, aus V. Pfüller, Musenküsse. Augsburg 1987, o. Pag.

Abb. 24: R. Gernhardt: »Reiselust« 1976, Zeichnung, aus R. Gerhardt und F. W. Bernstein: Besternte Ernte, Frankfurt am Main 1997.

Abb. 25: R. Gernhardt: Sprung vom Felsen 1994, Zeichnung, aus R. Gernhardt: Wege zum Ruhm, Frankfurt am Main 1999, letzte S.

Abb. 26: R. Gernhardt: »Kafka liest Kleist« 1986, Zeichnung, aus R. Gernhardt, Vom Schönen, Guten, Baren. Zürich 1997, S. 295.

Abb. 27: R. Ehrt, Heinrich von Kleist 1994, Radierung/ Aquatinta, aus R. Ehrt, Ein preußisches Narrenschiff, Potsdam 1996, S. 11.

Abb. 28: R. Ehrt, Heinrich von Kleist 1997, Feder in farbiger Tusche, Acryl auf Karton, aus R. Ehrt, Preußisches Panoptikum, Berlin 2001, o.Pag.

Abb. 29: D. Levine: Kleist 1982, Federzeichnung, aus New York Review of Books 29 (1983) Nr. 21 & 22 vom 20. 1. 1983.

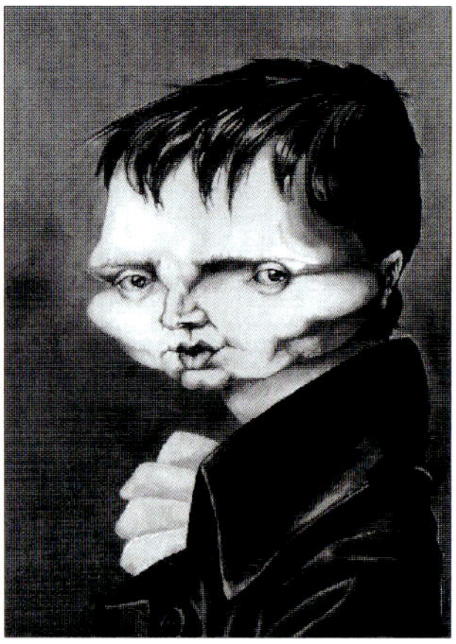

Abb. 30: T. Pericoli: Kleist 1989, Pastell, aus T. Pericoli, I ritratti. Milano 2002, Nr. 294.

Abb. 31: Loredano: Kleist 1984, Zeichnung, aus FAZ Nr. 294 vom 29. 12. 1984, Bilder und Zeiten.

Abb. 32: T. Leibe: Kleist-Karikatur 2002, Acryl auf Karton, schwarz-weiß, aus Märkische Oder-Zeitung vom 24. 4. 2002, S. 12.

Abb. 33: B. Siller: Kleist-Karikatur 2002, Buchstütze, Bild auf Holz aufgezogen auf Metall-Standfuß.

Abb. 34: F. W. Bernstein: »Heinrich v. Kleists Ende«, Zeichnung, aus F. W. Bernstein, »(Achtung!) Lesen gefährdet Ihre Dumheit[!]«, Zürich 1996, o. Pag.

DORIS FOUQUET-PLÜMACHER

KLASSIKERAUSGABEN IM NATIONALEN KULTURERBE: DAS BEISPIEL HEINRICH VON KLEIST

INHALTSÜBERSICHT

ZUSAMMENFASSUNG

Die vorliegende Arbeit untersucht am Beispiel von Heinrich von Kleist einen bisher wenig beachteten Aspekt der bürgerlichen Klassikrezeption, die sog. Klassiker-, Lese- oder Volksausgaben. Erschienen sind diese Ausgaben massenhaft, als Text (keine historisch-kritische Ausgabe) und als Buch (häufig schlechtes Papier, industriell hergestellte Einbände) sind sie geringgeschätzt und bibliographisch nur äußerst mangelhaft nachgewiesen. Nirgendwo, weder in der National- noch in der Kleist-Bibliographie, gibt es einen Nachweis darüber, wie häufig diese Ausgaben überhaupt erschienen sind. Für die Bewertung der Rezeption ist der Nachweis ihrer tatsächlichen Menge jedoch unverzichtbar.
Die Untersuchung leistet keinen Beitrag zur Kleistschen Textgeschichte oder Interpretation, sie sammelt vielmehr die materielle Grundlage für die Wirkungsgeschichte Kleists im bürgerlichen Lager. Sie weist die für das Bildungsbürgertum tatsächlich erschienenen Drucke exemplarisch anhand von drei Kleist-Klassikerausgaben im Zeitraum 1886 bis etwa 1930 nach. Die Ausgaben mußten zu diesem Zweck zum größten Teil überhaupt erst einmal gesammelt werden, da außer dem kleinen Bestand im Kleist-Museum Frankfurt (Oder) in den öffentlichen Bibliotheken kaum etwas zu finden ist. Die Zahl der tatsächlich erschienenen Ausgaben ist etwa um das 30fache höher als bekannt (Stand Februar 2009, die Sammlung wird fortgesetzt).
Es handelt sich um folgende drei Ausgaben: 1. die mit der Einleitung von Monty Jacobs (1904/05ff.), 2. die mit der Einleitung von Rudolph Genée (1886ff.) und 3. die mit der Einleitung bzw. herausgegeben von Karl Siegen (1895ff.). In allen Fällen sind es klassische Volksausgaben: das Kleistsche Werk erscheint mit einer guten Einleitung zu erschwinglichem Preis in einem (Buchbinder-)Band in einem schönen Einband. Die Einleitungen zeichnen das Bild des Dichters auf dem Stand des Wissens und der Einschätzung ihrer Zeit. Für Genée (1886) steht Kleist trotz »seiner außerordentlichen dichterischen Kraft [...] nicht ebenbürtig neben Lessing, Herder, Goethe oder Schiller«, sondern gilt »als der weitaus größte, aber auch unglücklichste der Romantiker«. Für Siegen (1895) gilt Kleist bereits »als der bedeutendste deut-

sche Dichter nächst Goethe und Schiller«. Bei M. Jacobs (1904/05) »hat die deutsche Nation doppeltes Unrecht zu sühnen [...] am lebenden wie am toten Dichter«.
1. Die Kleist-Ausgabe des Verlages Th. Knaur Nachf. Berlin Leipzig ist von 1901 bis 1905 in mindestens vier Ausgaben ohne Einleitung erschienen (bibliographisch nicht nachgewiesen). Die Ausgabe mit der Einleitung des Theaterkritikers Monty Jacobs (Stettin 1875 - 1945 London) ist in der Nationalbibliographie mit einem einzigen Exemplar verzeichnet: »[um 1925]«. Erschienen sind jedoch ab ca. 1904/05 bis Anfang der 1930er Jahre über 30 Ausgaben (unten im Katalog: 33, Stand Juni 2009: 42).
2. Die Kleist-Ausgabe von Rudolf Genée (Berlin 1824 - 1914 Berlin) erschien von 1886 bis Ende der 1920er Jahre in neun verschiedenen Verlagen in über 40 Ausgaben, von denen lediglich zwei in der Nationalbibliographie nachgewiesen sind: Verlag Warschauer 1888 und Verlag Weichert 1911. Kennzeichnend sind die neuen Vertriebswege der »Ware« Klassikerausgabe: 1. die Nähe zum Kolportage-Vertrieb (Verlag Weichert Berlin), 2. das Angebot in kleinen Verlagsbuchhandlungen mit ausschließlich gut gängigen Büchern und 3. der Buchverkauf im Warenhaus (Wertheim mit dem Verlag Globus).
3. Die Kleist-Ausgabe des Kleist-Forschers Karl Siegen (1851-1917) erschien ab 1895 mit einer kleinen Einleitung bei Gustav Fock Leipzig, ab 1898 mit einer umfangreichen Einleitung bei Max Hesse Leipzig. Von 1895 bis 1911 sind fünf Ausgaben offiziell nachgewiesen, erschienen sind mindestens 35. Ab 1914 folgen Auswahlbände eines neuen Stils.
Die Philologie hat an diesen Klassikerausgaben kein Interesse, denn es handelt sich dabei um Stereotypdrucke ohne den geringsten editorischen Belang. So wurden sie auch in den Bibliotheken nicht geachtet und in der Nationalbibliographie nur mangelhaft erfaßt. An ihrer Zahl ist aber der Umfang der Wirkungsgeschichte erkennbar: Der Zuspruch zu den Kleist-Ausgaben war in bildungsbürgerlichen Kreisen über 30mal größer als bibliographisch nachgewiesen! Der Katalog weist die Ausgaben mit Einband, Vorsatz, Titelblatt und Beschreibung nach. So lassen sich die bürgerliche Kleist-Rezeption und die Position Kleists im Klassikerkanon genauer dokumentieren.
Kleist in der Nationalbibliographie: Die Aufgabe, das gedruckte kulturelle Erbe des deutschen Sprachraums vollständig zu erfassen, ist – infolge des historisch bedingten Mangels einer zentralen Deutschen Nationalbibliothek – im nationalbibliothekarischen Unternehmen der *Sammlung Deutscher Drucke* (AG-SDD) auf verschiedene Bibliotheken mit jeweiligen Bestandsschwerpunkten übertragen worden. Für die vorliegende Zeit sind es die Staatsbibliothek zu Berlin (Zeitsegment 1871 - 1912) und die Deutsche Bücherei/Deutsche Nationalbibliothek Leipzig-Frankfurt a. M. (Zeitsegment 1913ff.). Auch hier gilt: es muß über den nationalbibliographischen Nachweis nur eines Druckes/eines Textes hinausgegangen werden. Nur so lassen sich alle im deutschen Sprachbereich erschienenen Drucke tatsächlich erfassen.
Die Untersuchung, die seit März 2009 im Netz steht, richtet sich an zwei Adressaten: an die Kleistphilologie und an die National- bzw. Fach-Bibliographie. Für den Druck wurde diese neue Zusammenfassung für die Kleist-Philologen geschrieben.
http://edocs.fu-berlin.de/docs/receive/FUDOCS_document_000000001249

1. EINLEITUNG

Die Anregung zu dieser Untersuchung entstand im Laufe von Jahren bei der Beschäftigung mit Verlagseinbänden. Sie konkretisierte sich bei der Erarbeitung der Verlagseinband-Datenbank der Freien Universität Berlin (ved http://amun.ub.fu-berlin.de/ved/search.php). Der Verlagseinband ist der seit Mitte des 19. bis ins frühe 20. Jahrhundert in Großbuchbindereien industriell hergestellte Einband, als Fabrikerzeugnis und wegen seiner farbigen Erscheinung im Stil des Historismus oder des Jugendstils ein Stiefkind der Einbandforschung. Im Begleit-Aufsatz zur Verlagseinband-Datenbank war als Beispiel für die Notwendigkeit der Erfassung auch des Einbandes als eines wesentlichen Elementes des Buches die zeittypisch ungenügende bibliographische Erfassung der Kleist-Ausgabe des Verlags Th. Knaur Nachf. Berlin Leipzig genannt.[1] Diese wird hier ausführlich dargestellt. Zur Ergänzung werden zwei weitere typische Kleist-Klassikerausgaben der damaligen Zeit, die mit den Einleitungen von Rudolph Genée und von Karl Siegen, hinzugezogen.

Die Untersuchung war/ist nur anhand einer kleinen Privatsammlung von Kleist-Ausgaben im Verlagseinband möglich, da es nirgendwo einen genauen Nachweis darüber gibt, wie viele Kleist-Drucke überhaupt erschienen sind, und ein größerer derartiger Bestand in keiner öffentlichen Einrichtung bekannt ist.[2] Da die Zahl der tatsächlich erschienenen Ausgaben unbekannt ist, muß bei der Anzahl der Drucke der Monty-Jacobs- wie auch bei den beiden anderen Kleist-Ausgaben vorläufig bei jeder Zählung stets ein »mindestens« eingefügt werden. Klassiker-Ausgaben befinden sich nicht häufig in öffentlichem Besitz: wissenschaftliche Bibliotheken kauften sie in der Regel aufgrund der mangelnden Textqualität (keine historisch-kritischen Ausgaben) nicht; Stadtbibliotheken kauften sie zwar als Leseausgaben, entsorgten sie aber nach Abnutzung.[3] Bibliotheken haben, wenn überhaupt, nur ein Exemplar gekauft, jedes weitere galt als Dublette und ist in der Regel textlich gesehen eine solche. Ein gewisser Bestand an Kleist-Ausgaben befindet sich infolgedessen nur in

1 Fouquet-Plümacher, Doris und Leon Krauthausen: Verlagseinband digital. http://edocs.fu-berlin.de/docs/receive/FUDOCS_document_000000000099, Anm. 9

2 Die vorliegende Privatsammlung ist in der ved erfaßt und über die Universitätsbibliothek der Freien Universität Berlin zugänglich.

3 Ein herzlicher Dank an die Bibliotheken, die mir mit Auskünften halfen. Diese Art Altbestand ist häufig noch nicht online zugänglich, so daß meist eine Suche im jeweiligen Zettel- oder Mikrofichekatalog notwendig war. Auch in Onlinekatalogen ist die Treffsicherheit nicht immer gegeben, da nach den alten Erfassungsregeln (den Preußischen Instruktionen) eine Einleitung nicht in die Titelaufnahme aufgenommen wurde. So erscheinen in den Katalogen der großen Bibliotheken die Aufnahmen ohne die Verfasser der Einleitung (so z. B. die Monty Jacobs-Ausgaben in den Katalogen der Staatsbibliothek zu Berlin [Signatur: 653291] und der Freien Universität Berlin [88/2006/ 20155]). Die Recherche im KVK ist nur von eingeschränktem Erfolg, da entweder die Katalogaufnahmen Angaben nicht oder nur verkürzt enthalten bzw. die Suche bestimmter Felder nicht unterstützt wird. Außerdem führt die Katalogaufnahme der vier gezählten Bände in einem Buchbinderband immer wieder zu Irritation.

einer Spezialsammlung: im Kleist-Museum Frankfurt (Oder), das neben der eigenen Sammlung auch den Nachlaß von Georg Minde-Pouet als Dauerleihgabe hütet.[4]

Die Rezeption von Heinrich von Kleist seit seinen Lebzeiten sowie das auf dem Hintergrund der schwierigen Überlieferung mühsame Entstehen der kritisch verantworteten Editionen sind, wie auch die Wirkungsgeschichte auf dem Theater, gut untersucht und dokumentiert.[5] Die Kleistschen Klassiker-Ausgaben, die ohne editorischen Ehrgeiz die bekannten Werke (ohne die Briefe) in einem handlichen Band in ansprechendem äußeren Gewand anbieten, sind als wesentliche Zeugnisse der bürgerlichen Kleist-Rezeption seit dem Ende des 19. Jahrhunderts bisher unbeachtet geblieben. Im Kontext der Editionsgeschichte werden sie nur gestreift.[6] Sie müssen jedoch überhaupt erst einmal erfaßt und dargestellt werden. Niemand kennt sie. Monty Jacobs schreibt in seiner Einleitung zur Kleist-Ausgabe: »Ausgaben über Ausgaben dringen ins Volk und immer neue Hände strecken sich in begierigem Verlangen den unerlöschlich funkelnden Schätzen entgegen.« (S. VI bzw. IV) Heute sind diese Klassikerausgaben, die »unerlöschlich funkelnden Schätze« des Kleistschen Werkes, in öffentlichen Bibliotheken kaum zu finden und bibliographisch nur mangelhaft zu ermitteln. So sei der Versuch unternommen, sie am Beispiel dreier typischer Ausgaben exemplarisch darzustellen.

2. DIE KLEIST-AUSGABE DES VERLAGS TH. KNAUR NACHF. MIT DER EINLEITUNG VON MONTY JACOBS

Die Kleist-Ausgabe des Berliner Verlags Th. Knaur Nachf. mit der Einleitung des Theaterkritikers Monty Jacobs ist nach Ausweis der Nationalbibliographie einmal [um 1925] herausgekommen. Tatsächlich erschienen ist sie jedoch von ca. 1904/05 bis Anfang der 1930er Jahre über 30mal.

Der Verlag: Theodor Knaur war Leipziger Verleger und Besitzer einer Großbuchbinderei. Die Buchbinderei war 1846, der Verlag 1884 gegründet worden. Er war damit in der Verbindung von Verlag und herstellendem Betrieb ein »gemischter Betrieb«.[7] 1901 wurde der Verlag verkauft, die Großbuchbinderei wurde unter dem

4 Ein herzlicher Dank an Hans-Jürgen Rehfeld, Kleist-Museum Frankfurt (Oder), für freundliche Unterstützung und Hilfe. Ein ebenfalls herzlicher Dank an Günther Emig, Kleist-Archiv Sembdner Heilbronn, für die Einsicht in die Liste der Kleistschen Primärliteratur bis 1945 (Stand August 2008), zur Verfügung gestellt wurden Scans der dort vorhandenen Monty Jacobs-Ausgaben.

5 Sembdner, Helmut (Hrsg.): Heinrich von Kleists Lebensspuren. Heinrich von Kleists Nachruhm. (Dokumente zu Kleist. 1. 2.) Frankfurt/M. 1984 u. ö. – Kanzog, Klaus: Edition und Engagement. 150 Jahre Editionsgeschichte der Werke und Briefe Heinrich von Kleists. Berlin 1979. – Reeve, William C.: Kleist on Stage 1804 – 1987. Montreal 1993. – Orzechowski, Norbert: Kleists Dramen in den Bühnendekorationen des 19. und 20. Jhs. Diss. Freie Universität Berlin 1989. – Gute allgemeine Einführung: Müller-Salget, Klaus: Heinrich von Kleist. Stuttgart 2002 (Reclam).

6 Kanzog, Edition, Bd 1, S. 242ff. Die Ausgaben von Monty Jacobs und Rudolph Genée werden hier nicht genannt, da sie keine editionshistorische Bedeutung haben.

7 Das Literarische Leipzig. Ill. Handbuch der Schriftsteller- und Gelehrtenwelt, der Presse

angestammten Namen fortgeführt.[8] Th. Knaur hatte natürlich auch eine Kleist-Ausgabe in seinem Verlagsprogramm, eine einfache Textausgabe ohne Einleitung oder Herausgeber, die die Gedichte, Dramen und Erzählungen enthielt. Enthalten sind folgende Werke: Bd 1 bzw. 1-2: Gedichte und Fabeln. *Die Familie Schroffenstein. Der zerbrochene Krug. Amphitryon. Penthesilea. Das Käthchen von Heilbronn.* = 434 Seiten. Bd 2 bzw. 3-4: *Die Herrmannsschlacht. Prinz Friedrich von Homburg. Robert Guiskard.* Erzählungen = 379 Seiten. Die Gliederung erfolgt nach den Gattungen, wie üblich bei Gesamtausgaben stehen zunächst die Gedichte, dann die Dramen und zum Schluß die Prosa. Es fehlen Anekdoten, kleine Schriften *(Über die allmähliche Verfertigung der Gedanken beim Reden. Über das Marionettentheater),* politische Schriften sowie damals bekannte Texte aus den Berliner Abendblättern. Die Ausgabe enthält somit nicht *Sämtliche Werke,* entspricht jedoch dem damaligen Standard einer Volksausgabe. Editionsgeschichtlich ist sie natürlich ohne jeden Belang. Der Druck ist ein Stereotypdruck von Grimme & Trömel Leipzig, der Buchblock ist somit in allen Ausgaben stets derselbe. Dieser Stereotypdruck wird in der Ausgabe des Verlags Th. Knaur Nachf. übernommen und unverändert weiter erscheinen.

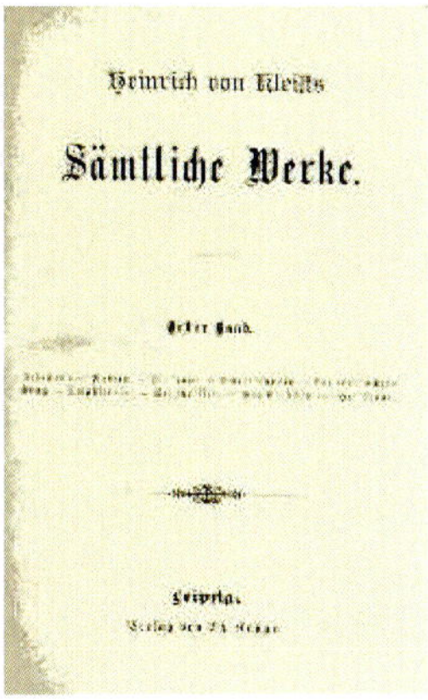

Die Ausgabe ist im Gesamtverzeichnis des deutschen Schrifttums (GV alt) einmal nachgewiesen: »Kleist's Heinr. v., sämtl. Werke, 2 Bde 8. (III, 434 u. III, 379 S.) Leipzig 898. Th. Knaur. 3.60; 3.90; 4.80; 5.40; 7.20; in 1 Bd 2.20; 2.40; 2.60; 3.-; 3.60; 4.20 u. 5.40«. Das sind fünf zwei- und sieben einbändige Ausgaben. Die Preise richten sich nach der Ausstattung. Zunächst einmal waren zweibändige Ausgaben teuer, da sie für den Einband das zweifache Material und die zweifache Arbeit forderten. Intern staffelte sich der Preis nach oben, beginnend bei der einfachen Broschur über den Halbgewebeband, (Ganz)Gewebeband, Halbleder- zum (Ganz)Lederband. Die Bandangaben der Klassikerausgaben generell führen immer wieder zu Verwirrung, da die Bände meist als inhaltliche

---

und des Verlagsbuchhandels in Leipzig. Leipzig 1897, S. 282 nennt als Verlagsrichtung von Knaur *Klassiker, Belletristik.* Jäger, Georg: Verbindung des Verlagbuchhandels mit herstellenden Betrieben - der »gemischte Betrieb« und der »Gesamtbetrieb«. In: Geschichte des Deutschen Buchhandels im 19. und 20. Jahrhundert. Das Kaiserreich 1870-1918, Teil 1. Frankfurt/Main 2001, S. 311ff. Ein Gesamtbetrieb mit allen Teilen der Produktion vom Buchdruck bis zur Buchbinderei war der Verlag A. Weichert Berlin (s. unten). Allgemein: Barbier, Frédéric: L'empire du livre. Le livre imprimé et la construction de l'Allemagne contemporaine (1815-1914). Paris 1995.

8 Seit 1886 führte Wilhelm Emil Otto Knaur († 1923) die Buchbinderei. »Meine Grossbuchbinderei, ausgestattet mit allen Neuerungen, Leistungsfähigkeit 2 000 000 Bände, halte ich für bestens empfohlen«, heißt es 1905 im Adreßbuch des Deutschen Buchhandels. 1931 erfolgte die Vereinigung mit der vormals bedeutenden Leipziger Buchbinderei Hübel & Denck, seither lautete der Name *Th. Knaur - Hübel & Denck.* Die Firma wurde ab 1953 nach Rechtsträgernachweis des Rates der Stadt Leipzig offiziell verwaltet und 1971 liquidiert. (Staatsarchiv Leipzig, Amtsgericht Leipzig, HRA A 1090).

(oft willkürliche) Einheit gezählt sind, ohne daß die reale Erscheinungsform der gebundenen Bände erkennbar ist. Die Kleist-Ausgaben erscheinen in der Regel als zwei oder vier gezählte Bände in einem Buchbinderband.

Die Einbände stammen natürlich sämtlich aus der verlagseigenen Buchbinderei. Bei zwei Gewebebänden lautet die Blindprägung auf der Hinterdecke: *THKNAUR DAMPFBUCHBINDEREI LEIPZIG.* Die Staffelung des Luxuriösen läßt sich an den Abbildungen gut verfolgen (siehe folgende Seite): oben links der wertvollste Band: Halbleder mit Schneckenmarmorpapier als Überzug für die Decken sowie als Vorsatz, der Schnitt ist kunstvoll im Schneckenornament dem Marmorpapier angepaßt. Daneben stehen die wegen des teuren Materials auch wertvollen Halblederbände, einer mit Marmorpapier-Überzug und einer mit Überzug aus geprägtem grünem Kaliko (Baumwollgewebe). Es folgt (untere Reihe links) der weniger wertvolle Halbgewebeband, der optisch und mit der Prägung des Gewebes auf dem Buchrücken und den Ecken den Halblederband nachbildet.[9] Die nächsten Einbände sind zwei normale, aufwendig bunt geprägte Gewebebände. Der rechts abgebildete Einband gehört, was den Wert wiederum erhöht, zu einer zweibändigen Ausgabe. In diesem Einband ist eine Reihe von Klassikern im Knaur Verlag erschienen.[10] Auch die mutmaßlich zweite Kleist-Ausgabe (ohne Einleitung) des Verlags Th. Knaur Nachf. hat diesen Einband (Katalog: Jacobs0.2).

Käufer des Knaur-Verlags war der Berliner Buchhändler G. Hendelsohn, der ihn als *Verlag Th. Knaur Nachf. Berlin Leipzig* am 18. 7. 1901 in Berlin ins Handelsregister eintragen ließ.[11] Ab 1902 gehörte Adalbert Droemer († 1939) zu den Mitarbeitern, der bis Anfang der 1920er Jahre als Reisebuchhändler Erfahrungen im Buchgewerbe sammelte und dann zusammen mit den beiden Söhnen des Seniorchefs Miteigentümer war. 1934 sahen sich die beiden Hendelsohn-Söhne aufgrund der politischen Lage unter den Nationalsozialisten zur Auswanderung in die USA gezwungen, so ging der Verlag 1934 vollständig in die Hände Adalbert Droemers über. Droemer bestimmte schon seit den 20er Jahren die Verlagsarbeit wesentlich mit und machte das Buchgeschäft neben den Klassikerausgaben mit guten, preiswerten einbändigen Lexika, Atlanten und Sachbüchern, die in riesigen Auflagen erschienen. Das Kon-

9 Der dem (teuren) Ledereinband nachgebildete (billigere) Gewebeeinband wollte nicht täuschen, sondern optisch dem schönen Vorbild näherkommen; das gelang z. T. mit beachtlichem Erfolg. Noch heute werden Gewebeeinbände im Antiquariat als Lederbände offeriert, weil sie so sehr ähnlich aussehen.

10 Die anderen Einbände aus dieser Klassiker-Serie des Knaur Verlags Leipzig haben in der Mitte auf der Vorderdecke, die hier ein Sternenornament zeigt, jeweils ein Porträt des Autors. Das hatte Knaur wohl nicht zur Verfügung und behalf sich mit einem Ornament. Die Geschichte der Autorenporträts *auf dem Einband* ist auch noch nicht geschrieben. Da gibt es gerade bei Kleist Erstaunliches: die Ausgabe Kleist, Dramatische Meisterwerke, Verlag der Literaturwerke Minerva Leipzig o. J. [um 1910] hat z. B. zwei Einbände mit dem Porträt von Achim von Arnim [!] auf der Vorderdecke (ved: l-minerva1 und l-minerva2). Im Band selbst ist immerhin ein richtiges Frontispiz von Kleist.

11 Quellen sind weder im Handelsregister im Amtsgericht Berlin noch im Landesarchiv Berlin vorhanden. Vgl.: Zoeckler, Paul: 50 Jahre Knaur Bücher. 1951.

Sechs der zwölf Kleistausgaben des Verlags Th. Knaur Leipzig, 1884-1901:

Einbändige Ausgabe

2 Bde in 1. o. J. Halblederband mit Ecken. Überzug und Vorsatz Schneckenmarmorpapier.
ved: l-knaur6 // Bestand: Freie Universität Berlin/UB: K0.5.
(Einband ähnlich Jacobs18)

Einbändige Ausgabe

2 Bde in 1. o. J. Halblederband. Überzug Marmorpapier.
Nicht in der ved.
Bestand: Kleist-Museum Frankfurt (Oder): I/16

Einbändige Ausgabe

2 Bde in 1. o. J. Halblederband mit Gewebeüberzug.
ved: l-knaur4
Bestand: Freie Universität Berlin/UB: K0.1

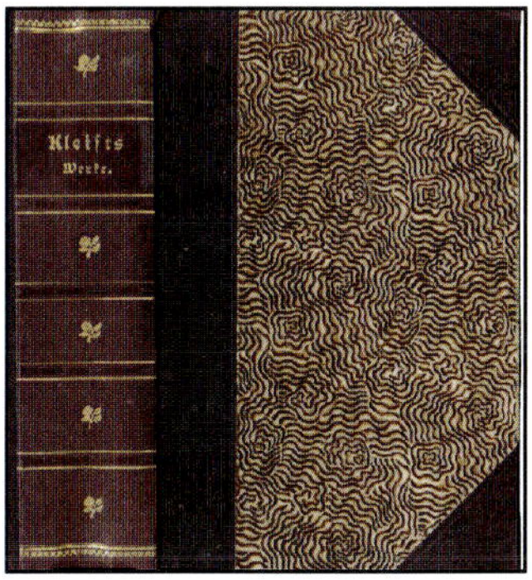

Einbändige Ausgabe

2 Bde in 1. o. J. Halbgewebeband mit Ecken. ved: l-knaur5
Bestand: Freie Universität Berlin/UB: K0.4

Einbändige Ausgabe

2 Bde in 1. o. J.. Gewebeband mit Farb- und Goldprägung.
ved: l-knaur2 // Bestand: Freie Universität Berlin/UB: K0.2

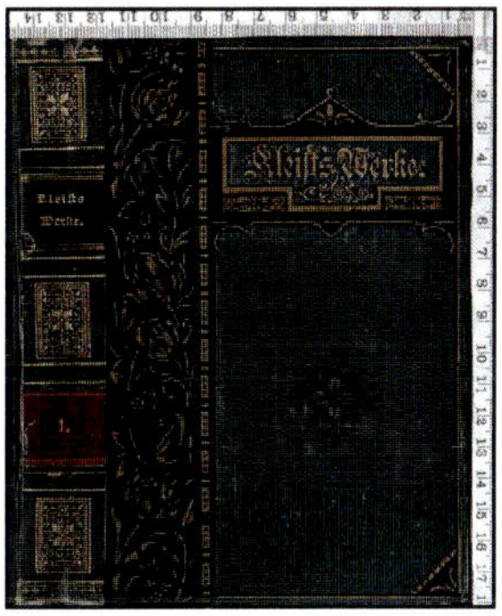

Zweibändige Ausgabe

2 Bde. o. J. Gewebeband mit Farb- und Goldprägung.
ved: l-knaur3 // Bestand: Freie Universität Berlin/UB: K0.3

versationslexikon von Knaur Nachf. erreichte z. B. eine Auflage von fünf Millionen. Die Kleist-Ausgabe mit der Einleitung von Monty Jacobs lief unter der Verlagsserie »Knaurs Oktav-Klassiker«, die im hinteren Vorsatz angezeigt wurde. Diese Serie enthielt etwa 30 damals als klassisch geschätzte, gut verkäufliche Autoren von Chamisso bis Zschokke, z. T. in Gesamt- und z. T. in ausgewählten Ausgaben (s. Abb. nächste Seite).

Im Zweiten Weltkrieg (1943) gingen die Verlagsniederlassungen in Berlin und Leipzig unter. Der Verlag *Th. Knaur Nachf. Berlin Leipzig* wurde 1946 unter dem Sohn Willy Droemer (1911-2000) in Bayern als *Droemersche Verlagsanstalt* lizensiert und etablierte sich 1949 als *Verlag Droemer-Knaur in München.*[12] Hier erschien bis in die 1960er Jahre eine neue Kleist-Ausgabe mit einer Einleitung von Erwin Laaths.[13] Diese ist eine ausführliche Einführung in Leben und Werk des Autors. Sie endet mit dem vollständigen Zitat von Hebbels Sonett *Kleist,* vielleicht eine kleine Ovation an seinen Vorgänger Monty Jacobs, dessen Einleitung mit der ersten Strophe des Hebbelschen Gedichts geschlossen hatte:

> Er war ein Dichter und ein Mann, wie einer,
> Er brauchte selbst dem Höchsten nicht zu weichen,
> An Kraft sind wenige ihm zu vergleichen,
> An unerhörtem Unglück, glaub' ich, keiner.

Der Verfasser der Einleitung: Monty Jacobs (Stettin 1875-1945 London), Sohn eines englischen jüdischen Schiffsmaklers und einer deutschen Kaufmannstochter aus Hamburg, naturalisierter Deutscher, der im Ersten Weltkrieg beide Eiserne Kreuze erhielt, war ein bedeutender Theaterkritiker der Weimarer Zeit und bis 1933 Feuilletonchef der Vossischen Zeitung. 1933 mußte er vom Feuilleton der Vossischen Zeitung zurücktreten, 1934 erhielt er Schreibverbot. Es wurde nichts mehr von ihm gedruckt. Es ist eines der unendlich vielen Beispiele für den Einbruch des Rechts und den Niedergang der geistigen Kultur mit Beginn des Nationalsozialismus. Nach dem Novemberpogrom 1938 sah auch Jacobs sich gezwungen, Deutschland zu verlassen; er starb 1945 in London.[14]

Studiert hat Jacobs in Berlin und Heidelberg; in Berlin war er Schüler des Kleist-Herausgebers Erich Schmidt, dem zum Gedächtnis er 1913 seine *Deutsche Schauspielkunst. Zeugnisse zur Bühnengeschichte klassischer Rollen,* widmete. 1898 wurde er in Heidelberg promoviert. Er wandte sich dem Theater zu, hat für Ausgaben von Kleist, Arnim und Eckermann Einleitungen sowie über Maeterlinck, Ibsen und Swift geschrieben. Die Nähe zu Kleist wird erstmals 1905 in der Einleitung zu dieser Ausgabe deutlich. 1911, im Gedenkjahr an Kleists Tod am Wannsee (21. 11. 1811), schrieb er in Velhagen & Klasings Monatsheften eine sehr schöne Würdigung; 1920

12 Für Willy Droemer zum 18. Juli 1971. Festschrift zum 60. Geburtstag von Willy Droemer am 18. Juli 1971 und zum 25jährigen Bestehen der Droemerschen Verlagsanstalt, hrsg. v. Johannes Mario Simmel. München 1971.

13 Gesamtauflage der Laaths-Ausgabe nach Angabe des Verlags: 104.000.

14 Preuß, Joachim Werner: Der Theaterkritiker Monty Jacobs (1875-1945). Berlin 1965.

Knaurs Oktav-Klassiker

mit großer, Augen schonender Schrift.

					Mit Einleitung
Chamisso,	sämtliche Werke in	1	Band	von	Rud. v. Gottschall
Freiligrath,	. . . " "	3	Bdn.	"	Schmidt-Weißenfels
Goethe,	sämtliche " "	12	"	"	Dr. Franz Schultz
Goethe,	. . . . " "	9	"	"	" " "
Goethe,	. . . . " "	4	"	"	" " "
Grillparzer,	sämtliche " "	4	"	"	Prof. Alfr Klaar
Grillparzer,	. . . . " "	2	"	"	" " "
Grillparzer,	Meisterdramen "	1	Band	"	" " "
Hauff,	sämtliche Werke "	2	Bdn.	"	Rud. v Gottschall
Hebbel,	" " "	4	"	"	Prof. Ad Stern
Heine,	" " "	4	"	"	Dr. Ad Kohut
Kleist,	" " "	1	Band	"	Dr. Monty Jacobs
Koerner,	" " "	1	"	"	Dir. Dr Dahmen
Lenau,	" " "	1	"	"	Prof H. Loebner
Lessing,	" " "	3	Bdn.	"	Prof. Rob. Petsch
Mörike,	. . . . " "	2	"	—	— — — — —
Nestroy,	. . . . " "	2	"	"	Leop. Rosner
Raimund,	. . . " "	1	Band	"	" "
Reuter,	sämtliche " "	4	Bdn	"	Ad. Wilbrandt
Reuter,	" " "	8	"	"	" "
Saphir,	. . . . " "	2	"	"	Dr. Karl Meyerstein
Schiller,	. . . . " "	4	"	"	Prof Lachenmaier
Shakespeare,	. . " "	4	"	"	Prof. Rud. Fischer
Stifter,	. . . " "	2	"	"	Dr. Karl Pröll
Tegnér,	. . . . " "	1	Band	"	Dr. Ohnesorge
Uhland,	sämtliche " "	2	Bdn.	"	Archivrat Dr. Krauß
Uhland,	. . . . " "	1	Band	"	" " "
Zschokke,	. . . " "	3	Bdn	—	— — — — —

Anzeige der Klassikerserie von Knaur Nachf. Berlin Leipzig, 1909
(Hinteres Vorsatz der Bände)

gab er *Das Käthchen von Heilbronn* heraus. Zahlreich sind seine diesbezüglichen Artikel und Rezensionen in der Zeitung.
1921 nahm ihn die Kleist-Stiftung als Mitglied ihres Kunstrates auf. Als Vertrauensmann für den Kleist-Preis schlug er 1927 Gerhard Menzel für dessen Drama *Toboggan* und Hans Meisel für dessen Roman *Torstenson* für den Kleist-Preis vor.

Die Einleitung zur Kleist-Ausgabe schildert kenntnisreich, mit Urteil und innerer Anteilnahme, das Leben Kleists und geht am chronologischen Faden auf die Werke ein. Sie setzt ein mit einem Rückblick auf das Kleistsche Schicksal, hier »hat die deutsche Nation doppeltes Unrecht zu sühnen. Unrecht am lebenden wie am toten Dichter.« (S. V bzw. III). Zu Lebzeiten ohne Heimstätte und Widerhall, sei er nach seinem Tode fast vergessen worden, wenn nicht Tieck seine Schriften herausgegeben hätte. Erst in jüngster Zeit gälte: »Vor allem aber wächst in erfreulicher Steigerung das Interesse des Publikums. Ausgaben über Ausgaben dringen ins Volk ...«. (S. VI bzw. IV) Es ist ein schöner, bei aller persönlichen Bewegtheit nüchterner Essay, der auch heute nichts von seiner Qualität und guten Lesbarkeit verloren hat.

Begleitet hat Jacobs die Beschäftigung mit Kleist immer; noch 1944 im Londoner Exil schrieb er wütend in der Rezension zur Amphitryon-Aufführung des kleinen Exiltheaters: »Auch nach dem Gewaltigsten unter Deutschlands Bühnendichtern haben die Hakenkreuzler ihre besudelten Hände ausgestreckt. Dreist beanspruchen sie Heinrich von Kleist als Sprößling des preußischen Schwertadels, als Patrioten für sich. Wie er in Wahrheit über sie dachte, steht deutlich in seinen Schriften zu lesen.«[15]

Die große Verbreitung seiner Kleist-Ausgabe über ca. 30 Jahre ist infolge der unzureichenden Erfassung durch nur einen Nachweis in der Nationalbibliographie (s. unten Katalog: Jacobs28) unbekannt. In der Jacobs-Biographie von J. W. Preuß ist die Kleist-Ausgabe als einmalige Erscheinung falsch dargestellt, da Preuß den nationalbibliographischen Nachweis ungeprüft übernimmt.[16] Die gute Kurzbiographie von Rolf Badenhausen in der Neuen Deutschen Biographie ist infolgedessen in diesem Punkt ebenfalls unvollständig. Auch die neueste Darstellung von 2008 in der Kleist-Ausstellung in Frankfurt (Oder) – Neuhardenberg: *»Was für ein Kerl!«. Heinrich von Kleist im ›Dritten Reich‹,* die sorgfältig an den Quellen erarbeitet ist, kann an dieser Stelle nur unzureichend sein.[17] Die Wirkungsgeschichte dieser Ausgabe ist somit eine völlig andere als bekannt.

Eingefügt sei eine Kleist-Ausgabe mit der Einleitung von Monty Jacobs, die bibliographisch nicht nachgewiesen ist und erst überraschend spät bei der antiquarischen

15 Monty Jacobs: Amphitryon. Zur Aufführung auf der »Kleinen Bühne des FDKB«. In: FDKB-Nachrichten [Freie Deutsche Kultur, Free German League of Culture in GT Britain], April 1944. Abb. und Text im Exponatverzeichnis der Ausstellung im Kleist-Museum Frankfurt (Oder) und Schloß Neuhardenberg, 17.8. – 23.11.2008. S. 94. Dieser Satz von Monty Jacobs war im Ausstellungsraum in Neuhardenberg an der Wand angebracht.

16 Preuß, M. Jacobs, S. 11, 12, 57, 63 und passim.

17 Caroline Gille, die Kuratorin der Ausstellung, veranschlagt die Arbeit M. Jacobs an der Kleist-Ausgabe immerhin ab nach dem Ersten Weltkrieg (ebd S. 94).

Suche zutage trat. Es ist bis auf zwei Zeilen buchstabengetreu dieselbe Ausgabe wie die hier vorgestellte; die beiden abweichenden Zeilen betreffen die Verlagsangabe. Sie lautet nicht *Verlag Th. Knaur Nachf. Berlin Leipzig,* sondern *Lipsius & Tischer Kiel – Leipzig – Tsingtau.* Die datierte Druckangabe auf der Rückseite des Titelblatts gibt an: »Druck von Greßner & Schramm, Leipzig. 1907.« Nach den bisherigen Recherchen ist es die einzige Übernahme der Monty-Jacobs-Ausgabe durch einen anderen Verlag. Übernahmen oder Parallelausgaben waren allgemein üblich, an der weiter unten dargestellten Genée-Ausgabe ist es mehrfach zu beobachten.

Heinrich von Kleists
Sämtliche Werke.

Mit Einleitung von Monty Jacobs.

Erster und zweiter Band.

Kiel — Leipzig — Tsingtau
Lipsius & Tischer.

Lipsius & Tischer wurde 1876 als Sortiments-, Antiquariats- und Verlagsbuchhandlung in Kiel gegründet, die Filiale in Leipzig 1887.[18] Der Verlag publizierte Schriften der Universität und der Marine, landeskundliche Werke der »meerumschlungenen Nordmark« und neben plattdeutschen Autoren (Klaus Groth) auch von anderen Verlagen übernommene Klassikerausgaben, darunter die Kleist-Ausgabe von Th. Knaur Nachf.

Text und Druck: Text und Druck sind, wie oben bemerkt, mit der Ausgabe des Th. Knaur Verlags identisch. Über die Edition und Text-Auswahl wird in der Einleitung kein Wort verloren. Die Bedeutung der Monty-Jacobs-Ausgabe beruht auf ihrer Klassizität einer über Jahrzehnte erscheinenden, handlichen und wohlfeilen Volksausgabe mit den sich wandelnden Beigaben und Einbänden im Stil der Zeit. Die ersten Drucke ohne Einleitung wurden bei Sittenfeld Berlin bzw. Radelli & Hille Leipzig gedruckt; die erste Ausgabe ist nach unserer derzeitigen Kenntnis die einzige, die in zwei (Buchbinder-)Bänden erschienen ist. Alle folgenden Ausgaben wurden in der Druckerei Greßner & Schramm Leipzig[19] gedruckt, sämtlich ohne

18 Adreßbuch des Deutschen Buchhandels 1890 u. mehrfach.

19 Die Buchdruckerei Greßner & Schramm wurde 1869 in Leipzig gegründet. Sie ging 1879 in den Besitz von Dr. Lionel Baumgärtner († 1920) über und blieb bis 1949 in Familienbesitz. Am 7. 2. 1949 erfolgt der Antrag an das Leipziger Amtsgericht auf Löschung

Erscheinungsjahr auf dem Titelblatt. In wenigen Fällen (1906, 1907 und 1909) ist der Druckvermerk auf der Rückseite des Titelblatts datiert, was ebenso wie gelegentliche Einträge von Vorbesitzern für die Datierung hilfreich ist. Die Ausgaben zum Gedenkjahr 1911 sind außerordentlich zahlreich, ab 1909 mindestens 11 (im Katalog: Jacobs8 bis Jacobs18). Ein einziger Druck stammt aus der Druckerei Hallberg & Büchting Leipzig.[20] Es ist die vermutlich letzte Ausgabe, erschienen wahrscheinlich nach 1930 in optisch nahezu identischem Einband wie die vorhergehende, allerdings mit leicht verändertem Rückenornament und ohne Frontispiz (Jacobs31 und 32).[21] Der Hintergrund des neuen Drucks bzw. Druckers ist nicht erkennbar und, da alle Quellen fehlen, auch nicht festzustellen.[22] Eine spätere Ausgabe ist nicht zu ermitteln.

Ein sehr schwieriges Thema ist die Auflagenhöhe. Sie war immer vom Verlag bestimmt und läßt sich nachträglich nicht ermitteln, wenn die Verlagsarchive verloren sind. Dann liegt der Versuch eines Analogieschlusses nahe, da es Auflagenangaben zu anderen Titeln und Verlagen gibt. Cotta hatte z. B. um 1840 bei literarischen Werken eine Auflage von 1.000 bis 1.200 Exemplaren. Reclams Universalbibliothek hatte 1867 bis 1869 für Goethes *Faust* eine Auflage von je Jahr 10.000; Lessings *Nathan* 1867 3.000, 1868 7.000, 1869 4.000, was sich in ähnlichen Höhen fortsetzte.[23] Die enorme Produktionssteigerung im Jahrzehnt nach Beendigung des sog. ewigen Ver-

---

im Handelsregister durch Egbert Baumgärtner, der in Vienenburg (bei Braunschweig) eine Neugründung der Buchdruckerei unter dem alten Namen vornehmen wollte, um der Überführung in Volkseigentum (Enteignung) zu entgehen. (Sächsisches Staatsarchiv Leipzig, Bestand 20124 Amtsgericht Leipzig, Akte Nr. 21029, Registernummer 2821. HRA611).

20 Hallberg & Büchting wurde 1886 in Leipzig gegründet, der Vorgänger hieß Schuwardt. Von 1896 bis 1960 war sie im Besitz der Familie Klepzig, am 15. 9. 1960 wurde ihr vom Rat des Stadtbezirkes Südost der Stadt Leipzig die Gewerbeerlaubnis entzogen, sie wurde in sog. Volkseigentum überführt, d. h. enteignet. 1997 bestätigte das Amt für Offene Vermögensfragen, daß die Firma erloschen sei. (Sächsisches Staatsarchiv Leipzig, Bestand 20124, Amtsgericht Leipzig, Akte Nr. 21030, Registernummer 2960, HRA A630 mit Haupt- und Sonderband).

21 Schwer einschätzbar ist eine Ausgabe, die sich in der UB der Technischen Universität Berlin befindet (8B6497), 1948 erworben, damals unter Verlust der Einbanddecke wie des Vorsatzes in einen Bibliothekseinband gebunden. Laut Katalogangabe soll sie [1903] erschienen sein, das kann nach der Form des Titelblattes nicht zutreffen (die Autorenangabe erfolgt nicht im Genetiv). Ich halte sie aufgrund des Titelblattes und des Druckers für ein paralleles Exemplar zu Jacobs32, nach 1930 erschienen.

22 Ob die Kleist-Ausgabe in das Jahr 1933 zu datieren ist und ob dieser Druck aufgrund des Eigentümerwechsels Hendersohn – Droemer in anderer Druckerei hergestellt und im nicht auf eine Neuausgabe hinweisenden Gewand der vorausgehenden Ausgabe erscheinen sollte, bleibt unklar. Die Massenauflagen der Knaurschen Bestseller (Lexikon, Weltatlas, Weltgeschichte usw.) aus den 1920er Jahren wurden bei Spamer in Leipzig gedruckt und in der nahe gelegenen Großbuchbinderei Fritzsche-Hager-Sieke gebunden (Zoeckler, Paul: 50 Jahre Knaur-Bücher, 1951, S. 48).

23 150 Jahre Reclam, Stuttgart 1978, Abb. S. 39.

lagsrechts 1867 brachte hohe Zahlen, deren statistische Wertung allerdings mangels allgemein verbindlichem Grundwert nicht einfach ist.[24] Um 1901, bei Beginn der Klassiker-Serie des Verlags Th. Knaur Nachf., waren die Schlachten mit wohlfeilen Ausgaben der klassischen Autoren um ein neues Publikum geschlagen. *Knaurs Oktav-Klassiker* wurden als gangbare Publikation angeboten und trugen sich so gut, daß sie fortlaufend weiter herausgegeben und gekauft wurden. Die Auflagenhöhe, die ohne konkrete Quellen zur Verlagsgeschichte nur analog zu schätzen ist, könnte etwa 1.000 oder 2.000 Exemplare betragen haben.[25] Die edler gebundenen Ausgaben in Leder- oder Halblederbänden (Jacobs17 und 18) wurden vermutlich in ca 300er - 400er Auflage hergestellt. Als sicher ist nur die kontinuierlich über drei Jahrzehnte verlaufende Publikation dieser Ausgabe zu bewerten.

Unberücksichtigt bleibt in der vorliegenden Darstellung die Erfassung des Druckpapiers, da die Möglichkeiten der Papierprüfung nicht zur Verfügung standen. Die meisten Ausgaben sind auf dem damals üblichen holzhaltigen Papier gedruckt, die Drucke in den Halblederbänden haben gutes holzfreies Papier. Probeweise sind zwei normale Ausgaben in Gewebebänden mit festem, weißem Papier genannt (Jacobs19a und 21a).

Die Frontispize. Die bildliche Überlieferung von Kleist ist, wie die gesamte Überlieferung seines Werkes und seines Lebens, außerordentlich lückenhaft und gering. Es gibt nur ein einziges, als authentisch bezeugtes Porträt: die Miniatur von Peter Friedel, die Kleist 1801 für seine Braut Wilhelmine von Zenge malen ließ.[26] Die Frontispiz-Porträts in den hier vorgestellten Ausgaben beruhen auf den verschiedenen Nachbildungen dieser Miniatur: der Kreidezeichnung von 1831, dem Stich von Hermann Sagert (1822-1889) für das Kleist-Buch von Eduard von Bülow (Heinrich von

24 Sippell-Amon, Birgit: Die Auswirkung der Beendigung des sog. ewigen Verlagsrechts am 9. 11. 1867 auf die Editionen deutscher »Klassiker«. In: Archiv für Geschichte des Buchwesens 14, 1974, Sp. 349-416, Sp.391ff. - Rarisch, Ilsedore: Industrialisierung und Literatur. Buchproduktion, Verlagswesen und Buchhandel in Deutschland im 19. Jh. in ihrem statistischen Zusammenhang. Berlin 1976. Erfaßt werden die Neuerscheinungen, es sind Titelstatistiken. Dabei werden die Stereotypdrucke, die vom immer gleichen Druckstock immer wieder hergestellten (und in neuem Einband auf den Markt gebrachten) Drucke, uneinheitlich oder gar nicht gezählt. Darin liegt ihre fragmentarische Verzeichnung auch z. T. begründet. Vgl. auch: Vgl. Blum, Rudolf: Nationalbibliographie und Nationalbibliothek: die Verzeichnung und Sammlung der nationalen Buchproduktion, besonders der deutschen, von den Anfängen bis zum Zweiten Weltkrieg. Frankfurt/M. 1990 und Kastner, Barbara: Statistik und Topographie des Verlagswesens. In: Geschichte des deutschen Buchhandels im 19. und 20. Jahrhundert. Das Kaiserreich 1871-1918. Hrsg. von Georg Jäger. Teil 2. Frankfurt a. M. 2003, S. 300-367.

25 Dem Reisebuchhändler A. Droemer werden für diese Zeit »ungeahnte Verkaufserfolge« bescheinigt, womit eine Verdopplung zu begründen wäre. (Zoeckler, Paul: 50 Jahre Knaur Bücher. 1951, S. 19).

26 Staatsbibliothek zu Berlin, Kleistsammlung. Außerdem gibt es das sog. Gefangenschaftsbild von Kleist, das Werk eines Dilettanten, das 1807 während seiner Gefangenschaft im Fort de Joux (Frankreich) entstanden sein soll. (Schiller-Nationalmuseum und Deutsches Literaturarchiv Marbach a. N.).

Kleists Leben und Briefe. 1848) oder auf der Heliogravüre von 1885.[27]

In der Monty-Jacobs-Ausgabe erscheinen zwei Frontispize, ein anonymes in den Ausgaben bis Anfang der 20er Jahre, dann ab Mitte der 20er Jahre das von Otto Heinrich Engel (Erbach/Odenwald 1866 - 1949 Glücksburg). Engel ist nach den *ohE* - Initialen am Kragen zu bestimmen, die Datierung der Monogrammform gilt ab 1924.[28]

Alle drei Kleist-Ausgaben haben Frontispize mit einem Porträt Kleists. Die ersten Jacobs- und Genée-Ausgaben haben allerdings noch kein Frontispiz und werden erst zum Gedenkjahr 1911 mit einem solchen ausgestattet, nur die Siegen-Ausgabe ist von Anfang an mit einem Frontispiz und anderen Bildern (der Grabstätte, einem Brief-Faksimile und einem weiteren Porträt) verhältnismäßig reich versehen. Die in den drei untersuchten Ausgaben erscheinenden Frontispize werden unten im Katalog vielfach mit den Titelblättern abgebildet. Sie sind hier mangels zitierfähiger Referenz einfach durchgezählt und mit dieser Nummer im Katalog festgehalten (siehe nächste Seite).

Die Einbände. Die Einbände sind Verlagseinbände, maschinell in Großbuchbindereien in großer Zahl hergestellt, die nach den Stilen u. a. Kriterien (Material, Gestaltung, Schriftform) in eine chronologische Folge zu bringen sind. Es beginnt mit dem Jugendstil, es folgen Art Déco-Elemente sowie Gestaltungen ohne besondere Ausprägung, bei denen nur der Rücken Schmuck trägt. Die Einbände sind sämtlich von qualitätvoller Gestaltung und Ausführung, sie geben ein Panorama des Verlagseinbandes vom Pappband, Gewebeband, Halbleder- bis zum Wildlederband. Der Gewebeband ist die häufigste Einbandart; viele Gewebebände sind bei gleicher äußerer Gestaltung in verschiedenen - meist drei - Farben erschienen (vgl. unten im Katalog). Im einzigen Nachweis der Kleist-Ausgabe von Jacobs wird in der Nationalbibliographie nur der Gewebeband (»Lw« = Leinwand) à 2,70 verzeichnet: »Kleist, Heinr. v.: Werke. Dasselbe in 4 Bden. Mit Einl. v. Monty Jacobs. Berlin, Th. Knaur Nachf. [um 1925]. XXVII, 434 S., 1 Titelb., III, 379 S.) 80 Lw, 2.70«. Die Angabe trifft generell zu, Halblederbände sind es nur wenige, und der Wildlederband (Jacobs17) wird wegen des wertvollen Materials nur in geringer Zahl erschienen sein, wie oben bemerkt vielleicht in drei- bis vierhundert Exemplaren.[29] Die Herstellung der er-

---

27 Eva Rothe: Die Bildnisse Heinrich von Kleists. In: Jahrbuch der Deutschen Schillergesellschaft 5, 1961, S. 136-186. - Kleist-Bildnisse von Peter Friedel bis André Masson. Bearb. von Barbara Wilk-Mincu, Kleist-Museum Frankfurt (Oder) 2000.

28 Goldsteins Monogramm-Lexikon, 2. Aufl. 1999, Nr. O 219. Otto Heinrich Engel ist nach Berliner Jahren als Maler Schleswig-Holsteins bekannt geblieben. In den 1920er Jahren übernahm er wegen wirtschaftlicher Schwierigkeiten Porträt- und Illustrationsaufträge für den Th. Knaur Nachf. Verlag, darunter gehört das Kleist-Frontispiz. Dieser Teil seiner Arbeit ist nicht untersucht. Vgl. Müller, Jutta: Otto H. Engel. Ein Künstlerleben um 1900 zwischen Berlin und Schleswig-Holstein. Monographie und Werkverzeichnis. Heide 1990. (Das Werkverzeichnis umfaßt nur die Ölgemälde, die bildmäßig ausgeführten Pastelle und auf Gemälde bezogene Zeichnungen und Skizzen. Korrektur S. 82: nicht H. Knauer Nachf., sondern Th. Knaur Nachf.)

29 Schätzung nach Erfahrungen der Einbandforschung.

1 Verlag Th. Knaur Nachf. Berlin - Leipzig

2 Verlag A. Weichert Berlin

3a Verlag A. Weichert Berlin

3b Verlage Max Hesse Leipzig, Schröter Zürich

4 Bezeichnet Klitzsch & Rochlitz, benutzt von Max Hesse Leipzig und Gustav Fock Leipzig

5 Verlage: Bibl. Anstalt Warschauer, C. H. Otto, Globus, A. Weichert Berlin und Levi Stuttgart

6 Verlage Globus, A. Weichert und Verlagsges. f. Lit. und Kunst Berlin, Hesse sowie Hesse & Becker Leipzig

7 Otto Heinrich Engel
Verlag Th. Knaur Nachf. Berlin
Leipzig 1924ff.

sten Einbände der Jacobs-Ausgabe wird wahrscheinlich in der Großbuchbinderei Th. Knaur Leipzig erfolgt sein. Leider läßt sich für die folgenden Einbände trotz der qualitätvollen Ausführung keine Buchbinderei nennen. Für einen Einbandentwurf gibt es immerhin ein Vorbild bei dem berühmten Kunstbuchbinder Paul Kersten (Jacobs16).[30]

Das kleine Autorenporträt von Kleist, das auf den Einbänden Jacobs0, Jacobs1 - 5 u. Jacobs8 - 9 erscheint, hat keine authentische Vorlage. Es ist ein reines Schmuckelement, wie es als Autorenbild seit den Klassikerausgaben des Hempelverlages als vorbildlich galt. Natürlich hat es keine auch nur entfernte Ähnlichkeit mit Kleist, es repräsentiert den Autor als jungen Mann. Hier zur Illustration die Kleistausgaben des Hempelverlages Berlin aus den Jahren nach 1869 in den Farben blau, grau, graugrün und rot mit dem Bild des Autors auf der Vorderdecke. Viele weitere Kleistausgaben des Hempelverlages erschienen in einfach geprägten Gewebe- oder in einfachen Halblederbänden. Schon hier wird deutlich, daß die Aufnahme Kleists in den Kanon der maßgeblichen deutschen Schriftsteller bereits erfolgt ist. Bibliographisch gesehen ist dies - eine Stereotypausgabe mit vierfach gleich geprägtem, jedoch andersfarbigem Reliefeinband - eine Ausgabe mit drei bzw. vier Dubletten (siehe nächste Seite).

Zur Definition eines Einbandes gehört auch das Vorsatz, das den Buchblock und die Einbanddecke verbindende Papier.[31] Wenn es verschiedene Vorsätze bei gleicher Einbanddecke gibt, sind diese als verschiedene Einbände und somit verschiedene Ausgaben zu werten, da sie einen eigenen Herstellungsgang fordern.[32] Das Vorsatz der Monty-Jacobs-Ausgabe erscheint in der klassischen Form mit Ornamentdruck, meist mit dem Verlagssignet oder der Werbung für die Klassikerserie; die späten Ausgaben der 1920er Jahre haben einfarbiges Vorsatz. Der buchherstellerische Hintergrund tritt bei der Jacobs-Ausgabe nicht als ausgabenprägend in Erscheinung. Bei der weiter unten dargestellten Kleist-Ausgabe von Max Hesse ist die Werbung im Vorsatzpapier ein Element, das zur Definition der Ausgabe herangezogen werden muß.

Chronologie: Anhand der Autoren- und Titelformulierung, des Inhalts (Buchblocks), der Einbände und Vorsatzpapiere, bestimmter Ausstattungselemente wie Frontispiz u. a. Beigaben, der Drucker und der bisweilen eingedruckten Jahre des Druckes sowie der gelegentlich vorhandenen Daten von Vorbesitzern lassen sich die verschiedenen Ausgaben bestimmen und in etwa chronologisch ordnen. Die Ausgaben erscheinen - mit einer Ausnahme (Jacobs0.1) - stets in einem (Buchbin-

30 Der exakte Bucheinband. 5. Aufl. Halle/S. 1929, Taf. 11 B: Handeinband von Paul Kersten, 1913.

31 *Das* Vorsatz, Neutrum, in der Buchbinderfachsprache aus der Abkürzung von »das Vorsatzpapier« entstanden. Es ist ein konstitutives Element des Einbandes und muß bei der Erfassung berücksichtigt werden.

32 Zur Kurzinformation für Fragen des Verlagseinbandes sei nochmals auf den oben in Anm. 1 genannten Aufsatz *Verlagseinband digital* hingewiesen.

Die bibliographische Aufnahme ist für alle Drucke dieselbe:
H. v. Kleist's Werke. 5 Teile in 2 Bänden. Nebst der Biographie des Dichters von Adolf Wilbrandt. LXIV, 268, 160 // 159, 240, 116 S. Berlin, Hempel o. J. [nach 1869].
Gewebebände in Reliefprägung, Buchbinder: Alexander Demuth Berlin. ved: b-hempel2
Bestand: Freie Universität Berlin/UB: Kleist/Wilbrandt 1.1; 1.2; 1.3; 1.4. Im KleistMuseum Frankfurt (Oder) gibt es diese Ausgabe in Violett (Signatur: I/3906).
Die Buchhandels-Titelstatistiken zählen diese Ausgaben als einen Titel und geben damit ein unzutreffendes Bild der wirklichen Publikationsmenge.

der-)Band. Sie werden als zweibändig oder vierbändig gezählt, was durch den Aufdruck »Erster Band« bzw. »Erster und zweiter Band« auf dem Titelblatt bei gleichem Textblock geschieht. Änderungen der inneren Ausstattung erfolgen ab 1909. Das Titelblatt variiert: die Autorenangabe erfolgt nicht mehr im Genitiv; es heißt nicht mehr *Heinrich von Kleists Sämtliche Werke*, sondern *Heinrich von Kleist. Sämtliche Werke.* Ab jetzt ist ein Frontispiz gegeben. Auf der Rückseite des Titelblatts erscheint der Hinweis auf die sich ab 1901/02 durchsetzende Neue Rechtschreibung. Deren Änderungen wurden hier bei gleich bleibendem Satz vollzogen, der Buchblock blieb damit äußerlich identisch. Die Einleitung zählt jetzt mit anderen Seitenzahlen, weil das Inhaltsverzeichnis hinter die Einleitung geschaltet wird. Bei gleichem Text/Satz zählt sie statt vorher XXVIII jetzt XXVI Seiten. Die Kopfvignetten am Textbeginn von Bd 1 und 3 entfallen. Diese Änderungen sind offensichtlich ab 1909 im Hinblick auf das Kleistsche Gedenkjahr 1911 vollzogen worden. Eine weitere Änderung erfolgt etwa 15 Jahre später: ab ca. 1924 erscheint das neue Frontispiz von Otto Heinrich Engel.

Jacobs13 (1909)

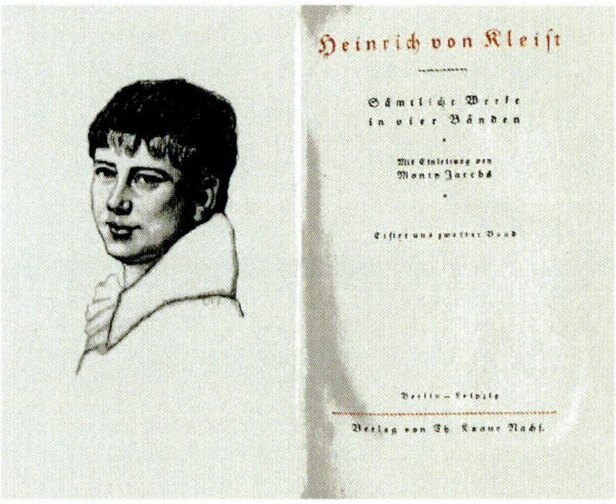

Jacobs31 (Ende der 1920er Jahre)

Zusammenfassung: Die Kleist-Ausgabe des Berliner Verlags Th. Knaur Nachf. ist eine klassische Volksausgabe mit den wesentlichen Texten, einer guten Einleitung, ohne editorischen Ehrgeiz, in einem schönen Gewand zu erschwinglichem Preis. Sie erschien ab 1901/02 in einigen Ausgaben ohne Einleitung. Von ca. 1905 erschien sie mit der Einleitung des Theaterkritikers Monty Jacobs in immer wieder neuem Gewand und mit anderen Beigaben kontinuierlich bis Anfang der 1930er Jahre in über 30 Ausgaben. Schwerpunkt des Erscheinens war das erste Jahrzehnt: von 1901 bis 1911 sind es mindestens 22 Ausgaben (4 ohne und 18 mit Einleitung). Die Ausgabe wurde 1907 einmal an den Verlag Lipsius & Tischer Kiel vergeben. Besonders zahlreich kam sie zum Kleist-Gedenkjahr 1911 heraus. Diese Ausgabe ist ein typisches Zeugnis der bürgerlichen Kleist-Rezeption in den ersten Jahrzehnten der 20. Jahrhunderts.

3. DIE KLEISTAUSGABEN MIT DER EINLEITUNG VON RUDOLPH GENÉE

Rudolf Genée (1824 Berlin - 1924 Berlin) war Schriftsteller, Theaterhistoriker und Rezitator. Seine Theaterstücke sind vergessen, seine Arbeiten zum Shakespaereschen Theater werden gelegentlich noch zitiert, dem Rezitator flicht die Nachwelt keine Kränze. Seine einbändige Kleist-Ausgabe ist ein typisches Erzeugnis der Zeit; sie erschien von 1886 bis Ende der 1920er Jahre in neun verschiedenen Verlagen in über 40 Ausgaben, von denen zwei im Gesamtverzeichnis des deutschen Schrifttums nachgewiesen sind.

In seiner Bibliographie macht Genée folgende Angabe: »1886 H. v. Kleists sämtliche Werke. Nach den Originaldrucken durchgesehen und mit einer Einleitung: Ein Bild seines Lebens und Wirkens. Berlin, Warschauers Verlag«.[33] Die Ausgabe bringt die Kleistschen Werke nach den Ausgaben von L. Tieck (1821 und 1826) und R. Köhler (1862), erweitert um später bekannt gewordene kleinere Dichtungen (Hinweis nach S. LIX). Sie erschien in zwei gezählten Bänden in einem (Buchbinder-)Band: Einleitung (I–LIX). Die Familie Schroffenstein. Penthesilea. Amphitryon. Der zerbrochene Krug. Das Käthchen von Heilbronn. Bd 2: Die Herrmannsschlacht. Prinz Friedrich von Homburg. Robert Guiskard. Erzählungen (169-381). Kleine Aufsätze und Anekdoten (382-392). Gedichte (393-419).

1910, d. h. zum Kleist-Gedenkjahr 1911, erfolgte eine neue Anordnung in vier Bänden: die Ausgabe wurde neu gesetzt, die Einleitung blieb mit einer kleinen Änderung am Schluß dieselbe. Die vier gezählten Bände wurden unverändert in einen Band gebunden: Bd 1: Einleitung (56 S.), Gedichte und Fabeln. Die Familie Schroffenstein. Der zerbrochene Krug. (199 S.). Bd 2: Amphitryon. Penthesilea. Das Käthchen von Heilbronn. (251 S.). Bd 3: Die Herrmannsschlacht. Prinz Friedrich von Homburg. Robert Guiskard. (168 S.). Bd 4: Erzählungen (236 S.). Die neue Rechtschreibung wurde angewendet, und die Setzfehler der ersten Ausgabe wurden korrigiert.[34] Die Höhe der Auflage läßt sich hier ebenfalls nur analog einschätzen wie die der Jacobs-Ausgabe.

Die Einleitung *Heinrich von Kleist. Ein Bild seines Lebens und Wirkens* erfolgt auf dem

33 Genée Rudolph: Promemoria für meine Freunde. Verzeichnis meiner seit 53 Jahren im Druck erschienenen Schriften. Berlin im Selbstverlage des Verfassers 1904. 21 S., Schwerpunkte: Theatralische Dichtungen, Shakespeare, Hans Sachs, Dichtungen, Verschiedenes (darunter die Kleist-Ausgabe). 1913 erschien sein Promemoria: Für mich und Andere. Diese Schrift enthält die schon 1904 erschienene Bibliographie (S. 1-20), des weiteren ein Verzeichnis von an Genée gerichteten Briefen (S. 21-74) sowie Aus großer Zeit, seine Gedichte aus den Kriegsjahren und auf Bismarck (S. 75-90).

34 Dazu zwei Beispiele: Der fehlerhafte Eingang des Michael Kohlhaas »An den Ufern der Hafel lebte um die Mitte des sechzehnten Jahrhunderts ein Roßhändler Namens Michael Kohlhaas, ...« ist samt mindestens einem eingefügten Komma korrigiert: »An den Ufern der Havel lebte um die Mitte des sechzehnten Jahrhunderts ein Roßhändler, ...«. In *Das letzte Lied*, das im ersten Ausgabentyp den Abschluß von Bd 2 bildet, lautet Zeile 3: »Die Blicke zucken schon ...« (S. 418), in der neuen Ausgabe zucken *die Blitze* korrekt im *gewitterschwarze[n] Krieg* (S. 25).

Stand des Wissens und der Einschätzung der 80er Jahre des 19. Jahrhunderts. Kleist erscheint »unter den Geistesarbeitern der deutschen Nation nicht unbestritten«, denn trotz »seiner außerordentlichen dichterischen Kraft steht er ... nicht ebenbürtig neben Lessing, Herder. Goethe oder Schiller«, sondern gilt »als der weitaus größte, aber auch unglücklichste der Romantiker«. Es folgt eine ausführliche biographische Darstellung; vom dichterischen Werk werden vor allem die Dramen gewürdigt. Die Theaternähe des Autors ist deutlich spürbar, Genée hatte 1871 eine Bearbeitung der *Herrmannsschlacht* herausgebracht, die 1875 in Berlin und in Meiningen einen sensationellen Erfolg erzielte.[35] Zum *Prinz von Homburg* findet sich denn auch die damalige Einschätzung, »daß er [Kleist] den Prinzen aber in unwürdiger Weise um sein Leben jammern und betteln läßt, damit untergräbt er selbst dessen Berechtigung zum Helden des Dramas« (S. XLIX bzw. 47). Die Einleitung ist in beiden Ausgaben identisch, sie wurde nur bei der Neuanordnung des Werkes in vier Bänden auf der letzten Seite gering geändert: das 1910 in seiner Vaterstadt Frankfurt (Oder) errichtete Denkmal Kleists von Gottlieb Elster sowie der Gedenkstein am Wannsee werden am Schluß genannt.

Die ersten Ausgaben erschienen 1886ff. im Verlag A. Warschauer in Berlin. Es folgten die Bibliographische Anstalt und die Bibliographische Anstalt M. und A. Warschauer. M. Warschauer verkaufte die Klassiker-Reihe zum 1. Januar 1900 an August Weichert Berlin,[36] wo sie bis Ende der 1920er Jahre erschien. Weichert wiederum vergab sie an die Verlage Carl Herrmann Otto Berlin-Schöneberg, Gustav Fock Leipzig, Globus Berlin, Verlagsgesellschaft für Literatur und Kunst Berlin sowie an R. Levi Stuttgart und vermutlich an Schacherl & Mütterlein München[37]. Die Genée-Ausgabe ist bis zum Gedenkjahr 1911 in diesen Verlagen erschienen, danach und in den 20er Jahren nur noch im Verlag Weichert.

Kurz die Verlagsgeschichten:[38] Der Verlag A. Warschauer war 1882 gegründet worden, Arnold Warschauer besaß außerdem eine Druckerei.[39] In der Nationalbi-

---

35 H. von Kleist: Sämtliche Werke und Briefe. Hrsg. von Ilse-Marie Barth, Klaus Müller-Salget u. a., Frankfurt/M. Deutscher Klassiker-Verlag, Bd 4, S. 1097. - Kanzog, Edition, Bd 2, 125.

36 Abb. der Annonce von Weichert in: Geschichte des deutschen Buchhandels im 19. und 20. Jahrhundert. Das Kaiserreich 1871-1918. Hrsg. von Georg Jäger. Teil 2. Frankfurt a. M. 2003, S. 585.

37 Schacherl & Mütterlein, München ist mir im Antiquariatsbuchhandel einmal mit einer Genée-Ausgabe o. J. grüner Gewebeband, begegnet, die nicht erreichbar war. Die Suche in Onlinekatalogen ist schwierig, weil die Suche nach Verlagen häufig nicht unterstützt wird. Direktanfragen in München waren negativ. Es ist mir nicht gelungen, diese Ausgabe zu finden und in Autopsie zu erfassen.

38 Quellen zu den Berliner Verlagen waren, mit Ausnahme eines winzigen Restes zum Verlag Weichert (s. u.), im Landesarchiv Berlin und im Amtsgericht Berlin (Handelsregister) nicht zu ermitteln. Die Familienunternehmen mit variierenden Vornamen machen ebenso wie die ähnlichlautenden Namensformen der Verlage die Suche zeitweise schwierig.

39 Gegründet 1882 (Adreßbuch des Deutschen Buchhandels von 1886). Besitzer waren Arnold und Moritz Warschauer, die gleichzeitig eine Buchhandlung und ein Antiquariat

bliographie lautet die Anzeige von Warschauers Ausgabe: »Kleist's, Heinr. v., sämtliche Werke. Mit einer biograph. Einleit. von Rud. Genée. 2 Bde 8. (III, LX, 407; IV, 419 S.) Berlin 888, Warschauer. geb. 2 50 geb. in 1 Bd 1 75.« Im Katalog unten sind nur einbändige Ausgaben angeführt, die in zwei (Buchbinder-)Bänden waren bisher nicht zu ermitteln.

Die Bibliographische Anstalt ist eine Gründung von Moritz Warschauer von 1876,[40] die als *Bibliographische Anstalt* wie auch als *Bibliographische Anstalt M. Warschauer* und *Bibliographische Anstalt A. Warschauer* mit den abgekürzten Namen firmierte. Die Ausgaben von M. Warschauer haben im Unterschied zu den anderen ein Frontispiz. 1900 verkaufte M. Warschauer seine Klassikerausgaben an den Verlag Weichert Berlin. M. Warschauers Bibliographische Anstalt Berlin brachte die in dem vorliegenden Material einzige illustrierte Ausgabe heraus, die 1900 von Weichert übernommen wurde: *Illustrirte Klassiker in eleganten Leinwandbänden mit Gold- und Farben-Pressung* lautet die Werbung.[41] Es sind Bilder von Karl Storch (d. Ä., 1864 -1954), wortgetreue Illustrationen nach Szenen aus den Dramen und Erzählungen, die genau bezeichnet an der jeweiligen Stelle eingefügt sind.[42]

Der Verlag Weichert publizierte fast 80 Jahre in Berlin, von 1872 bis 1950 (Enteignung), ab 1948/1952 in Hannover mit einem Teil des Verlagsprogramms, den

---

führten. Ab 1898 ist Magnus Warschauer der Besitzer (Adreßbuch des Deutschen Buchhandels 1899).

40 Im Adreßbuch des Deutschen Buchhandels von 1886 (und später z. B. 1905, 1910) wird der Verlag Moritz Warschauer mit eigenem Gründungsdatum Mai 1876 genannt. Ebenso in Albert Schramm, Deutschlands Verlagsbuchhandel. Leipzig 1925. Moritz Warschauer ist 1925 noch als Verlag für Fachbücher der Musikindustrie nachgewiesen (A. Schramm, Deutschlands Verlagsbuchhandel). – Es gab eine weitere Bibliographische Anstalt, gegründet 1882 in Berlin, ansässig in Leipzig, z. T. mit und z. T. ohne den Zusatz »Adolf Schumann«, der seit 1900 Besitzer war. (Adreßbuch des Deutschen Buchhandels 1901). Im vorliegenden Material erscheint die *Bibliographische Anstalt Berlin Leipzig* auf dem Einband einiger Exemplare (vgl. unten Katalog Genée4 - 7). Vielleicht haben Moritz oder Magnus Warschauer den Verlagsnamen an A. Schumann verkauft. Im Verlagsprogramm der Bibliographischen Anstalt Leipzig steht eine Kleist-Ausgabe in 2 Bdn, hrsg. von Friedrich Düsel, o. J. [um 1910], bibliographisch nicht nachgewiesen. Exemplar im roten Jugendstileinband; ved: l-biblanst1. Im Sächsischen Staatsarchiv ist nichts zur Bibliographischen Anstalt oder zu A. Schumann zu ermitteln.

41 Abb. in Geschichte des deutschen Buchhandels im 19. und 20. Jh, 1, Teil 2, 2003, S. 585. Die illustrierten Ausgaben betreffen folgende Autoren: Chamisso, Goethe, Hauff, Heine, Kleist, Körner, Lenau, Lessing, Schiller, Shakespeare, Uhland.

42 Karl Storch d. Ä. (Bad Segefeld 1864 - 1954), Graphiker und Illustrator. Im vorliegenden Rahmen sind zu nennen: Die ebenfalls im Verlag Bibliographische Anstalt A. Warschauer erschienene illustrierte Ausgabe von Nikolaus Lenau: Sämtliche Werke. o. J. [1888], die im gleichen Einband wie die illustrierte Kleist-Ausgabe gebunden ist. – Otto Ludwig: Ausgewählte Meisterwerke in der Serie *Illustrierte Klassikerbibliothek* des Verlagshauses Bong & Co, Berlin usw. o. J. [1901], zusammen mit Hans Volkert und M. Ränike. Daraus: Der Erbförster. – Adelbert von Chamisso: Gedichte. Ill. von Carl Storch, Otto Herrfurth, Georg Graf, Richard Mahn u. a. Verlagshaus Bong & Co, Berlin usw. o. J. [1895].

Jugendschriften.[43] 1872 in Berlin gegründet, wuchs er rasch und war 1897 nach dem Bau eines eigenen (Buch-)Fabrikgebäudes ein »Gesamtbetrieb«, der alle Produktionsschritte vom Buchdruck bis zur Buchbinderei in seinem eigenen Haus umfaßte. Er war einer der bedeutendsten Kolportage-Verlage, später erfolgreich auf serienmäßige Herstellung von Kalendern, Kinder- und Jugendliteratur, Abenteuerromanen sowie guter Literatur in Volksausgaben spezialisiert. Denn zum Kolportagebuchhandel gehörten neben den Schauer- und Abenteuerromanen, neben den Blättern für Haus und Familie später auch »die Werke unserer grossen Dichter in billigen Ausgaben«.[44]

Dies ist ein Element des Klassiker-Vertriebes, das eine neue gesellschaftliche Ebene anspricht, die »Schwellenangst« und mangelnde Gelegenheit zum Bücherkauf überwindet wie es später beim Buchverkauf im Warenhaus (dazu unten beim Globus-Verlag) auf andere Weise erneut der Fall sein wird. Hier werden neue Leserschichten geworben und erreicht. Neben dem Kolporteur, dem wandernden Buchhändler mit Heften und billigen Ausgaben für das einfache Publikum im näheren Umkreis, sei wegen des inhaltlichen Zusammenhangs an den im ganzen deutschen Sprachraum tätigen Reisebuchhändler mit teureren, großen Werken in Lieferungen wie auch Klassikerausgaben erinnert, als der Adalbert Droemer, der spätere Eigentümer des Verlags Knaur Nachf., begegnet ist.

Der Vetrieb von Klassiker-Ausgaben über Kolporteure spielte beim Verlag A. Weichert sicher eine hervorragende Rolle. Dies war auch allgemein üblich; in der zeitgenössischen Literatur wird Cottas *Bibliothek der Weltliteratur* als Gegenstand des Kolportagevertriebs genannt. In der »Eingabe behufs Erlangung des Colportagescheines«, die alle zu vertreibenden Titel aufführen muß, wird als erstes Cottas Reihe genannt (s. Abb.). »Im Wege der Colportage wurde z. B. bei der ›Cotta'schen Bibliothek der Weltliteratur‹ das schönste Resultat erzielt, …«.[45] Hier wird auch das Phänomen der vielen dünnen Bände von Cottas Reihe verständlich: sie waren für den Lieferungsvertrieb hergestellt und einheitlich in einfarbige Gewebebände mit aufwendiger Prägung gebunden. Die Kleist-Ausgabe umfaßt in *Cottas Bibliothek der Weltliteratur* vier dünne Bände. Neben Cottas Reihe ist z. B. noch die Collection Spemann *(Deutsche Hand- und Haus-Bibliothek)* zu nennen. Auch andere Editionen

43 Das Buch im Spiegel seiner Zeit. 90 Jahre A. Weichert Verlag Hannover-Berlin. 1872-1962. o. O. o. J. [1962], (Summarische, ill. Darstellung auf 43 ungez. S.) – Scheidt, Gabriele: Der Kolportagebuchhandel (1869-1905). Eine systemtheoretische Rekonstruktion. Stuttgart 1994, S. 199-211: Der Weichert-Verlag als Prototyp eines ›Gesamt-Verlagsbetriebes‹. – Geschichte des deutschen Buchhandels im 19. und 20. Jahrhundert. Das Kaiserreich 1871-1918. Hrsg. von Georg Jäger. Teil 2. Frankfurt a. M. 2003, S.583-587. – [Anonym]: Der größte Volksschriften-Verlag in Deutschland. In: Novitäten-Anzeiger für den Colportage-Buchhandel. [Wien] 12, 1900, Nr. 241, S. 1f.

44 Blumenthal, Hans: Der Colportage-Buchhandel und das buchhändlerische Reisegeschäft. Iglau, Wien Leipzig: Selbstverlag [1896], S. 5. Zu ähnlicher Situation in der 2. Hälfte des 20. Jahrhunderts vgl. Weigand, Jörg: Spannend auf hohem Niveau. Klassiker der Weltliteratur im Romanheft. In: Aus dem Antiquariat 2004, 3, S. 187-192.

45 Blumenthal, Colportage-Buchhandel, Abb. S. 74, Zitat S. 28.

Beilage zu sub 7/1, Formular 1

30 Heller-Stempel

Verzeichnis der Druck- und Zeitschriften.

	Verleger:
Bibliothek der Weltliteratur	Cotta, Stuttgart.
Brehm's Thierleben	Bibl. Inst., Leipzig.
Buch der Erfindungen	Spamer, O., Leipzig.
Busch-Album	Bassermann, München.
Goethe's Werke v. Düntzer, ill. Pr.-A.	D. Verlags-Anst., St.
Heine, Werke, ill.	Bensinger, Wien.
Kaaden, Die Riviera	Spemann, St.
Kleinpaul, Rom	Schmidt & G., Leipzig.
Meyer's Convers.-Lexikon	Bibl. Inst., Leipzig.
Onken, Allgem. Geschichte	Grote'sche Verlagsbuchhandlung, Berlin.
Kuff, ill. Gesundheits-Lexikon	Schultz & Co., Str.
Scherr, Germania	Spemann, St.
Spamer's illustr. Convers.-Lexikon	Spamer, O., Leipzig.
Vom Fels zum Meer	Spemann, St.
Weber, Weltgeschichte	Engelmann, W., Leipz.
Brockhaus, Conversations-Lexikon	Brockhaus, Leipzig.
Zeitung, Neue Illustr.	Exped., Wien.
Ueber Land und Meer	D. Verlags-Anst., St.
Buch für Alle	Union.
Bibliothek der Unterhaltung etc.	
Oelfarbendruckbilder geistlichen und weltlichen Genres.	
Alle Kalender u. s. w.	

Anmerkung: Die Colportage beschränkt sich lediglich auf die in dem betreffenden Verzeichnisse angeführten Druck- und Zeitschriften und ist daher stets ein vollständiges Verzeichnis zu verfassen und der Eingabe beizufügen.

Eingabe zur Erlangung eines Colportagescheines

Kleist-Ausgabe
Bibliothek der Weltliteratur
Verlag Cotta

wurden auf diese Art vertrieben: »Meyer's Klassikerausgaben wurden in den Jahren 1885-1893 im Werthbetrag von etwa 1 Mill. Mark im Reisegeschäft verkauft.«[46] Sonst galt es stets, wie im hier untersuchten Material durchgehend deutlich wird, die Einbandkosten durch Bindung in einen Band zu verringern.

Zurück zum Verlag Weichert Berlin: Um 1900 umfaßte das Klassikerangebot von Weichert ca. 20 gängige Autoren von Ludwig Anzengruber bis Richard Wagner bzw. 22 von Ludwig Börne bis Heinrich Zschokke.[47] Seine Kleist-Ausgabe ist einmal

46 Baumbach, Karl: Der Kolportagebuchhandel und seine Widersacher. Berlin 1894, S. 23.

47 Im Verlagskatalog Weicherts von 1901 (Bestand: DNB Leipzig: Bö C VIII 716) lautet die Anzeige: »Klassikerausgaben mit Einleitungen namhafter Literarhistoriker und den Porträts der Dichter. In Ganzleinen mit Goldpressung auf blütenweißem, holzfreiem Papier. Jeder Band 3,25 Mark«. Zum Kanon, der in diesem Fall wie üblich weitestgehend auf dem guten Absatz beruht, gehören: Anzengruber, Chamisso, Eckermann, Goethe, Grillparzer, Hauff, Hebbel, Heine, Ibsen, Kleist, Körner, Lenau, Lessing, Mörike, Reuter, Schiller, Shakespeare, Storm, Uhland, Wagner. Im Novitäten-Anzeiger für den Colportage-Buchhandel, Wien, Jg. 12, 1900, Nr. 241, S.1-2 werden »...Klassiker, von Börne bis Zschokke, 22

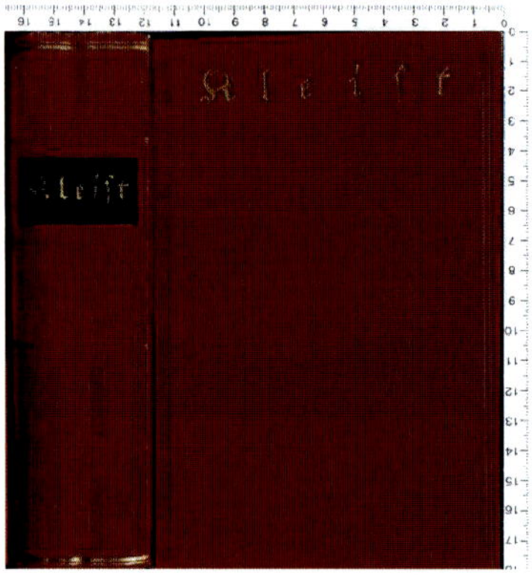

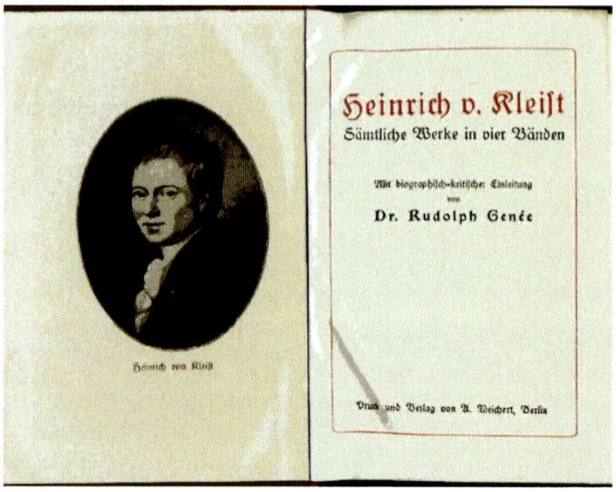

Genée29, Anfang der 20er Jahre

Genée30, Mitte/Ende der 1920er Jahre

in der Nationalbibliographie erfaßt: »Kleist, Heinr. v.: Sämtliche Werke in 4 Bdn. Mit Einleit. v. Rud. Genée. Neu durchges. Ausg. m. neuester Rechtschreibg. (199, 251, 168 u. 236 S. m. Bildnis.) kl. 8 Berlin (911). A. Weichert. In 1 Lwbd (Urspr.-Pr. 1.75)« – unten im Katalog Genée22ff. (DNB Leipzig nicht nachgewiesen).
Er arbeitete über Jahrzehnte erfolgreich; in der Verlagsgeschichte spiegelt sich dann der Lauf der jüngeren deutschen Geschichte auf seine Weise sehr typisch wieder: Weichert kam trotz Zerstörung über den Weltkrieg, – das Verlagsgebäude lag 1945 wie die Stadt in Trümmern. 1946 durch die Sowjetische Militärregierung unter der Nummer 94 lizensiert, wurden Druckerei/Buchbinderei und Verlag als zwei selbständige Unternehmen getrennt ins Handelsregister eingetragen. Ab 1946/47 versuchte der Verlag u. a. ein Programm mit guter, neuer Literatur aufzubauen.[48] Es

Autoren in 53 Leinenbänden à zirka 50 Druckbogen, zirka 45.000 Druckseiten« genannt, »eine so respektable Verlagswerks-Ziffer, wie sie außer der Hempel'schen Handlung … keine andere Berliner belletristische Handlung aufzuweisen imstande sein dürfte.« Eine illustrierte Kleist-Ausgabe von Weichert fehlt noch in der Sammlung.

48 Anfragen an Alfred Döblin in Wiesbaden, an Heimito von Doderer in Wie, an Kasimir Edschmid in Darmstadt, an Hans Fallada in Berlin-Niederschönhausen, an Alexander

gelang nicht: 1948 zog der Verlagsteil mit den Jugendschriften nach Hannover, etablierte sich dort mit anderen Verlagen und firmierte mit Hannover-Berlin (er gehört heute zur Cornelsen-Verlagsgruppe). Am 23. 10. 1950 wurden die Buchdruckerei und Buchbinderei Weichert Berlin[-Ost] enteignet; gleichzeitig wurden der A. Weichert Verlag und das gesamte Privatvermögen der Inhaber beschlagnahmt. Das Verlagsarchiv wurde makuliert, der Maschinenpark fast vollständig verschrottet.[49]

Ein kleiner Exkurs zur Datierung der Weichertschen Kleist-Ausgaben: Die Datierung ist wie bei allen ohne Erscheinungsjahr gegebenen Stereotypdrucken anhand der äußeren Erscheinungsform von Einband, Vorsatz, Frontispiz, Titelgestaltung, Papierqualität und ggf. Druckhinweisen möglich, zuweilen aber wegen einzelner Varianten schwierig. Zwei [!] der Titelblätter bieten die grammatisch falsche Form »In zwei Bände« (Genée20 und 21). Das fehlende *n* ist bei den anderen Bänden in anderer Schrift angefügt.
Beide oben abgebildete Ausgaben haben den gleichen Einband, innen jedoch verschiedene Frontispize und vollkommen verschieden formulierte Titelblätter. Hier ist die Datierung in etwa sicher anhand der Gestaltung der Titelblätter zu treffen.

Gustav Fock (Kolberg 1854 - 1910 Leipzig) war seit 1879 Leipziger Antiquar, Buchhändler und Verleger; der Verlag ging 1908 in Konkurs.[50] Die Genée-Kleist-Ausgabe gab er um 1890 einmal heraus, die Ausgabe von Karl Siegen 1895 bis 1898 mehrfach (s. u.). Auch eine Auswahl erschien unter diesem Namen.[51] Die Ausgabe ist mit dem Kuriosum ausgestattet, daß in Bd 1 der Verlag Gustav Fock Leipzig, in Bd 2 jedoch die Bibliographische Anstalt Berlin firmiert. Der Stereotypdruck lag in großer Menge beim Drucker Bibliographische Anstalt und wurde für Fock nur mit dem neuen Titelblatt versehen (vgl. unten Genée31).

Der Globus-Verlag Berlin, gegründet 1898, gehörte der großen Berliner Kaufmannsfamilie Wertheim. Er war im Kampf um den (billigen) Buchverkauf in Warenhäusern, den die Buchhändler über den Börsenverein des Deutschen Buchhandels mit allen Mitteln zu verhindern suchten (man ist z. T. an die heutigen Auseinandersetzungen um die Digitalisierung und das Urheberrecht erinnert), gegründet worden und trug seinen Namen nach dem Emblem des Warenhauses.[52] Er brachte Reise-

---

Lernet-Holenia in St. Wolfgang, an Heinrich Mann in Los Angeles sind im winzigen Rest des Verlagsarchivs Weichert im Landesarchiv Berlin, A.Rep.250-06-01, Laufzeit 1945-1952, überliefert.

49 Das Buch im Spiegel seiner Zeit, S. 31-32. Termin 1952 als Endpunkt der Auflösung im Material im Landesarchiv Berlin.

50 Carlsohn, Erich: Lebensbilder Leipziger Buchhändler. Meersburg 1987, S. 112-117: Gustav Fock und Dr. Leo Jolowicz. - Konkurs: Börsenblatt für den Deutschen Buchhandel 1908, S. 1005. - Adreßbuch des Deutschen Buchhandels 1910.

51 Heinrich von Kleists Werke. Auswahl. Leipzig Buchhandlung Gustav Fock GmbH. o. J. [1919]. 842 S. Frontispiz 6 mit der Unterschrift: Chr. E. Kleist [!]. Einl. von Friedrich Michael (Bestand: DNB Leipzig 1920 A 529). Es gibt die Ausgabe auch mit der richtigen Unterschrift. Die Buchhandlung Fock ist nicht identisch mit dem Verlag Fock.

52 Im Adreßbuch des Deutschen Buchhandels firmiert er als »Buch-, Kunst- und Musikverlag«. Die Geschäftsführer waren G. Straßburger und Carl König. Klotzbach, Rudi:

Kleist-Ausgaben des Globus-Verlags Berlin um 1900 ohne Herausgeber oder Einleitung:

Kleist-Ausgaben mit gleichem Einbandentwurf: ved: b-globus6, 2 Bde in 1: 434, 379 S.
Bestand: Grün – Freie Universität Berlin/UB: Kleist/G0.1 // Rot – Kleist-Museum Frankfurt (Oder): SK 1/51

Als zwei- und vierbändig gezählte Kleistausgaben in identischem Einband:
ved: b-globus7, 2 Bde in 1: 434, 379 S. //Bestand: Freie Universität Berlin/UB: Kleist/G0.2
ved: b-globus7, 4 Bde in 1: 434, 379 S. // Bestand: Freie Universität Berlin/UB: Kleist/G0.3

Kaufhaus Wertheim:

Werbung aus dem Haupt-Preisbuch 1903/1904, nachgedruckt u. d. T. Mode-Katalog 1903/1904. Warenhaus A. Wertheim Berlin. Hildesheim 1979. (Auszug aus S. 134, ganze Aufnahme unten S. 75)
Beworben wird die Klassikerreihe, in der Kleist mindestens zweimal erschien, vgl. oben die Einbände in Grün und Rot.

Es sind vier verschiedene Ausgaben: oben zwei Ausgaben in gleichem Einband in verschiedenen Farben, darunter ein identischer Einband mit zwei verschieden gezählten Bänden: Inhalt und Umfang sind gleich, die Bände werden nur auf dem Titelblatt als zwei- bzw. vierbändig gezählt. Die Zählung in vier Bänden ist die spätere, sie suggeriert einen größeren Umfang. Die Gestaltung der beiden Einbände ist mit der der Kleist-Ausgabe von Knaur Leipzig verwandt (vgl. oben S. 41 in Rot).

schilderungen, Alben mit Ansichten,[53] Kunst- und Musikführer sowie auch Klassikerausgaben heraus, darunter – nach mindestens vier Ausgaben ohne Einleitung (s. die Abb. unten) – die Genéesche Kleist-Ausgabe mindestens dreimal in der alten Ausgabe, einmal in der neuen Bearbeitung. Bibliographisch sind sie nicht nachgewiesen. Klassikerausgaben im Warenhaus bringen einen neuen Aspekt in den sozialhistorischen Kontext der Rezeptionsgeschichte: sie zeigen das Buch als Ware, die ohne die schon zitierte ›Schwellenangst‹ wahrgenommen und zu einem günstigen Preis gekauft werden kann. Aus den Auseinandersetzungen um den Buchverkauf im Warenhaus gibt es eine Zahl zum Verkauf: im ersten vollen Geschäftsjahr (1898) wurden bei Wertheim neben 150.000 Bilderbüchern, 110.000 Kochbüchern und 120.000 Unterhaltungsschriften auch 8.000 Klassikerwerke abgesetzt.[54] Das ergäben bei geschätzten 10 ›klassischen‹ Autoren[55] rechnerisch 800 Exemplare pro Autor. Diese ungefähre Zahl bezieht ihren Charme aus dem Umstand, daß hier gezählt wurde, was wirklich verkauft worden war, und daß auch nur hergestellt wurde, was umzusetzen war. Die Klassiker gehörten somit neben den Unterhaltungsschriften, Koch- und Bilderbüchern zu den gangbaren Buchtypen, zu den sog. »Brotartikeln«. Bei den beiden ersten Ausgaben ist das gleiche Kuriosum wie schon bei der Genée-Ausgabe vom Verlag Fock festzustellen: Neben dem eigentlichen Verlag Globus erscheint hier im Impressum von Bd 2 der Verlag Weichert; auch hier lag der

Warenhäuser als Buchhändler. Diss. Leipzig 1932, S. 84-86. – Jäger, Georg: Kaufhausbuchhandel. In: Geschichte des deutschen Buchhandels im 19. u. 20. Jh. Das Kaiserreich 1871 bis 1918. 2003, Bd 2, 621–640. – Vernaleken, Barbara: Warenhäuser als Buchhändler und Verleger – von ihrer Gründung in der 2. Hälfte des 19. Jhs bis zum Ende der Weimarer Republik. Magister-Hausarbeit am Fachbereich 5 der Univ. Mainz, 2007. 159 S. Die gute Arbeit krankt bei der Darstellung des Globus-Verlages ein wenig an der methodischen Schwäche einer unzureichenden Materialbasis: »Grundlage für die Betrachtung der Buchproduktion der Wertheim-Verlage sind deren Bestände in der Deutschen Nationalbibliothek Leipzig.« (S. 4) Die lückenhafte Verzeichnung der Nationalbibliographie ist bekannt (Blum, Rudolf: Nationalbibliographie und Nationalbibliothek, Anm. 24); die DNB Leipzig sammelte offiziell erst ab 1913, vorher (ab 1898) erschienene Werke sind hier nicht zu erwarten. In der DNB Leipzig ist erwartungsgemäß nicht eine einzige Klassikerausgabe vom Globusverlag verzeichnet, so wird dieser Publikationskomplex in der Magisterarbeit nicht erwähnt. Zu Wertheim allgemein: Ladwig-Winters, Simone: Wertheim – ein Warenhausunternehmen und seine Eigentümer: Ein Beispiel der Berliner Warenhäuser bis zur »Arisierung«. Münster 1997. – Fischer, Erica und Ladwig-Winters, Simone: Die Wertheims. Geschichte einer Familie. Berlin 2004.

53 Lorenz, Dieter: Globus Verlag Berlin: Bild-Publikationen im »Photographiedruck«. In: Aus dem Antiquariat 2004, 5, S. 347-356, Ergänzung dazu von Helmut Bruske S. 473.

54 Lux, Käthe: Studien über die Einwirkungen der deutschen Warenhäuser auf einige Handlungszweige. Diss. Zürich, Druck Jena 1910. Darin S. 1-21: Gemüsekonserven. S. 22-70: Bücher. S. 44. (Auch ersch. als: Studien über die Entwicklung der Warenhäuser in Deutschland. Jena 1910).

55 Die Klassikerreihe der Bibliographischen Anstalt (von Weichert übernommen) umfaßte 11 Autoren: Chamisso, Goethe, Hauff, Heine, Kleist, Körner, Lenau, Lessing, Schiller, Shakespeare und Uhland.

Buchblock bei Weichert fertig vor und wurde für Globus mit einem neuen Titelblatt versehen. (Vgl. unten Genée37-38). Im Globusverlag sind außerdem die Erzählungen Kleists als Einzelausgabe erschienen.[56] Kleist-Ausgaben des Globus-Verlages sind nach 1911 nicht weiter zu ermitteln. Im Warenhaus Wertheim wurden danach die Ausgaben der Verlagsgesellschaft für Literatur und Kunst Berlin verkauft, die auch Wertheim gehörte (s. u.). Andere Globus-Publikationen lassen sich bis in den Zweiten Weltkrieg feststellen.[57]

Die Verlagsgesellschaft für Literatur und Kunst Berlin hat wenige Jahre um 1910 standen.[58] Die Geschäftsführer waren mit denen des Globus-Verlages identisch.[59] Kleist erschien hier zusammen mit anderen Klassikerausgaben.[60] 1911 wurde sie vom Kaufhaus Wertheim erworben und unter dem Namen *Deutsche Bibliothek Verlagsgesellschaft* fortgeführt; der Geschäftsführer von 1911 bis 1918 war Otto Reichl (1877-1954).[61] Sie brachte unter dieser Verlagsbezeichnung nach dem Vorbild der *Everyman's Library* (1906ff.) bis in die 1930er Jahre gängige Klassikerausgaben aller Fächer (sog. Weltliteratur: Goethe, Homer, B. Gracián, Spinoza, Andersen, Mozart, Luther, Marc Aurel, O. Wilde, Kant, Tasso, Bismarck usw.) heraus. Bei Einführung

---

56 Heinrich von Kleist: Erzählungen. Berlin: Globus Verlag GmbH. o. J. [um 1900], 279 S., Vorrede (2 ½ S.) von Arthur Eloesser, dem bedeutenden Kleistkenner und Herausgeber der Kleistausgabe in den Tempel-Klassikern (1909-1910). Druck der Spamerschen Druckerei Leipzig, Halbgewebeband.

57 Kurzer Hinweis auf einen weiteren Globus-Verlag: In Wien gab es gleichzeitig einen »Globus-Verlag«, der im Adreßbuch des deutschen Buchhandels mehrfach firmiert (z. B. 1912). Der Wiener Globusverlag beruhte auf dem Steyrermühl-Verlag, der 1872 in Wien mit Druckerei gegründet, 1938 arisiert und 1945 zum Parteiverlag der KP Österreichs geworden war. Nach dem 2. Weltkrieg, von 1945 bis 1990, war er Parteiverlag der Kommunistischen Partei Österreichs. (Köster, Christina: »Wie das Salz in der Suppe«. Zur Geschichte eines kommunistischen Verlages – Der Globus-Verlag. Wien, Universität Dipl.-Arbeit Dt. Philologie 2001).

58 Der Name ähnelt auf verwirrende Weise der seit 1898 bestehenden *Harmonie. Verlagsgesellschaft für Literatur und Kunst.* Dieser Verlag ist im Adreßbuch des Deutschen Buchhandels von 1898 bis 1912 in Berlin nachgewiesen, 1913 in München und 1914 wieder in Berlin. Er brachte ausschließlich gängige Bücher heraus: Unterhaltungsliteratur (Reihe *Rideamus*), Musikliteratur (darunter die sehr verbreitete Reihe *Berühmte Musiker*). Geschäftsführer ist u. a. durchgehend Alexander Jadassohn.

59 Adreßbuch des deutschen Buchhandels 74, 1912: Verlagsgesellschaft für Literatur und Kunst m. b. H. Berlin W 66, Geschäftsführer Otto Berger und Georg Straßburger. Ges.-Prokur.: Max Prengel. Der Globus-Verlag Berlin W66, Kaiserhofstr. 1 hatte identische Geschäftsführer und denselben Prokuristen: Otto Berger, Georg Straßburger und Carl König. Ges.-Prokur.: Max Prengel. Auch die Tel. Nr. ist identisch.

60 Zu den in der Verlagsgesellschaft für Literatur und Kunst erschienenen Klassikerausgaben gehören: Chamisso, Goethe, Grillparzer, Hauff, Heine, Kleist, Körner, Lenau, Lessing, Mörike, Reuter, Schiller, Schopenhauer, Shakespeare, Uhland.

61 Seng, Thomas: Weltanschauung als verlegerische Aufgabe: der Otto Reichl Verlag 1909 – 1954. Mit einer Bibliographie der Verlage von Otto Reichl und der Deutschen Bibliothek. St. Goar 1994, S. 93-118.

der Reihe kalkulierte Reichl eine Auflagenhöhe von 5.000 Exemplaren. Jeder Band (15 bis 20 Bogen, ca 300 Seiten), in Leinwand gebunden, sollte 1 Mark kosten. Auch hier ist wie beim Globus-Verlag die Gängigkeit des Produktes maßgebend für seine Herstellung. Kleist erschien im Verlag *Deutsche Bibliothek Berlin* in der Reihe *Klassiker der Deutschen Bibliothek* in einer zweibändigen Ausgabe sowie in zwei Auswahlbänden mit dem dramatischen und dem erzählerischen Werk.[62]

Der Berliner Verlag Carl Herrmann Otto ist kaum bekannt.[63] Er gab eine größere Zahl wohlfeiler Klassikerausgaben heraus, die vielfach in dem auch für die Kleist-Ausgabe benutzten Jugendstileinband erschienen.[64] Nach den Einbänden ist zu schließen, daß er die erste Ausgabe von der Bibliographischen Anstalt und die beiden anderen von Weichert übernahm. R. Levi, Buchhandlung, Antiquariat und Verlag in Stuttgart, war 1840 gegründet worden. Er publizierte Ratgeberliteratur und ebenfalls gängige Klassikerausgaben.[65] Bei seinen Kleist-Ausgaben ist die Herkunft aus dem Verlag Weichert Berlin daran deutlich, daß der Einband auf der Hinterdecke das Verlagssignet AW (Alexander Weichert) trägt. Erstaunlich ist, daß Levi nicht eine Kleist-Ausgabe des ortsansässigen Cotta-Verlags übernahm. Offensichtlich war die Gesamtherstellung der Bände in Berlin kostengünstiger. Bei den kleinen Verlagsbuchhandlungen ist der ökonomische Aspekt der Publikation ebenfalls sehr deutlich; auch sie nahmen nur Ausgaben ins Programm, die sich gut verkauften.

Zusammenfassung: Die Kleist-Ausgabe mit der Einleitung von Rudolf Genée erschien von 1886 bis in die 1920er Jahre in neun Verlagen in über 40 verschiedenen Ausgaben. Bis 1900 gaben die Verlage der Familie Warschauer (A. Warschauer und Bibliographische Anstalt) sie heraus, ab 1900 der Verlag A. Weichert; von beiden wurde sie an mehrere kleine Verlage vergeben. Die Ausgabe war bis 1910 dieselbe, zum Gedenkjahr 1911 erfolgte eine Umarbeitung mit neuer Textanordnung und Druckfehlerkorrektur, die Einleitung blieb bis auf eine kleine Änderung am Schluß dieselbe. Von den derzeit bekannten 43 Genée-Ausgaben sind 30 vor 1910 erschie-

62 Heinrich von Kleist: Gesammelte Werke. Hrsg. von Prof. Dr. Eugen Wolbe. - Heinrich von Kleist: Dramatische Werke, hrsg. von Prof. Dr. Eugen Wolbe, enthält nur *Die Hermannsschlacht, Prinz Friedrich von Homburg, Der zerbrochene Krug* und *Das Käthchen von Heilbronn.* Die Erzählungen mit der Vorrede von A. Eloesser (vgl. Anm. 56) erschienen nochmals [1913]. [1934] erschien dieselbe Ausgabe u. d. T: Michael Kohlhaas und andere Erzählungen mit Einl. (2 S.) von Wilhelm Dreecken. Diese Ausgabe zählt wegen der kürzeren Einleitung bei sonst identischem Buchblock nur 277 statt 279 Seiten.

63 Der Verlag Otto ist im Adreßbuch des deutschen Buchhandels nicht nachgewiesen, weil er keinen Kommissionär in Leipzig hatte. Im Berliner Adreßbuch erscheint die Buchhandlung Carl Herrmann Otto, Inhaber Emil Reckling, bis 1902 in Schöneberg, Geßlerstraße, dann von 1903 bis 1914 als Verlagsbuchhandlung in Schöneberg, Martin Lutherstraße, von 1915 bis 1921 in Berlin-Lichterfelde, ab 1922 wieder nur als Buchhandlung. Im Landesarchiv Berlin war nichts über den Verlag Otto zu ermitteln.

64 Börne, Byron, Goethe, Hauff, Hebbel, Heine, Herder, Kerner, Kleist, Körner, Lenau, Lessing, Raimund, Rückert, Schiller, Shakespeare, Uhland.

65 Adreßbuch des deutschen Buchhandels, jährlich. Er war Mitglied im Börsenverein der Deutschen Buchhändler Leipzig.

nen (vermutlich 16 vor und 14 nach 1900), zum Gedenkjahr 1911 vielleicht sieben bis zehn.[66] Danach verebbt das Erscheinen bis Ende der 1920er Jahre.

Schon seit den 1890er Jahren ist die Folge der Ausgaben sehr dicht, selbst kleine Verlagsbuchhandlungen haben Kleist im Programm. Insgesamt lassen sich Tempo und Organisation der Buchherstellung bei der Genée-Ausgabe gut beobachten: Bei der raschen Herstellung mit Stereotypdrucken erscheinen in zwei Fällen zwei verschiedene Verlage in derselben Ausgabe, weil der im Buchblock auf dem Titelblatt zum (gezählten) Bd 2 firmierende Verlag nicht ausgetauscht wurde, sondern in der Eile erhalten blieb. In einem anderen Fall ist die Beteiligung eines zweiten Verlags durch das Verlagssignet auf dem Einband dokumentiert. Kennzeichnend für die Genée-Ausgabe sind die neuen Vertriebswege der Ware Klassikerausgabe: 1. durch den Verlag Weichert (Nähe zum Kolportage-Vertrieb), 2. durch das Angebot in den kleinen Verlagsbuchhandlungen mit ausschließlich gut gängigen Büchern und 3. durch den Buchverkauf im Warenhaus (Verlag Globus). Von den über 40 Ausgaben sind zwei in der Nationalbibliographie nachgewiesen: Warschauer 1888 und Weichert 1911.

4. DIE KLEIST-AUSGABE HERAUSGEGEBEN BZW. MIT DER EINLEITUNG VON KARL SIEGEN

Die von dem Schriftsteller und Literaturhistoriker Karl Siegen (1851-1917)[67] herausgegebene Kleist-Ausgabe erschien von 1895 bis Anfang der 30er Jahre in verschiedenen Varianten. Siegen war Kleistforscher: 1877 hatte er bei Brockhaus die Kleistschen Dramen herausgegeben, 1876 den *Zerbrochenen Krug*[68] und 1890 *Das Käthchen von Heilbronn* für das Theater bearbeitet, eine Bearbeitung, die Erich Schmidt kurz so beurteilte: »Hände weg!«[69] Daneben hat Siegen textkritische Arbeit geleistet und als erster ein Variant der *Herrmannsschlacht* gefunden, das Zeitschwingen-Fragment.[70] Dieses wird erstmals 1914 in der achtbändigen *Vollständigen Ausga-*

---

66 Vor 1900: Genée1 bis14, 31, 32 = 16. // 1900 - 1910: Genée15 bis 21, 33 bis 39 = 14. // Zum Gedenkjahr 1911: Genée22 bis 28, 40 bis 42 = 10 (geschätzt, vielleicht nur 7, da Genée24 bis 26 vielleicht später zu datieren sind). // nach 1911: Genée29, 30, 43 = 3, bzw. 6 (mit Genée24 bis 26).

67 Kosch, Wilhelm: Deutsches Literatur-Lexikon. 3. Aufl. Bern 1978ff., Bd 17, S. 630.

68 Dazu erschien 1879 noch eine Aufsatzsammlung: Heinrich von Kleist und Der Zerbrochene Krug. Neue Beiträge von Dr. Karl Siegen, 1. Redakteur des Chemnitzer Tageblattes. Sondershausen 1879.

69 Das Käthchen von Heilbronn oder Die Feuerprobe. Dramatisches Märchen in fünf Akten. Zum 1. Male auf Grund des ursprünglichen Plans neu für Bühne und Haus bearb. von Karl Siegen. Leipzig: Paul Beyer 1890. Rezension von Erich Schmidt: Deutsche Literaturzeitung 12, 1891, Sp. 66f. (Vgl. auch Kanzog, Edition Bd 2, S. 308.) Siegen hat z. B. an den Kleistschen Schluß »Giftmischerin!« (Graf Wetter vom Strahl an Kunigunde) nach eigener Erfindung angefügt: Wetter vom Strahl an Käthchen: »... Mein liebes Veilchen du, Weib meiner Wahl!«. Käthchen: »Mein Friedrich! Mein Gebieter! (selig) Mein Gemahl!« Darauf Heilrufe des Volkes.

70 Es handelt sich um den in der Zeitschrift *Zeitschwingen* 1818 veröffentlichten kleinen

be von K. Siegen unter Mitwirkung von Rudolf Schlösser und Oskar Walzel in Bd 5 sowie in der Auswahl in Bd 4 bei Hesse & Becker veröffentlicht. Die Siegensche ist die einzige der hier vorgestellten Volksausgaben, die ausführlich Rechenschaft über ihren textkritischen Hintergrund gibt.

Die Ausgabe von Siegen erscheint zunächst ab 1895 mit einer kleinen Einleitung (S. 3-38) bei Gustav Fock Leipzig: »Kleist's Heinr. v., sämtl. Werke in 4 Bdn. M. e. biograph. Einleitg v. Karl Siegen. 8. (215, 204, 239 u. 192 S. m. Bildn.) Leipzig 895. Gustav Fock, Verlag. In 1 Leinw.=Bd 1.75; in 1 HalbfrzBd 2 50«. Die Gewebebände sind am häufigsten vertreten. Der Halblederband ist in zwei verschiedenen Qualitäten überliefert: als einfacher Halblederband (Lederrücken, Überzug aus Gewebe, Siegen5 und 6), der bibliographisch nicht angezeigt ist, und als luxuriöser Halblederband (Lederrücken und -ecken, Überzug aus Marmorpapier), dem sog. Halbfranzband (Siegen7). Die Bezeichnung Halbfranzband ist sachlich falsch; sie benutzt das hohe Ansehen dieses aus der französischen Einbandkunst des 18. Jahrhunderts stammenden *Hand*einbands, dessen mit Faden auf Bünde gehefteten Bücher sämtlich einen festen Rücken mit echten Bünden haben. Die vorliegenden Bände haben Drahtheftung und einen hohlen Rücken. Halbfranzband meint somit einen gut gearbeiteten Halblederband.[71]

Den ersten Band bildet die Einleitung mit *Die Familie Schroffenstein* und *Penthesilea*. Es folgen *Amphitryon, Der zerbrochene Krug* und *Das Käthchen von Heilbronn* (Bd 2), Erzählungen, Fabeln, Anekdoten, Vermischtes (Bd 3), *Prinz Friedrich von Homburg, Die Herrmannsschlacht, Robert Guiskard* sowie Gedichte, Epigramme (Bd 4). Es ist dieselbe Anordnung der Stücke, wie sie später in der Ausgabe bei Max Hesse wiedergegeben sind. Siegen erscheint hier noch als Dr. Karl Siegen, in der Ausgaben von Hesse wird er als Prof. Dr. Karl Siegen firmieren. Die Einleitung schlägt ganz andere Töne an als die nur 10 Jahre ältere von Genée: Kleist gilt hier »als der bedeutendste deutsche Dichter nächst Goethe und Schiller« (S. 3). Der einleitenden Biographie folgt einer kleiner Passus zum Text und zur Forschungsgeschichte. Der Druck erfolgt in der Druckerei Hesse & Becker (der Name gilt erst ab 1910 für den Verlag). Auch die Einbände der Ausgaben von Fock sind äußerlich denen von Hesse zum Verwechseln ähnlich, werden aber in einer anderen Buchbinderei (Böttcher & Bongartz Leipzig) hergestellt. Sieben verschiedene Focksche Kleist-Ausgaben, vier Gewebe-, zwei einfache Halblederbände und ein Halblederband mit Marmorpapier, sind unten im Katalog nachgewiesen.

Auszug aus dem Schluß des Dramas: »Marbod und Herrmann. Eine Scene aus der Herrmannsschlacht, eine Reliquie von Heinrich von Kleist«. (Heinrich von Kleist: Sämtliche Werke und Briefe. Deutscher Klassiker Verlag, Bd 4, S. 439-445. – Heinrich von Kleist: Sämtliche Werke. Brandenburger Ausgabe, Bd I/7, S. 175-188).

71 Dies ist der Sprachgebrauch der Werbung eines Verlags, der eine Großbuchbinderei besitzt. Es ist somit eine Begriffsveränderung festzustellen, die sich von der eigentlichen Fachsprache entfernt. Mit *Franzband* ist werbesprachlich ein gut gearbeiteter schöner *Lederband* gemeint. So erscheint er weiter unten auch in der Werbung des Verlags Max Hesse.

Fock verkaufte die von ihm konzipierten *Neuen Leipziger Klassiker-Ausgaben* 1898 an den Verlag Max Hesse Leipzig, bei dem die Siegensche Kleist-Ausgabe die größte Verbreitung fand.[72] Die Titel der Ausgabe variieren leicht. Während zunächst großer Wert auf Vollständigkeit gelegt wird,[73] sind es *Sämtliche Werke in vier Bänden,* dann *Sämtliche Werke. Vollständige Ausgabe in vier Bänden,* die als *Neue Leipziger Klassiker-Ausgaben* angeboten werden. Das sind (buchbinderisch) einbändige Werke von einer sehr großen Verbreitung. Nach 1914 folgen, als Nebenprodukt der jetzt mit Anspruch auftretenden *Vollständigen Werke* unter Mitwirkung von Rudolf Schlösser und Oskar Walzel, *Werke. Auswahl in fünf Bänden;* auch *Werke. Auswahl in vier Bänden,* bzw. mit den gleichen Herausgebern *Werke. Auswahl in vier Teilen,* die sämtlich in einen Band gebunden sind. Die verschiedenen Titelformen sind unten im Katalog wiedergegeben. Die *Vollständige Ausgabe* erscheint in acht Teilen bzw. acht Bänden in jeweils zwei gebundenen Bänden, die einmal auch in drei dünne Bände gebunden sind.[74] Wir beschränken uns hier im Hinblick auf den Typus Klassikerausgaben auf die in einem (Buchbinder-)Band erschienenen Drucke.

Die Ausgabe enthält üppige Beigaben: ein Frontispiz sowie ein oder sogar zwei weitere Kleistporträts, ein Bild der Grabstätte am Wannsee,[75] den Brief an Ulrike von Kleist aus St. Omer vom 26. 10. 1803 in Faksimile. Die Einleitung von Siegen

---

72 Geschäftsrundschreiben von Gustav Fock – Verlag Max Hesse zum 15.9.1898 (DNB Leipzig, Deutsches Buch- und Schriftmuseum, Buchhändlerische Geschäftsrundschreiben, Bö-GR/F414).

73 In der Ausgabe mit dem Vorwort von 1902 heißt es im Anhang der Werbung S.9: »Die vollständigste aller Kleist-Ausgaben! Diese Ausgabe enthält alle Schriften H. v. Kleists, die noch nachträglich aufgefunden und als von ihm herrührend allgemein anerkannt wurden.«

74 Heinrich von Kleists Werke. Vollständige Ausgabe in acht Teilen. Unter Mitwirkung von Rudolf Schlösser und Oskar Walzel hrsg. von Karl Siegen. Leipzig: Hesse & Becker o. J. [1914]. 8 Teile in 2 Bdn. Serie: Deutsche Klassiker-Bibliothek. Einband: Schwarzer Gewebeband mit rotem Rückenschildchen. VD: Tempel mit 3 Säulen. Vermerk auf dem letzten Blatt: Druck und Einband von Hesse & Becker in Leipzig. Bestand: Kleist-Museum Frankfurt (Oder) SK1 23 mit Exlibris von Minde-Pouet. – Heinrich von Kleists Werke. Vollständige Ausgabe in acht Bänden. Unter Mitwirkung von Rudolf Schlösser und Oskar Walzel hrsg. von Karl Siegen. Mit zwei Bildnissen, einer Abb. der Grabstätte und einem Brief als Schriftprobe. Leipzig: Hesse & Becker o. J. [1914]. 8 in 2 Bdn. Serie: Deutsche Klassiker-Bibliothek. Hesses Klassikerausgaben in neuer Ausstattung. Einband: Roter Gewebeband. Auf dem letzten Blatt: Druck und Einband von Hesse & Becker in Leipzig. Bestand: Kleist-Museum Frankfurt (Oder): I/26 – Heinrich von Kleists Werke. Vollständige Ausgabe in acht Teilen. Unter Mitwirkung von Rudolf Schlösser und Oskar Walzel hrsg. von Karl Siegen. Leipzig Hesse & Becker o. J. [1914]. 3 hellblaue Pappbände. Durch Farbprägung auf der Vorderdecke (nicht im Druck) als Parnass-Klassiker deklariert. Bestand: DNB Leipzig: 1926 A 16037.

75 Von einem hohem Zaun umgeben, laut Angabe nach einer Photographie von Sophus Williams, Berlin 1899. Theodor Fontane hat es 1889 so beschrieben: »Ein Eisengitter zwischen vier Standpfeilern schließt das Grab ein …« (Fünf Schlösser. Altes und Neues aus der Mark Brandenburg. Berlin 1889, S. 454-457).

umfaßt XCVI Seiten, sie schließt nach einem vorgeschalteten Kleistporträt mit einer Ausführung zum Text. Die ersten Drucke sind anhand der jüngst datierten Angabe in der Einleitung auf »ab 1899« festzulegen, sie bringen die Texte in dem bei Fock gegebenen Satz, jedoch mit anderer Seitenzählung. In der nächsten neuen Ausgabe ist die Einleitung mit dem Jahr 1902 datiert. Ab 1914 folgen die Auswahlbände mit einer neuen Einleitung, XXXII Seiten und mit *Neujahr 1914* datiert. In dem neuen Auswahlband fehlt *Amphitryon,* dieses Stück scheint von den Kleistschen Dramen stets das entbehrlichste zu sein;[76] von den Erzählungen erscheint nur noch *Michael Kohlhaas.* Die einzelnen Stücke haben jedoch eine Einleitung des Herausgebers, wie sie in ›klassischen‹ Klassikerausgaben üblich geworden ist.

Der Verleger ist Max Hesse bzw. ab 1910 Hesse & Becker in Leipzig, der die Ausgabe auch an zwei Schweizer Verleger vergab. Max Hesse (Sondershausen 1858 - 1907 Leipzig) hatte seinen Verlag 1880 gegründet und arbeitete seit 1883 eng mit der Buchdruckerei von Alwin Becker zusammen. Gemeinsam firmierte der Verlag dann ab 1910 als Hesse & Becker und war eines der größten Druckhäuser Leipzigs mit Buchbinderei unter gleichem Namen, besonders berühmt wegen guter und billiger Klassikerausgaben.[77] Die beiden Schweizer Buchhändler und Verleger sind Theodor Schröter in Zürich (1844 - 1918)[78] sowie J. Hallauer († 1923), Oerlikon-Zürich, der auch eine eigene kleine Klassiker-Reihe herausbrachte.[79]

---

76 Schon die Ausgabe von Heinrich Kurz in der Bibliothek der Deutschen Nationalliteratur, Hildburghausen: Bibliogr. Institut 1868. enthält an sich sämtliche Werke Kleists, aber »den ›Amphitryon‹ und einige poetische Kleinigkeiten ausgenommen« (S. XVI).

77 Schmidt, Rudolf: Deutsche Buchhändler, deutsche Buchdrucker. 6 Bde Berlin 1902-1908, Nachdruck 1979, S. 1067f. - Max Hesse spielte eine führende Rolle im Deutschen Buchdruckerverein. Ein Zeugnis davon gibt eine kleine Schrift: Zur Erinnerung an die 450jährige Jubelfeier der Erfindung der Buchdruckerkunst, Leipzig vom 24. Juni bis 5. Juli 1890, hrsg. von Max Hesse. Leipzig 1890. Zum 50jährigen Jubiläum 1930 erschien unter den Kleinen Mitteilungen im Börsenblatt vom 6. 12. 1930 eine kurze Geschichte des Verlages. Die Geschichte des deutschen Buchhandels im 19. und 20. Jh. Das Kaiserreich 1871-1918, Teil 2, Frankfurt/M. 2003, nennt - als einzigen der hier behandelten Verlage überhaupt - Max Hesse im Kap. über die Belletristischen Verlage (S. 170). Der Teil des Verlages mit den bedeutenden Musikpublikationen (Riemann) arbeitete ab 1907 unter dem alten Namen Hesse weiter.

78 Theodor Schröter hatte seit 1870 eine Buch- und Papierhandlung nebst Leihbibliothek in Leipzig, seit 1878 Verlag und Buchdruckerei in Zürich (Adreßbuch des Deutschen Buchhandels 1886). Die Familie Schröter war in die Schweiz eingewandert und 1885 in Hottingen bei Zürich eingebürgert worden; Hottingen wurde 1893 in Zürich eingemeindet. (Lebensdaten Schröters u. a. Auskünfte des Stadtarchivs Zürich.) Schröter gab Literatur zum praktischen Leben heraus, Gesundheitsratgeber, Kochbücher, Erbauungsliteratur, Reiseführer, auch namenlose zeitgenössische literarische Werke, daneben verschiedene Zeitschriften (z. B. seit 1881 *Schweizerisches Familien-Wochenblatt*). Bei vielen dieser Werke firmiert er im Impressum mit »Zürich Leipzig«.

79 Gegründet 1877. Er firmiert: »Buchhändlerisches Reisegeschäft. nicht Kolportage. Bedeutenden Absatz für Lexika, Pracht- und Geschichtswerke, Klassiker etc. ...«. (Adreßbuch des deutschen Buchhandels 72, 1910). Ein Nachruf steht im Börsenblatt für den deutschen

Die Siegen-Ausgabe wurde vom Verlag Hesse wie schon vom Verlag Fock in verschiedenen Einbandtypen angeboten, die Werbung in den Büchern selbst lautet: »Broschiert M. 1.25 In Orig.-Leinenband M. 1.75 Feine Ausgabe M. 2.70 Luxus-Ausgabe M. 3.50«. Gelegentlich sind die Angaben zu den besseren Ausgaben noch genauer: »3. Feine Ausgabe auf besserem Papier in solidem Halbfranzband. 4. Luxus-Ausgabe auf besserem Papier in Liebh.-Halbfranzband mit Gold- und Rotschnitt (in Karton).« So erscheinen sie auch im bibliographischen Nachweis: »Kleist's, Heinr. v., sämtl. Werke in 4 Bdn. Hrsg. v. Karl Siegen. Mit des Dichters Biographie u. Portr., e. Abbildg seiner Grabstätte u. e. Briefe in Fksm. 12. (XCVI, 177; 220, 296 u. 192 S.) Leipzig (900). M. Hesse. 1 25; in Leinw.=Bd n. 1.75; in 1 HalbfranzBd n. 2.50; in 1 Liebhaber=Halbfranz.=Bd n. 3.50« (Gesamtverzeichnis). Die Gewebebände sind bei weitem am zahlreichsten überliefert. Die feineren Ausgaben haben besseres Papier und einen Halbledereinband. Die Terminologie von *Luxus-* oder *Liebhaberband* ist der Werbung geschuldet, der *solide Halbfranzband* war schon bei Fock begegnet. Die verschiedenen Varianten sind unten im Katalog der Siegen-Ausgaben zu sehen: zunächst bunte Gewebebände, einfache Halblederbände und Luxus-Halblederbände mit Lederecken, Marmorpapier als Überzug, Goldprägung, Gold- und Rotschnitt, geglättetem Vorsatz- und gutem Druckpapier.

Bei den Ausgaben des Hesse-Verlags ist ein Element zu beobachten, das bei den beiden anderen Ausgaben so nicht erscheint: wechselnde Verlagswerbung im Vorsatz. Für *Max Hesse's Neue Leipziger Klassiker-Ausgaben* wird auf zwei verschiedenen Ornamentdrucken im hinteren Vorsatz für die Serie geworben und bei mehrbändigen Werken zusätzlich im vorderen Vorsatz eine Werkübersicht des jeweiligen Autors gegeben. Bei der einbändigen Kleist-Ausgabe erfolgt die Werbung im hinteren Vorsatz in vielen Varianten: ein- oder zweispaltig, mit verschieden gestalteten und formulierten Überschriften, mit verschiedenen Inhalten (kürzeren oder längeren Listen der Klassiker). Jede Änderung erfordert natürlich einen neuen Druck des Vorsatzpapieres und führt zu einer neuen Ausgabe. Eine Ausgabe ist technisch gesehen die Zahl der in einem Herstellungsgang angefertigten Bücher, bei dem der Buchblock mit dem Einband (Einbanddecke und Vorsatz) verbunden und als Buch ausgeliefert wird.[80] Ein neues Vorsatz dokumentiert somit eine neue Ausgabe.[81]

Buchhandel Jg. 90, 1923, vom 13. Mai, S. 680. Der ›bedeutende Absatz‹ für große Werke wird hier auch erwähnt. Die *Hallauersche Klassiker-Bibliothek* enthält folgende Autoren: Chamisso, Goethe, Hauff, Heine, Kleist, Lenau, Lessing, Schiller, Shakespeare, Uhland, Zschokke, Umfang: 30 gebundene Bände.

80 Im engsten Sinn also eine Bindequote. Die in den Lexika übliche Definition lautet: Ausgabe/Auflage – die in einem Herstellungsgang angefertigten Exemplare eines Buches. // Edition: quantity of copies of a book printed and bound at the same time (Pons-Fachwörterbuch Druck- und Verlagswesen. Deutsch-englisch. Stuttgart 1995).

81 In: *Verlagseinband digital* (Anm. 1) habe ich bei der Definition des Verlagseinbandes die wechselnde Verlagswerbung im Vorsatz als Definitionskriterium ausgeschlossen, der Hintergrund war eine verwirrende Vielfalt von Schulausgaben mit ständig ohne erkennbares System wechselnder Werbung: »Der Verlagseinband besteht aus Einbanddecke (Vorderdecke, Hinterdecke, Rücken), Vorsatz und (einem) Material(ien); ein Einband ist

Einband - Vorsatz - Titelblatt mit Frontispiz. Ausgaben Siegen13 bis 15 unten im Katalog.

Die äußere Erscheinung - der Einband - ist dreimal dieselbe, das Vorsatzpapier ist dreimal ein verschiedenes, der Inhalt (Titelblatt und Frontispiz) ist zweimal identisch und einmal anders. Das sind drei verschiedene Ausgaben.

Exkurs zu einer weiteren Definition von Ausgaben anhand von Einbänden am Beispiel der Kleist-Ausgabe in 6 Teilen (in 2 Bänden), hrsg. von Hermann Gilow, Willy Manthey und Wilhelm Waetzold bei Bong & Co, Berlin - Leipzig Wien usw. o. J., [um 1908] (Goldene Klassiker-Bibliothek).

Buchbinder: *H. Sperling Leipzig* (Blindprägung Hinterdecke unten). Gewebeband. ved: b-bong3. Bestand: FU Berlin/UB: 14 L 258*

Buchbinder: *H. Sperling Leipzig-Berlin Buchbinderei* (Blindprägung Hinter-decke unten). Pappband. ved: b-bong10. Bestand: FU Berlin/UB: Kleist/Gilow4

Buchbinder: *Hübel & Denck, Leipzig* (Blindprägung Hinterdecke unten). Gewebeband. ved: b-bong9. Bestand: FU Berlin/UB: Kleist/Gilow3

Ohne Buchbinderangabe, Gewebeband. ved: b-bong11. Bestand: FU Berlin/UB: Kleist/Gilow2

Das sind vier verschiedene Ausgaben!

Die allen Bänden identische äußere Erscheinung führt den unbefangenen Betrachter zur Annahme, das sei viermal dieselbe Ausgabe. Es sind jedoch vier verschiedene Einbände, somit vier verschiedene Ausgaben.

Die Einbände unterscheiden sich im Material und in den Buchbindern. Zum Material: Es sind drei Gewebebände und ein Pappband. Die Buchbinder signieren in drei Fällen auf der Hinterdecke unten in Blindprägung; das ist auf den Abbildungen nicht erkennbar, man muß die Bände direkt vor Augen haben. Es firmieren zwei bedeutende Leipziger Großbuchbindereien: H. Sperling, der einmal mit Leipzig und einmal mit Leipzig-Berlin erscheint sowie Hübel & Denck. Beide haben die Einbände im Auftrag des Verlages nach dem gleichen Einbandentwurf hergestellt.

Bei diesen vier äußerlich vollkommen gleich aussehenden Einbänden handelt es sich um vier verschiedene Herstellungen. Die Drucke haben kein Erscheinungsjahr, in den Katalogen sind sie nach der Vorgabe vom Gesamtverzeichnis mit dem Jahr 1908 verbunden.

Für die Textgeschichte ist das eine Ausgabe, für die Rezeption zählt sie als (mindestens) vier verschiedene Ausgaben.

Zum Einbandstil: Die Einbände bieten den Eindruck eines sog. Halbbandes, bei dem der Buchrücken ein anderes Material als Vorder- und Hinterdecke hat. Historisch am bekanntesten ist der Halblederband mit ledernen Buchrücken und Ecken, deren Begrenzungslinien optisch wirkungsvoll hervorgehoben sind; dessen Klassizität wird hier bemüht. Die vorliegenden Einbände haben jedoch gleiches Material (dreimal Gewebe, einmal Pappe), die Konturen von Rücken und Ecken haben keine einbandtechnische Funktion, sondern sind als Schmuck aufgeprägt. Das Jugendstilornament auf dem Buchrücken in Kombination mit der klassischen Halbband-Optik ist der Versuch, Klassisches (Halbband) und Modernes (Jugendstil) zu verbinden.

Die Exemplare von Hesse vermitteln den Eindruck, daß der Verlag die Werbung im Vorsatz aus Unterscheidungsgründen fortlaufend änderte, um eine neue Ausgabe zu kennzeichnen. Große Varianten, aber auch winzige Änderungen wie »Mit Bildnissen und Einleitungen« – »Mit Einleitungen und Bildnissen« oder die Klassikerliste von Börne bis Uhland oder bis Wieland sind bei sonst völlig identischer Einbanddecke und Titelform anders nicht zu erklären. Hier wird an einem Detail der Verlagseinbandherstellung die große Fülle der Hesse'schen Klassikerausgaben deutlich. Das Sammeln dieser Ausgaben ist außerordentlich aufwendig und mühsam. Es erfordert natürlich genaueste Autopsie eines jeden Exemplars, neue Einsichten lassen sich nur bei einer großen Menge an Beispielen gewinnen. Die derzeit bekannten Exemplare mit in der Werbung variierenden Vorsatzpapieren sind sämtlich unten im Katalog abgebildet, da sich die Fülle der Ausgaben nur in der Anschauung wahrnehmen und nachweisen läßt.

Die Schwierigkeiten der Definition von äußerlich identischen Ausgaben sei an einem weiteren Beispiel erläutert, an der Kleist-Ausgabe der Verlagsanstalt Bong & Co. Berlin.

Zusammenfassung: Die Siegen-Ausgabe ist die anspruchvollste der hier vorgestellten Kleist-Klassikerausgaben. Sie tritt zunächst in der bewährten Form der »Vollständigen Ausgabe« mit einer Einleitung und einem für die Gattung besonders reichem Bildmaterial auf. Über 30 Ausgaben sind von 1895 bis 1911 erschienen; sie zeigen die gleiche Erscheinungsdichte wie die Genée-Ausgabe. Ab 1914, bei Erscheinen der neuen vollständigen Ausgabe in 8 Teilen, folgen die Auswahlbände eines neuen Stils: deutlich geringerer Textumfang, dafür Einleitungen und Verständnishilfen zu den Stücken. Damit erscheint ein neuer Typ der Klassikerausgaben.

5. DIE KLASSIKERAUSGABEN IM NATIONALEN KULTURERBE DES DEUTSCHEN SPRACHRAUMS

Klassikerausgaben im Sinne von billigen, allgemein erreichbaren Ausgaben von gut absetzbaren, klassischen Autoren begannen früh: ab 1811 in den *Etuibibliothek*

durch diese fünf Elemente definiert. Weicht ein Element in der Einbanddecke, im Vorsatz oder im Material ab, definiert sich ein neuer Einband. Die einzige Ausnahme bildet die Verlagswerbung im Vorsatz, dieses häufig wechselnde Element bleibt bei einem sonst identischen Einband ohne Bewertung.« (S. 16) Diese Einschränkung läßt sich bei der Gattung der Klassikerausgaben nicht halten, hier muß aus den technischen Gründen der Herstellung die Werbung im Vorsatz als konstitutives Element einer Ausgabe gewertet werden. In der Verlagseinbanddatenbank ved ist zwar die verschiedene Ornamentik, jedoch (noch) nicht die wechselnde Verlagswerbung im Vorsatz zur Unterscheidung der Ausgaben berücksichtigt, das wird im vorliegenden Material (Kleist-Ausgaben vom Verlag M. Hesse Leipzig) erstmals erprobt. In der Verlagseinbandforschung fehlt unverändert eine als verbindlich akzeptierte Definition des Gegenstandes – des Verlagseinbandes.

genannten kleinen Ausgaben.[82] Die bedeutendste Reihe nahm in dem kleinen Ort Hildburghausen in Thüringen durch das Bibliographische Institut mit seinem Leiter Joseph Meyer (1796-1856) ihren berühmten Anfang (1826), zunächst durch Nachdrucke, später mit textlicher und herausgeberischer Qualität der Ausgaben teilweise Maßstäbe setzend.[83] Nach der Freigabe der Autorenrechte 1867 erschienen Klassikerausgaben in großer Menge in vielen Verlagen,[84] neben das Bibliographische Institut mit der *Bibliothek deutscher Nationalliteratur* trat Gustav Hempel in Berlin mit der *National-Bibliothek sämmtlicher deutschen Classiker*. Nicht nur die berühmten Reclam-Heftchen suchten und fanden Käufer und Leser, nahezu jeder Verlag hatte ein Billigprogramm mit Klassikern. Aschendorffs Klassiker-Ausgaben, Bongs *Goldene Klassiker-Bibliothek*, die Cotta'sche *Bibliothek für Alle* und seine *Bibliothek der Weltliteratur*, Hempels Klassiker-Ausgaben, Max Hesses *Neue Leipziger Klassiker-Ausgaben*, Meyers Klassiker-Ausgaben, Ph. Reclams billigste Klassiker-Ausgaben, Tempel-Klassiker usw. belegen wie *Knaurs Oktav-Klassiker mit großer Augen schonender Schrift* (Abb. oben S. 43) die bedeutende wirtschaftliche und bildungsbestimmende Position des Genres.[85] Die massenhaft erschienenen Klassikerausgaben zeigen eindrucksvoll den großen Bildungs- und Lesehunger des deutschen Bildungsbürgertums. Die Untersuchungen zur Sozialgeschichte der bürgerlichen Lesekultur belegen das gewaltige Wachstum der Lesergesellschaft.[86]

Wenn die Kleistrezeption des Bürgertums in concreto anhand der Klassikerausgaben dargestellt, Kleist sozusagen im Klassikerprogramm der kleinen Verlage[87]

---

82 Etuibibliothek der Brüder Schumann Zwickau, Strasser Heilbronn und Forstmann Aachen. Lessing-Ausgabe im Bureau der deutschen Classiker (Karlsruhe). Vgl. Geschichte des deutschen Buchhandels im 19. und 20. Jh. Das Kaiserreich 1871-1918, Teil 2, Frankfurt/M. 2003, S. 173f.

83 Hohlfeld, Johannes: Das Bibliographische Institut. Festschrift zu seiner Jahrhundertfeier. Leipzig 1926. Motto auf dem Blatt am Eingang des Textes: »Bildung macht frei«.

84 Sippell-Amon, Birgit: Die Auswirkung der Beendigung des sog. ewigen Verlagsrechts am 9.11.1867 auf die Editionen deutscher »Klassiker«. In: Archiv für Geschichte des Buchwesens 14, 1974, Sp. 349-416. Untersucht werden die Klassikerausgaben von 1867 bis 1877, die größte Verbreitung fanden Schiller, Goethe und Lessing. Kleist wird in dieser Untersuchung nicht behandelt. Mahlke, Regina: Berlin als Verlagsort im 19. Jh. In: Buchhandelsgeschichte 1987/4, S. B 129-B 143, hier S. B 132f.

85 Gute Darstellung des Phänomens am Beispiel der Schiller-Ausgaben zum 100. Todestag des Dichters: Reigl, Martina: Klassiker-Ausgaben der Jahrhundertwende. Ein Vergleich anhand der Schillerausgaben des Jahres 1905. Wiesbaden 1990.

86 Lesen - Ein Handbuch. Hrsg. von A. E. Baumgärtner, Hamburg 1973, S. 128ff. - Handbuch Lesen. Hrsg. von Bodo Franzmann u. a. München 1999, darin Erich Schön: 19. Jh. Bildungsbürgertum und Massenpublikum S. 38ff. - Schneider, Ute: Buchkäufer und Leserschaft. In: Geschichte des deutschen Buchhandels im 19. und 20. Jahrhundert. Die Weimarer Republik 1918 - 1933, Teil 1, München 2007, S. 149 - 196.

87 Klaus Kanzog nannte das letzte Kapitel seines *Edition und Engagement* »Kleist im Klassiker-Programm der großen Verlage ...« (Bd 1, S. 242). In seinen *Prolegomena zu einer historisch-kritischen Ausgabe der Werke Heinrich von Kleists*, 1970, geht er S. 35f. auf die sog. Leseausgaben ein.

beschrieben werden soll, kann nur der genaue Blick auf die vollständige Überlieferung die Grundlage für ein Urteil bilden. Kleist war seit 1867, seit der Freigabe der Klassiker für alle Verlage, auf dem Markt und gehörte in jedem Verlagsprogramm zum Kernbestand der Klassikerausgaben. Es gab aber nicht jeweils *eine* Kleist-Ausgabe eines Verlags, sondern viele. Um das Ausmaß der bürgerlichen Kleistrezeption erkennen zu können, müssen die einzelnen Ausgaben der verschiedenen Verlage vollständig in den verschiedenen Erscheinungsformen bekannt und greifbar sein. Die Kleist-Ausgabe mit der Einleitung von Monty Jacobs ist über 30mal erschienen, die von Rudolf Genée in neun Verlagen mindestens 40mal und die von Karl Siegen mindestens 30mal. Deren Erfassung wird im unten folgenden Katalog versucht.

Kleist im Klassikerprogramm der kleinen Verlage, im Angebot der Warenhäuser und der kleinen Buchhandlungen, durch Vermittlung der Kolporteure und Reisebuchhändler, auch in reicher Ausstattung und anspruchsvoller Textedition ist das Spektrum der drei hier vorgestellten Klassikerausgaben. Die *Haus-Bibliothek deutscher Klassiker* (Abb. S. 74 und 75) richtete sich an das Bürgertum. Buchbesitz war jetzt erreichbar, das Buch nicht mehr nur in einer Leihbibliothek zu borgen, sondern Bestandteil des eigenen Haushaltes.

Die Einstellung zu den Klassikerausgaben war auf der wissenschaftlichen (Kleist-Philologie) wie bibliographischen Ebene (Deutsche Bücherei Leipzig als nationale Sammelstelle) früher gleich: eine Ausgabe wurde einmal erfaßt. Die Stereotypdrukke gingen dabei unter. Notwendig für die Bewertung der Kleistrezeption ist jedoch der genaue Nachweis der Drucke. Die oben beschriebenen Elemente von Titelblatt, Beigaben (Frontispiz, Anzeigen usw.), Papier, Einband (Einbanddecke und Vorsatz) und Druckvermerk spiegeln das wider, was in späteren Jahren als »Auflage« oder als »Tausender« gezählt und bibliographisch erfaßt wird. Nur mit Kenntnis aller Ausgaben läßt sich dieser Teil der Kleistrezeption richtig darstellen. Alle diese Ausgaben sind Teil unseres gedruckten Kulturerbes und müssen im öffentlichen Besitz vorhanden sein und nachgewiesen werden.

Die seit 1990 wirkende Arbeitsgemeinschaft Sammlung Deutscher Drucke (AG-SDD),[88] die mit verschiedenen Zeitschnitten auf verschiedene Orte verteilte, im fortschreitenden Entstehen begriffene deutsche Nationalbibliothek, erwirbt alle im deutschen Sprachbereich erschienenen Drucke unabhängig von Inhalt und Sprache. Die Staatsbibliothek zu Berlin betreut die Publikationen von 1871 bis 1912, die Deutsche Bücherei/Deutsche Nationalbibliothek Leipzig-Frankfurt/Main die Zeit 1913 bis 1945. Es bedeutet einen ganz neuen Sammelauftrag, alle Drucke zu erwerben. Denn bisher galt das Vorhandensein eines Druckes/eines Exemplars als vollkommen ausreichend,alle weiteren Ausgaben galten als Dubletten, was textlich gesehen häufig zutrifft. Aufgrund der historischen Erwerbungsprinzipien ist in der

88 www.ag-sdd.de Arbeitsgemeinschaft Sammlung deutscher Drucke 1450 - 1912. Das deutsche Buch. Die Sammlung deutscher Drucke 1450 - 1912. Bilanz der Förderung durch die Volkswagenstiftung. Wiesbaden 1995. - Kulturen im Kontext. Zehn Jahre Sammlung Deutscher Drucke. Hrsg. von der Staatsbibliothek zu Berlin-PK im Auftrag der AG Sammlung Deutscher Drucke. Berlin 1999.

16 Max Hesse's Neue Leipziger Klassiker-Ausgaben.

Für's deutsche Haus! Für jede Familie!

Haus-Bibliothek deutscher Klassiker

Abbildung des Wandregals (Größe 52×72 cm), **Einzelpreis M. 12.—.**

Erste Sammlung, M. 30.—

8 Klassiker = 57 Bände
in 18 eleganten Leinenbänden.

1. **Schiller.** 12 Bände. — 2. **Goethe.** 24 Bände. — 3. **Körner.** 2 Bände. — 4. **Chamisso.** 4 Bände. — 5. **Börne.** 8 Bände. — 6. **Uhland.** 4 Bände. — 7. **Lenau.** 2 Bände. — 8. **Gaudy.** 3 Bände.

Sämtlich mit Porträts und Biographien.

Zweite Sammlung, M. 36.—

9 Klassiker = 63 Bände
in 23 eleganten Leinenbänden.

1. **Shakespeare.** 12 Bände. — 2. **Hauff.** 6 Bände. — 3. **H. v. Kleist.** 4 Bände. — 4. **Lessing.** 6 Bände. — 5. **Eichendorff.** 4 Bände. — 6. **Heine.** 12 Bände. — 7. **Stifter.** 6 Bände. — 8. **Hebbel.** 12 Bände. — 9. **Immermanns Oberhof.**

Sämtlich mit Porträts und Biographien.

Beide Sammlungen (I u. II) zusammen

mit der Gratis-Prämie:

E. T. A. Hoffmanns ausgew. Erzählungen

herausgegeben von Ed. Grisebach

und mit dem obenstehend abgebildeten **Wandregal**

insgesamt **18 Klassiker = 123 Bände in 42 eleganten Leinenbänden**

für nur 75 Mark.

Obige Haus-Bibliothek sollte in jedem deutschen Hause zu finden sein, enthält dieselbe doch zu einem ungemein niedrigen Preise eine überaus reichhaltige Sammlung unserer herrlichsten geistigen Besitztümer! Mit dem schön ausgestatteten und solid gearbeiteten Wandregal bildet die Bibliothek **einen äusserst prächtigen Zimmerschmuck** und dürfte als ein **vornehmes Geschenk** überall besonderer freudiger Aufnahme sicher sein.

Druck von Hesse & Becker in Leipzig.

Werbung aus der Kleist-Ausgabe des Hesse-Verlags

Die Verlags-Werbung bot abgeschlossene Reihen von Klassikerausgaben als »Haus-Bibliothek deutscher Klassiker« samt den dazugehörenden Bücherregalen in Erle oder Eiche an: Das waren Ausgaben für den Bildungsbürger. Bei den Bandangaben ist zu bedenken, daß sie sich stets auf die gezählten Bände beziehen, nicht auf die äußere Erscheinung des Druckes – einen Buchbinder-Band. Der Buchmarkt war belebt und der bildungshungrige Kunde umkämpft: *Vier Bände* klingt imposanter als *Ein Band.*

Warenhaus A. Wertheim, Berlin W. 66. 134 Abteil.: Bücher, Zwischenstock.

Klassiker-Bibliothek

enthaltend:

Chamisso, 1 Band . . .	M. 1.10
Eichendorff, 2 Bände .	M. 2.20
Goethe, 4 Bände	M. 4.40
Hauff, 2 Bände	M. 2.20
Heine, 4 Bände	M. 4.40
H. v. Kleist, 1 Band . .	M. 1.10
Körner, 1 Band	M. 1.10
Lenau, 1 Band	M. 1.10
Lessing, 3 Bände	M. 3.30
Schiller, 4 Bände . . .	M. 4.40
Shakespeare, 4 Bände	M. 4.40
Uhland, 1 Band	M. 1.10
	M. 30.80

Sämtliche Bände in **elegantem Kalikoband** mit **Rückenvergoldung**, mit **gutem, klarem Druck** und **gutem Papier.**

Ermässigter Preis für die ganze Bibliothek mit Regal, imitiert Nussbaum M. 39.—, Regal allein M. 10.—.

Obige Klassiker-Ausgaben werden auch einzeln zu beigesetzten Preisen abgegeben.

28 Bände, mit Regal, zum ermässigten Preise v. M. 39.-

In gleicher Ausgabe erschienen:

Byron, 4 Bände	M. 4.40
Rückert, 3 Bände . . .	M. 3.75
Schopenhauer, 3 Bd.	M. 3.30

Chamissos Werke

Einbändige Klassiker-Ausgaben:

Chamisso * Kleist
Körner * Lenau * Heine
Uhland * Grillparzer

2 Bände in einen Band gebunden.

Reich mit Gold verzierter, gepresster Leinenband.

Band M. 1.90

Hebbels Meisterwerke.

Elegant gebunden.

Früh. Ladenpr. M. 6.50 jetzt nur M. **1.75**

Lenaus sämtliche Werke.

Mit einer Einleitung von

A. Grün

Gebunden.

Früh. Ladenpreis M. 8.— jetzt M. **4.75**

Kaufhaus Wertheim:

Werbung aus dem Haupt-Preisbuch 1903/1904, »gestrafft« und mit neuer Paginierung nachgedruckt u. d. T. Mode-Katalog 1903/1904. Warenhaus A. Wertheim Berlin. Hildesheim 1979, 182 S.
Der Titel des Nachdrucks ist etwas irreführend, denn dies ist ein klassischer Kaufhauskatalog mit Abb. der Angebote und deren Preise, der auch als Versandkatalog diente. Die Mode betrifft nur knapp die Hälfte des Bandes (bis Seite 77). Die Werbung für die Klassikerausgaben steht S. 134 nach Glaswaren, Lampen und Gaskronen; es folgen Kalender, Postkarten, Städte-Albums, Brockhaus's und Meyers Enzyklopädien, Wörterbücher, Jugendschriften usw. Nach den Musikalien folgen Portmonnaies, Cigarrentaschen, Schreibmappen, Reiseartikel usw.

Staatsbibliothek zu Berlin überhaupt keine Kleist-Klassikerausgabe zu erwarten, die vorhandenden wurden überwiegend 1985 aus dem Nachlaß des Kleist-Forschers Helmut Sembdner erworben.[89] So kann in der Deutschen Bücherei/DNB Leipzig, die den offiziellen Sammelauftrag ab 1913 erfüllte, nur jeweils eine Kleist-Ausgabe der jeweiligen Verlage vorhanden sein. Der Archivierungsauftrag hatte damals offensichtlich einen ganz anderen Inhalt, eine Ausgabe reichte als Nachweis, deren wiederholtes Erscheinen war nicht sammelwürdig.

Bei dem neuen Sammelauftrag der SDD ging man bei der Staatsbibliothek zu Berlin, die zwar die deutsche Literatur in großer Vollständigkeit nach wissenschaftlichem Anspruch sammelte, aber nie eine Archiv- oder Pflichtexemplarbibliothek war, von einer Lücke von 30 – 40% bezogen auf die vollständige Buchproduktion des Sammelzeitraums aus.[90] Mit einer Anschubfinanzierung der DFG ist hier schon bedeutender Zuwachs erfolgt, es soll bereits »eine relativ hohe Sammlungstiefe erreicht worden« sein.[91] Das Thema »Volksaufklärung« zeigt z. B. überraschend umfangreiche Suchergebnisse in den Bibliotheken der AG-SDD.[92]

Für den Typus Klassikerausgaben läßt sich, wie sich anhand der untersuchten Kleist-Klassikerausgaben zeigt, kein adäquat positives Ergebnis feststellen. Der Blick auf die anderen, in der Knaurs Oktav-Klassiker–Serie erschienenen Autoren (Abb. S. 43: Verlagswerbung von 1909) ergibt folgendes Bild: Von den hier angeführten 28 Autoren sind – nach Ausweis der Online-Kataloge – von dieser Serie in der Staatsbibliothek zu Berlin 10 und in der Deutschen Bücherei/Deutschen Nationalbibliothek Leipzig 15 nicht vorhanden.

In der Aufgabenbeschreibung der AG-SDD heißt es, daß »jede Bibliothek für ihr Zeitsegment alle im deutschen Sprachbereich erschienenen Drucke« vorhalten und erfassen soll; sie »will nicht nur Texte beschaffen, sondern auch deren historische Erscheinungsform erhalten«. Demnach müssen alle Drucke in den jeweils verschiedenen Erscheinungsformen vorhanden sein oder erworben werden. Nur sie ergeben einen korrekten Einblick in die tatsächliche Buchproduktion und daraus folgend

89 Die Staatsbibliothek zu Berlin kaufte 1985 eine kleine Sammlung (66 Bände) von dem Kleist-Forscher Helmut Sembdner (1914-1997). Quelle zum Verkauf im Kleist-Archiv Heilbronn, Nachlaß Sembdner, Kasten 32 (32.8).

90 Fliege, Jutta: Die Sammlung deutscher Drucke in der Staatsbibliothek zu Berlin. In: Bücher-Markt. Hannover 1996, Bd 5,1, S. 8-12. – Mahlke, Regina: Buchhandel und Bibliotheken in der Gründerzeit. In: Buchhandel Bibliothek Nationalbibliothek. Vorträge eines Symposiums der AG Sammlung Deutscher Drucke. Hrsg. v. B. Fabian. Wiesbaden 1997, S. 135-156 (Lit.).

91 Wehmeyer, Annette: Der Beitrag der Staatsbibliothek zur Sammlung Deutscher Drucke: Bilanz und Perspektive. In: Mitteilungen der Staatsbibliothek zu Berlin. N.F. 5,1 (1996), S. 58-62; Hamann, Olaf: Wissenschaftliche Bibliotheken und Antiquariatsmarkt. In: Nur was sich ändert, bleibt. 88. Deutscher Bibliothekartag in Frankfurt/Main 1998. Frankfurt 1999, S. 187-198, hier S. 189.

92 Siegert, Reinhart: Die »Sammlung Deutscher Drucke« aus der Sicht eines wissenschaftlichen Benutzers. In: Nur was sich ändert, bleibt. 88. Deutscher Bibliothekartag in Frankfurt/M. 1998, Frankfurt/M. 1999, S. 199-205.

die richtigen Schlüsse auf die Wirkungsgeschichte und Rezeption der Literatur. Der Nachweis nur eines Druckes erfüllt die neue nationalbibliothekarische Aufgabe nicht. Wenn nun die digitale Form allenthalben ins Auge gefaßt wird, so beruht sie doch in jedem Fall auf dem Element der Gutenberg-Galaxis, dem Leitmedium Buch, denn man kann nichts digitalisieren, was man nicht vor Augen hat und in Händen hält.[93]

Die Menge der Klassikerausgaben ist, wenn man die Zahlen der vorliegenden Untersuchung als ungefähren Richtwert dieses Buchtyps nimmt, in etwa als das 20- bis 30fache der jetzt bekannten Ausgaben einzuschätzen. Das ist eine überschaubare Größe, die bei dem ebenfalls überschaubaren Klassikerkanon (10 bis 30 Autoren je nach Verlagsanspruch) berechenbar und beschaffbar ist. Allerdings ist die Erwerbung der Klassikerausgaben außerordentlich aufwendig: es bedarf genauer Kenntnis der Editionen, der Herausgeber, der Verlage, des Buchwesens und des Verlagseinbandes, des andauernden Suchens und des ständigen Kontaktes zum Antiquariat und ggf. zu Sammlern sowie steter und unermüdlich sorgfältiger Autopsie der Exemplare. So ist für die Klassikerausgaben, die hier an drei Ausgaben von Heinrich von Kleist exemplarisch vorgestellt wurden, eine neue Anstrengung notwendig: für die betreffenden SDD-Bibliotheken ist ein neuer Extrafonds für Personal und Erwerbungsmittel einzurichten, auf daß sie ihren Auftrag erfüllen können, das gedruckte nationale Kulturerbe vollständig zu sammeln und zu bewahren.

93 Es läßt sich gewiß eine Datenbank konzipieren, in der der immer gleiche Buchblock mit dem immer neuen Äußeren jeder Ausgabe (Einbanddecke, vorderes und hinteres Vorsatz, Frontispiz und Titelblatt, weitere spezifische Besonderheiten wie ggf. Exlibris u. a.) verbunden wird.

6. KATALOG DER KLEIST-AUSGABEN MIT DEN EINLEITUNGEN VON MONTY JACOBS, RUDOLPH GENÉE UND KARL SIEGEN

VORBEMERKUNG ZUM KATALOG

Stand der Sammlung: Februar 2009, diese ist noch nicht vollständig und wird weiter fortgesetzt.

Die Kleist-Ausgaben, deren Inhalt oben im Text dargestellt ist, werden mit den sie als eigene Ausgabe konstituierenden Elementen erfaßt: Titelblatt (Autor, Titel, Untertitel, Hrsg., Zusätze zum Titel, Verlag), Frontispiz, Druckjahr, Einband (Einbanddecke und Vorsatz), Papier, Besonderheiten. Gegeben werden Bilder des Titelblatts bzw. der Titelblätter, ggf. mit Frontispiz, und des Einbandes mit den entsprechenden Beschreibungen. Da verschiedene Ausgaben in (äußerlich) gleichen Einbänden erscheinen, sind die unterscheidenden Merkmale der leichteren Wahrnehmung halber in Rot gesetzt. Die Titelformulierungen sind genau übernommen, die Frontispize nach der oben S. 49 gegebenen Numerierung benannt, Besonderheiten sind vermerkt. Alle Scans und Beschreibungen sind nach Autopsie entstanden mit Ausnahme der Exemplare aus Heilbronn (Jacobs9) und Wien (Jacobs7); hier lagen gute Abbildungen und Auskünfte der Sammlungen vor.

Die Einbände sind mit Ausnahme des auswärtigen Bibliotheksbesitzes nach der Verlagseinband-Datenbank ved http://amun.ub.fu-berlin.de/ved/search.php benannt. Die ved faßt Ausgaben in identischem Einbandtyp in einer Satzgruppe zusammen, es erscheint somit ein Bild stellvertretend für alle mit diesem Einband veröffentlichten Bücher. Ein Beispiel: wird z. B. Schiller gesucht und ein Einband mit Dante angezeigt, so ist auch Schiller in diesem Einbandtyp erschienen. Beim Klick auf Satzgruppe erscheint ein Bild des Einbandes mit der Übersicht der in diesem Einband erschienenen Drucke – bei diesem Beispiel natürlich auch ein Kleist! Die Bündelung der in identischem Einbandtyp erschienenen Drucke ist wegen der Verlagseinband-Massen notwendig. Zur Einführung sei nochmals auf den Aufsatz *Verlagseinband digital* hingewiesen.

Ein herzlicher Dank an Helma Schaefer, Leipzig, für kluge Hilfe bei Fragen des Verlagseinbandes.

6.1 KATALOG DER KLEIST-AUSGABEN DES VERLAGS TH. KNAUR NACHF. BERLIN LEIPZIG MIT EINLEITUNG VON MONTY JACOBS

Zur Einführung: Vier Ausgaben ohne die Einleitung von Monty Jacobs

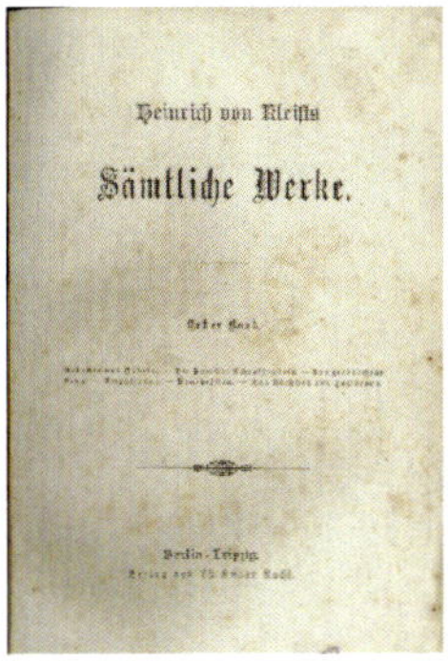

1

Heinrich von Kleists Sämtliche Werke. o. J. [1901]. 2 Bde: 434, [379] S.. Druck Julius Sittenfeld Berlin W. Neuer Einband, nicht in ved // Bestand: Freie Universität Berlin/UB: Kleist/Jacobs0.1 (nur Bd 1 vorh.)

2

Heinrich von Kleists Sämtliche Werke. o. J. [um 1902/03]. 2 Bde in 1: 434, 379 S. Druck Radelli & Hille Leipzig. Einband: Brauner Gewebeband. ved: b-knaurn9 // Bestand: Freie Universität Berlin/UB: Kleist/Jacobs0.2

3

Heinrich von Kleists Sämtliche Werke. o. J. [um 1904/05] 2 Bde in 1: 434, 379 S. Druck Radelli & Hille Leipzig. Einband: Beiger Gewebeband im Jugendstil.
ved: b-knaurn2 // Bestand: Kleist-Museum Frankfurt (Oder): I/16

4

Heinrich von Kleists Sämtliche Werke. o. J. [um 1904/05]. 4 Bde in 1: 434, 379 S.
Einband: Roter Gewebeband im Jugendstil. Schnitt rot marmoriert. Druck Greßner & Schramm Leipzig. ved: b-knaurn2 // Bestand: Freie Universität Berlin/UB: Kleist/Jacobs0.3

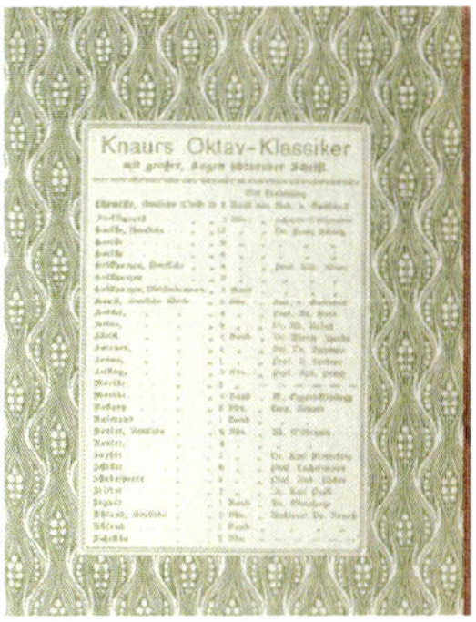

Vorsatz von 3 und 4

Titelblatt von 4

Die chronologische Folge dieser Ausgaben ohne Einleitung ergibt sich folgendermaßen:

Die Ausgabe oben links ist vermutlich die erste. Der Drucker ist J. Sittenfeld Berlin W., der nur dieses eine Mal erscheint, aber noch als Drucker von Ausgaben ohne Einleitung des Globus-Verlages bekannt ist. Die beiden Drucke für Knaur Nachf. und Globus sind identisch, bei Globus sind jedoch die zwei Bände zusammengebunden. Bei Th. Knaur Nachf. ist nur diese Ausgabe in 2 Bänden derzeit bekannt. Wegen des Druckers und der Bindung in zwei Bänden ist dies vermutlich die erste Kleistausgabe des Verlages. Danach gibt es nur noch Ausgaben in einem (Buchbinder-)Band, die als zwei- oder vierbändig gezählt sind.

Der Einband der zweiten Ausgabe ist mit dem einer Knaurschen Ausgabe identisch (S. 41 unten rechts, K0.3), er ist hinsichtlich des Arbeitszusammenhangs von Verlagsverkäufer (Knaur) und Käufer (Henderson = Knaur Nachf.) als Einband des zweiten Drucks einzuschätzen. Für diesen Druck sind, bei Verlagsgründung von Knaur Nachf. im Juli 1901, die Erscheinungsjahre 1902/03 wahrscheinlich.

Danach erfolgt die bis in die 1930er Jahre unausgesetzte Zusammenarbeit vom Verlag Th. Knaur Nachf. mit der Druckerei Greßner & Schramm Leipzig: hier sind die dritte Ausgabe ohne Einleitung in zwei und die vierte Ausgabe in vier gezählten Bänden mit den mutmaßlichen Erscheinungsjahren 1904/05 anzusetzen. In diesem Jugendstileinband erscheinen die folgenden Ausgaben, darunter ist eine mit dem Jahr 1906 im Druck datiert. So läßt sich mit Wertung aller Details von Titel, Einband, Druckerei und Bandzählung eine plausible Chronologie der Bände herstellen.

Ausgaben mit der Einleitung von Monty Jacobs

Jacobs1

Heinrich von Kleists Sämtliche Werke. o J. [um 1905] 2 Bde in 1: XXVIII, 434, 379 S. Mit Einleitung, jedoch ohne deren Nennung auf dem Titelblatt und im Inhaltsverzeichnis. Druck Greßner & Schramm Leipzig.
Einband: Roter Gewebeband im Jugendstil, Vorsatz wellenförmiges Ornament, Schnitt rot marmoriert.
ved: b-knaurn2 // Bestand: Freie Universität Berlin/UB: Kleist/Jacobs1.1

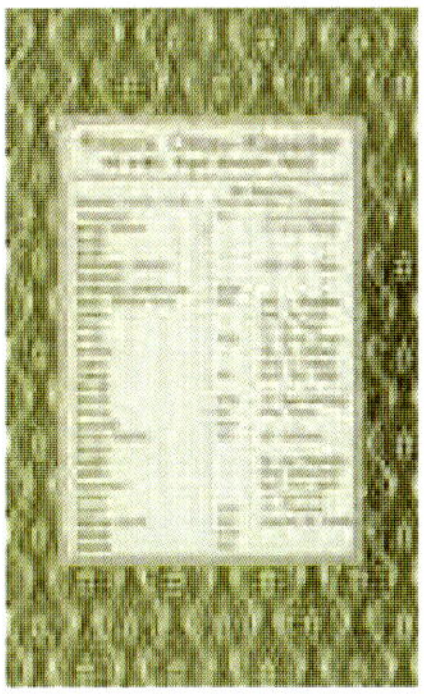

Jacobs2

Heinrich von Kleists Sämtliche Werke. Mit Einleitung von Monty Jacobs. o. J. [um 1906] 4 Bde in 1: XXVIII, 434, 379 S. Druck nicht datiert. Druck Greßner & Schramm Leipzig
Einband und Vorsatz wie Jacobs1.
ved: b-knaurn2 // Bestand: Kleist-Museum Frankfurt (Oder): I/16

Jacobs3

Heinrich von Kleists Sämtliche Werke. Mit Einleitung von Monty Jacobs. o. J. (1906). 4 Bde in 1: XXVIII, 434, 379 S. Druck Greßner & Schramm Leipzig 1906.
Einband, Vorsatz und Titel wie Jacobs2.
ved: b-knaurn2
Bestand: Kleist-Museum Frankfurt (Oder): I/20

Jacobs4

Heinrich von Kleists Sämtliche Werke. Mit Einleitung von Monty Jacobs. o. J. (1906) 4 Bde in 1: XXVIII, 434, 379 S. Druck datiert: 1906. Druck Greßner & Schramm Leipzig.
Einband: Rosafarbener Gewebeband im Jugendstil. Vorsatz und Titel wie Jacobs2. Schnitt marmoriert.
ved: b-knaurn2. // Bestand: Freie Universität Berlin/UB: 88/2006/20155

Jacobs5

Heinrich von Kleists Sämtliche Werke. Mit Einleitung von Monty Jacobs. o. J. [um 1906] 4 Bde in 1: XXVIII, 434, 379 S. Druck nicht datiert. Druck Greßner & Schramm Leipzig.
Einband: Beiger Gewebeband im Jugendstil. Vorsatz und Titel wie Jacobs2, Schnitt marmoriert.
ved: b-knaurn2 // Bestand: Freie Universität Berlin/UB: Kleist/Jacobs1.5

Vorsatz

Jacobs6

Heinrich von Kleists Sämtliche Werke. Mit Einleitung von Monty Jacobs. 4 Bde in 1: XXVIII, 434, 379 S. o. J. [um 1906] Druck Greßner & Schramm Leipzig.
Einband: Grüner Gewebeband im Jugendstil. Vorsatz wie Jacobs7, aber mit Signet André'sche Buchhandlung Prag. Schnitt grün.
ved: b-knaurn6 // Bestand: Freie Universität Berlin/UB: Kleist/Jacobs3.1

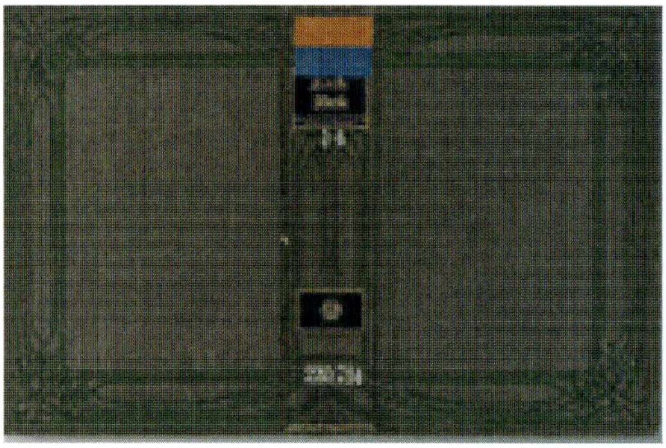

(Scan der ÖNB Wien, Aufnahme ohne Autopsie)

Vorsatz

Jacobs7

Heinrich von Kleists Sämtliche Werke. Mit Einleitung von Monty Jacobs. 4 Bde in 1: XXVIII, 434, 379 S. o. J.,. Druck Greßner & Schramm Leipzig 1906
Einband: Grüner Gewebeband im Jugendstil. Vorsatz mit Verlagssignet ThKN. Schnitt grün.
Nicht in der ved.
Bestand: Österr. Nationalbibliothek Wien: 220.714-B Neu Mag.

Vorsatz

Jacobs8

Heinrich von Kleists Sämtliche Werke. Mit Einleitung von Monty Jacobs. o. J. (1909) 4 Bde in 1: XXVIII, 434, 379 S., Druck Greßner & Schramm Leipzig 1909.
Einband: Grüner Gewebeband im Jugendstil. Hinterdecke Verlagssignet ThKN im Kreis. Vorsatz s. Abb., Schnitt marmoriert.
ved: b-knaurn3 // Bestand: Freie Universität Berlin/UB: Kleist/Jacobs5.1

Jacobs9

Heinrich von Kleists Sämtliche Werke. Mit Einleitung von Monty Jacobs. o. J. (1909). 4 Bde in 1: XXVIII, 434, 379 S., Druck Greßner & Schramm Leipzig 1909.
Einband: Hellbrauner Gewebeband im Jugendstil.
Nicht in der ved. // Bestand: Kleist-Archiv Sembdner Heilbronn (Scan vom KAS Heilbronn. Aufnahme ohne Autopsie.)

Jacobs10

Heinrich von Kleists Sämtliche Werke. Mit Einleitung von Monty Jacobs. 4 Bde in 1: XXVIII, 434, 379 S. Druck Greßner & Schramm Leipzig 1909.
Einband: Weinroter Gewebeband im Wiener Jugendstil. Vorsatz violett. Schnitt weinrot.
ved: b-knaurn1 // Bestand: Freie Universität Berlin/UB: Kleist/Jacobs6.1

Jacobs11

Heinrich von Kleists Sämtliche Werke. Mit Einleitung von Monty Jacobs. o. J. [um 1909] 2 Bde in 1: XXVIII, 434, 379 S. Druck Greßner & Schramm Leipzig nicht datiert.
Einband: Beiger Gewebeband im Wiener Jugendstil. Vorsatz violett. Goldschnitt. Mit Lesebändchen.
ved: b-knaurn1 // Bestand: Freie Universität Berlin/UB: Kleist/Jacobs6.2

Jacobs12

Heinrich von Kleists Sämtliche Werke. Mit Einleitung von Monty Jacobs. o. J. (1909) 4 Bde in 1: XXVIII, 434, 379 S. Ohne Frontispiz. Druck Greßner & Schramm Leipzig 1909.
Einband: Blauer Gewebeband im Wiener Jugendstil. Vorsatz grau. Kopfschnitt grün.
ved: idem1_2 // Bestand: Freie Universität Berlin/UB: Kleist/Jacobs7 // Kleist-Museum Frankfurt (Oder): SK I/53

Vorsatz
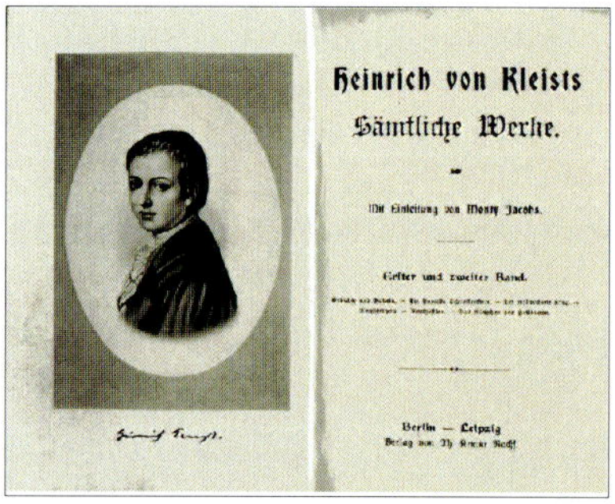

Jacobs13

Erste Ausgabe mit Frontispiz
Heinrich von Kleists Sämtliche Werke. Mit Einleitung von Monty Jacobs. (1909). 4 Bde in 1: XXVIII, 434, 379 S., Frontispiz 1. Druck Greßner & Schramm Leipzig 1909.
Einband: Roter Gewebeband im Jugendstil. Vorsatz s. Abb., Schnitt rot marmoriert.
ved: b-knaurn4 // Bestand: Freie Universität Berlin/UB: Kleist/Jacobs8.1

Vorsatz

Jacobs14

Heinrich von Kleist. Sämtliche Werke in vier Bänden. [Neue Namensansetzung ohne Genetiv]. Mit Einleitung von Monty Jacobs. o. J. [nach 1909] 4 Bde in 1: XXVI, 434, 379 S., Frontispiz 1. Druck Greßner & Schramm Leipzig. Vermerk Rücks. Titelbl.: Neue Rechtschreibung.
Einband: Roter Gewebeband im Jugendstil. Vorsatz s. Abb. Schnitt rot marmoriert.
ved: b-knaurn4 // Bestand: Freie Universität Berlin/UB: Kleist/Jacobs8.2 (Vorbesitz 1914)
Die Titelei bleibt bis 1924 dieselbe.

Jacobs15

Heinrich von Kleist. Sämtliche Werke in vier Bänden. Mit Einleitung von Monty Jacobs. o. J. [nach 1909]. 4 Bde in 1: XXVI, 434, 379 S., Frontispiz 1. Vermerk Rücks. Titelbl.: Neue Rechtschreibung. Druck Greßner & Schramm Leipzig.
Einband: Roter Gewebeband, der mit verschieden geprägtem Gewebe den Eindruck eines Halbbandes erweckt. Vorsatz hellgrau. Schnitt hellgrau marmoriert.
ved: b-knaurn17 // Bestand: Freie Universität Berlin/UB: Kleist/Jacobs9 (Auf der Hinterdecke unten rechts eingeprägt: Rudolf Heger Buchhandlung Wien I Wollzeile 2).

Vorsatz

Jacobs16

Heinrich von Kleist. Sämtliche Werke in vier Bänden. Mit Einleitung von Monty Jacobs. o. J. [vor 1912]. 4 Bde in 1: XXVI, 434, 379 S., Frontispiz 1. Vermerk Rücks. Titelbl.: Neue Rechtschreibung. Druck Greßner & Schramm Leipzig.
Einband: Graugrüner Gewebeband im Jugendstil. Schnitt marmoriert.
Nicht in der ved. Bestand: Humboldt Universität Berlin/UB: Ling. 13129. (Vorbesitz: 1912. Die Vorderdecke trägt den Besitznachweis: Humboldt Universität zu Berlin Universitätsbibliothek unten mittig in Blindprägung.)

Vorsatz

Jacobs17

Heinrich von Kleist. Sämtliche Werke in vier Bänden. Mit Einleitung von Monty Jacobs. o. J. [um 1911]. 4 Bde in 1: XXVI, 434, 379 S., Frontispiz 1. Vermerk Rückseite Titelbl.: Neue Rechtschreibung. Druck Greßner & Schramm Leipzig.
Einband: Grüner Wildlederband. Vorsatz s. Abb. Kopfgoldschnitt.
ved: b-knaurn13 // Bestand: Freie Universität Berlin/UB: Kleist/Jacobs11

Jacobs18

Heinrich von Kleist. Sämtliche Werke in vier Bänden. Mit Einleitung von Monty Jacobs. o. J. [um 1911]. 4 Bde in 1: XXVI, 434, 379 S., Frontispiz 1. Vermerk Rückseite Titelbl.: Neue Rechtschreibung. Druck Greßner & Schramm Leipzig.
Einband: Halblederband. Vorsatz s. Abb. Schnitt schön wie das Marmorpapier marmoriert.
ved: b-knaurn18 // Bestand: Freie Universität Berlin/UB: Kleist/Jacobs12

Jacobs19

Heinrich von Kleist. Sämtliche Werke in vier Bänden. Mit Einleitung von Monty Jacobs. o. J. [vor 1917]. 4 Bde in 1: XXVI, 434, 379 S. Frontispiz 1, Vermerk Rückseite Titelbl.: Neue Rechtschreibung. Druck Greßner & Schramm Leipzig.
Einband: Dunkelblauer Gewebeband. Vorsatz dunkelblau. Kopfschnitt dunkelblau.
ved: b-knaurn5 // Bestand: Freie Universität Berlin/UB: Kleist/Jacobs14.1 (Vorbesitz 1917. Hinteres Vorsatz roh neu angeklebt)

Jacobs 19a

Zweites Exemplar dieser Ausgabe, in allen Elementen identisch mit dem vorliegenden, aber mit einem gänzlich anderen Papier: hochweiß, feste Struktur.
Urteil nach Augenschein, keine Papierprüfung.

Jacobs20

Heinrich von Kleist. Sämtliche Werke in vier Bänden. Mit Einleitung von Monty Jacobs. o. J. 4 Bde in 1: XXVI, 434, 379 S., Frontispiz 1, Vermerk Rückseite Titelbl.: Neue Rechtschreibung. Druck Greßner & Schramm Leipzig.
Einband: Weinroter Gewebeband. Vorsatz weinrot. Kopfschnitt weinrot.
ved: b-knaurn5 // Bestand: Freie Universität Berlin/UB: Kleist/Jacobs14.2

Vorsatz

Jacobs21

Heinrich von Kleist. Sämtliche Werke in vier Bänden. Mit Einleitung von Monty Jacobs. o. J. 4 Bde in 1: XXVI, 434, 379 S. Frontispiz 1, Vermerk Rücks. Titelbl.: Neue Rechtschreibung. Druck Greßner & Schramm Leipzig.
Einband: Weinroter Gewebeband. Vorsatz s. Abb. Kopfschnitt weinrot.
ved: b-knaurn7 // Bestand: Freie Universität Berlin/UB: Kleist/Jacobs16

Jacobs 21a

Zweites Exemplar dieser Ausgabe, in allen Elementen identisch mit dem vorliegenden, aber mit einem gänzlich anderen Papier: hochweiß, feste Struktur.
Urteil nach Augenschein, keine Papierprüfung.

Vorsatz

Jacobs22

Heinrich von Kleist. Sämtliche Werke in vier Bänden. Mit Einleitung von Monty Jacobs. o. J. [vor 1919]. 4 Bde in 1: XXVI, 434, 379 S., Frontispiz 1. Vermerk Rücks. Titelbl.: Neue Rechtschreibung. Dünndruckausgabe. Druck Greßner & Schramm Leipzig.
Einband: Blauer Gewebeband. Kopfschnitt blau.
ved: b-knaurn10 // Bestand: Freie Universität Berlin/UB: Kleist/Jacobs17 (Vorbesitz 1919)

Jacobs23

Heinrich von Kleist. Sämtliche Werke in vier Bänden. Mit Einleitung von Monty Jacobs. o. J. 4 Bde in 1: XXVI, 434, 379 S., Frontispiz 1, Vermerk Rücks. Titelbl.: Neue Rechtschreibung. Druck Greßner & Schramm Leipzig.
Einband: Roter Halblederband, Überzugspapier grau-beiges Buntpapier, Ränder in Goldprägung. Vorsatz grau. Schnitt grau.
ved: b-knaurn16 // Bestand: Freie Universität Berlin/UB: Kleist/Jacobs18 (Band neu eingehängt, Verlust des Vorsatzes.)

Jacobs24

Heinrich von Kleist. Sämtliche Werke in vier Bänden. Mit Einleitung von Monty Jacobs. 4 Bde in 1: XXVI, 434, 379 S., Frontispiz 1. Vermerk Rücks. Titelbl.: Neue Rechtschreibung. Druck Greßner & Schramm Leipzig.
Einband: Roter Ledereinband. Vorderdecke und Rücken KLEIST in Goldprägung. Vorsatz grau. Kopfgoldschnitt.
ved: b-knaurn14 // Bestand: Kleist-Museum Frankfurt (Oder): SK 1/33 (Die Aufdrucke von Signatur, Bandzählung und Jahr auf dem Rücken erfolgten durch den Sammler.) Scan des Kleist-Museums Frankfurt (Oder)

Jacobs25

Heinrich von Kleist. Sämtliche Werke in vier Bänden. Mit Einleitung von Monty Jacobs. o. J. [1919/20?]. 4 Bde in 1: XXVI, 434, 379 S., Frontispiz 1. Kein Vermerk Rückseite Titelbl. zur Neuen Rechtschreibung. Druck Greßner & Schramm Leipzig.
Einband: Roter Pappband mit strukturgeprägter Oberfläche. Graues Rückenornament ähnlich Jacobs19 und 20, jedoch mit geschlossenem Rahmen umgeben. Vorsatz dunkelblaugrau. Kopfschnitt rot.
ved: b-knaurn15 // Bestand: Freie Universität Berlin/UB: Kleist/Jacobs20

Jacobs26

Heinrich von Kleist. Sämtliche Werke in vier Bänden. Mit Einleitung von Monty Jacobs. o. J. [vor 1925]. 4 Bde in 1: XXVI, 434, 379 S. Druck Greßner & Schramm Leipzig, Frontispiz 1.
Einband: Roter Gewebeband, Vorsatz und Kopfschnitt rot.
ved: b-knaurn11 // Bestand: Kleist-Museum Frankfurt (Oder): I/31

Jacobs27

Heinrich von Kleist. Sämtliche Werke in vier Bänden. Mit Einleitung von Monty Jacobs. 4 Bde in 1: XXVI, 434, 379 S., o. J. [vor 1925] Druck Greßner & Schramm Leipzig. Frontispiz 1.
Einband: Blauer Gewebeband, Vorsatz und Kopfschnitt blau. // ved: b-knaurn11 // Bestand: Freie Universität Berlin/ UB: Kleist/Jacobs21.1

Jacobs28

Heinrich von Kleist. Sämtliche Werke in vier Bänden. Mit Einleitung von Monty Jacobs. o. J. [um 1925]. 4 Bde in 1: XXVI, 434, 379 S. Druck Greßner & Schramm Leipzig, Frontispiz 7 (O. H. Engel). Dünndruckausgabe.
Einband: Blauer Gewebeband, Vorsatz und Kopfschnitt blau. // Nicht in der ved. Bestand: Deutsche Bücherei/DNB Leipzig: 1927 A 1291.
Hinweis: Dieser Band ist der einzige in der Nationalbibliographie nachgewiesene Druck der Kleistausgabe mit der Einleitung von M. Jacobs.

Jacobs29

Heinrich von Kleist. Sämtliche Werke in vier Bänden. Mit Einleitung von Monty Jacobs. o. J. [um 1925] 4 Bde in 1: XXVI, 434, 379 S. Druck Greßner & Schramm Leipzig, Frontispiz 7 (O. H. Engel).
Einband: Roter Gewebeband, Vorsatz und Kopfschnitt rot.
ved: b-knaurn11 // Bestand: Freie Universität Berlin/UB: Kleist/Jacobs21.4

Jacobs30

Heinrich von Kleist. Sämtliche Werke in vier Bänden. Mit Einleitung von Monty Jacobs. o. J. [um 1928]
4 Bde in 1: XXVI, 434, 379 S., Druck Greßner & Schramm Leipzig. Frontispiz 7 (O. H. Engel).
Einband: Weinroter Lederband, Vorsatz grau. Lesebändchen. Kopfgoldschnitt.
ved: b-knaurn12 // Bestand: Freie Universität Berlin/UB: Kleist/Jacobs23

Jacobs31

Heinrich von Kleist. Sämtliche Werke in vier Bänden. Mit Einleitung von Monty Jacobs. o. J. [um 1930]. 4 Bde in 1: XXVI, 434, 379 S. Frontispiz 7. Druck: Greßner & Schramm Leipzig.
Einband: Halblederband mit Ecken, Rücken-Ornament, marmoriertes Überzugspapier. Kopfgoldschnitt.
Nicht in der ved.
Bestand: Staatsbibliothek zu Berlin: 653291 (Provenienz: Sammlung Helmut Sembdner)

Jacobs32

Heinrich von Kleist. Sämtliche Werke in vier Bänden. Mit Einleitung von Monty Jacobs. o. J. [um 1930]. 4 Bde in 1: XXVI, 434, 379 S. Ohne Frontispiz. Druck: Hallberg & Büchting (Inh.: L. A. Klepzig), Leipzig.
Einband: Halblederband mit Ecken, Rücken-Ornament, marmoriertes Überzugspapier. Kopfgoldschnitt.
ved: b-knaurn8 // Bestand: Freie Universität Berlin/UB: Kleist/Jacobs26 // Weiteres Ex.vielleicht Technische Universität Berlin/UB: 8 B 6497, möglich wegen des Druckers und des identischen Titelblatts, unsicher wegen des Einband- und Vorsatzverlustes, vgl. oben Anm. 21.

Anhang:

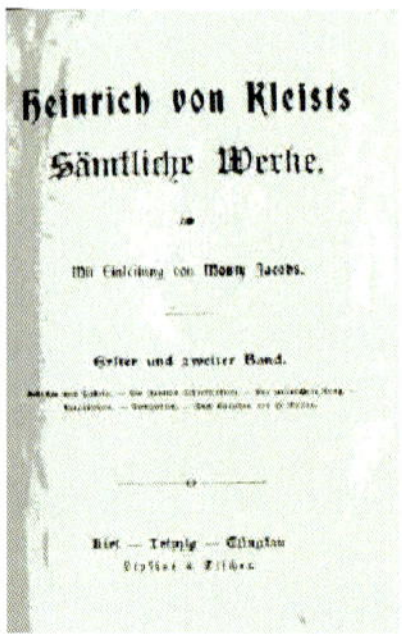

Heinrich von Kleists Sämtliche Werke. Mit Einleitung von Monty Jacobs. Kiel: Lipsius & Tischer (1907) 4 Bde in 1: XXVIII, 434, 379 S. Ohne Frontispiz. Druck Greßner & Schramm 1907.
Einband: Brauner Gewebeband mit Gold- und Schwarzprägung. Vorsatz hellgrau. Schnitt marmoriert.
ved: k-lipsius2 // Bestand: Freie Universität Berlin/UB: Kleist/Jacobs40

6.2 KLEISTAUSGABEN MIT DER EINLEITUNG VON RUDOLPH GENÉE

1. VERLAG A. WARSCHAUER BERLIN: ZWEI AUSGABEN

Genée1

Genée2

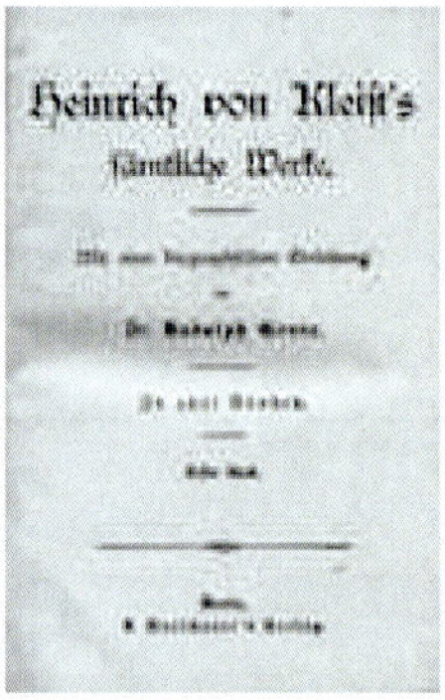

Genée1

Heinrich von Kleist's sämtliche Werke. Mit einer biogr. Einl. von Dr. Rudolph Genée. In zwei Bänden. Berlin: A. Warschauer. o. J. [1886-1888] 2 Bde in 1: LIX, 407, 419 S. Druck: A. Warschauer Berlin W.
Einband: Brauner Gewebeband, Stil: Neorenaissance. Vorsatz weiß. Schnitt marmoriert.
ved: b-warsch1 // Bestand: Freie Universität Berlin/UB: Kleist/GenéeWA1

Genée2

Heinrich von Kleist's sämtliche Werke. Mit einer biogr. Einl. von Dr. Rudolph Genée. In zwei Bänden. Berlin: A. Warschauer. o. J. [1886-1888] 2 Bde in 1: LIX, 407, 419 S. Druck: A. Warschauer Berlin W.
Einband: Roter Gewebeband, Stil: Neorenaissance. Vorsatz weiß. Schnitt marmoriert.
ved: b-warsch2 // Bestand: Freie Universität Berlin/UB: Kleist/GenéeWA2

2. VERLAG BIBLIOGRAPHISCHE ANSTALT BERLIN: ZWÖLF AUSGABEN

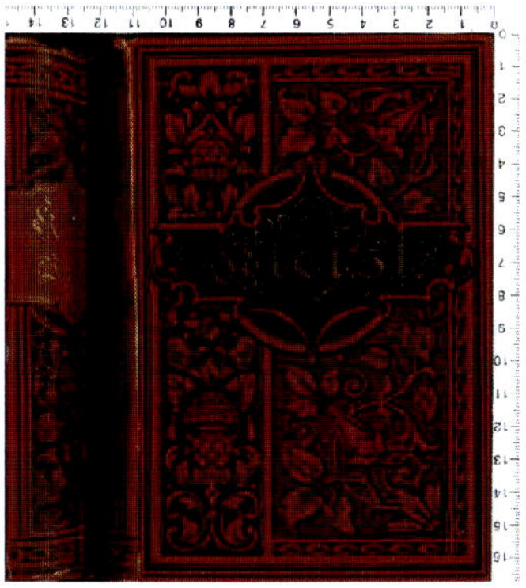

Genée3

Heinrich von Kleist's sämtliche Werke. Mit einer biogr. Einl. von Dr. Rudolph Genée. In zwei Bänden. Berlin: Bibliographische Anstalt. o. J. [vor 1896] 2 Bde in 1: LIX, 407, 419 S. Druck: Bibliographische Anstalt (Impressum) und A. Warschauer (letzte Seite).
Einband: Roter Gewebeband, Stil: Neobarock. Vorsatz weiß. Schnitt marmoriert.
ved: b-bawarsch1 // Bestand: Freie Universität Berlin/UB: Kleist/GenéeBA1 (Vorbesitz 1896)

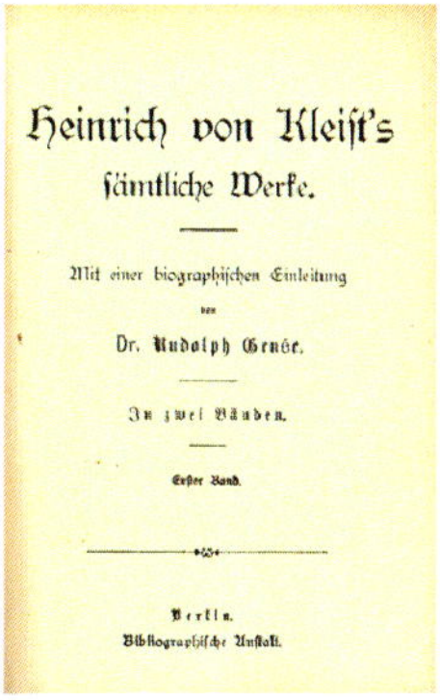

Genée4

Heinrich von Kleist's sämtliche Werke. Mit einer biogr. Einl. von Dr. Rudolph Genée. In zwei Bänden. Berlin: Bibliographische Anstalt. o. J. [vor 1896] 2 Bde in 1: LIX, 407, 419 S. Druck: A. Warschauer.
Einband: Roter Gewebeband, Stil: Neobarock. Vorsatz weiß. Schnitt marmoriert.
ved: b-biblanst4 // Bestand: Freie Universität Berlin/UB: Kleist/GenéeBA5 (Vorbesitz 1895)

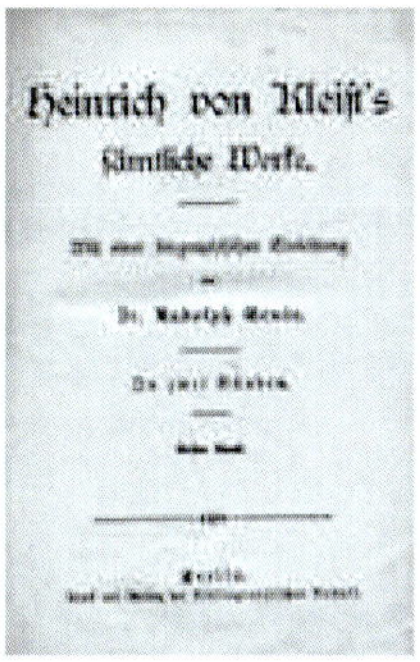

Genée5 (braun), Genée6 (rot)

Genée5

Heinrich von Kleist's sämtliche Werke. Mit einer biogr. Einl. von Dr. Rudolph Genée. In zwei Bänden. Berlin: Bibliographische Anstalt. o. J. [nach 1896] 2 Bde in 1: LIX, 407, 419 S. Druck: Bibliographische Anstalt (Impressum) und A. Warschauer (letzte Seite).
Einband: Brauner Gewebeband, Stil: Historismus. Vorsatz weiß. Schnitt marmoriert. Blindprägung auf der Hinterdecke in einem Rechteck: Bibliographische Anstalt Berlin – Leipzig.
ved: b-biblanst1 // Bestand: Freie Universität Berlin/UB: Kleist/GenéeBA2 (Flieg. Vorsatz vorne fehlt)

Genée6

Heinrich von Kleist's sämtliche Werke. Mit einer biogr. Einl. von Dr. Rudolph Genée. In zwei Bänden. Berlin: Bibliographische Anstalt. o. J. [nach 1896] 2 Bde in 1: LIX, 407, 419 S. Druck: Bibliographische Anstalt (Impressum) und A. Warschauer (letzte Seite).
Einband: Roter Gewebeband, Stil: Historismus. Vorsatz weiß. Schnitt marmoriert. Blindprägung auf der Hinterdecke: Bibliographische Anstalt Berlin – Leipzig.
ved: b-biblanst1 // Bestand: Kleist-Museum Frankfurt (Oder): I/10

Genée7

Heinrich von Kleist's sämtliche Werke. Mit einer biogr. Einl. von Dr. Rudolph Genée. In zwei Bänden. Berlin: Bibliographische Anstalt. o. J. [nach 1896] 2 Bde in 1: LIX, 407, 419 S. Frontispiz 5. Druck: Bibliographische Anstalt (Impressum) und A. Warschauer (letzte Seite).
Einband: Roter Gewebeband, Stil: Neobarock. Vorsatz weiß. Schnitt marmoriert. Blindprägung auf der Hinterdecke: Bibliographische Anstalt Berlin – Leipzig
Nicht in der ved. Bestand: ZLB Berlin: CL472

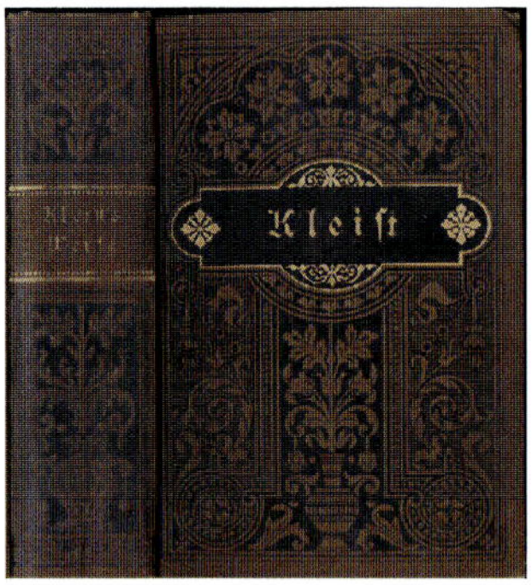

Genée8

Heinrich von Kleist's sämtliche Werke. Mit einer biogr. Einl. von Dr. Rudolph Genée. In zwei Bänden. Berlin: Bibliographische Anstalt. o. J. [nach 1896] 2 Bde in 1: LIX, 407, 419 S. Druck: Bibliographische Anstalt (Impressum) und A. Warschauer (letzte Seite).
Einband: Brauner Gewebeband, Stil: Historismus. Vorsatz weiß. Schnitt marmoriert. Blindprägung auf der Hinterdecke in kreisförmiger Kartusche: Bibliographische Anstalt Berlin – Leipzig.
ved: b-biblanst3 // Bestand: Freie Universität Berlin/UB: Kleist/GenéeBA4

Genée9 (braun), Genée10 (grün)

Genée9

Heinrich von Kleist's sämtliche Werke. Mit einer biogr. Einl. von Dr. Rudolph Genée. In zwei Bänden. Berlin: Bibliographische Anstalt. o. J. [nach 1896] 2 Bde in 1: LIX, 407, 419 S. Druck: A. Warschauer Berlin.
Einband: Brauner Gewebeband, Stil: Historismus. Vorsatz vollflächig mit Ornament gefüllt, in der Mitte Leier. Schnitt schwach marmoriert.
ved: b-biblanst2 // Bestand: Freie Universität Berlin/UB: Kleist/GenéeBA3

Genée10

Heinrich von Kleist's sämtliche Werke. Mit einer biogr. Einl. von Dr. Rudolph Genée. In zwei Bänden. Berlin: Bibliographische Anstalt. o. J. [um 1890] 2 Bde in 1: LIX, 407, 419 S. Druck: A. Warschauer Berlin.
Einband: Grüner Gewebeband, Stil: Historismus. Vorsatz vollflächig mit Ornament gefüllt, in der Mitte Leier. Schnitt schwach marmoriert.
ved: b-biblanst2 // Bestand: Kleist-Museum Frankfurt (Oder): I/5246 (Vorbesitz 1892)
Die Kleistausgabe mit diesem Einband in Rot ist bei Gustav Fock Leipzig erschienen, vgl. unten Genée31.

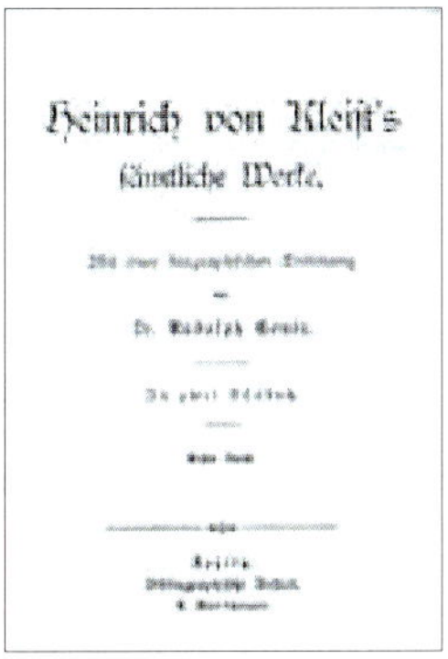

Genée11

Heinrich von Kleist's sämtliche Werke. Mit einer biogr. Einl. von Dr. Rudolph Genée. In zwei Bänden. Berlin: Bibliographische Anstalt A. Warschauer. o. J. [um 1888] 2 Bde in 1: LIX, 407, 419 S. Frontispiz 5. Druck: A. Warschauer Berlin.
Einband: Halblederband mit Ecken. Vorsatz weiß. Schnitt rot.
Nicht in der ved. // Bestand: Staatsbibliothek zu Berlin: 653280 (Sammlung Helmut Sembdner).

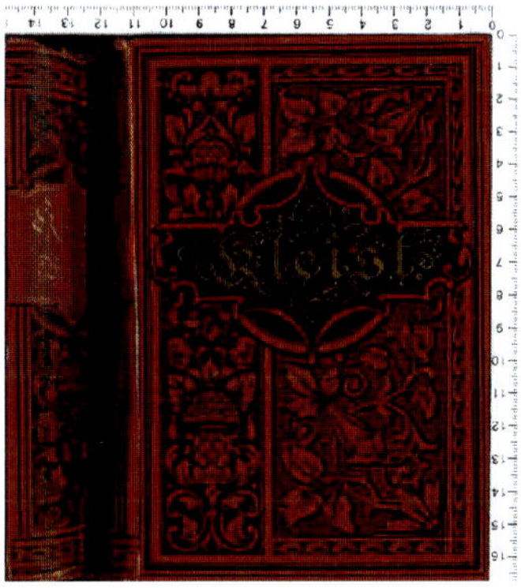

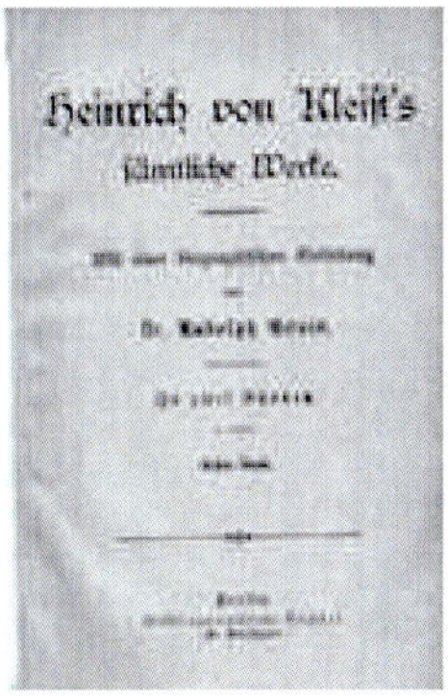

Genée12 (rot), Genée13 (braun)

Genée12

Heinrich von Kleist's sämtliche Werke. Mit einer biogr. Einl. von Dr. Rudolph Genée. In zwei Bänden. Berlin: Bibliographische Anstalt M. Warschauer. o. J. [um 1896] 2 Bde in 1: LIX, 407, 419 S. Frontispiz 5. Druck: Kroll's Buchdruckerei Berlin S.
Einband: Roter Gewebeband, Stil: Neobarock. Vorsatz weiß. Schnitt marmoriert.
ved: b-bawarsch1 // Bestand: Freie Universität Berlin/UB: Kleist/GenéeBAW1

Genée13

Heinrich von Kleist's sämtliche Werke. Mit einer biogr. Einl. von Dr. Rudolph Genée. In zwei Bänden. Berlin: Bibliographische Anstalt M. Warschauer. o. J. [um 1896] 2 Bde in 1: LIX, 407, 419 S. Frontispiz 5. Druck: Kroll's Buchdruckerei Berlin S.
Einband: Brauner Gewebeband, Stil: Neobarock. Vorsatz weiß. Schnitt marmoriert.
ved: b-bawarsch1 // Bestand: Freie Universität Berlin/UB: Kleist/GenéeBAW2

Genée14

Heinrich von Kleist's sämtliche Werke. Mit einer biogr. Einl. von Dr. Rudolph Genée. In zwei Bänden. Illustriert von Karl Storch. Berlin: Bibliographische Anstalt. o. J. [1888?] 2 Bde in 1: LIX, 407, 419 S. Frontispiz 5. Druck: Bibliographische Anstalt (Impressum) und A. Warschauer (letzte Seite).
Einband: Grauer Gewebeband, Stil: Historismus. Vorsatz stilisierte Blätter. Schnitt marmoriert.
Nicht in der ved. // Bestand: Kleist-Museum Frankfurt (Oder): I/11

3. VERLAG WEICHERT BERLIN: 16 AUSGABEN

Genée15

Heinrich von Kleist's sämtliche Werke. Mit einer biogr. Einl. von Dr. Rudolph Genée. In zwei Bänden. Druck und Verlag von A. Weichert Berlin NO. o. J. [um 1900] 2 Bde in 1: LIX, 407, 419 S. Frontispiz 5. Buchblock 4 cm dick.
Einband: Roter Gewebeband, Stil: Neobarock. Vorsatz Motiv mit Blumenzweigen. Schnitt marmoriert. Keine Buchbinderangabe.
ved: b-weich11 // Bestand: Freie Universität Berlin/UB: Kleist/GenéeWE1.2 (Goldprägung vollkommen verblaßt).

Genée16

Heinrich von Kleist's sämtliche Werke. Mit einer biogr. Einl. von Dr. Rudolph Genée. In zwei Bänden. Druck und Verlag von A. Weichert Berlin NO. o. J. [um 1900] 2 Bde in 1: LIX, 407, 419 S. Frontispiz 5. Buchblock 3 cm dick.
Einband: Roter Gewebeband, Stil: Neobarock. Vorsatz Motiv mit Blumenzweigen. Schnitt marmoriert. Buchbinder: Lüderitz & Bauer Berlin W. (Blindprägung Hinterdecke unten).
ved: idem3_2 // Bestand: Freie Universität Berlin/UB: Kleist/GenéeWE1.3

Genée17

Heinrich von Kleist's sämtliche Werke. Mit einer biogr. Einl. von Dr. Rudolph Genée. In zwei Bänden. Druck und Verlag A. Weichert Berlin NO. o. J. [um 1900] 2 Bde in 1: LIX, 407, 419 S. Frontispiz 5.
Einband: Dunkelgrüner Gewebeband, Stil: Neobarock. Vorsatz Motiv mit Blumenzweigen. Schnitt marmoriert. Keine Buchbinderangabe.
ved: b-weich11 // Bestand: Freie Universität Berlin/UB: Kleist/GenéeWE1.1

Genée18

Heinrich von Kleist's sämtliche Werke. Mit einer biogr. Einl. von Dr. Rudolph Genée. In zwei Bänden. Druck und Verlag A. Weichert Berlin NO. o. J. [um 1900] 2 Bde in 1: LIX, 407, 419 S. Frontispiz 5.
Einband: Dunkelgrüner Gewebeband, Stil: Neobarock. Vorsatz Motiv mit Blumenzweigen. Schnitt marmoriert. Buchbinder: Lüderitz & Bauer Berlin W. (Blindprägung Hinterdecke unten).
ved: idem3_2 // Bestand: Kleist-Museum Frankfurt (Oder): I/15

Genée19 (grün), Genée 20(beige)

Genée19

Heinrich von Kleist's sämtliche Werke. Mit einer biogr. Einl. von Dr. Rudolph Genée. In zwei Bänden. Druck und Verlag von A. Weichert Berlin NO. o. J. [vor 1908] 2 Bde in 1: LIX, 407, 419 S.. Frontispiz 5. Druck: A. Weichert
Einband: Grüner Gewebeband, Jugendstil, Entwerfer HA [Hans Anker]. Buchbinder: Lüderitz & Bauer (Hinterdecke unten). Vorsatz schwarz. Schnitt marmoriert.
ved: b-weich9 // Bestand: Freie Universität Berlin/UB: Kleist/GenéeWE2.1 (Vorbesitz 1908)

Genée20

Heinrich von Kleist's sämtliche Werke. Mit einer biogr. Einl. von Dr. Rudolph Genée. In zwei Bände [!] Berlin NO 43. Druck und Verlag A. Weichert Neue Königstr. 9. o. J.[vor 1907]. 2 Bde in 1: LIX, 407, 419 S. Frontispiz 5.
Einband: Beiger Gewebeband, Jugendstil, Entwerfer HA [Hans Anker]. Hinterdecke: Verlagssignet AW in Blindprägung. Vorsatz schwarz. Schnitt marmoriert.
ved: b-weich9 // Bestand: Freie Universität Berlin/UB: Kleist/GenéeWE2.2 (Vorbesitz 1907)

Genée21

Heinrich von Kleist's sämtliche Werke. Mit einer biogr. Einl. von Dr. Rudolph Genée. In zwei Bände [!] Berlin NO 43. Druck und Verlag A. Weichert Neue Königstr. 9. o. J. [vor 1910]. 2 Bde in 1: LIX, 407, 419 S. Frontispiz 5.
Einband: Weinroter Gewebeband, Jugendstil/Art Déco. Entwerfer: [Elek] Falus. Vorsatz grau. Schnitt marmoriert.
ved: b-weich13 // Bestand: Freie Universität Berlin/UB: Kleist/GenéeWE3

AB 1910 DIE NEU BEARBEITETE AUSGABE:

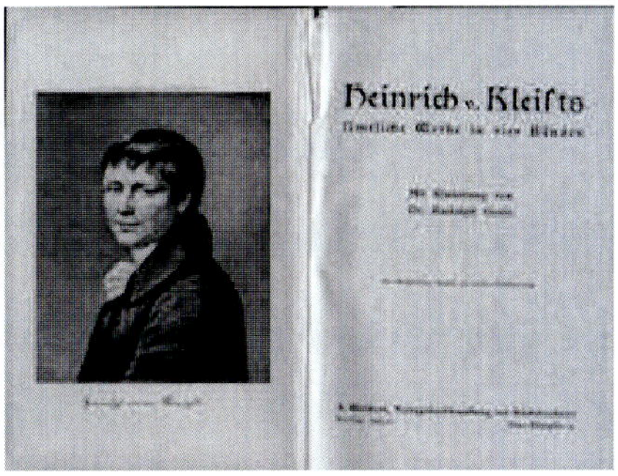

Genée22

Genée23

Genée22

Heinrich v. Kleists sämtliche Werke in vier Bänden. Mit Einl. von Dr. Rudolph Genée. Neu durchgesehene Ausgabe mit neuester Rechtschreibung. A. Weichert Verlagsbuchhandlung und Buchdruckerei Berlin NO. 43. Neue Königstr. 9. o. J. [nach 1910]. 4 Bde in 1: 56, 199, 251, 168, 236 S. Frontispiz 6.
Einband: Blauer Gewebeband, Neobiedermeier. Entwerfer EF (Elek Falus) Vorsatz blau. Schnitt marmoriert.
ved: b-weich1 / /Bestand: Freie Universität Berlin/ UB: Kleist/GenéeWE4

Genée23

Heinrich v. Kleists sämtliche Werke in vier Bänden. Mit Einl. von Dr. Rudolph Genée. Neu durchgesehene Ausgabe mit neuester Rechtschreibung. A. Weichert Verlagsbuchhandlung und Buchdruckerei Berlin NO. 43. Neue Königstr. 9. o. J. [nach 1910]. 4 Bde in 1: 56, 199, 251, 168, 236 S. Frontispiz 6.
Einband: Blauer Gewebeband. Vorsatz blau. Schnitt marmoriert.
ved: b-weich15 / / Bestand: Freie Universität Berlin/ UB: Kleist/GenéeWE4.5 (Vorbesitz 1913)

Genée24

Heinrich v. Kleist Sämtliche Werke in vier Bänden. Mit biogr.-krit. Einl. von Dr. Rudolph Genée. Druck und Verlag von A. Weichert, Berlin. o. J. [nach 1910] 4 Bde in 1: 56, 199, 251, 168, 236 S., Frontispiz 3a. Kein Vermerk zur Rechtschreibung.
Einband: Roter Gewebeband. Rückenornament. Vorsatz weiß. Kopfschnitt rot.
ved: b-weich4 / / Bestand: Freie Universität Berlin/ UB: Kleist/GenéeWE5.1

Genée25

Heinrich v. Kleist Sämtliche Werke in vier Bänden. Mit biogr.-krit. Einl. von Dr. Rudolph Genée. Druck und Verlag von A. Weichert, Berlin. o. J. [nach 1910] 4 Bde in 1: 56, 199, 251, 168, 236 S., Frontispiz 5. Vermerk: Neu durchges.Ausgabe mit neuester Rechtschreibung.
Einband: Roter Gewebeband. Rückenornament. Vorsatz weiß. Kopfschnitt rot.
ved: b-weich4 / / Bestand: / / Kleist-Museum Frankfurt (Oder): SK 1/72

Genée26

Heinrich v. Kleist Sämtliche Werke in vier Bänden. Mit biogr.-krit. Einl. von Dr. Rudolph Genée. Druck und Verlag von A. Weichert, Berlin. o. J. [nach 1910] 4 Bde in 1: 56, 199, 251, 168, 236 S., Frontispiz 3a.
Einband: Blauer Gewebeband. Rückenornament. Vorsatz weiß. Kopfschnitt rot.
ved: b-weich4 // Bestand: Freie Universität Berlin/UB: Kleist/GenéeWE5.2 (Rücken verblaßt).

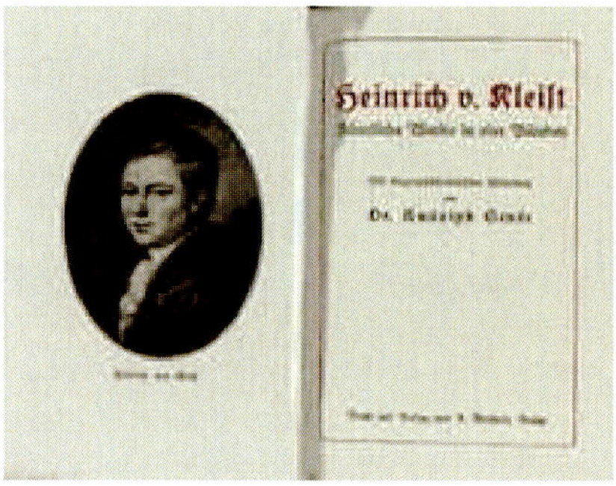

Genée27

Heinrich v. Kleist Sämtliche Werke in vier Bänden. Mit biogr.-krit. Einl. von Dr. Rudolph Genée. Druck und Verlag von A. Weichert, Berlin. o. J. [nach 1910] 4 Bde in 1: 56, 199, 251, 168, 236 S. Frontispiz 3a.
Einband: Halblederband mit Ecken. Rückenschildchen grün. Buntpapier als Überzugspapier. Vorsatz olivgrün mit Gewebefalz. Kopfgoldschnitt.
ved: b-weich10 // Bestand: Freie Universität Berlin/UB: Kleist/GenéeWE6

Genée28

Heinrich v. Kleist Sämtliche Werke in vier Bänden. Mit biogr.-krit. Einl. von Dr. Rudolph Genée. Druck und Verlag von A. Weichert, Berlin. o. J. [nach 1910] 4 Bde in 1: 56, 199, 251, 168, 236 S., Frontispiz 2.
Einband: Halblederband mit Ecken. Rückenschildchen rot. Buntpapier als Überzugspapier. Vorsatz olivgrün mit Gewebefalz. Kopfgoldschnitt.
ved: b-weich14 // Bestand: Freie Universität Berlin/UB: Kleist/GenéeWE7 // Staatsbibliothek zu Berlin: 653284 (Sammlung Helmut Sembdner)

Abb. Titelblätter oben S. 58

Genée29

Heinrich v. Kleist Sämtliche Werke in vier Bänden. Mit biogr.-krit. Einl. von Dr. Rudolph Genée. Druck und Verlag von A. Weichert, Berlin. o. J. [nach 1920] 4 Bde in 1: 56, 199, 251, 168, 236 S., Frontispiz 3a.
Einband: Roter Gewebeband. Vorsatz weiß. Kopfschnitt rot.
ved: b-weich12 // Bestand: Freie Universität Berlin/UB: Kleist/Genée-WE10.1

Genée30

Heinrich von Kleists Werke. Mit einer Einleitung von Dr. Rudolph Genée. Druck und Verlag von A. Weichert, Berlin. o. J. [um 1925] 4 Bde in 1: 56, 199, 251, 168, 236 S., Frontispiz 2.
Einband: Roter Gewebeband. Vorsatz weiß. Kopfschnitt rot.
ved: b-weich12 // Bestand: Freie Universität Berlin/UB: Kleist/Genée-WE10.2 (Vorbesitz 1929).

4. VERLAG GUSTAV FOCK LEIPZIG: EINE AUSGABE

Titelblatt Bd 1

Titelblatt Bd 2

Genée31

Heinrich von Kleist's sämtliche Werke. Mit einer biogr. Einl. von Dr. Rudolph Genée. In zwei Bänden. Bd 1: Leipzig: Gustav Fock. Bd 2: Druck und Verlag der Bibliogr. Anstalt. [2 Verlage in 1 Band!] o. J. [um 1890] 2 Bde in 1: LIX, 407, 419 S. Druck (Bd 2 hinten): A. Warschauer Berlin. Ohne Frontispiz.
Einband: Roter Gewebeband. Stil: Historismus. Vorsatz vollflächig ornamentiert. Schnitt marmoriert.
ved: l-fock2 // Bestand: Freie Universität Berlin/UB: Kleist/GenéeF1

Ein Beispiel für die Folgen der Organisation der Buchherstellung: Der Buchblock war in der Bibliographischen Anstalt Berlin in großer Menge gedruckt worden und stand unmittelbar zur Verfügung. Neu gesetzt wurde nur das oberste Blatt – die Titelei – mit dem auftraggebenden Verlag Gustav Fock Leipzig. Das Titelblatt für den gezählten zweiten Band mit dem Impressum der Bibliographischen Anstalt Berlin befand sich in der Mitte des vorhandenen Buchblocks und wurde nicht ausgetauscht, so erscheinen zwei Verlage in einem Band.

5. VERLAG CARL HERMANN OTTO & CO. BERLIN-SCHÖNEBERG: DREI AUSGABEN

Genée32

Heinrich von Kleist's sämtliche Werke. Mit einer biogr. Einl. von Dr. Rudolph Genée. In zwei Bänden. Berlin-Schöneberg: Carl Hermann Otto & Co. o. J. [um 1890]. 2 Bde in 1: LIX, 407, 419 S., Frontispiz 5, Druck: Ohne Angabe. Einband: Roter Gewebeband, Stil: Neobarock. Buchbinder: Lüderitz & Bauer, Berlin (Blindprägung Hinterdecke unten). Die Ornamentik der Schrift ist geringer ausgeführt als bei den obigen Exemplaren des Verlages Bibliographische Anstalt; sie ist identisch mit den Exemplaren vom Verlag Weichert. Vorsatz Motiv mit Blumenzweigen. Schnitt marmoriert.
ved: idem3_1 // Bestand: Freie Universität Berlin/UB: Kleist/GenéeOT1

Vorsatz 33

Vorsatz 34

Titelblatt und Frontispiz wie Genée32

Genée33

Heinrich von Kleist's sämtliche Werke. Mit einer biographischen Einl. von Dr. Rudolph Genée. In zwei Bänden. Berlin-Schöneberg: Carl Hermann Otto & Co o. J. [vor 1910]. 2 Bde in 1: LIX, 407, 419 S., Frontispiz 5, Druck: ohne Angabe. Einband: Roter Gewebeband, Jugendstil, Entwerfer HA [Hans Anker]. Vorsatz Motiv mit Blumenzweigen. Schnitt marmoriert.
ved: b-otto1 // Bestand: Freie Universität Berlin/UB: Kleist/GenéeOT2.1 // Kleist-Museum Frankfurt (Oder): 1/4993

Genée34

Heinrich von Kleist's sämtliche Werke. Mit einer biographischen Einl. von Dr. Rudolph Genée. In zwei Bänden. Berlin-Schöneberg: Carl Hermann Otto & Co o. J. [vor 1910]. 2 Bde in 1: LIX, 407, 419 S., Frontispiz 5. Druck: ohne Angabe. Einband: Roter Gewebeband, Jugendstil, Entwerfer HA [Hans Anker]. Vorsatz geometr. Ornament. Schnitt marmoriert.
ved: b-otto1_1 // Bestand: Freie Universität Berlin/UB: Kleist/GenéeOT2.2

6. VERLAG R. LEVI STUTTGART: ZWEI AUSGABEN

Genée35

Heinrich von Kleist's sämtliche Werke. Mit einer biographischen Einl. von Dr. Rudolph Genée. In zwei Bänden. Stuttgart: R. Levi o. J. [vor 1910]. 2 Bde in 1: LIX, 407, 419 S., Frontispiz 5, Druck: ohne Angabe.
Einband: Grüner Gewebeband, Jugendstil, Entwerfer HA [Hans Anker]. Vorsatz schwarz. Schnitt marmoriert. Auf der Hinterdecke Verlagssignet AW [Alexander Weichert Berlin]
ved: s-levi1 // Bestand: Freie Universität Berlin/UB: Kleist/GenéeLE1

Genée36

Heinrich von Kleist's sämtliche Werke. Mit einer biographischen Einl. von Dr. Rudolph Genée. In zwei Bänden. Stuttgart: R. Levi o. J. [vor 1910]. 2 Bde in 1: LIX, 407, 419 S., Frontispiz 5, Druck: ohne Angabe.
Einband: Roter Gewebeband, Jugendstil, Entwerfer HA [Hans Anker]. Vorsatz schwarz. Auf der Hinterdecke Rahmen in Blindprägung, mittig Verlagssignet AW [Alexander Weichert Berlin].
ved: s-levi2 // Bestand: Freie Universität Berlin/UB: Kleist/GenéeLE2

7. VERLAG GLOBUS BERLIN: VIER AUSGABEN

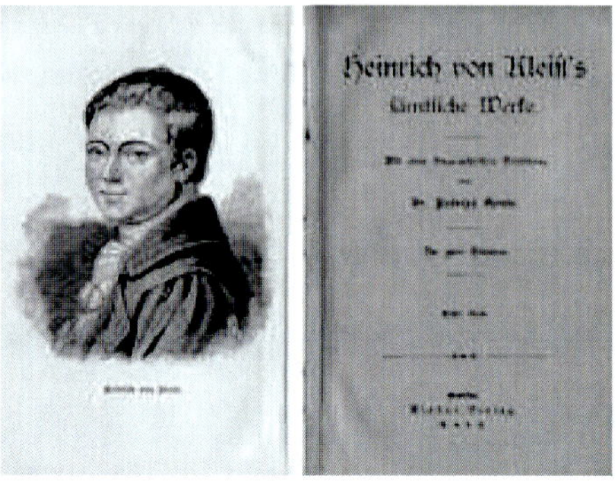

Titelblatt Bd 1

Titelblatt Bd 2

Genée37

Heinrich von Kleist's sämtliche Werke. Mit einer biogr. Einl. von Dr. Rudolph Genée. In zwei Bänden. Bd 1: Berlin, Globus. Bd 2: Berlin, A. Weichert [2 Verlage in 1 Band!] o. J. [vor 1910]. 2 Bde in 1: LIX, 407, 419 S., Frontispiz 5, Druck A. Weichert (lt Verlagsangabe Bd 2)
Einband: Beiger Gewebeband im Jugendstil. Entwerfer MH [Maximilian Honegger]. Vorsatz grün. Schnitt marmoriert.
ved: b-globus2 // Bestand: Freie Universität Berlin/UB: Kleist/GenéeGL1.1

Genée38

Heinrich von Kleist's sämtliche Werke. Mit einer biogr. Einl. von Dr. Rudolph Genée. In zwei Bänden. Bd 1: Berlin, Globus. Bd 2: Berlin, A. Weichert [2 Verlage in 1 Band!] o. J. [vor 1910]. 2 Bde in 1: LIX, 407, 419 S., Frontispiz 5, Druck A. Weichert (lt Verlagsangabe von Bd 2)
Einband: Grüner Gewebeband im Jugendstil. Entwerfer MH [Maximilian Honegger]. Vorsatz grün. Schnitt marmoriert.
ved: b-globus2 // Bestand: Freie Universität Berlin/UB: Kleist/GénéeGL1.2

Ein weiteres Beispiel für Folgen der Drucker-Organisation: Hier war der Buchblock in ausreichender Menge beim Verlag Weichert vorhanden. Neu gesetzt wurde nur das oberste Blatt mit dem auftraggebenden Verlag Globus, das Titelblatt für den gezählten zweiten Band von Weichert befand sich in der Mitte des Buchblocks, so erscheinen wiederum zwei Verlage in einem Band. Eine Änderung erfolgt bei der folgenden Ausgabe, bei der das Impressum des zweiten Bandes leer bleibt (Genée39).

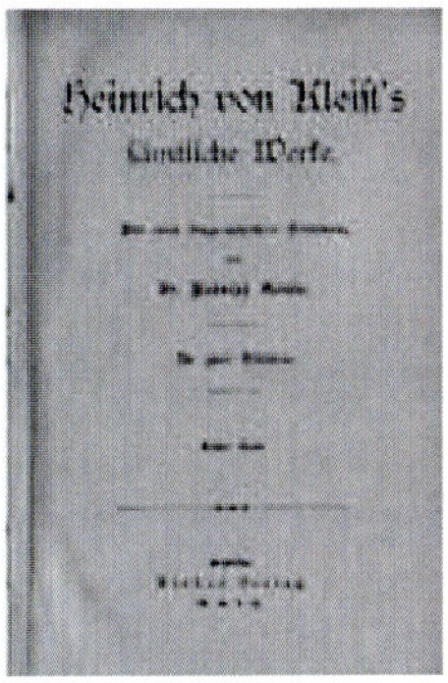

Titelblatt Bd 1

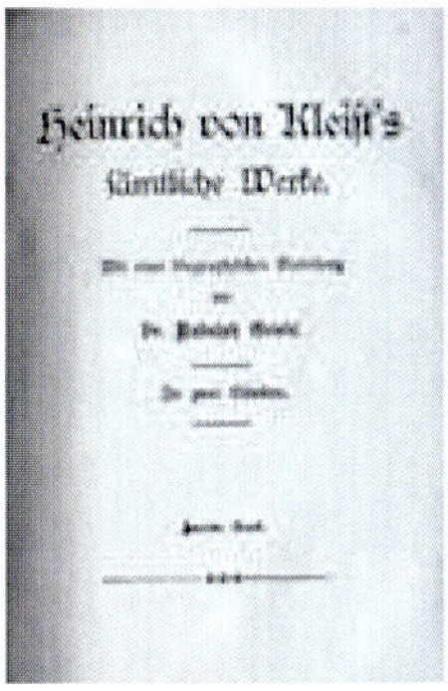

Titelblatt Bd 2

Genée39

Heinrich von Kleist's sämtliche Werke. Mit einer biogr. Einl. von Dr. Rudolph Genée. In zwei Bänden. Berlin: Globus o. J. [vor 1910]. Bd 2: leeres Impressum ohne Verlagsangabe. 2 Bde in 1: LIX, 407, 419 S., Frontispiz 5. Druck: ohne Angabe. Einband: Brauner Gewebeband, Neobiedermeier. Entwerfer: Felger. Vorsatz dunkelgrün. Schnitt marmoriert.
ved: b-globus3 // Bestand: Freie Universität Berlin/UB: Kleist/GenéeGL2

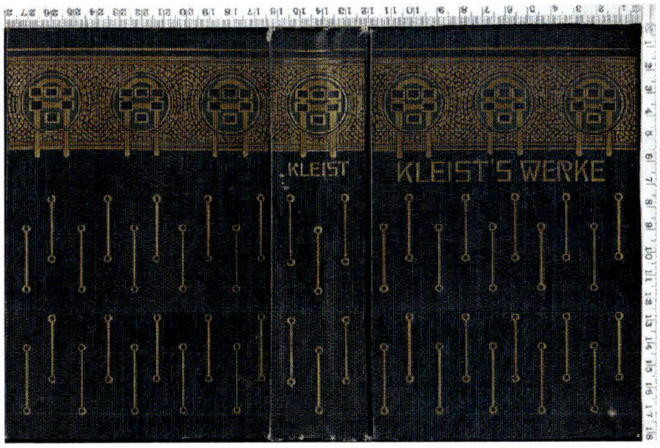

Genée40

Heinrich von Kleists sämtliche Werke in vier Bänden. Mit Einl. von Dr. Rudolph Genée. Neu durchges. Ausg. mit neuester Rechtschr. Berlin: Globus. o. J. [nach 1910]. 4 Bde in 1: 56, 199, 251, 168, 236 S. Frontispiz 6. Druck: ohne Angabe. Einband: Blauer Gewebeband im Wiener Jugendstil. Vorsatz und Kopfschnitt blau. Schrift mit eckigem S und hochgezogenem R-Bogen.
ved: b-globus1 // Bestand: Freie Universität Berlin/UB: Kleist/GenéeGL3

Mit diesem, in der Schrift leicht veränderten Einband sind Ausgaben im Verlag Knaur Nachf. Berlin und Verlagsges. für Literatur und Kunst Berlin erschienen.

8. VERLAGSGESELLSCHAFT FÜR LITERATUR UND KUNST, BERLIN: DREI AUSGABEN

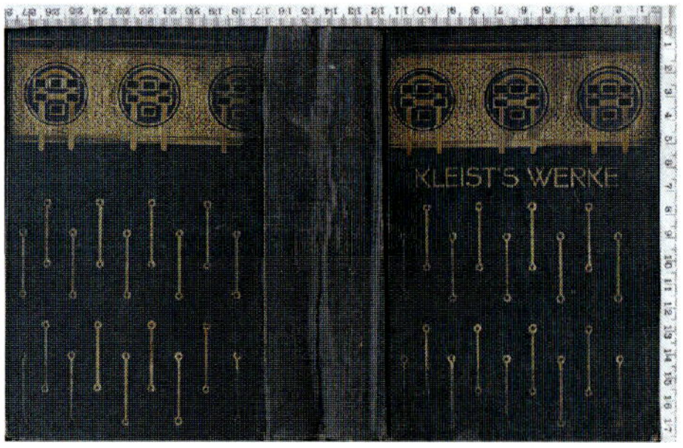

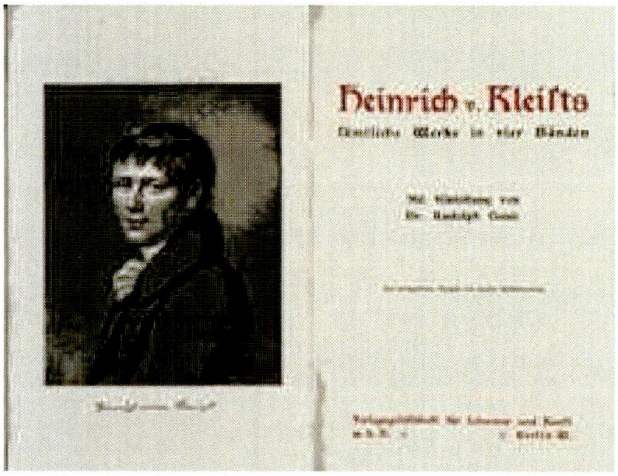

Genée41

Heinrich von Kleists sämtliche Werke in vier Bänden. Mit Einl. von Dr. Rudolph Genée. Neu durchgeseh. Ausg. mit neuester Rechtschr. Berlin: Verlagsges. für Lit. und Kunst, Berlin. o. J. [nach 1910]. 4 Bde in 1: 56, 199, 251, 168, 236 S. Frontispiz 6. Druck ohne Angabe.
Einband: Blauer Gewebeband im Wiener Jugendstil. Vorsatz und Kopfschnitt blau. Schrift mit rundem S.
ved: b-verlagsges1 // Bestand: Freie Universität Berlin/UB: Kleist/GenéeVLK1 (Rücken vollkommen verblaßt)
Mit diesem, in der Schrift leicht veränderten Einband sind Ausgaben im Verlag Knaur Nachf. Berlin und im Globus Verlag Berlin erschienen.

Genée42

Heinrich v. Kleists sämtliche Werke in vier Bänden. Mit Einl. von Dr. Rudolph Genée. Neu durchgeseh. Ausg. mit neuester Rechtschr. Berlin: Verlagsges. für Literatur und Kunst o. J. [nach 1910] 4 Bde in 1: 56, 199, 251, 168, 236 S., Frontispiz 6. Druck: ohne Angabe.
Einband: Blauer Gewebeband. Stil: Art Déco. Vorsatz und Kopfschnitt blau.
ved: b-verlagsges3 // Bestand: Freie Universität Berlin/UB: Kleist/GenéeVLK2 // Staatsbibliothek zu Berlin: 653285 (Sammlung Helmut Sembdner)

Genée43

Heinrich von Kleists sämtliche Werke in vier Bänden. Mit Einl. von Dr. Rudolph Genée. Neu durchgeseh. Ausg. mit neuester Rechtschr. Berlin: Verlagsges. für Lit. und Kunst, Berlin. o. J. [nach 1920]. 4 Bde in 1: 56, 199, 251, 168, 236 S. Frontispiz 6. Druck ohne Angabe.
Einband: Weinroter Gewebeband. Buchbinderei: Leipziger Buchbinderei-A.G. vorm. Gustav Fritzsche [Blindprägung Hinterdecke unten]. Vorsatz rot. Kopfschnitt gold.
ved: b-verlagsges2 // Bestand: Freie Universität Berlin/UB: Kleist/GenéeVLK3 (Vorbesitz 1923).

6.3 KLEISTAUSGABEN HRSG. BZW. MIT DER EINLEITUNG VON KARL SIEGEN

VERLAG GUSTAV FOCK LEIPZIG: SIEBEN AUSGABEN

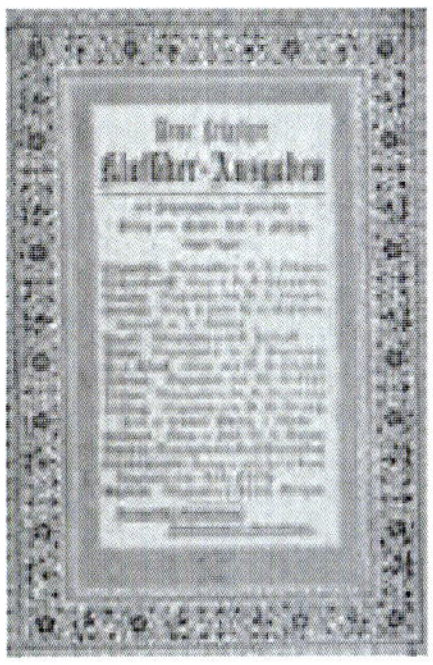

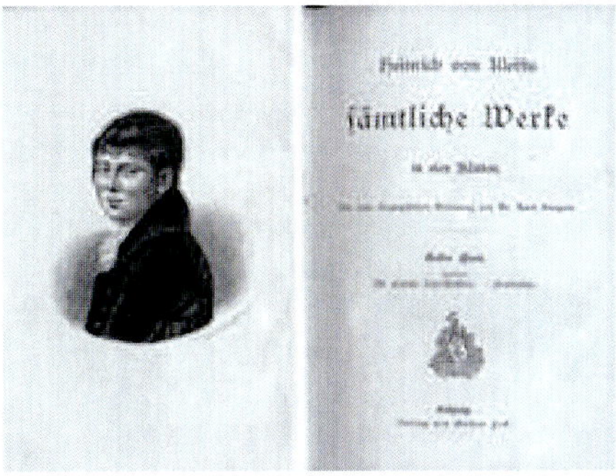

Siegen1

Heinrich von Kleists sämtliche Werke in vier Bänden. Mit einer biogr. Einl. von Dr. Karl Siegen. Leipzig: Gustav Fock o. J. [1895]. 4 Bde in 1: 215, 204, 239, 192 S. // Einl. S. 3-38, Nachwort S. 191-192. Frontispiz 4. Druck Hesse & Becker Leipzig.
Einband: Roter Gewebeband. Stil: Neorenaissance. Namensform: Kleist. Vorsatz Rahmen mit Blumenranke. Im hinteren Vorsatz: Neue Leipziger Klassiker-Ausgaben mit Biographien und Porträts. Verlag von Gustav Fock in Leipzig. Schnitt marmoriert. Buchbinder: Böttcher & Bongartz Leipzig (Blindprägung Hinterdecke unten)
ved: l-fock4 // Bestand: Freie Universität Berlin/UB: Kleist/SiegenF1.1

Siegen2

Heinrich von Kleists sämtliche Werke in vier Bänden. Mit einer biogr. Einl. von Dr. Karl Siegen. Leipzig: Gustav Fock o. J. [1895]. 4 Bde in 1: 215, 204, 239, 192 S. // Einl. S. 3-38, Nachwort S. 191-192. Frontispiz 4. Druck Hesse & Becker Leipzig.
Einband: Grüner Gewebeband. Stil: Neorenaissance. Namensform: Kleist. Vorsatz Rahmen mit Blumenranke. Im hinteren Vorsatz: Neue Leipziger Klassiker-Ausgaben mit Biographien und Porträts. Verlag von Gustav Fock in Leipzig. Schnitt marmoriert. Buchbinder: Böttcher & Bongartz Leipzig (Blindprägung Hinterdecke unten)
ved: l-fock4 // Bestand: Freie Universität Berlin/UB: Kleist/SiegenF1.2

Siegen3

Heinrich von Kleists sämtliche Werke in vier Bänden. Mit einer biogr. Einl. von Dr. Karl Siegen. Leipzig: Gustav Fock o. J. [1895]. 4 Bde in 1: 215, 204, 239, 192 S. // Einl. S. 3-38, Nachwort S. 191-192. Frontispiz 4. Druck Hesse & Becker Leipzig.
Einband: Brauner Gewebeband. Stil: Neorenaissance. Namensform: Kleist. Vorsatz Rahmen mit Blumenranke. Im hinteren Vorsatz: Neue Leipziger Klassiker-Ausgaben mit Biographien und Porträts. Verlag von Gustav Fock in Leipzig. Schnitt marmoriert. Buchbinder: Böttcher & Bongartz Leipzig (Blindprägung Hinterdecke unten)
ved: l-fock4 // Bestand: Freie Universität Berlin/UB: Kleist/SiegenF1.3

Siegen4

Heinrich von Kleists sämtliche Werke in vier Bänden. Mit einer biogr. Einl. von Prof. Dr. Karl Siegen. Leipzig: Gustav Fock o. J. [nach 1895]. 4 Bde in 1: 215, 204, 239, 192 S. // Einl. S. 3-38, Nachwort S. 191-192. Frontispiz 4. Druck Hesse & Becker Leipzig.
Einband: Roter Gewebeband. Neorenaissance. Namensform: H. v. Kleist. Buchbinder: Hesse & Becker Leipzig (Blindprägung Hinterdecke unten)
ved: l-fock5 // Bestand: Freie Universität Berlin/UB: 38/76/50935(5). (Band neu eingehängt, Verlust des Vorsatzes)

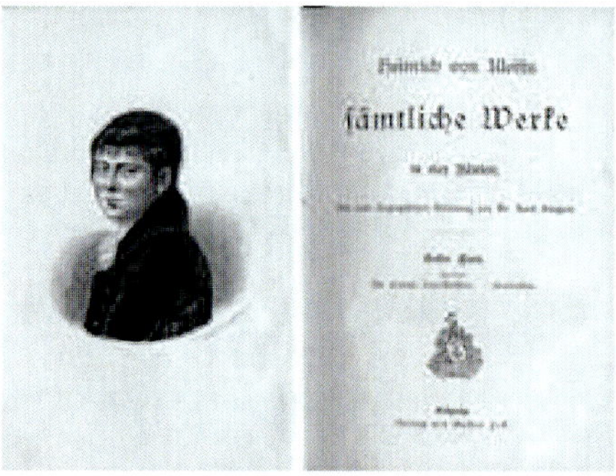

Siegen5

Heinrich von Kleists sämtliche Werke in vier Bänden. Mit einer biogr. Einl. von Dr. Karl Siegen. Leipzig: Gustav Fock o. J. [nach 1895]. 4 Bde in 1: 215, 204, 239, 192 S. // Einl. S. 3-38, Nachwort S. 191-192. Frontispiz 4. Druck Hesse & Becker Leipzig.
Einband: Halblederband, Namensform Kleist. Ornament auf dem Rücken abweichend. Im hinteren Vorsatz: Neue Leipziger Klassiker-Ausgaben mit Biographien und Porträts. Verlag von Gustav Fock in Leipzig.
ved: l-fock7 // Bestand: Freie Universität Berlin/UB: Kleist/SiegenF3.1 (Vorbesitz 1913)

Siegen6

Heinrich von Kleists sämtliche Werke in vier Bänden. Mit einer biogr. Einl. von Dr. Karl Siegen. Leipzig: Gustav Fock o. J. [nach 1895]. 4 Bde in 1: 215, 204, 239, 192 S. // Einl. S. 3-38, Nachwort S. 191-192. Frontispiz 4. Druck Hesse & Becker Leipzig.
Einband: Halblederband. Namensform H. v. Kleist. Ornament auf dem Rücken abweichend. Im hinteren Vorsatz: Neue Leipziger Klassiker-Ausgaben mit Biographien und Porträts. Max Hesse's Verlag Leipzig [!].
ved: l-fock6 // Bestand: Freie Universität Berlin/UB: Kleist/SiegenF3.2 (Vorbesitz 1900)
Vorsatz und Titel wie Siegen5.

Siegen7

Heinrich von Kleists sämtliche Werke in vier Bänden. Mit einer biogr. Einl. von Dr. Karl Siegen. Leipzig: Gustav Fock o. J. [nach 1895]. 4 Bde in 1: 215, 204, 239, 192 S., // Einl. S. 3-38, Nachwort S. 191-192. Frontispiz 4. Druck Hesse & Becker Leipzig.
Einband: Halblederband mit Ledérecken, Marmorpapier als Überzug. Vorsatz mit rundgeometr. Ornament und Gewebefalz. Kopfgoldschnitt.
Nicht in der ved.
Bestand: Kleist-Museum Frankfurt (Oder): I/60

VERLAG MAX HESSE LEIPZIG

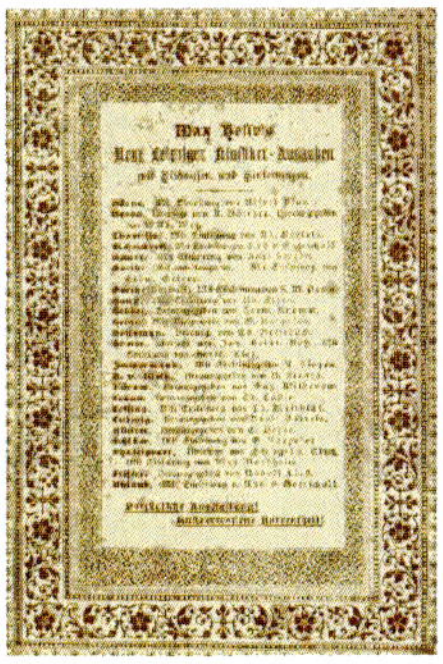

Siegen8

Heinrich von Kleists sämtliche Werke in vier Bänden. Hrsg. von Prof. Dr. Karl Siegen. Mit zwei Bildnissen Kleists [3b und 4], Abb. seiner Grabstätte, einem Briefe in Faksimile, sowie Lebensgeschichte und Würdigung des Dichters. Leipzig: Max Hesse o. J.[nach 1899, jüngstes Zitat im Vorwort]. 4 Bde in 1: XCVI, 177, 220, 296, 192, 16 (Verlagswerbung). Verlagsserie: Max Hesse's Neue Leipziger Klassiker-Ausgaben. Druck: Hesse & Becker Leipzig.
Einband: Grüner Gewebeband. Stil: Neorenaissance. Namensform: H. v. Kleist. Vorsatz Rahmen mit Blumenranke, Verlagswerbung Kopf dreizeilig, Klassikerliste Börne bis Uhland. Schnitt marmoriert. Buchbinder: Hesse & Becker (Blindprägung Hinterdecke unten)
ved: l-hesse8 // Bestand: Freie Universität Berlin/UB: Kleist/Siegen1.1.1

Siegen9

Heinrich von Kleists sämtliche Werke in vier Bänden. Hrsg. von Prof. Dr. Karl Siegen. Mit zwei Bildnissen Kleists [6, 3 (ohne Unterschrift) und 4], Abb. seiner Grabstätte, einem Briefe in Faksimile, sowie Lebensgeschichte und Würdigung des Dichters. Leipzig: Max Hesse o. J. [Vorwort datiert 1902]. 4 Bde in 1: XCVI, 177, 220, 296, 192, [ohne Verlagswerbung]. Verlagsserie: Max Hesse's Neue Leipziger Klassiker-Ausgaben. Druck: Hesse & Becker Leipzig.
Einband: Grüner Gewebeband. Stil: Neorenaissance. Namensform: H. v. Kleist. Vorsatz Rahmen mit Blumenranke, Verlagswerbung Kopf vierzeilig, Klassikerliste Börne bis Uhland.. Schnitt marmoriert. Buchbinder: Hesse & Becker (Blindprägung Hinterdecke unten)
ved: l-hesse8 // Bestand: Freie Universität Berlin/UB: Kleist/Siegen1.1.2

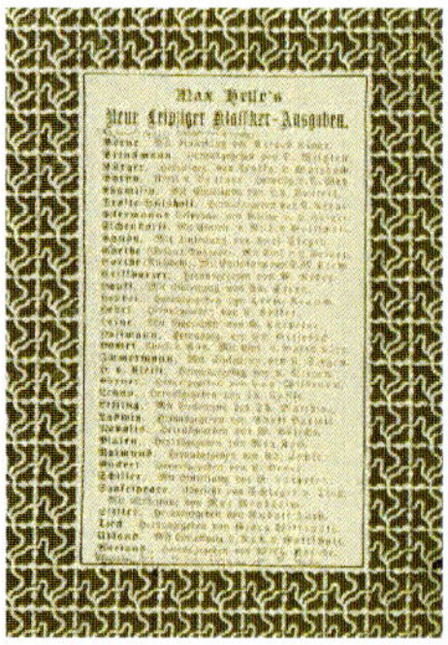

Siegen10

Heinrich von Kleists sämtliche Werke. Vollständige Ausgabe in vier Bänden. Hrsg. von Prof. Dr. Karl Siegen. Mit drei Bildnissen des Dichters [6, 3 (ohne Unterschrift), 4], einer Abb. seiner Grabstätte und einem Briefe in Faksimile. Leipzig: Max Hesse o. J. [Vorwort datiert 1902]. 4 Bde in 1: XCVI, 177, 220, 296, 192, 16 (Verlagswerbung). Druck: Hesse & Becker Leipzig
Einband: Grüner Gewebeband. Stil: Neorenaissance. Namensform: H. v. Kleist. Vorsatz: Geom. Ornamente, Verlagswerbung Kopf zweizeilig, Klassikerliste Börne bis Wieland. Schnitt marmoriert. Buchbinder: Hesse & Becker (Blindprägung Hinterdecke unten)
ved: l-hesse12
Bestand: Freie Universität Berlin/UB: Kleist/Siegen1.1.3

Siegen11

Heinrich von Kleists sämtliche Werke in vier Bänden. Hrsg. von Prof. Dr. Karl Siegen. Mit des Dichters Biographie und Porträt [3b, 4], einer Abbildung seiner Grabstätte und einem Briefe in Faksimile. Leipzig: Max Hesse o. J. [nach 1899], 4 Bde in 1: XCVI, 177, 220, 296, 192, 16 (Verlagswerbung). Verlagsserie: Neue Leipziger Klassiker-Ausgaben. Druck: Hesse & Becker Leipzig.
Einband: Hellbrauner Gewebeband. Stil: Neorenaissance. Namensform: H. v. Kleist. Vorsatz: Rahmen von Blumenranke, Verlagswerbung Kopf dreizeilig, Klassikerliste von Börne bis Wieland. Schnitt marmoriert. Buchbinder: Hesse & Becker Leipzig (Blindprägung Hinterdecke unten)
ved: l-hesse8
Bestand: Freie Universität Berlin/UB: Kleist/Siegen1.2.1

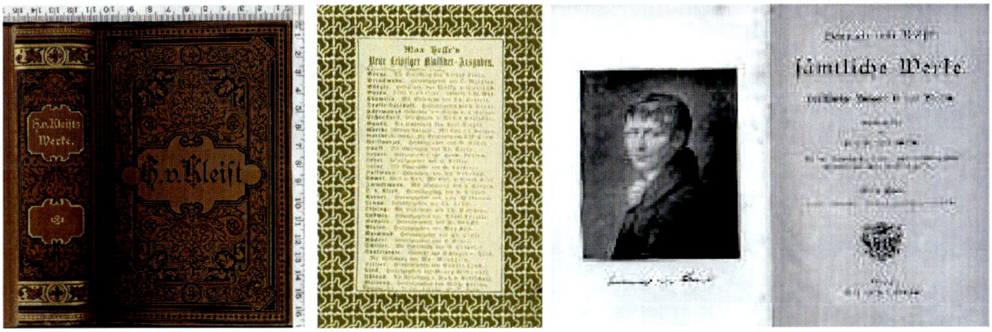

Siegen12

Heinrich von Kleists sämtliche Werke in vier Bänden. Hrsg. von Prof. Dr. Karl Siegen. Mit drei Bildnissen des Dichters [6, 3 (ohne Unterschrift), 4], einer Abbildung seiner Grabstätte und einem Briefe in Faksimile. Leipzig: Max Hesse o. J. [Vorwort datiert 1902], 4 Bde in 1: XCVI, 177, 220, 296, 192, 16 (Verlagswerbung). Frontispiz 3b, Verlagsserie: Neue Leipziger Klassiker-Ausgaben. Druck: Hesse & Becker Leipzig.
Einband: Hellbrauner Gewebeband. Stil: Neorenaissance. Namensform: H. v. Kleist. Vorsatz: geometrische Ornamente, Verlagswerbung Kopf zweizeilig, Klassikerliste von Börne bis Wieland. Buchbinder: Hesse & Becker Leipzig (Blindprägung Hinterdecke unten)
ved: l-hesse12 // Bestand: Freie Universität Berlin/UB: Kleist/Siegen1.2.2

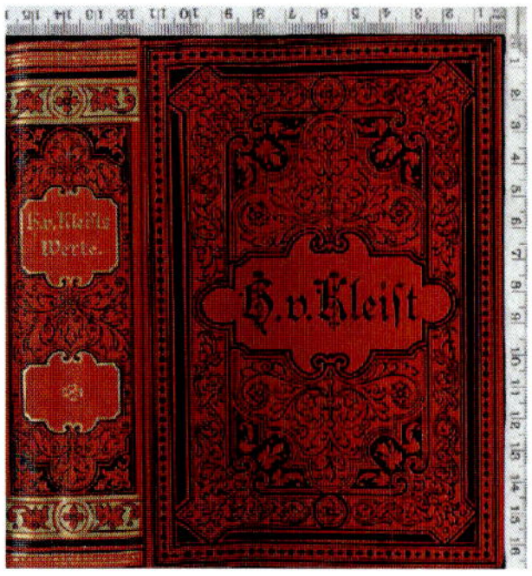

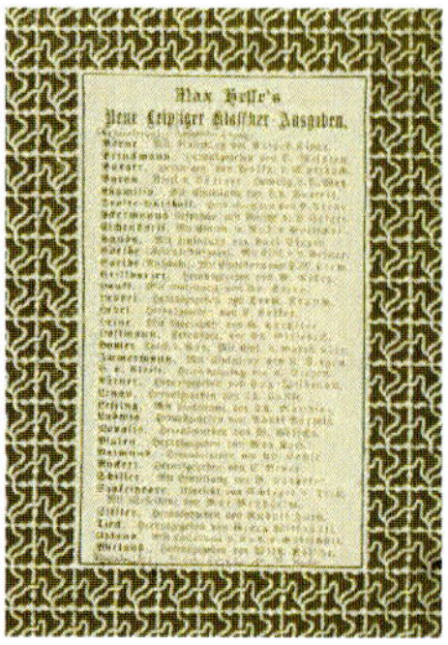

Siegen13

Heinrich von Kleists sämtliche Werke. Vollständige Ausgabe in vier Bänden. Hrsg. von Prof. Dr. Karl Siegen. Mit drei Bildnissen des Dichters [6, 3 (ohne Unterschrift), 4], einer Abb. seiner Grabstätte und einem Briefe in Faksimile. Leipzig: Max Hesse o. J. [Vorwort datiert 1902]. 4 Bde in 1: XCVI, 177, 220, 296, 192, 16 (Verlagswerbung). Druck: Hesse & Becker Leipzig

Einband: Roter Gewebeband. Stil: Neorenaissance. Namensform: H. v. Kleist. Vorsatz geometrische Ornamente. Im hinteren Vorsatz Verlagswerbung Kopf zweizeilig, Klassikerliste von Börne bis Wieland. Schnitt marmoriert. Buchbinder: Hesse & Becker Leipzig (Blindprägung Hinterdecke unten).

ved: l-hesse12 // Bestand: Freie Universität Berlin/UB: Kleist/Siegen1.3.1

Siegen14

Heinrich von Kleists sämtliche Werke in vier Bänden. Hrsg. von Prof. Dr. Karl Siegen. Mit des Dichters Biographie und Porträt [3b und 4], einer Abb. seiner Grabstätte und einem Briefe in Faksimile. Leipzig: Max Hesse o. J. [nach 1899], 4 Bde in 1: XCVI, 177, 220, 296, 192, 16 (Verlagswerbung). Druck: Hesse & Becker.

Einband: Roter Gewebeband, Stil: Neorenaissance. Namensform: H. v. Kleist. Vorsatz Rahmen mit Blumenranke s. Abb. Buchbinder: Hesse & Becker Leipzig (Blindprägung Hinterdecke unten)

ved: l-hesse8

Bestand: Freie Universität Berlin/UB: Kleist/Siegen1.3.2. // Kleist-Museum Frankfurt (Oder): I/2823 (Datierter Vorbesitz 1903) // Technische Universität Berlin/UB: 8B7082 (Band neu eingehängt mit Verlust des Vorsatzes)

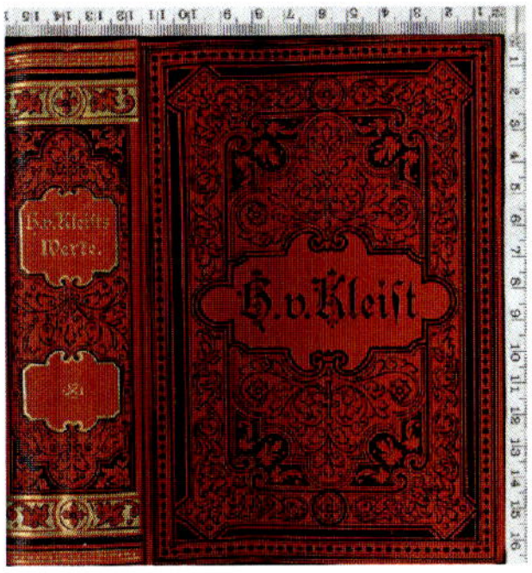

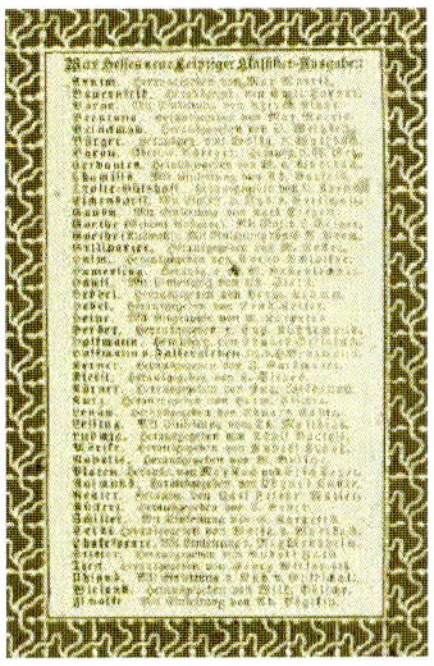

Siegen15

Heinrich von Kleists sämtliche Werke. Vollständige Ausgabe in vier Bänden. Hrsg. von Prof. Dr. Karl Siegen. Mit drei Bildnissen des Dichters [6, 3 (ohne Unterschrift), 4], einer Abb. seiner Grabstätte und einem Briefe in Faksimile. Leipzig: Max Hesse o. J. [Vorwort datiert 1902]. 4 Bde in 1: XCVI, 177, 220, 296, 192, 16 (andere Verlagswerbung). Druck: Hesse & Becker Leipzig

Einband: Roter Gewebeband. Stil: Neorenaissance. Namensform: H. v. Kleist. Vorsatz geometrische Ornamente, Verlagswerbung Kopf einzeilig, Klassikerliste von Arnim bis Zschokke. Schnitt marmoriert. Buchbinder: Hesse & Becker Leipzig (Blindprägung Hinterdecke unten).

ved: l-hesse12

Bestand: Freie Universität Berlin/UB: Kleist/Siegen1.3.3

Siegen16 und 17 (rot)
Siegen18 (hellbraun)

Siegen16

Heinrich von Kleists sämtliche Werke in vier Bänden. Hrsg. von Prof. Dr. Karl Siegen. Mit des Dichters Biographie und Porträt [3b und 4], einer Abb. seiner Grabstätte und einem Briefe in Faksimile. Leipzig: Max Hesse o. J. [nach 1899], 4 Bde in 1: XCVI, 177, 220, 296, 192, 16 (Verlagswerbung). Druck: Hesse & Becker.

Einband: Roter Gewebeband, Stil: Neorenaissance. Vorsatz Rahmen mit Blumenranke. Verlagswerbung Kopf dreizeilig, Klassikerliste von Börne bis Uhland. Schnitt marmoriert.

ved: idem2_1 // Bestand: Freie Universität Berlin/UB: Kleist/Siegen2.3

Siegen17

Heinrich von Kleists sämtliche Werke. Vollständige Ausgabe in vier Bänden. Hrsg. von Prof. Dr. Karl Siegen. Mit drei Bildnissen des Dichters [6, 3 (ohne Unterschrift), 4], einer Abb. seiner Grabstätte und einem Briefe in Faksimile. Leipzig: Max Hesse o. J. [Vorwort datiert 1902]. 4 Bde in 1: XCVI, 177, 220, 296, 192, 16 (Verlagswerbung). Druck: Hesse & Becker Leipzig

Einband: Roter Gewebeband. Stil: Neorenaissance. Namensform: Kleist. HD Ecken mit Zweigzierstücken. Vorsatz geometrisches Ornament. Im hinteren Vorsatz Verlagswerbung für Max Hesses's Neue Leipiger Klassiker-Ausgaben. Schnitt marmoriert.

ved: l-hesse5 // Bestand: Kleist-Museum Frankfurt (Oder): SK I/12b (Vorbesitz 1902)

Siegen18

Heinrich von Kleists sämtliche Werke in vier Bänden. Hrsg. von Prof. Dr. Karl Siegen. Mit des Dichters Biographie und Porträt [3b und 4], einer Abb. seiner Grabstätte und einem Briefe in Faksimile. Leipzig: Max Hesse o. J.[nach 1899], 4 Bde in 1: XCVI, 177, 220, 296, 192. Druck: Hesse & Becker

Einband: Hellbrauner Gewebeband. Stil: Neorenaissance. Vorsatz Rahmen mit Blumenranke, Verlagswerbung Kopf vierzeilig, Klassikerliste von Börne bis Uhland. Schnitt marmoriert.

ved: idem2_1 // Bestand: Freie Universität Berlin/UB: Kleist/Siegen2.4 (Fliegendes Blatt des vorderen Vorsatzes fehlt)

VERLAG THEODOR SCHRÖTER ZÜRICH

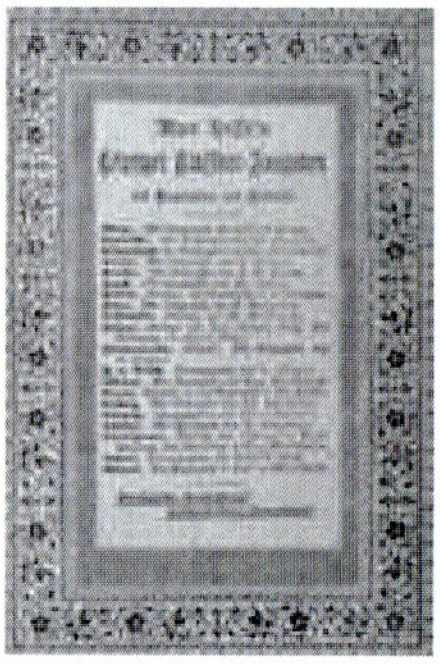

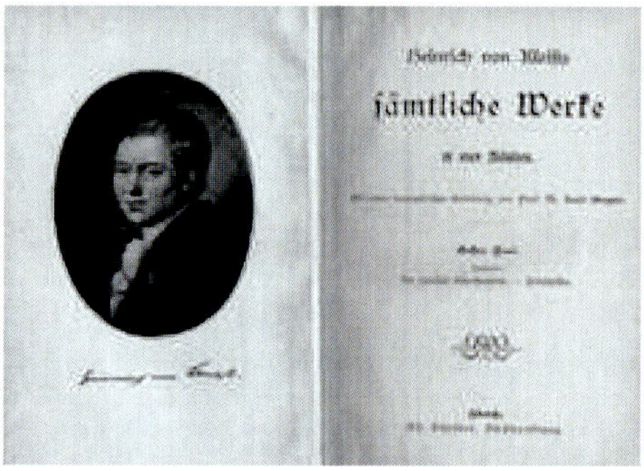

Siegen19

Heinrich von Kleists sämtliche Werke in vier Bänden. Mit einer biogr. Einl. von Prof. Dr. Karl Siegen. Zürich: Th. Schröter o. J. [nach 1899]. 4 Bde in 1: XCVI, 177, 220, 296, 192, 16 (Verlagswerbung vom Verlag Max Hesse Leipzig). Frontispiz 3a. Druck: Hesse & Becker Leipzig.

Einband: Roter Gewebeband, Stil: Neorenaissance. Vorsatz Rahmen mit Blumenranke. Im hinteren Vorsatz: Verlagswerbung für Max Hesse's Leipziger Klassiker-Ausgaben, Kopf dreizeilig, Klassikerliste von Börne bis Uhland. Schnitt marmoriert.

ved: idem2_2 // Bestand: Freie Universität Berlin/UB: Kleist/Siegen2.2

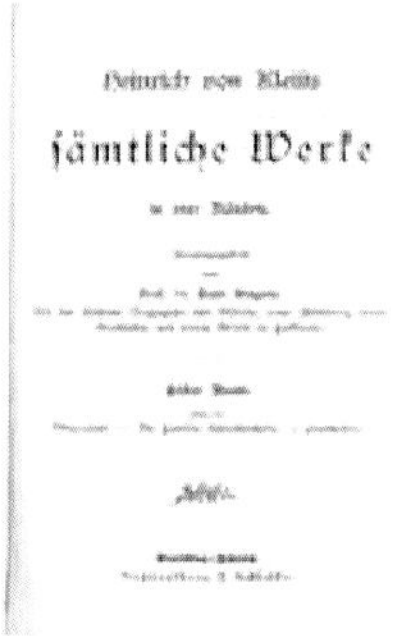

Siegen20

Heinrich von Kleists sämtliche Werke in vier Bänden. Hrsg. von Prof. Dr. Karl Siegen. Mit des Dichters Biographie und Bildnis, einer Abb. seiner Grabstätte und einem Briefe in Faksimile. Oerlikon-Zürich: J. Hallauer o. J. [nach 1899]. 4 Bde in 1: XCVI, 177, 220, 300, 192 S. Frontispiz 6. Druck Hesse & Becker Leipzig.
Einband: Grüner Gewebeband. Stil: Neorenaissance. Namensform: Kleist. Vorsatz Rahmen mit Blumenranke, darin vorne und hinten Werbung: Hallauer'sche Klassiker-Bibliothek. Buchbinder: Böttcher & Bongartz Leipzig (Blindprägung Hinterdecke unten).
Nicht in der ved. // Bestand: Staatsbibliothek zu Berlin: 653281 (Sammlung Helmut Sembdner)

Siegen21 und 22 (grün)
Siegen23 (rot); Siegen24 (braun)

Siegen21

Heinrich von Kleists sämtliche Werke. Vollständige Ausgabe in vier Bänden. Hrsg. von Prof. Dr. Karl Siegen. Mit drei Bildnissen des Dichters [6, 3 (ohne Unterschrift), 4], einer Abb. seiner Grabstätte und einem Briefe in Faksimile. Leipzig: Max Hesse. o. J. [nach 1902]. 4 Bde in 1: XCVI, 177, 220, 300, 192, 15 (Verlagswerbung)
Einband: Grüner Gewebeband, Jugendstil. Namensform: H. v. Kleist. Vorsatz geometrisches Ornament mit zweispaltiger Verlagswerbung von Arnim bis Zschokke wie Abb. Siegen25 u. 27. Schnitt grün marmoriert.
ved: l-hesse9 // Bestand: Freie Universität Berlin/UB: Kleist/Siegen3.1.1

Siegen22

Heinrich von Kleists sämtliche Werke. Vollständige Ausgabe in vier Bänden. Hrsg. von Prof. Dr. Karl Siegen. Mit drei Bildnissen des Dichters [6, 3 (ohne Unterschrift), 4], einer Abb. seiner Grabstätte und einem Briefe in Faksimile. Leipzig: Max Hesse. o. J. [nach 1902]. 4 Bde in 1: XCVI, 177, 220, 300, 192, 15 (Verlagswerbung)
Einband: Grüner Gewebeband, Jugendstil. Namensform: H. v. Kleist. Vorsatz geometrisches Ornament mit einspaltiger Verlagswerbung (Börne – Wieland) wie Abb. Siegen29. Schnitt marmoriert.
ved: l-hesse9 // Bestand: Freie Universität Berlin/UB: Kleist/Siegen3.1.2 (Vorbesitz 1905)

Siegen23

Heinrich von Kleists sämtliche Werke. Vollständige Ausgabe in vier Bänden. Hrsg. von Prof. Dr. Karl Siegen. Mit drei Bildnissen des Dichters [6, 3 Ohne Unterschrift), 4], einer Abb. seiner Grabstätte und einem Briefe in Faksimile. Leipzig: Max Hesse. o. J. [nach 1902]. 4 Bde in 1: XCVI, 177, 220, 300, 192, 16 (Verlagswerbung, gez. bis S. 10)
Einband: Roter Gewebeband, Jugendstil. Namensform: H. v. Kleist. Vorsatz geometrisches Ornament mit einspaltiger Verlagswerbung, Kopf zweizeilig, Klassikerliste von Börne bis Wieland. Schnitt marmoriert.
ved: l-hesse9 // Bestand: Freie Universität Berlin/UB: Kleist/Siegen3.2.1

Siegen24

Heinrich von Kleists sämtliche Werke. Vollständige Ausgabe in vier Bänden. Hrsg. von Prof. Dr. Karl Siegen. Mit drei Bildnissen des Dichters [6, 3 (ohne Unterschrift), 4], einer Abb. seiner Grabstätte und einem Briefe in Faksimile. Leipzig: Max Hesse. o. J. [nach 1902]. 4 Bde in 1: XCVI, 177, 220, 300, 192, 15 (Verlagswerbung)
Einband: Brauner Gewebeband, Jugendstil. Namensform: H. v. Kleist. Vorsatz geometrisches Ornament mit einspaltiger Verlagswerbung, Kopf zweizeilig, Klassikerliste von Börne bis Wieland. Schnitt braun marmoriert.
ved: l-hesse9 // Bestand: Freie Universität Berlin/UB: Kleist/Siegen3.3.1

Siegen25 (blau)
Siegen26 (braun)
Siegen27 und 28 (grün)

Siegen25

Heinrich von Kleists sämtliche Werke. Vollständige Ausgabe in vier Bänden. Hrsg. von Prof. Dr. Karl Siegen. Mit drei Bildnissen des Dichters [6, 3 (ohne Unterschrift), 4], einer Abb. seiner Grabstätte und einem Briefe in Faksimile. Leipzig: Max Hesse. o. J. [nach 1902]. 4 Bde in 1: XCVI, 177, 220, 300, 192, 16 (Verlagswerbung)
Einband: Blauer Gewebeband, Jugendstil. Namensform: Kleist. Schrift: Fraktur s. Vorsatz geometrisches Ornament Schnitt blau marmoriert.
ved: l-hesse1 // Bestand: Freie Universität Berlin/UB: Kleist/ Siegen5.1

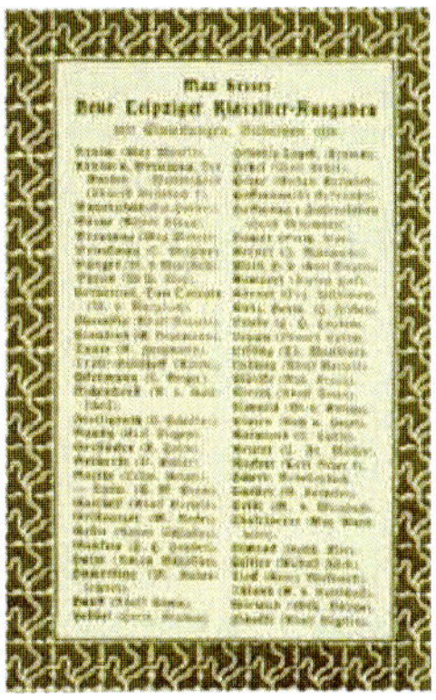

Vorsatz Siegen25 u. 27

Siegen26

Heinrich von Kleists sämtliche Werke. Vollständige Ausgabe in vier Bänden. Hrsg. von Prof. Dr. Karl Siegen. Mit drei Bildnissen des Dichters [6, 3 (ohne Unterschrift), 4], einer Abb. seiner Grabstätte und einem Briefe in Faksimile. Leipzig: Max Hesse. o. J. [nach 1902]. 4 Bde in 1: XCVI, 177, 220, 300, 192, 15 (Verlagswerbung)
Einband: Brauner Gewebeband, Jugendstil. Namensform: Kleist. Schrift: Fraktur s. Vorsatz geometrisches Ornament mit einspaltiger Verlagswerbung, Kopf einzeilig, Klassikerliste von Arnim bis Zschokke. Schnitt hellbraun marmoriert.
ved: l-hesse1 // Bestand: Freie Universität Berlin/UB: Kleist/ Siegen5.2 // Kleist-Museum Frankfurt (Oder): I/3998 (Zustand beeinträchtigt)

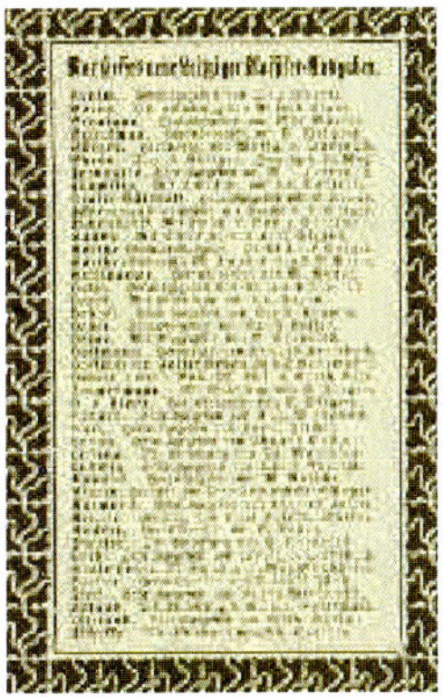

Siegen 26

Siegen27

Heinrich von Kleists sämtliche Werke. Vollständige Ausgabe in vier Bänden. Hrsg. von Prof. Dr. Karl Siegen. Mit drei Bildnissen des Dichters [6, 3 (ohne Unterschrift), 4], einer Abb. seiner Grabstätte und einem Briefe in Faksimile. Leipzig: Max Hesse. o. J. [nach 1902]. 4 Bde in 1: XCVI, 177, 220, 300, 192, 16 (Verlagswerbung)
Einband: Grüner Gewebeband, Jugendstil. Namensform: Kleist. Schrift: Fraktur s. Vorsatz geometrisches Ornament mit zweispaltiger Verlagswerbung, Kopf dreizeilig, Klassikerliste von Arnim bis Zschocke. s. Abb. Schnitt grün marmoriert.
ved: l-hesse1 // Bestand: Freie Universität Berlin/UB: Kleist/ Siegen5.3.1 / ZLB Berlin III 42405 (Zustand beeinträchtigt)

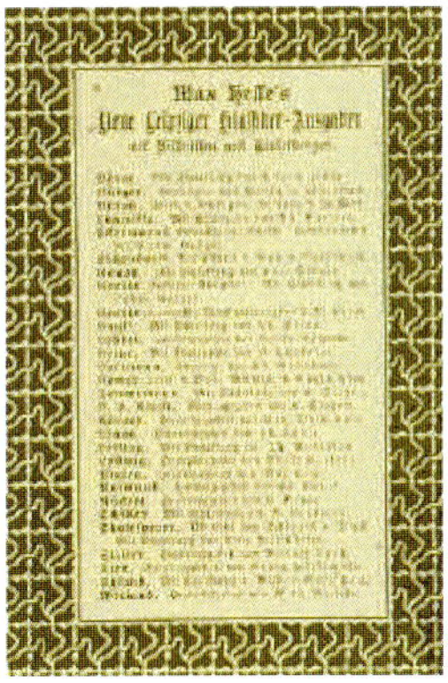

Vorsatz Siegen28

Siegen28

Heinrich von Kleists sämtliche Werke. Vollständige Ausgabe in vier Bänden. Hrsg. von Prof. Dr. Karl Siegen. Mit drei Bildnissen des Dichters [6, 3 (ohne Unterschrift), 4], einer Abb. seiner Grabstätte und einem Briefe in Faksimile. Leipzig: Max Hesse. o. J. [nach 1902]. 4 Bde in 1: XCVI, 177, 220, 300, 192, 13 (Verlagswerbung)
Einband: Grüner Gewebeband, Jugendstil. Namensform: Kleist. Schrift: Fraktur s. Vorsatz geometrisches Ornament, Verlagswerbung einspaltig., s. Abb. Schnitt grün marmoriert.
ved: l-hesse1 // Bestand: Freie Universität Berlin/UB: Kleist/ Siegen5.3.2 (Frontispiz ausgeschnitten, 1 lose Lage in der Mitte)

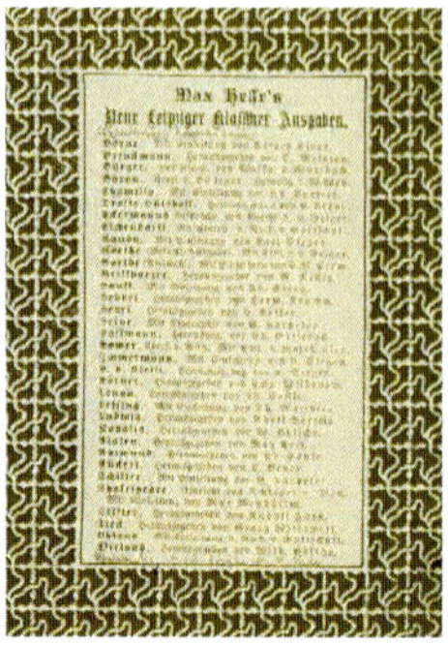

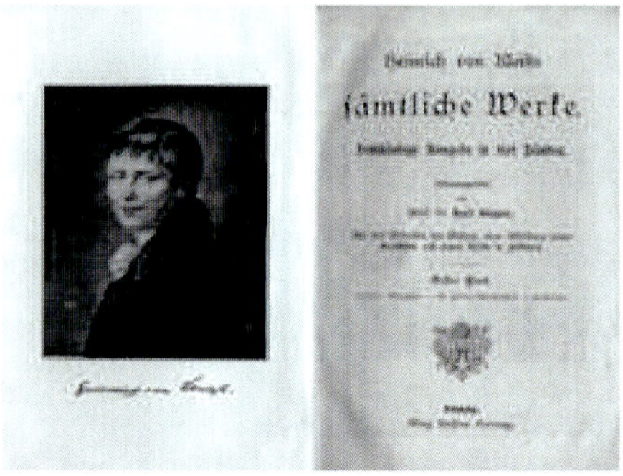

Siegen29

Heinrich von Kleists sämtliche Werke. Vollständige Ausgabe in vier Bänden. Hrsg. von Prof. Dr. Karl Siegen. Mit drei Bildnissen des Dichters [6, 3 (ohne Unterschrift), 4], einer Abb. seiner Grabstätte und einem Briefe in Faksimile. Leipzig: Max Hesse. o. J. [nach 1902]. 4 Bde in 1: XCVI, 177, 220, 300, 192, 16 (Verlagswerbung)
Einband: Hellbrauner Gewebeband, Jugendstil. Namensform: Kleist. Schrift: rundes s. Vorsatz geometrisches Ornament mit einspaltiger Verlagswerbung, Kopf zweizeilig, Klassikerliste von Börne bis Wieland. Schnitt braun marmoriert.
ved: l-hesse11 // Bestand: Freie Universität Berlin/UB: Kleist/Siegen5.4

Siegen30

Siegen31

Siegen30

Heinrich von Kleists sämtliche Werke. Vollständige Ausgabe in vier Bänden. Hrsg. von Prof. Dr. Karl Siegen. Mit drei Bildnissen des Dichters [6, 3 (ohne Unterschrift), 4], einer Abb. seiner Grabstätte und einem Briefe in Faksimile. Leipzig: Hesse & Becker. o. J. [ab 1910]. 4 Bde in 1: XCVI, 177, 220, 300, 192
Einband: Grüner Gewebeband im Jugendstil. Vorsatz und Schnitt grün.
ved: l-hesse3 // Bestand: Freie Universität Berlin/UB: Kleist/Siegen7 // Kleist-Museum Frankfurt (Oder): I/49

Siegen31

Heinrich von Kleists sämtliche Werke. Vollständige Ausgabe in vier Bänden. Hrsg. von Prof. Dr. Karl Siegen. Mit drei Bildnissen des Dichters [6, 3 /ohne Unterschrift), 4], einer Abb. seiner Grabstätte und einem Briefe in Faksimile. Leipzig: Hesse & Becker. o. J. [ab 1910]. 4 Bde in 1: XCVI, 177, 220, 300, 192
Einband: Grüner Gewebeband im Jugendstil. Name auf der Vorderdecke. Vorsatz und Schnitt grün.
ved: l-hesse6 // Bestand: Freie Universität Berlin/UB: Kleist/Siegen7.5

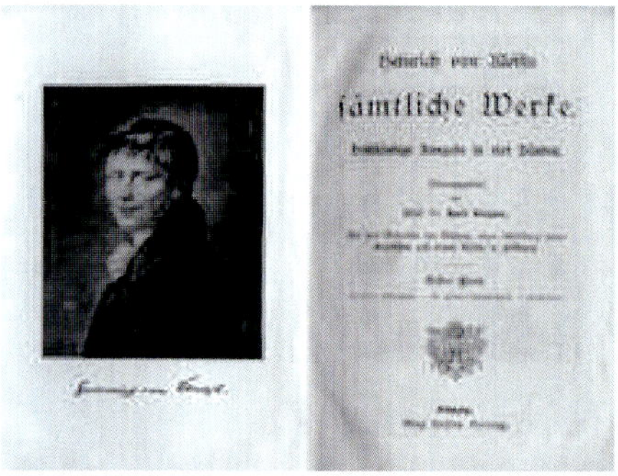

Siegen32

Heinrich von Kleists sämtliche Werke. Vollständige Ausgabe in vier Bänden. Hrsg. von Prof. Dr. Karl Siegen. Mit drei Bildnissen des Dichters [6, 3 (ohne Unterschrift), 4], einer Abb. seiner Grabstätte und einem Briefe in Faksimile. Leipzig: Max Hesse. o. J. [nach 1902]. 4 Bde in 1: XCVI, 177, 220, 300, 192, 16 (Verlagswerbung).
Einband: Halblederband. Überzug geprägter gelbbrauner Kaliko. Vorsatz grau. Schnitt braun marmoriert.
ved: l-hesse13 // Bestand: Freie Universität Berlin/UB: Kleist/Siegen8

Siegen33

Heinrich von Kleists sämtliche Werke. Vollständige Ausgabe in vier Bänden. Hrsg. von Prof. Dr. Karl Siegen. Mit drei Bildnissen des Dichters [6, 3 (ohne Unterschrift), 4], einer Abb. seiner Grabstätte und einem Briefe in Faksimile. Leipzig: Hesse & Becker. o. J. [nach 1910]. 4 Bde in 1: XCVI, 177, 220, 300, 192.
Einband: Halblederband. Geprägter grüner Kaliko. Vorsatz grau. Schnitt marmoriert. Nicht in der ved.
Bestand: Staatsbibliothek zu Berlin: 11 Y 245

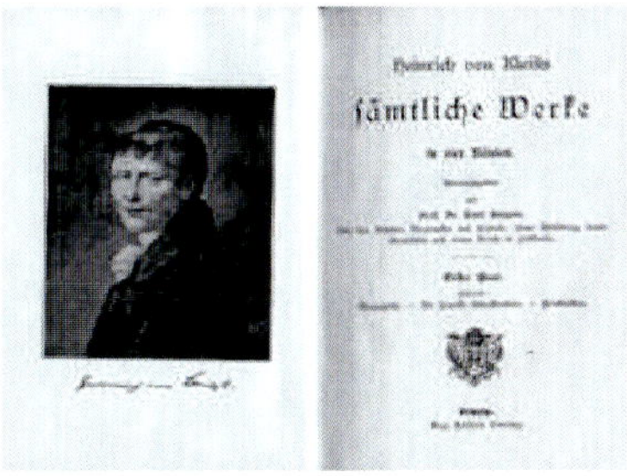

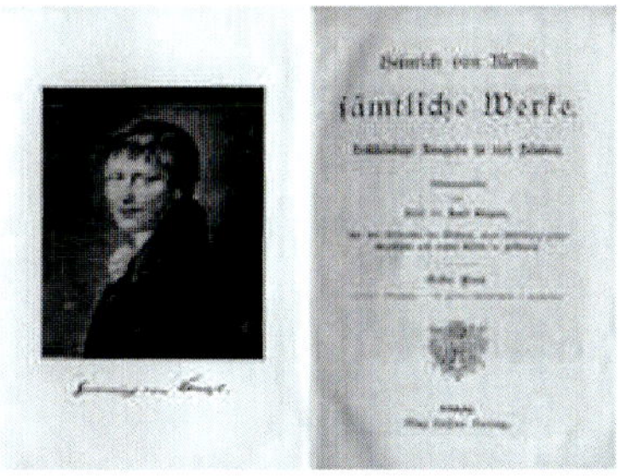

Siegen34

Heinrich von Kleists sämtliche Werke in vier Bänden. Hrsg. von Prof. Dr. Karl Siegen. Mit des Dichters Biographie und Porträt [6 und 4], einer Abb. seiner Grabstätte und einem Briefe in Faksimile. Leipzig: Max Hesse o. J. [nach 1899]. 4 Bde in 1: XCVI, 177, 220, 296, 192. Druck: Hesse & Becker Leipzig.
Einband: Halblederband mit Ecken, Marmorpapier. Rundgeometr. ornam. Vorsatz. Kopfgoldschnitt, Vorder- und Unterschnitt rot.
ved: l-hesse7 // Bestand: Freie Universität Berlin/UB: Kleist/Siegen9.1

Siegen35

Heinrich von Kleists sämtliche Werke. Vollständige Ausgabe in vier Bänden. Hrsg. von Prof. Dr. Karl Siegen. Mit drei Bildnissen des Dichters [6, 3 (ohne Unterschrift), 4], einer Abb. seiner Grabstätte und einem Briefe in Faksimile. Leipzig: Max Hesse o. J. [nach 1902]. 4 Bde in 1: XCVI, 177, 220, 296, 192. Druck: Hesse & Becker Leipzig
Einband: Halblederband mit Ecken, Marmorpapier. Rundgeometr. ornam. Vorsatz. Kopfgoldschnitt, Vorder- und Unterschnitt rot.
ved: l-hesse7 // Bestand: Freie Universität Berlin/UB: Kleist/Siegen9.2

Die folgenden Ausgaben sind ab 1914 bei Hesse & Becker erschienene Auswahlbände. Wegen des neuen Typs sind sie nicht an die alten vollständigen Ausgaben anschließend numerisch erfaßt, sondern als Auswahl neu A1 ff. gezählt.

SiegenA1

Heinrich von Kleists Werke. Auswahl in fünf Bänden. Unter Mitwirkg von Rudolph Schlösser und Oskar Walzel hrsg. von Karl Siegen. Mit einem Bildnis des Dichters [Frontizpiz 6]. Leipzig: Hesse & Becker o. J. [Vorwort datiert 1914]. Serie: Deutsche Klassiker-Bibliothek. Hesses Klassiker-Ausgaben in neuer Ausstattung
5 Bde in 1: XXXII, 67, 167, 343, 213, 96 S. Druck und Einband von Hesse & Becker Leipzig.
Einband: Halbgewebeband dunkelblau. Vorsatz und Kopfschnitt blau.
ved: l-hessebe1 // Bestand: Freie Universität Berlin/UB: Kleist/Siegen10

SiegenA2

Heinrich von Kleists Werke. Auswahl in 5 Bänden. Unter Mitwirkung von Rudolph Schlösser und Oskar Walzel hrsg. von Karl Siegen. Mit einem Bildnis des Dichters [Frontispiz 6]. Leipzig: Hesse & Becker o. J. [Vorwort datiert 1914]. XXXII, 67, 167, 343, 213, 96 S. Serie: Deutsche Klassiker-Bibliothek. Hesses Klassiker-Ausgaben in neuer Ausstattung. Druck und Einband von Hesse & Becker Leipzig.
Einband: Grüner Gewebeband, Vorsatz und Kopfschnitt graugrün.
Nicht in der ved.
Bestand: Deutsche Nationalbibliothek Leipzig: 1914 A 1119

SiegenA3

Heinrich von Kleists Werke. Auswahl in vier Bänden. Unter Mitwirkg von Rudolph Schlösser und Oskar Walzel hrsg. von Karl Siegen. Mit einem Bildnis des Dichters [Frontispiz 6]. Leipzig: Hesse & Becker o. J. [Vorwort datiert 1914] 4 Bde in 1: XXXII, 67, 343, 213, 96 S. [Hier fehlt Bd 2 (167 S.) der obigen Auswahl in 5 Bdn, der Die Familie Schroffenstein und Robert Guiskard enthält.] Serie: Deutsche Klassiker-Bibliothek.
Einband: Halbgewebeband in Rot. Vorsatz und Kopfschnitt grau. Druck und Einband von Hesse & Becker Leipzig.
ved: l-hessebe6 // Bestand: Freie Universität Berlin/UB: Kleist/Siegen13

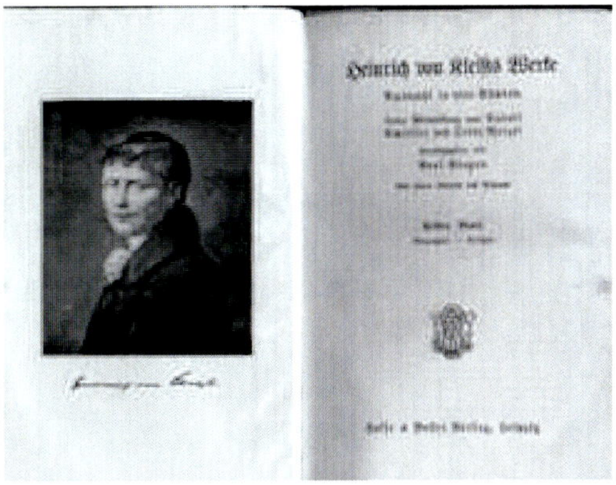

SiegenA4

Heinrich von Kleists Werke. Auswahl in vier Bänden. Unter Mitwirkg von Rudolph Schlösser und Oskar Walzel hrsg. von Karl Siegen. Mit einem Bildnis des Dichters [Frontispiz 6]. Leipzig: Hesse & Becker o. J. [Vorwort datiert 1914] 4 Bde in 1: XXXII, 67, 343, 213, 96 S. [Hier fehlt Bd 2 (167 S.) der obigen Auswahl in 5 Bdn, der Die Familie Schroffenstein und Robert Guiskard enthält.]
Einband: Halblederband mit Ecken. Vorsatz olivgelb. Kopfschnitt braunrot. Druck und Einband von Hesse & Becker Leipzig.
ved: l-hessebe3 // Bestand: Freie Universität Berlin/UB: Kleist/Siegen11

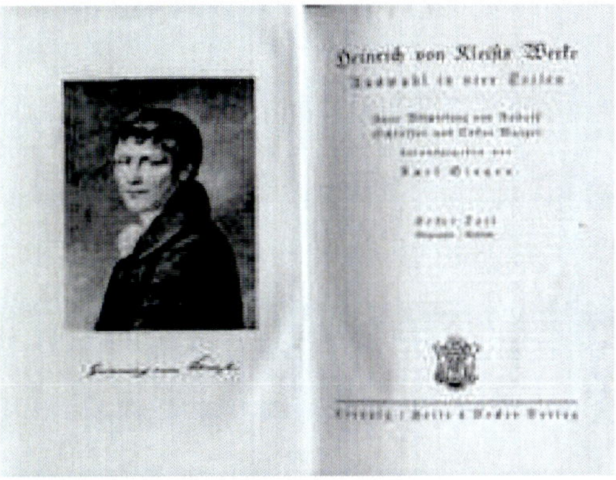

SiegenA5

Heinrich von Kleists Werke. Auswahl in vier Bänden. Unter Mitwirkg von Rudolph Schlösser und Oskar Walzel hrsg. von Karl Siegen. [Frontispiz 6]. Leipzig: Hesse & Becker o. J. [Vorwort datiert 1914]. 4 Bde in 1: XXII, 67, 343, 213, 96 S.
Einband: Roter Gewebeband. Vorsatz schwarz. Druck und Einband von Hesse & Becker Leipzig.
ved: l-hessebe4 // Bestand: Freie Universität Berlin/UB: Kleist/Siegen12

EBERHARD SIEBERT

ÜBER DEN ERBVERTRAG IN HEINRICH VON KLEISTS TRAUERSPIEL »DIE FAMILIE SCHROFFENSTEIN«

Die Forschung hat viel Mühe und beträchtlichen Scharfsinn darauf verwandt, die literarischen Vorlagen der Kleistschen Werke zu erschließen, die Herkunft von Motiven zu ermitteln sowie Zitaten und Anspielungen nachzuspüren. Sie war damit sehr erfolgreich. Deshalb mutet es erstaunlich, ja befremdlich an, daß für die Hauptmotive einiger Dichtungen erst sehr spät eine Quelle namhaft gemacht werden konnte. Im Jahre 1991 wurde eine von der *Spenerschen Zeitung* referierte Londoner Annonce als Vorbild für die Zeitungsanzeige der *Marquise von O....* nachgewiesen.[1] Noch zwei Jahre länger dauerte es, bis die Todesfurcht des Prinzen von Homburg als freimaurerisches Motiv erkannt wurde.[2] Für das Kernmotiv der *Familie Schroffenstein,* den eine Katastrophe heraufbeschwörenden Erbvertrag, konnte hingegen bis heute kein plausibles Vorbild ausfindig gemacht werden. Was es mit diesem Erbvertrag auf sich hat, mögen uns die Worte des Kirchenvogts ins Gedächtnis rufen:

Seit alten Zeiten
Gibt's zwischen unsern beiden Grafenhäusern,
Von Rossitz und von Warwand einen Erbvertrag,
Kraft dessen nach dem gänzlichen Aussterben
Des einen Stamms, der gänzliche Besitztum
Desselben an den andern fallen sollte.[3]

Es konnte, wie angedeutet, weder eine überzeugende literarische Vorlage noch ein überzeugendes historisches Vorbild entdeckt werden. Ich hoffe, unter den Erbverträgen – juristisch genauer: Erbverbrüderungen[4] – deutscher regierender Häuser nunmehr denjenigen gefunden zu haben, an den Kleist gedacht hat, als er sein erstes Drama schrieb. Bevor ich auf diesen Fund eingehe, möchte ich mich mit zwei der bisher vorgetragenen Hypothesen auseinandersetzen.

Schon einem der frühesten Rezensenten ist eine gewisse Nähe der *Familie Schroffenstein* zu Lessings *Nathan* aufgefallen.[5] Heute weiß man mehr. Gernot Müller sieht die intertextuellen Bezüge zwischen den beiden Dramen so:

1 Siebert, Eberhard: Zur Herkunft der Zeitungsanzeige in Kleists »Marquise von O....«. In: Jahrbuch Preußischer Kulturbesitz 28 (1991), S. 323-327.

2 Grathoff, Dirk: Kleists Geheimnisse. Unbekannte Seiten einer Biographie. Opladen 1993, S. 140.

3 Kleist, Heinrich von: Sämtliche Werke und Briefe in vier Bänden. Hrsg. von Ilse-Marie Barth, Klaus Müller-Salget, Walter Müller-Seidel u. Hinrich C. Seeba. Frankfurt a. M. 1987-1997; hier: Bd. 1. 1991, S. 131, Vers 177-182 (Bibliothek deutscher Klassiker. 71)

4 Handwörterbuch zur deutschen Rechtsgeschichte. Hrsg. von Adalbert Erler u. Ekkehard Kaufmann. Bd. 1. Berlin 1971, Sp. 981-985.

5 Heinrich von Kleists Lebensspuren. Dokumente und Berichte der Zeitgenossen. Hrsg. von Helmut Sembdner. Erw. Neuausg. Frankfurt a. M. 1977, Nr. 100a.

Kleist übernimmt »von Lessing nicht weniger als den ganzen Grundriß der dramatischen Fabel um die Geschichte einer Familie als Spiegelbild der Menschheitsgeschichte. So werden in beiden Dramen die Beziehungen der Familienglieder unter den entgegengesetzten Vorzeichen von ›Rettungen‹ und blinder Unversöhnlichkeit analytisch entrollt. Die dramatische Analyse beschließt jeweils das aufwendige Theatertableau, das bei Lessing, über die ›willkürlichen Zeichen‹ des Dialogs hinaus, die sinnliche Illusion einer einzigen großen Menschheitsfamilie befestigen soll. Im Falle Kleists wird das Theatergemälde zum desillusionierten Widerruf von Lessings Vision.«[6]

Die Familie spielt in beiden Dramen eine große Rolle, bei Kleist die entscheidende. Daß sie als »Spiegelbild der Menschheitsgeschichte« dient, kann ich für die *Familie Schroffenstein* nicht erkennen. Die »Beziehungen der Familienglieder« würden »analytisch entrollt«, so schreibt Müller. Das gilt für den *Nathan,* nicht aber für die *Familie Schroffenstein.* Hier gibt es eine ganz normale Exposition der Vorgeschichte, während Mißtrauen, »blinde Unversöhnlichkeit« und Aggressionen unmittelbar vor unseren Augen eskalieren. Ein analytisches Drama par excellence wie der *Zerbrochne Krug* sieht anders aus.

Speziell zum Erbvertrag äußert Müller sich wie folgt: »Dem Kleistschen Erbvertrag entspricht Nathans erbvertragliche ›Verfügung‹. Wenn Nathan die Ringparabel mit dem Mann in Osten eröffnet, der ›vor grauen Jahren‹ über den wunderbaren Ring ›die Verfügung traf, / auf ewig ihn bei seinem Hause zu / Erhalten‹ (III, 7), so bindet entsprechend die Schroffensteiner ›seit alten Zeiten‹ [...] der mit dem Sündenfall gekoppelte Erbvertrag. Demnach spielen Lessing und Kleist gegensätzliche Konzepte einer historischen Entwicklung durch. Der optimistischen Zukunftsvision der Familiengeschichte in der Ringparabel steht der fatale Erbvertrag gegenüber, der die Versöhnungsgeste der Väter über den Leichen ihrer Kinder und die Lessing zitierende Umarmung – ›Eustache und Gertrude umarmen sich‹ – sinnlos macht. Ist doch vom Bastard Johann, dem ›natürlichen‹ Sohn Ruperts, ein Neubeginn der Familiengeschichte nicht zu gewärtigen.«[7]

Bei Kleist handelt es sich in der Tat um einen Vertrag, bei Lessing nur um eine Verfügung. Dieser Unterschied mag von geringer Bedeutung sein. Ausschlaggebend ist hingegen, daß beide »Erbverträge« auf unterschiedlichen funktionalen Ebenen angesiedelt sind. Müller läßt das außer acht. Bei Lessing beginnt mit der testamentarischen Verfügung die Vorgeschichte der »Ringparabel«. Diese steht mit der dramatischen Fabel in einer wechselseitigen Beziehung, die Günter Rohrmoser folgendermaßen beschreibt: »Parabel und Fabel verhalten sich zueinander wie ein schwer verständlicher Text zu seiner Auslegung, oder genauer zu einem Versuch seiner Auslegung. Die Kunst Lessings besteht in der Art, wie die Fabel seines Gedichts in ihrem parabolischen Charakter auf die Ringerzählung verweist, so wie diese auf das Geschehen der Fabel.«[8]

6 Müller, Gernot: Kleist und die bildende Kunst. Tübingen u. a. 1995, S. 68f.

7 Wie Anm. 6, S. 69.

8 Rohrmoser, Günter: Lessing. Nathan der Weise. In: Das deutsche Drama. Vom Barock bis

Die erbvertragliche Verfügung des »Mannes in Osten« spielt dabei keine Rolle; in Rohrmosers Interpretation wird sie nicht einmal erwähnt! Das ist bei Kleist undenkbar. Der Erbvertrag der Schroffensteiner ist das Herzstück der dramatischen Fabel, er ist ihr Motor. Ohne ihn wäre das dramatische Geschehen, das in einer Katastrophe endet, überhaupt nicht in Gang gekommen.

Intertextuelle Beziehungen zwischen dem *Nathan* und der *Familie Schroffenstein* können und sollen nicht geleugnet werden. Jedoch sind sie nach meiner Einschätzung nicht so eng, wie von Gernot Müller dargestellt. Das gilt auch und gerade für die beiden »Erbverträge«. – Was *historische* Parallelen anbetrifft, so ist auf die Vorgeschichte der Schlesischen Kriege hingewiesen worden. Ich zitiere aus dem Kommentar der in der *Bibliothek deutscher Klassiker* erschienenen Kleist-Ausgabe: »Für den Erbvertrag, der einem Krieg zum Anlaß wird, anstatt ihn zu verhindern, gibt es einen aktuellen Bezug im 18. Jahrhundert: Als Friedrich der Große Schlesien für Preußen annektierte, hat er sich auf einen zwischen den Hohenzollern und den Piasten abgeschlossenen Erbvertrag berufen.«[9]

Schauen wir etwas genauer hin! Im Jahre 1537 schloß der Piasten-Herzog Friedrich II. von Liegnitz, Brieg und Wohlau mit dem brandenburgischen Kurfürsten Joachim II. eine Erbverbrüderung. Sie wurde 1546 von Kaiser Ferdinand I. aus dem Hause Habsburg, der in seiner Eigenschaft als König von Böhmen Lehnsherr des Piasten-Herzogs war, für nichtig erklärt. Nachdem 1675 Georg Wilhelm, der letzte Herzog aus der Familie der Piasten, gestorben war, erhob der brandenburgische Kurfürst Friedrich Wilhelm (der Große Kurfürst) Ansprüche aus der Erbverbrüderung von 1537, indem er gegen die Annullierung aufs schärfste protestierte. Es kam zu einem Kompromiß. Als Gegenleistung für zusätzliche militärische Hilfe im Türkenkrieg erhielt er 1686 den Kreis Schwiebus. Die intrigante kaiserliche Diplomatie verstand es aber, den Kurfürsten Friedrich III. (nachmals König Friedrich I.) zur Rückgabe von Schwiebus zu veranlassen. Aus dieser Skizze dürfte erhellen, daß die Ansprüche, die Friedrich der Große 1740 auf die oben genannten schlesischen Herzogtümer (sowie Jägerndorf, wo die Sache anders lag) geltend machte, nicht über jeden juristischen Zweifel erhaben waren. In Wirklichkeit ging es dem preußischen König auch gar nicht so sehr um einen Rechtstitel; seine Annexion Schlesiens war vielmehr von persönlichem Ehrgeiz, Machtinstinkt und strategisch/geopolitischen Erwägungen geleitet.

Um auf Kleist zurückzukommen: Der Erbvertrag der *Familie Schroffenstein* und das daraus für beide Familienzweige folgende katastrophale Ende hat mit den verwikkelten, in den drei Schlesischen Kriegen gipfelnden Auseinandersetzungen um die hohenzollerisch-piastische Erbverbrüderung nur wenig Ähnlichkeit.

Daß dieser Vertrag von 1537 im allgemeinen preußischen Bewußtsein präsent war, muß lebhaft bezweifelt werden. Erstaunt lesen wir bei Gerd Heinrich: »Die Ansprüche Brandenburg-Preußens auf die kleinen schlesischen Fürstentümer Liegnitz,

zur Gegenwart. Interpretationen. Hrsg. von Benno von Wiese. Düsseldorf 1962, Bd. 1, S. 113-126; hier S. 116.

9 Wie Anm. 3, S. 608.

Brieg, Wohlau und Jägerndorf waren für alle Fälle aus den Archiven ausgegraben worden.«[10] Wenn sogar die Beamten Friedrichs des Großen sich ihre Sachkenntnis aus verstaubten Akten aneignen mußten, wie gering wird dann wohl erst der Bekanntheitsgrad der in Rede stehenden historischen Fakten im Volk gewesen sein! Ob und gegebenenfalls wieviel Kleist – ungefähr sechzig Jahre später – darüber gewußt hat, ist aus den uns zur Verfügung stehenden Quellen nicht zu erfahren. Vermutlich war es nicht viel; denn weshalb sollte das Wissen über die Erbverbrüderung von 1537 und ihre Schicksale um 1800 größer gewesen sein als 1740, im Jahre des »Erbfalls« (Tod Kaiser Karls VI.)?

Auch bei modernen Historikern findet man darüber nicht eben viel. Gerd Heinrichs anscheinend einzigen Satz zu diesem Thema habe ich oben zitiert. In dem Sammelband *Preußische Geschichte*[11] findet man außer drei knappen Erwähnungen in einer chronologischen Übersicht so gut wie nichts; der *Preußen-PLOETZ,*[12] immerhin 169 Seiten lang, verliert darüber nicht ein einziges Wort. Die Gesamtdarstellungen der preußischen Geschichte lassen uns im Stich; wie sieht es in den Friedrich-Monographien aus? Zwar widmet Theodor Schieder dem uns interessierenden Zusammenhang in seinem Buch eine halbe Seite, aber die Detailgenauigkeit läßt zu wünschen übrig.[13] Ohnehin ist Schieder der Auffassung, daß das »Problem Schlesien« in der preußischen Geschichtsschreibung überbewertet wurde. So müssen wir denn Johannes Kunisch dafür dankbar sein, daß er in seiner Friedrich-Biographie unser Thema informativ behandelt hat, wenn auch ebenfalls auf nur einer halben Seite.[14] Im wesentlichen auf diese Passage stützt sich meine obige historische Skizze. –

Nunmehr ist der Weg frei für meine eigene Hypothese. Nachdem es bereits im ausgehenden 14. Jahrhundert quasi-verwandtschaftliche Beziehungen zwischen den norddeutschen Grafenhäusern Stolberg und Wernigerode gegeben hatte, kam es im Mai/Juni 1400 zu einer (Art) Erbverbrüderung. Im Jahre 1429 trat der Erbfall ein; denn am 2. Juni starb Graf Heinrich IV. von Wernigerode ohne männliche Nachkommen. Graf Botho von Stolberg trat die Erbschaft an.[15] Wenn es nach der Vereinigung der beiden Grafschaften auch nicht gänzlich ohne Komplikationen ab-

---

10 Heinrich, Gerd: Geschichte Preußens. Staat und Dynastie. Frankfurt a. M. u. a. 1981, S. 198.

11 Preußische Geschichte. Eine Bilanz in Daten und Deutungen. Hrsg. von Manfred Schlenke. 2. Aufl. Freiburg u. a. 1991.

12 Schlenke, Manfred u. a.: Preußen-PLOETZ. Preußische Geschichte zum Nachschlagen. Freiburg u. a. 1987.

13 Schieder, Theodor: Friedrich der Große. Ein Königtum der Widersprüche. Berlin 1983, S. 137f.

14 Kunisch, Johannes: Friedrich der Große. Der König und seine Zeit. 3. Aufl. München 2005, S. 186.

15 Genaueres siehe: Regesta Stolbergica. Quellensammlung zur Geschichte der Grafen zu Stolberg im Mittelalter. Veranstalt. u. bearb. von Botho Grafen zu Stolberg-Wernigerode. Neu bearb., vermehrt u. … hrsg. von G. A. von Mülverstedt. Magdeburg 1885, S. 237; Stolberg-Wernigerode, Botho Graf zu: Geschichte des Hauses Stolberg vom Jahre 1210 bis zum Jahre 1511. Hrsg. von G. A. von Mülverstedt. Magdeburg 1883, S. 187ff.

ging, so wird man doch behaupten dürfen, daß sie eine Entwicklung einleitete, die für beide Seiten dauerhaft gedeihlich war. Im Gegensatz zu der hohenzollerisch-piastischen Erbverbrüderung ist die der Häuser Stolberg und Wernigerode noch heute lebendig. Reise- und Kunstführer, Erläuterungen zu Wanderkarten und sogar Fremdenverkehrs-Prospekte der Harz-Region legen davon beredte Zeugnisse ab. Die Erinnerung daran wird zu Kleists Lebzeiten nicht minder lebhaft gewesen sein – und wenn doch, so hatte der Dichter zwei davon unabhängige hervorragende Gelegenheiten, Kenntnis von der Geschichte der Grafschaft Stolberg-Wernigerode zu erhalten. In einem Brief aus Dresden vom 21. Mai 1801 berichtete er seiner Verlobten Wilhelmine von Zenge von der Bekanntschaft mit dem Hauptmann von Zanthier, der den jungen Grafen von Stolberg als dessen Gouverneur in die sächsische Hauptstadt begleitete.[16] Ebenfalls in einem Brief an die Verlobte, datiert knapp zwei Wochen später aus Göttingen, lesen wir: »In Wernigerode lernten wir eine sehr liebenswürdige Familie kennen, die stollbergsche.«[17]

Nicht nur Kleists persönliche Bekanntschaft mit Zanthier und der Familie von Stolberg spricht dafür, daß hier das Vorbild für den Erbvertrag der *Familie Schroffenstein* zu suchen ist. Als weitere Indizien, die diese Wahrscheinlichkeit erhöhen, können genannt werden: Im Drama wie in der historischen Wirklichkeit handelt es sich um gräfliche Häuser, wohingegen die Piasten Herzöge und die Hohenzollern Kurfürsten bzw. Könige waren. Der Schauplatz des Dramas ist ein Gebirge mit Höhlen. Man kann sich unschwer vorstellen, daß Kleist den Harz, den er gut kannte, dabei im Auge hatte. Am bemerkenswertesten sind wohl die folgenden Beobachtungen: Sylvester von Warwand hat eine Tochter (Agnes), aber keine männlichen Nachkommen. Auch Graf Heinrich IV. von Wernigerode war der letzte männliche Sproß seiner Familie. Er ist in der Kirche St. Sylvestri (früher: St. Sylvestri und Georgen) in Wernigerode begraben.[18] Hat Kleist sich dadurch zur Benennung seiner *dramatis persona* anregen lassen? Man beachte dazu auch die Namensanklänge Warwand – Wernigerode, während die Namen Rossitz und Stolberg sich nur durch die Zweisilbigkeit und das kurze o ähnlich sind.[19]

Zu Zweifeln an meiner Hypothese kann der diametrale Gegensatz führen, in dem der blutige Untergang der Schroffensteiner zum glücklichen Ausgang der Stolberg-Wernigeröder Erbverbrüderung steht. Zwar ist es bei dem mit einem ausgepräg-

16 Wie Anm. 3, Bd. 4. 1997, S. 226 (Bibliothek deutscher Klassiker. 122). – Siehe auch: Weiß, Hermann F.: Ludwig Diedrich Philipp von Zanthier und sein Freundeskreis. Zu Heinrich von Kleists Dresdener Aufenthalt im Jahre 1801. In: Beiträge zur Kleist-Forschung 9 (1995), S. 75- 88.

17 Wie Anm. 3, Bd. 4. 1997, S. 232. (Bibliothek deutscher Klassiker. 122)

18 Regesta Stolbergica (wie Anm. 15), S. 308.

19 Siehe dazu: Häker, Horst: Wessen Recht und Ehre? Parabolische Hinweise in Heinrich von Kleists Erzählung »Der Zweikampf«. In: Beiträge zur Kleist-Forschung 15 (2001), S. 129-148. Auf S. 139 weist Häker auf den »lautlich-silbischen Anklang« der in der Erzählung einmal zusammen vorkommenden Namen Breda und Auerstein mit den Namen Jena und Auerstedt hin. Die Ähnlichkeiten der Namen in der *Familie Schroffenstein* mit den historischen Namen sind nicht ganz so deutlich.

ten Widerspruchsgeist begabten Kleist nichts Ungewöhnliches, daß er Motive seiner Vorlage in deren Gegenmotive verkehrt – z.B. Mann/Frau in der *Marquise von O....*[20] Im hier verhandelten Fall dürfte der Grund jedoch woanders zu suchen sein, nämlich in der Konzeption bzw. in der Entstehungsgeschichte des Dramas. Darüber hat Adolf Wilbrandt in seiner Kleist-Biographie von 1863 Folgendes berichtet: »Wie [Ernst von] Pfuel erzählt, war es überhaupt auf eine wunderliche, zufällige Weise entstanden. Ihm war eines Tages die seltsame Auskleideszene des letzten Aktes, rein als Szene, in den Sinn gekommen, und da die Situation ihn anzog, hatte er sie wie eine zusammenhanglose Phantasie niedergeschrieben. Dann erst fiel ihm ein, sie mit andern Fäden der Erfindung, vielleicht auch mit einem zufällig entdeckten Stoff zusammenzuspinnen, und so wob sich allmählich um diese Szene die ganze Tragödie herum.«[21]

Ähnliches hat Wilhelm von Schütz notiert: »Lebt in Bern und am Thuner See. Schrieb dort, nachdem er schon einzelne kleine Gedichte geschrieben, die Familie Schroffenstein, die erst in Spanien spielte. Fing mit der Umkleidungs-Scene vom Ende an, dichtet darüber das Stück.«[22]

Zunächst scheint Kleist dann den fünften Akt vollendet zu haben. Die Mitteilung Eduard von Bülows, der sei anfangs »bloß in Prosa geschrieben« gewesen,[23] deutet in diese Richtung. Wie mehrfach bezeugt, gehört also der Schluß, der das tragische Ende von Shakespeares *Romeo und Julia* nachbildet und in jugendlichem Überschwang steigert, in die erste Entstehungsphase. Die Anlehnung an die Shakespearesche Vorlage würde die Wahl des südländischen Schauplatzes verständlich machen. In den von Wilbrandt/Pfuel erwähnten »andern Fäden der Erfindung« oder dem »zufällig entdeckten Stoff« wären die an Lessing anklingenden Motive und die Stolberg-Wernigeröder Erbverbrüderung zu erblicken, mit denen Kleist den fünften Akt so kunstvoll »zusammengesponnen« hat. Die als letzter Schritt vorgenommene Verlegung des Schauplatzes von Spanien nach Schwaben ging auf eine Anregung von Ludwig Wieland zurück.[24] Daß Kleist seine Tragödie nicht im Harz spielen ließ, verdankt sich möglicherweise der Rücksichtnahme auf die Familie von Stolberg.

---

20 Siehe Anm. 1.

21 Wie Anm. 5, Nr. 70.

22 Wie Anm. 5, Nr. 66; dazu: Wie Anm. 3, S. 539f.

23 Wie Anm. 5, Nr. 69.

24 Ebd.

KLAUS LEY

KLEISTS »MARQUISE VON O...« UND DIE HERALDIK – EINE ERGÄNZUNG:

ZUR EMBLEMATISCHEN WAHRNEHMUNG DER WAPPENBILDER VON PARMA UND MAINZ

Fluctuat, nec mergitur.

Wie eine bildliche Darstellung dem Dichter Kleist den Anstoß für das Schreiben liefert, ist am Beispiel des *Zerbrochnen Krugs* offenkundig; die Stichvorlage *La cruche cassée* war immer bekannt und verfügbar. Angesichts der Fülle von bildlichen Bezügen, die sich aus der Analyse der *Marquise von O...* gewinnen lassen, stellt sich die Frage, ob es nicht ein vergleichbares Vorgehen bei dieser Erzählung gab und wie es funktionierte. Damit ließe sich die Plausibilität der bereits vorgelegten Argumentation stützen, die auf ein tieferes Verstehen der in dem Text verborgenen Deutungsabsichten abzielt.

Eine Schlüsselfunktion hat in diesem Zusammenhang die seit geraumer Zeit auch für andere Deutungsansätze beanspruchte Episode des heimlichen Blicks der Mutter auf die Szene des Beisammenseins von Vater und Tochter in etwa der Mitte der Erzählung. Darin sind religiöse Versatzstücke neu kombiniert, die Verweisqualität haben.[1] In ihrer Intimität lenken sie nicht allein die Aufmerksamkeit auf die Ikone der Heiligen Familie, in deren Gravitationszentrum hier die Marquise als »Immaculata« steht; durch die Art der Vorstellung entsteht zugleich auch das pervertierte »arcanum« einer sehr privaten Szene, die für sich die Eigenschaft eines sonderbaren Idylls hat. Bezieht man solche Beobachtung auf gängige Bilddarstellungen in der zeitgenössischen Kunst, wie sie vor allem in der populären Graphik geläufig waren, so ergibt sich eine Verbindung zu einem Darstellungstyp, auf den sich der Stecher Johann Andreas Steisslinger, etwa in der volkstümlichen Szene bezogen hat, die mit der Subscriptio »Die Handelsmännin und allerley Speisen« versehen ist.[2] (Abb. 1)

Die Rahmung des Bildes entspricht zunächst durchaus der Eingrenzung, die in der Erzählung Kleists dem zufälligen Blick der Mutter durch das Schlüsselloch gegeben ist. Bei der Überblendung dieser Szene mit dem Gedanken einer transformierten »Stadtgöttin«, als die die mit Sinnfülle beladene Marquise sich fassen läßt,[3] fügen

1 Cf. Ley, Klaus: »So habe ich das Vergnügen, Sie morgen um elf Uhr in der Augustinerkirche zu finden«. Bildende Kunst und Krisendiagnostik in Kleists »Die Marquise von O...«; in: Heilbronner Kleistblätter 20 (2008), S. 9-91 [hier: S. 31].

2 Johann Andreas Steisslinger (1712-1789) zählt zu den Augsburger Kupferstechern und Verlegern, die bereits in vergleichbarem Zusammenhang [Titelkupfer zu »Geistliche Stadt Gottes«, Ley, S. 45] angeführt wurden; cf. auch Thieme/Becker: Allg. Lexikon der bildenden Künstler, Bd. 31, S. 579.

3 Cf. Ley, S. 54 et pass.

sich Darstellungsmuster zusammen, die einen plausiblen Konstruktionsplan, eine dem *Zerbrochnen Krug* korrespondierende, griffige Form dreidimensionaler Umsetzung einer Bildvorlage in dramatische Abläufe, erkennen lassen.

Für eine Hervorhebung des wie immer verfremdeten »sakralen« Moments, das ja auch der Szene hinter der Tür eigen ist, lassen sich zudem Bildfassungen anführen, die eine entsprechende Rahmung, hier in Form eines Altars, mit einer hinzugefügten Subscriptio verbinden. Das vorliegende Beispiel zeigt eine Variante der noch heute als Laxwell-Formel bekannte Fassung der »circumstantia«-Lehre.[4] (Abb. 2)

WAPPEN MIT RELIGIÖSER THEMATIK

Aus der politischen Situation Italiens derzeit allgemein präsent ist das lombardische Kreuz als politisches Zeichen der Lega Nord. In der Form, wie es sich im Wappen der Stadt Parma findet (Abb. 4), führt es zu der Wirkungsabsicht zurück, auf die sich die Selbstbegründung dieser Partei bezieht. Die mit dem Kreuz verbundene Vorstellung von Autonomie in den Städten der Po-Ebene hat sich über die Jahrhunderte lebendig gehalten. Ihre auch in der Historiographie europaweit wirkende Attraktivität entspringt nicht zuletzt der Verbindung mit dem mittelalterlichen Kaiserreich und so mit der deutschen Geschichte. Der Ursprung liegt in einem krisenhaften, schicksalsentscheidenden Moment der oberitalienischen Kommunen, nämlich der Belagerung Parmas durch den Staufer Friedrich II., der Niederlage des Kaisers und so des erfolgreichen Überdauerns der ganzen Region. Nach langer Belagerung besiegte die Stadt das kaiserliche Heer am 12. 2. 1248.[5] Im Bild komprimiert zeigt sich das im Wappen der Stadt:

Das Wappen ist gestaltet wie die bereits angeführten Abbildungen; dem ausgeprägten Rahmen beigefügt ist außerdem eine Krone, die im Zusammenhang der Stadtdarstellung für unseren Kontext auch das Motiv der Mauerkrone andeuten könnte. Das entscheidende Element, der Kern der Darstellung, ist dabei aber, heute eher unbeachtet, die christliche Symbolik. Doch nicht nur das Kreuz, das als Zeichen der »Società dei Crociati« erst nach 1266 zum Wappenbild wurde, sondern weit mehr die in der Subscriptio genannte Beschützerin der Stadt ist bedeutungstragend; denn dieser Teil des Wappens geht auf den Sieg über den Kaiser zurück. Das Motto lautet:

HOSTIS TURBETUR, QUIA PARMAM VIRGO TUETUR.

Das heute meist klein geschriebene Wort »virgo« erschien früher - wie hier - in der Regel mit Majuskel. Die Vorstellung von der Jungfrau Maria als Retterin des bedrohten Gemeinwesens entspricht dem, was am Beispiel von Maria de Ágredas »Mística Ciudad« und dem Stich J. B. Suñers bereits herausgestellt wurde. Als Schutz und Schild des Ortes ist sie die Stadtgöttin. In solchem Kontext hilft das Wappen mit

4 Cf. dazu auch Ley, Klaus: Über die allmähliche Verfertigung der Gedanken vor dem Reden. 'Circumstantia'-Lehre, Beichte und Alltagsrhetorik in der Gegenreformation, in: *Zeitschrift für Romanische Philologie* 107 (1991), S. 295-324.

5 Zur Aufarbeitung dieses Zusammenhangs in den »mass media« cf. auch Brando, Marco: Lo strano caso di Federico II di Svevia: un mito medievale nella cultura di massa, Bari 2008, S. 94f. et pass..

seiner Geschichte nun den Zusammenhang zu klären, den Kleist in seiner bedingt vergleichbaren historischen Entscheidungssituation zur Gestaltung des literarischen Werks führte, das bis heute rätselhaft geblieben ist. Auch in seiner Zeit geht es um eine in europäischen Dimensionen verlaufende machtpolitische Auseinandersetzung. Am Beispiel einer Stadt, von Mainz, hat er in seiner Erzählung das Geschehen um den Kampf gegen Napoleon und dessen revolutionäres Kaisertum verdichtet.

Noch einmal in kurzer Zusammenfassung die Argumentation und die These des im vergangenen Jahr erschienenen Beitrags »So habe ich das Vergnügen, Sie morgen um elf Uhr in der Augustinerkirche zu finden«: Die Marquise steht für ein Bild der Jungfrau Maria vom Typ der Reihe »Madonna del parto«, »Senhora dou O«, »Maria Platytera«; Kleist hat diese Gestalt, samt Wirkungsabsicht, Francesco Sansovinos »Madonna del parto« in der römischen Kirche Sant' Agostino nachgebildet. Als Ort des Geschehens, das in der Erzählung vorgestellt wird, geht es – wie der Dichter selbst herausstellt – um eine Stadt im Norden, die er aus Gründen der Verrätselung in den Süden, nach Italien, verlegt hat. Diese Stadt ist das ehemals kurfürstliche, von den französischen Revolutionstruppen eroberte Mainz, das Kleist seit der Belagerung und Rückeroberung kannte und wo er sich auch nach der Rückführung des linken Rheinufers in den französischen Staatsverband immer wieder aufhielt.

Die Verbindung zwischen Parma und Rom auf der einen und der mittelrheinischen Stadt auf der anderen Seite findet eine damals aktuelle Begründung in einem Ereignis, dessen Spuren heute noch zu besichtigen sind. In der Mainzer Augustinerkirche wurde zu dieser Zeit – als Mahnmal der kriegerischen Auseinandersetzungen und als Protest gegen den Abriß der während der Belagerung beschädigten Liebfrauenkirche – eine spätgotische Madonnenstatue aufgestellt. Sie war während des Brandes von 1793 aus der Kirche nahe am Dom gerettet worden – eine Trümmermadonna, unbeschadet zwar, aber nun doch sowohl ein Zeichen von gewahrter Kontinuität wie auch außerordentlicher, zunächst überstandener Gefährdung.

Die Marquise von O..., die Titelgestalt der Erzählung, ist von Kleist – teilidentisch – als eine solche Madonna konzipiert.[6] Als das Handlungsgeschehen tragende Symbolgestalt kommt ihr in einer weitgehend säkularisierten Welt die Rolle einer zunächst profanisiert erscheinenden Stadtgöttin zu, die für sich und die von ihr vertretene Stadtgemeinschaft eine Perspektive für die unsichere Zukunft gewinnen muß. Das geht sie, die als in einer peinlichen Lage überrumpelt dargestellt wird, an durch die Zustimmung zu einer festen Verbindung mit dem russischen Grafen, der als Vater ihres Kindes »Engel und Teufel« in einer Person ist.

Kleists nachhaltiger Widerstand gegen die napoleonische Herrschaft ist bereits in der Wahl der Madonnenthematik zur Veranschaulichung seiner Zeitdiagnose deutlich. Als Ort der Darstellung wählt er nicht nur das katholische Mainz, das er mit dem kirchentreuen Italien und dessen langer Geschichte verbindet. Er setzt die unter französischer Herrschaft stehende Stadt damit zugleich ab von der in und seit der Revolution dominierenden Ungläubigkeit, der Abkehr von althergebrachten festen

6 Zu der Rolle, die daneben etwa noch Caroline Schlegel-Schelling, die Madame Lucifer, spielt; cf. Ley (2008), S. 55 f.

Traditionen. Im revolutionären Paris gab es allenfalls Feiern zu Ehren der ägyptischen Isis, der Muttergöttin einer älteren Zivilisation, zu der die Verbindung längst abgebrochen war. Gegen den Marienkult machte man dagegen im Zeichen der Aufklärung Front. Zwei Stiche aus den frühen Jahren der siegreichen Revolution (Abb. 3) belegen die Verbindung der Kritik am Papsttum und an der Marienverehrung. Sie zeigen die Verbrennung eines Popanz, der den Papst darstellt *(Effigie du Pape Pie VI brûlé au Palais Royal, le 4 Mai 1781)*, und - auf einem denunzierenden Bild unter dem Titel *Insurrection fanatique, arrivée à Avignon, le 16 octobre 1791* - wie in der Kirche der Cordeliers unter einer Marienstatue ein Massaker an einem der Revolution anhängenden Citoyen verübt wird.

Demgegenüber bleibt Mainz, stellvertretend für andere, auch größere Zentren des Reichs und des alten Europa, weiterhin die Stadt der Madonnen. Und hier gewinnen in Kleists Erzählung die Anspielungen auf Bilder, vorrangig auf die Wappen, entscheidende Bedeutung. Wie Parma hat auch die Stadt Mainz in ihrem Wappen ein christliches Symbol: das silberne Kreuz als Verbindung der beiden - bis in unsere Gegenwart sehr viel bekannter gebliebenen - Räder. (Abb. 5 und 6) Anders als heute, wo die Beschäftigung mit solchen Symbolzeichen immer auch eine dilettantische Facette hat, fand damals die Wappenkunde staatspolitisches Gewicht. In den Jahren vor 1810 befaßte sich die französische Verwaltung mit der Neuordnung der zugelassenen Stadtwappen. 1811 schließlich verfügte Napoleon in Saint-Cloud durch einen Erlaß, wie die Wappen der großen Städte seines Herrschaftsbereichs - darunter auch Parma und Mainz - zu gestalten seien.

Mit dem auch in diesem Wappen deutlich erscheinenden Kreuz ist zunächst einmal die Parallele zum Wappen von Parma abgedeckt. Unmittelbar für die Anlage und das Verständnis der Erzählung *Die Marquise von O...* erscheint diese Gegebenheit allerdings auf den ersten Blick eher unerheblich. Das Gewicht liegt stattdessen auf dem anderen religiösen Bezug, der in der Subscriptio hergestellt ist. Denn die Ikone der Jungfrau Maria findet sich zunächst einmal vielfältig repräsentiert im Stadtkontext von Mainz. Über die Jahrhunderte war und ist es hier nicht nur allgemeines Brauchtum, das Bild der Madonna an den Gebäuden als Schutzfigur anzubringen. (Abb. 7)

Dieses Bildmuster findet sich als Grundtyp auch wieder in der Klasse von Darstellungen, zu denen die angeführten Wappen zählen. Als »Universitätsmadonna« erscheint es im Siegel der 1798 von den französischen Revolutionären geschlossenenen Mainzer Akademie.[7] (Abb. 8 und 9)

Aus der Gestalt dieses Bildes ergibt sich eine weitere Ergänzung zum Verständnis von Kleists Text. Im Titel der Erzählung ist der Hinweis auf die Form des Siegels versteckt: Kleist nennt, mit hoher Ironie hinsichtlich der Ausdeutung, das Oval,

7 Zu ihrer Geschichte cf. Mathy, Helmut: Die Universität Mainz 1477-1977. Mit einem ikonographischen Beitrag von Fritz Arens sowie einem Bildteil 1946-1977 und einem tabellarischen Anhang. Mainz 1977. - Religiöse Darstellungen sind in diesem Kontext durchaus gängig; cf. etwa das Kölner Universitätswappen: http://de.wikipedia.org/wiki/Universit%C3%A4t_K%C3%B6ln .

nicht aber dessen Inhalt - hier die junge Frau in Erwartung des Kindes.

WAPPENKUNDE UND EMBLEMATIK

Der formale Übergang von den Wappen und Siegeln, gerade wegen ihres besonderen Aufbaus mit Rahmung und Textbeigaben (»subscriptio«), hin zum Emblem ist fließend. Bei Henkel/Schöne bieten sich zudem zahlreiche Beispiele für den von Kleist suggerierten »Guck- oder Schlüssellochcharakter« -wie bei den hier entsprechend angeführten Beispielen, oft in Wappen- oder Schildform[8] Auch thematisch sind Übereinstimmungen zu finden, die gerade die Stadtwappen von Parma und Mainz zeigen. Wie das Rad (»rota Fortunae«) erscheint in den Emblembüchern ebenfalls häufig das als Wappenzeichen ja nicht nur in der gesamten Lombardei verbreitete Kreuz (»in hoc signo«), das zwischen den Mainzer Rädern die Verbindung herstellt.[9]

Der so umrissene Bild- und Themenkomplex, zentriert auf die Ikone der Madonna, wird in Kleists Erzählung zum Auslöser des dramatischen Geschehens um die Eroberung der Stadt.[10]

Kurz bevor die napoleonische Neuregelung der Wappen erfolgte, wählte Kleist nicht allein die Bilder aus den Stadtwappen als Anstoß und als Bauprinzip für seine Geschichte der Marquise. Er nutzte dabei auch die Technik der Austiefung, wie sie in der Heraldik geläufig war. (Abb. 10) Sie erlaubte ihm - trotz der unablässigen Ambivalenz der absichtsvoll auf Verwirrung angelegten Aussage - die Fülle an Bezügen, die bei genauerer Analyse sichtbar werden, in eine große Kohärenz zu bringen. Was er mit der rätselhaften Vielschichtigkeit der Deutungsangebote erreicht hat, ist später mit weniger komplexem, jedenfalls durchschaubarerem Zugriff etabliert und danach erst im Begriff der *mise en abyme* erzähltechnisch gefaßt worden.[11] Bei Kleist bleibt aber in diesem Verfahren noch etwas bewahrt, das der alten Kunst des Emblems und der Impresa eigen war. Die Geschichte der Marquise will - trotz aller Gebrochenheit der Bedeutungsverweise - durchaus auch als Sinnspiel wahrgenommen werden.[12]

---

8 Cf. Henkel, Arthur/ Albrecht Schöne (ed.): Emblemata. Handbuch zur Sinnbildkunst des XVI. und XVII. Jahrhunderts, Stuttgart/ Weimar 1996, Sp. 157, 159 etc.

9 Cf. Henkel/ Schöne, op. cit., Sp. 1806 ff.; 1861 ff. - Daß die Entstehung des Mainzer Rades - als »Rad des Hl. Martin« - sich aus anderen Gründen erklärt, sei hier zumindest erwähnt.

10 Zur Praxis der beiden traditionell einander nahestehenden Bereiche in der Barockkunst cf. Schöne, Albrecht: Emblematik und Drama im Zeitalter des Barock, München 1993^{3}, S. 208 ff. et pass.

11 Zur »mise en abîme de la réalité« cf. Ley, Klaus: Die Oper im Roman. Erzählkunst und Musik bei Stendhal, Balzac und Flaubert, Heidelberg 1995, S. 424 ff. et pass.; Gide, André: Journal 1883-1939, Paris (éd. Pléiade) 1951, S. 41.

12 Cf. dazu auch Scholz, Bernhard F.: The brevity of pictures; in: Plett, Heinrich F. (ed.): Renaissance-Poetik; Renaissance Poetics, Berlin 1994, S. 315 ff. et pass. - Unter den gegebenen Zusammenhängen eröffnet sich, weit gefaßt und über die biblische Vorgabe hinausgehend, die Perspektive einer freien Auseinandersetzung mit Gründungsmythen, die

Abbildungen

1. »Die Handelsmännin«
(J. A. Steisslinger, Augsburg)

2. »Qui suis-je?« (Cosmant, Paris)

---

an die Geburt eines Kindes geknüpft sind – so die Geschichte der Rhea Silvia, der Vestalin, die durch göttlichen Eingriff die Mutter der Zwillinge Romulus und Remus wurde. Auf dieses als »epoche« erscheinende Ereignis zentriert, ist dann die Rolle der Frau als Gebärerin wie auch des männlichen Erzeugers zu denken. Aus der Reflexion über eine Neuausrichtung des gesellschaftlichen Lebens wird damit die Phantasie eines Gegenmodells zum napoleonischen Frankreich.

3. Zwei antikirchliche Stiche aus der Revolutionszeit (1791/92)

4. Wappen der Stadt Parma

5. »Maintz« (Siebmachers Wappenbuch, um 1605)

6. Mainzer Rad (mit Bienen), um 1808

[Bildnachweis: Mathy, Helmut: Die Universität Mainz 1477-1977. Mit einem ikonographischen Beitrag von Fritz Arens sowie einem Bildteil 1946-1977 und einem tabellarischen Anhang. Mainz 1977. (Tafel 6,7,20)]

7. Universitätsmadonna von 1677 über dem Tor des ehemaligen Dalberger Hofs (Mainz, Am Ballplatz 1)

8. Rektoratssiegel der Universität Mainz

9. Universitätsmadonna aus dem Matrikelbuch der Universität Mainz

10. Titelkupfer von Heinrich Hugo Cöntgen, mit dem Rektoratssiegel als »Bild im Bild«; aus: Knodt, Heinrich: Historia Universitatis Moguntinae. De Moguntia Litterata Commentationes Historicae, Mainz 1752

ANETT LÜTTEKEN

KLEIST – WIE IHN DAS 19. JAHRHUNDERT SEHEN WOLLTE

Urteile über Kunstwerke im allgemeinen und Literatur im besonderen unterliegen bekanntermaßen dem Wandel von Stil, Geschmack und Werten. Sie sind individuell, sozial und gesellschaftlich determiniert sowie zeitgebunden. Leser oder Theaterbesucher halten vergleichsweise nur sehr wenigen kanonisierten Texten beharrlich und über lange Zeiträume hinweg die Treue. Mitunter ändern sie und ändern sich solche überindividuellen, kollektiven Präferenzen, dies zumeist unspektakulär sukzessive oder, seltener, radikal. Beide zuletzt genannte Varianten ereignen sich auf eine für den Literaturhistoriker in gewisser Hinsicht beunruhigende Weise. Denn die Gesetzmäßigkeiten oder Muster, nach denen literarische Kanones konstruiert, revidiert und rekonstruiert werden, sind selbst bei hervorragender Detailkenntnis im Nachhinein keineswegs evident, auch wenn das jeweilige Vorher und Nachher wie deren tiefere Ursachen bisweilen geradezu chimärenhaft hervorzutreten scheinen. Beabsichtigt man nun Genese, Konstanz und Wandel von Werturteilen über Literatur zu untersuchen, und damit vor allem natürlich Einblicke in kulturelle und weltanschauliche Befindlichkeiten und Mentalitäten früherer Epochen zu erhalten, hat man sich demgemäß auf eine voraussetzungsreiche Rekonstruktion und Analyse eben dieser Muster einzustellen. Methodisch mag dies deshalb und nicht zuletzt legitim sein, weil so auch die gegenwärtige Praxis des Urteilens über Literatur hinsichtlich ihres Entstehens im bürgerlichen Zeitalter und ihrer Funktionsweisen genauer konturiert und hinterfragt werden kann. Die Reflexion über die tatsächliche (oder womöglich doch nur erhoffte) Autonomie des Einzelnen beim Fällen von Werturteilen mitsamt der Problematik unbewußter oder willentlicher Identifikation mit vorhandenen, tendenziell zum Verkrusten neigenden Einschätzungen sollte dabei besser nicht außer acht gelassen werden, kann sie doch gleichfalls dazu dienen, in der historischen Brechung die eigene Position deutlicher wahrzunehmen.

Die postume Wirkungsgeschichte der Werke Heinrich von Kleists im 19. Jahrhundert nun kann im genannten Zusammenhang als ein Paradebeispiel für die enorme Komplexität derartiger Vorgänge bezeichnet werden. Das seit langem und nach wie vor von der Forschung bevorzugte Verständnis Kleists als eines ›Modernen‹ im umfassenden Sinne hat freilich dazu geführt, daß seine Rezipienten des 19. Jahrhunderts und ihre Kleist-Lesarten als signifikant (in Wahrheit aber eigentlich doch nur gerade noch) ›vormoderne‹ traditionell eher geringgeschätzt worden sind. Wie deren Zugänge und Wertungshorizonte bei unvoreingenommenerer Sichtweise zu bewerten sind, soll im folgenden exemplarisch untersucht werden, um hieraus – im Idealfall – Bausteine für ein Panorama der spezifischen, mehr oder minder exklusiv dem 19. Jahrhundert zugehörigen Kleist-Bilder und -Interpretationen vorlegen zu können. Was Kleist diesem Jahrhundert war und sein konnte bzw. wie es ihn bevorzugt wahrnehmen wollte, wenn es ihn denn überhaupt zur Kenntnis nahm, soll durch den Blick auf vier Problembereiche untersucht werden: 1. wird die ausgesprochen zeittypisch erscheinende geschlechter- und lebensalterdifferenzierende Rezeption des Dichters ausführlicher zu erörtern sein; 2. sollen knapp und schlaglichtartig die Ansätze zu einer politischen Interpretation, 3. das signifikant anders gelagerte Interesse von Schriftstellern an Kleist, sowie 4. schließlich seine Deutung als ein künstlerisch zukunftsweisender Autor vermittels kreativer Rezeption skizziert werden.

1. KLEIST FÜR FRAUEN UND KINDER

Die altbewährte, entschieden aufklärerische Tradition der auf eine weibliche Leserschaft zugeschnittenen Ratgeberliteratur erfuhr unter den Auspizien industrieller Buchproduktion und wachsender Lese-Märkte nach 1850 eine neue Blüte.[1] Kein Wunder also, daß in dieser Zeit auch die nationale Literaturgeschichte exklusiv für die Frauen des erstarkenden Deutschen Reiches aufbereitet wurde. Hermann Stohn, ein Schulmann, tat sich in diesem didaktischen Subgenre z. B. dadurch hervor,[2] daß er seine Lehrwerke für die Fächer Geschichte, Erdkunde und Deutsch zumeist von vornherein für »höhere Mädchenschulen« konzipierte.[3] Daneben legte er den jungen Damen aus besseren Kreisen die »deutsche Poetik« nahe und sogar *Richard Wagner und seine Schöpfungen*.[4] Selbst wenn man derartige Publikationen lediglich

1 Weit verbreitet waren im 18. Jahrhundert z. B.: Francesco Algarotti: [Il Newtonianismo per le dame, dt.] Jo. Newtons Welt-Wissenschaft für das Frauenzimmer oder Unterredungen über das Licht, die Farben und die anziehende Kraft aus dem Italienischen des Herrn Algarotti durch Herrn [Louis Adrien] du Perron de Castera ins Französische und aus diesem ins Deutsche übersetzt. Braunschweig 1745; vgl. aber auch: Bildungsjournal für Frauenzimmer. Ein Beitrag zur Bildung des Verstandes und Herzens. Zittau, Leipzig 1787f., oder: Johann Carl Angerstein: Anweisung die gemeinsten Schreib- und Sprachfehler im Deutschen zu vermeiden, für Frauenzimmer, Ungelehrte, und besonders zum Gebrauch in Schulen eingerichtet. Stendal 1791; vgl. hierzu: Wolfgang Martens: Leserezepte für Frauenzimmer. Die Frauenzimmerbibliotheken der Moralischen Wochenschriften. In: Archiv für Geschichte des Buchwesens 15 (1975), Lfg. 5, Sp. 1143-1200, und: Anne Hegemann: Linas Kanon - Leseempfehlungen für das weibliche Geschlecht bei Sophie von La Roche. In: Anett Lütteken, Matthias Weishaupt, Carsten Zelle (Hrsg.): Der Kanon im Zeitalter der Aufklärung. Göttingen 2009, S. 112-145.

2 Daß er keineswegs eine Ausnahmeerscheinung darstellt, mag der Blick in vergleichbare Werke anderer Urheber dokumentieren (vgl. z. B.: Göthe's Jugend. Der Frauenwelt geschildert. Leipzig 1874; H. Normann: Griechische Litteraturbilder für die gebildete Frauenwelt. Leipzig 1878; Otto von Leixner: Aesthetische Studien für die Frauenwelt. Leipzig 1880; Leixner (1847-1907) war es explizit darum zu tun, das »eigene Urtheil« seiner Leserinnen »in richtige Bahnen« zu lenken (vgl. ebd. Klappentext) oder auch: Clara Braun (Hrsg.): Schiller's Gedichte. Für die Frauenwelt ausgewählt. Stuttgart [ca. 1889]).

3 Vgl. Hermann Stohn: Lehrbuch der vergleichenden Erdkunde für höhere Lehranstalten sowie zum Selbstunterricht. Köln 1879; ders.: Hilfsbuch für den Geschichtsunterricht in höheren Töchterschulen. Essen 1880; ders.: Litterarische Skizzen für die deutsche Frauenwelt. Leipzig 1881; Lehrbuch der deutschen Poetik für höhere Mädchenschulen und Lehrerinnenbildungsanstalten von Dr. Hermann Stohn. Leipzig 1884.

4 Vgl. Richard Wagner und seine Schöpfungen. Für die deutsche Frauenwelt dargestellt

als eine marktorientierte Trivialstufe höherer Wissensformen erachten mag, kommt man doch nicht umhin, Stohns zum Teil mehrfach aufgelegte Schulbücher wegen ihres Verbreitungsgrades als latent bewußtseinsnormierende Texte zur Kenntnis zu nehmen. Die meist jugendlichen Leserinnen erhielten hier, und unter Umständen allein hier, Urteilsvorgaben für ihre vielleicht freiwilligen oder aber durch ihre Zugehörigkeit zu einer bestimmten gesellschaftlichen Schicht erzwungenen Lektüren. Literatursoziologisch betrachtet sind Stohns Arbeiten daher im erörterten Kontext durchaus relevant, denn es ist anzunehmen, daß ihr Urheber strikt adressatenorientiert schrieb. Ob sich dies tatsächlich so verhält, wird nachfolgend zu prüfen sein.

Seine Vorstellungen davon jedenfalls, was Frauen besonders interessieren könnte und sollte, finden sich gleich eingangs seiner *Litterarische[n] Skizzen* dokumentiert, in etwas süßlichen Versen:

> Wenn in schweren, trüben Stunden
> Bang das Herze ringt und krank, –
> Träufelt in die wehen Wunden
> Dichtung ihren Balsamtrank. – [...].

Im Vergleich dazu wirkt das Vorwort nachgerade programmatisch:[5] Wo immer sich »die Frau durch Geburt oder Lebensstellung [...] bewegen möge, ob auf dem glatten Parket des Gesellschaftssalons, im bescheidenen Kreise des Hauses und der Familie, oder auch in selbständiger Berufsthätigkeit«, stets müsse es ihr dabei um die »Bildung des Herzens und Geistes«[6] zu tun sein. Wie diese am geeignetsten zu erwerben sei, stand der Autor gleichfalls nicht an vorzuführen. Jede »Gattin, [...] Freundin und Gefährtin des Mannes« habe sich für das zu begeistern, wofür sich jener interessiere. Glücklich der Hausstand also, in dem ein Ehemann, der Goethe und Geibel liest, auf ein belesenes weibliches Pendant trifft. Daß derartige Musenklausen im deutschen Bürgertum eine Ausnahme darstellten und eben gerade nicht den Normalfall, auch hierüber wußte Stohn zu berichten; tatsächlich seien beide Geschlechter eher auf den »Ballsaal« fixiert. Statt die Zeit aber »im geschäftigen Müßiggange« zu verschwenden, solle man doch lieber »täglich eine Stunde der Kunstpflege« widmen. Für Frauen, denen das Anmutig-Schöne ohnehin als Wesenszug eigne, sei gerade dies der Königsweg zur Herzensbildung, wohlgemerkt allein zu dieser. Denn für gelehrte Frauen im engeren Sinne war in dieser Konzeption kein Raum und keinerlei Erfordernis. Solchen Hinweisen auf Lektüre als weibliches »Bildungsmittel« schlechthin, folgt eine Auslese hierfür vermeintlich besonders geeigneter Dichter und Texte. Natürlich gehören Goethes *Faust* und einzelne der Dramen Schillers (*Maria Stuart* und *Die Braut von Messina*) dazu, darauf folgen Kleist, »Das deutsche Volkslied«, Ludwig Uhland, Heinrich Heine, Emanuel Geibel und – als einzige Autorin – Annette von Droste-Hülshoff. Auf den ersten Blick scheint sich Heinrich von

---

von Hermann Stohn. Mit Richard Wagners Bildnis in Stahlstich. Leipzig 1882.

5 Vgl. Stohn, Litterarische Skizzen (wie Anm. 3), S. V und VIff.

6 Vgl. hierzu auch die 2008 publizierte Enzyklika »Deus caritas est« von Papst Benedikt XVI., in der dem Begriff der ›Herzensbildung‹ wiederum eine zentrale Rolle zukommt.

Kleist nicht übertrieben gut in das vorherrschende Präferenzschema zu fügen, denn weder ist er ›Klassiker‹ noch ein populärer Lyriker. Doch wer soviel Raum für den von der »Lüge gewordenen Selbstironisierung« geprägten Heine vorsah wie Stohn,[7] der mochte auch Sinn für den von einer größeren Öffentlichkeit in dieser Zeit nach wie vor ambivalent beurteilten Selbstmörder vom Wannsee haben.[8]

Auf welche Art und Weise werden Kleists Leben und Werke nun von ihm auf die Bedürfnisse einer spezifisch weiblichen Leserschaft ›zugeschnitten‹? Als ein typisches Kind seines Zeitalters gilt der Autor dem Verfasser und als dessen »größte dichterische Erscheinung«, sogar als ein »Dichter ersten Ranges«.[9] Damit hat es jedoch schon sein Bewenden, denn vor allem sei Kleist ein Exzentriker, der seinesgleichen suche, »eine eben so mächtige wie düstere Gestalt«.[10] Das ausgeprägte Bedürfnis, dessen sperriges Dasein mit ›großer‹ Literatur in Einklang zu bringen, erzeugt dabei quasi automatisch eine kaum überwindbare Rezeptionshürde. Diese vermag Stohn allein durch negativ konnotierte, pathologisierende Autor-Konstruktionen zu nehmen. Indem er seinen Leserinnen also erläutert, daß Kleists Psyche »an irgend einem Grundfehler der organischen Bedingungen, an einem versteckten Wahnsinne« litt, und daß ein durch und durch »krankhafter Riß« durch seine Seele ging,[11] antizipiert er nicht nur die entsprechenden Lesarten mancher Freud-Schüler,[12] sondern macht zugleich deutlich, wo die unüberbrückbare Differenz zum Ideal der deutschen Klassik gelegen ist. Epochenspezifisch wirkt zudem die tiefe Ratlosigkeit angesichts des Kleistschen Suizids. Dieser wird ebenfalls ausschließlich negativ bewertet, als ein Davonlaufen vor dem Leben: »aus einer halb kindischen, halb wahnsinnigen Stimmung hervorgegangen« sei er »ein echt romantischer Selbstmord«.[13]

7 Vgl. Stohn, Litterarische Skizzen (wie Anm. 3), S. 227-264.

8 Ebd., S. 121-158.

9 Ebd., S. 123; vgl. hierzu auch: Hermann Stohn: Lehrbuch der deutschen Litteratur für höhere Mädchenschulen und Lehrerinnen=Bildungsanstalten. Dritte, verbesserte Auflage. Leipzig 1883, § 62 »Heinrich von Kleist« [S. 138-140], hier: S. 138: »ein dramatischer Dichter und Novellist von ausgezeichnetem Talent und hoher Bedeutung«.

10 Ebd., S. 156.

11 Ebd., S. 123f.; vgl. auch ebd., S. 139: »Gerettet [vom »Selbstmordversuch durch Opium«] schwebte er wiederholt zwischen Wahnsinn und Selbstmord auf der irren Grenzlinie eines zerstörten Lebens, das sein Ende sucht und es noch nicht finden kann.« Solche Argumentation schließt nahtlos an diejenige Lombrosos (»Genio e follia«, Pavia 1864) an.

12 Dieser Ansatz wird idealtypisch repräsentiert von: Isidor Sadger: Heinrich von Kleist. Eine pathographisch-psychologische Studie. Wiesbaden 1910. (Grenzfragen des Nerven- und Seelenlebens. 70); vgl. dazu auch den Abschnitt über »Dichtung und Wahnsinn« in: Peter Horn: Verbale Gewalt oder Kleist auf der Couch. Über die Problematik der Psychoanalyse von literarischen Texten. Oberhausen 2009. (Beiträge zur Kulturwissenschaft. 15), S. 182-185, sowie S. 115-118 und S. 137-147 den Abschnitt über den »pathologische[n]« Kleist.

13 Vgl. Stohn, Litterarische Skizzen (wie Anm. 3), S. 156; ähnlich auch in: Stohn, Lehrbuch (wie Anm. 9), S. 139: »In dieser That gipfeln sich die Verirrungen der romantischen Schule, über die Nichtigkeit des Lebens triumphierend, sich den Tod zu geben. Seine That, aus halb wahnsinniger Stimmung hervorgegangen, ist ein echt romantischer Selbstmord, ein

Daß eine solche Tat nicht ›ungestraft‹ bleiben konnte, liegt für ihn auf der Hand: weil eben Kleist – von einer sozusagen ›soldatischen‹ Perspektive betrachtet – nicht »ehrenhaft« ›fiel‹, habe er auch nicht den »Auferstehungsmorgen seines Volkes« – das Ende der Befreiungskriege – miterleben dürfen. Weil damit aber der Vorgang nicht zur Gänze er- und geklärt ist, fährt Stohn fort: Mit- und Hauptschuld an diesem spektakulären Scheitern trügen neben der persönlichen Schwäche, der Mangel an Resonanz sowie – Henriette Vogel, »ein sentimentales Weib in ihrem krankhaften Irrsinn«.[14] Ein solches Negativbeispiel für schlechten oder – wie hier – fatalen Einfluß von Frauen auf Männer sollte also ebenso zur ›Herzensbildung‹ der Leserinnen beitragen wie die christlich grundierte Reflexion über eine »Nation«, deren »tiefstes Unglück« stets einhergegangen sei »mit der Verkennung ihrer besten Geister«.

Ganz ähnlich hatte im übrigen auch schon der vielgelesene Publizist Johannes Scherr (1817-1886) im Abschnitt »Frauen und Dichter« seiner *Geschichte der Deutschen Frauenwelt* von 1865 geurteilt. Obwohl er grundsätzlich meinte, daß im Zeitalter der Romantik »von geistvollen Frauen vielfach bedingende und fördernde Einflüsse ausgegangen« sind, vermochte er doch am Verhältnis Kleists zu Henriette Vogel nichts Beispielhaftes oder Nachahmenswertes zu entdecken. Der Blick in den »Abgrund der Zerrissenheit« beider diente ihm daher allein zur Bestätigung der These, daß sie, die selbst »im Innersten zerfallen« war, den »Dämon in der Seele des Dichters« nicht beschwichtigte, und ihm zudem noch das Versprechen abtrotzte, »sie zu tödten, wenn sie das Leben nicht mehr zu ertragen vermochte«. Nach dieser Lesart hielt der – durch und durch redliche – Heinrich – natürlich – sein Wort: »Der Ausgang war eine Katastrophe, deren Wirklichkeit die im Werther gedichtete an Furchtbarkeit übertraf«.[15] Ihre Revision erfuhr diese scheinbar typisch ›männliche‹ Lesart der Ereignisse bekanntlich erst viel später.[16] Von mehr oder minder explizit

frivoler Eingriff in die Rechte der Gottheit.«

14 Vgl. Stohn, Litterarische Skizzen (wie Anm. 3), S. 157.

15 Vgl. Johannes Scherr: Geschichte der Deutschen Frauenwelt. In drei Büchern nach den Quellen. Zweite, durchgearbeitete und stark vermehrte Auflage. Leipzig 1865, S. 289ff., hier: S. 290.

16 Vgl. aber auch das emphatisch weibliche, auf im weitesten Sinne verweltlichter christlicher Terminologie und dem ›ecce homo‹-Motiv basierende Verständnis des Autors in Frida Bettingens Gedicht *Kleist.* (in: Frida Bettingen: Gedichte. München 1922, S. 98f.): »Wenn ich an Dich denke, Du Köstlicher, / hüllt sich meine Seele in Samt / und weint. // Oh, daß ich gelebt hätte / Dein zerpflücktes Herz / in weichste Mutterhände zu betten! // Ich hätte der Sommerlinde seidengrünes Dach entliehn, / wo die goldnen Sonnenlichter wohnen. / Ich hätte es leise um Deine stürzenden Lauben / gebaut. // Du, / der uns kannte, wie keiner. // Der Du dem verschwiegensten Märchenbronnen / der Weibesseele lauschtest. / Wo der reine, frische Odem der Quellblumen steigt. / Triebhaft. Unbewußt. Hinschmelzend. Voll Süße. / Und vor der Grotte der Anbetung / Der hütende Drache Stolz. // Oh, wie kanntest Du uns! / Ureinsam. / Im Dornenmantel Deiner entgötterten Welt. // Mütter sind Gnadenbilder am Wege. / Oh, daß ich es Dir hätte sein dürfen! // Wenn ich an Dich denke, / hüllt sich meine Seele in Samt / und weint.« Der Dichter wird hier als jemand stilisiert, der sich in seinen Werken außerordentlich gut in

feministisch orientierten Kleist-Leserinnen ist diese, gleichsam auf Kosten von Henriette Vogel gehende, durchaus verbreitete Lesart für nichtig erklärt und diese selbst (aus offenkundigen Motiven) rehabilitiert worden.[17] In beiden Fällen, so läßt sich festhalten, dienen literaturhistoriographische Konstruktionen dazu, gesellschaftliche Diskurse über Norm-Fragen auszudrücken bzw. Projektionen von anzustrebenden Idealzuständen zu formulieren. Daß solche Ansätze als tendenziell literaturfern gelten müssen und zur Beliebigkeit im Umgang mit ihrem Gegenstand neigen, steht dabei außer Frage.

Um nun also einen problematischen Autor wie Kleist überhaupt empfehlen zu können, hatte Stohn in seinem Lehrbuch einen argumentativen Spagat zu vollziehen. Den ›ganzen‹ Kleist sollten die Frauen seines Zeitalters nämlich auf keinen Fall kennenlernen. Aus Sicht des weibliche Interessenlagen antizipierenden Autors war es ja schon mehr als enttäuschend genug, daß Kleist, dieser so entschieden »germanisch« denkende Autor, »[k]ein Liebeslied« vorgelegt hatte, und seinen Poesien »[d]er Zauber erster Jugend« und ihm selbst das »Behagen am Schaffen« so gänzlich versagt geblieben waren.[18] Geradezu seinem Naturell zum Trotz habe er dennoch den *Zerbrochnen Krug* verfaßt, der, weil »ein Werk aus Einem Gusse, rund und fertig, harmonisch bis in die letzte Zeile« gestaltet sei.[19] Diese Interpretion blendet die desaströse, von Goethe mitzuverantwortende Weimarer Uraufführung von 1808 erstaunlicherweise aus, die in dieser Zeit häufig auch als Paradigma für das unvermittelbare Gegeneinander von Klassik und Romantik bewertet worden ist. Als lesenswert wird zudem noch die »meisterhafte Novelle *Michael Kohlhaas*« gebucht. Damit ist freilich schon abgehandelt, welche Werke überhaupt poetisches Harmonisierungs- und Verklärungspotential in sich tragen.

Demgemäß mußte sich Stohn mit anderen Texten Kleists schwer tun: über die *Fa-*

---

weibliche Befindlichkeiten einfühlen kann, erotische Konnotationen eingeschlossen.

17 Vgl. etwa: Karin Reschke: Verfolgte des Glücks. Findebuch der Henriette Vogel. Berlin 1982, oder: Helma Sanders-Brahms: Heinrich. München 1980, S. 150-156, 159; Katherine Ebisch-Burton: »Wie über alles Gedachte und zu Erdenkende lieb ich Dich«: Kleist's and Henriette Vogel's »Todeslitanei« as poetic figuration of the beloved. A reassessment of Kleist's feminine credentials. In: German life and letters, N.S., 55 (2002), H. 3, S. 235-247. In eine ähnliche Richtung, und keineswegs (wie behauptet) allein auf die Reflexion über das »Scheitern in der Literatur« (Klappentext), zielt auch die Aufwertung von Karoline von Günderrode bei Christa Wolf. Die »erwünschte Legende«, daß Kleist und sie einander kennengelernt hätten, dient dazu, die Schriftstellerin Günderrode, die als »in den engen Zirkel gebannt« beschrieben wird (S. 6), postum aus ebendiesem zu ›befreien‹ (vgl. Christa Wolf: Kein Ort. Nirgends. München 1994). Vgl. dagegen: Gerhard Schmidt: Selbstmord zu zweit: Heinrich von Kleist und Adolphine Henriette Vogel. In: Internistische Praxis 11 (1971), S. 253-258, und Holger Helbig: Herr von Kleist und Frau Vogel beschließen ihren Tod und verwirren die Wissenschaft. Der Briefwechsel zwischen Heinrich von Kleist und Henriette Vogel als philologische Grenzsituation. Göttingen 2002, S. 107-130.

18 Vgl. Stohn, Litterarische Skizzen (wie Anm. 3), S. 127, S. 136.

19 Ebd., S. 129.

milie Schroffenstein schrieb er gleichsam hinweg.[20] Die eindeutig erotisch und/oder sexuell konnotierten Sprechweisen in *Penthesilea* formulierte er allenfalls verblümt (»der Gefangene wird von ihnen gepflegt und glücklich gemacht«) und auch befremdet über ein Frauenvolk, das »die Ehe« nicht kennt.[21] Bei Kleist klingt das anders. Dort ist allen Beteiligten klar (oder es wird ihnen klar gemacht), worum es geht. Diejenigen Passagen, in denen Friedrich Nietzsches *Die Geburt der Tragödie aus dem Geiste der Musik* (1872) und auch Thomas Manns *Der Tod in Venedig* (1913) hinsichtlich der dionysisch-orgiastischen Facetten des Rosenfestes praktisch präfiguriert werden, kennen solch verklemmtes Verschweigen von Sexualität nicht:[22]

> DIE OBERPRIESTERIN Nun? Wollt ihr eure Gäste nicht erheitern?
> – Steht ihr nicht unbehülflich da, ihr Jungfrau'n,
> Als müßt' ich das Geschäft der Lieb' euch lehren! [...]
> Sagt ihnen, was geschehn wird, sie zu trösten:
> So werden sie nicht unerbittlich sein. [...].
> DER GRIECHE [...] Wollt ihr, geschmückt mit Blumen,
> Gleich Opfertieren, uns zur Schlachtbank führen?
> DIE AMAZONE Zum Tempel euch der Artemis! Was denkt ihr?
> In ihren dunkeln Eichenhain, wo eurer
> Entzücken ohne Maß und Ordnung wartet!
> DER GRIECHE *erstaunt, mit unterdrückter Stimme, zu den andern Gefangenen:*
> War je ein Traum so bunt, als was hier wahr ist?

Wo jedoch Aussparung den Interpretationsweg vorgibt, liegt die Tendenz zum gesamthaften Verharmlosen nahe: lediglich ein »Mißverständnis« sei es, meint Stohn, das den (in Wahrheit profunden und hochgradig exemplarischen) Geschlechterkampf Penthesileas und Achills am Ende ausmache. Der Dichter formuliert wiederum unverkennbar eindeutig und brutal:[23]

20 Ebd., S. 128.

21 Ebd., S. 132f.

22 Heinrich von Kleist: Penthesilea. In: Heinrich von Kleist: Dramen. 1808-1811. [...]. Unter Mitw. von Hans Rudolf Barth hrsg. von Ilse-Marie Barth u. Hinrich C. Seeba. Frankfurt 1987. (Bibliothek deutscher Klassiker. 26), S. 9-256, hier: S. 176f., (6. Auftritt, V. 950ff.); vgl.: Friedrich Nietzsche: Die Geburt der Tragödie. [...]. Hrsg. von Giorgio Colli u. Mazzino Montinari. München 1988. (KSA. I), S. 26-30, über die »getrennten Kunstwelten des Traumes und des Rausches« und die »Wonnebefriedigung des Ur-Einen«, die sich »untern den Schauern des Rausches« offenbart, sowie die besonders auffällig an Kleist angelehnte Passage bei Thomas Mann: Der Tod in Venedig. In: Thomas Mann: Erzählungen. Frankfurt 1986, S. 493-584, hier: S. 573-576 (passim; z. B.: »Aber alles durchdrang und beherrschte der tiefe, lockende Flötenton. Lockte er nicht auch ihn, den widerstrebend Erlebenden, schamlos beharrlich zum Fest und Unmaß des äußersten Opfers? [...] Aber mit ihnen, in ihnen war der Träumende nun und dem fremden Gotte gehörig. Ja, sie waren er selbst, als sie reißend und mordend sich auf die Tiere hinwarfen und dampfende Fetzen verschlangen, als auf zerwühltem Moosgrund grenzenlose Vermischung begann, dem Gotte zum Opfer. Und seine Seele kostete Unzucht und Raserei des Unterganges.«).

23 Vgl. Kleist, Penthesilea (wie Anm. 22), S. 241 (23. Auftritt, Vers 2606-74, hier: 2657ff.).

MEROE [...] Und stürzt - stürzt mit der ganzen Meut', o Diana!
Sich über ihn, und reißt - reißt ihn beim Helmbusch,
Gleich einer Hündin, Hunden beigesellt,
[...]
Er, in dem Purpur seines Bluts sich wälzend,
Rührt ihre sanfte Wange an, und ruft:
Penthesilea! meine Braut! was tust du?
Ist dies das Rosenfest, das du versprachst?
Doch sie [...]
Sie schlägt, die Rüstung ihm vom Leibe reißend,
Den Zahn schlägt sie in seine weiße Brust,
Sie und die Hunde, die wetteifernden,
Oxus und Sphynx den Zahn in seine rechte,
In seine linke sie; als ich erschien,
Troff Blut von Mund und Händen ihr herab.
Pause voll Entsetzen [...].

Sein Exeget hingegen nimmt vorauseilend Rücksicht auf das Zartgefühl seiner Leserinnen und deutet das Skandalon summarisch mildernd um: »er tritt ihr wehrlos gegenüber, sie wirft ihn nieder und zerreißt ihn mit eigenen Händen, zum Entsetzen und Abscheu ihrer Amazonen«. Zunächst verliert Stohn kein Wort über das eigentlich Animalische und Barbarische des Vorgangs, erst später dient ihm der »Liebeswahnsinn dieser Jungfrau, die ihre Zähne in den zuckenden Leichnam [!] des Bräutigams schlägt«, zum Beleg der These, daß man es hier mit einem durch und durch abstoßenden, weil grauenerregenden Vorgang, dem »Umschlagen der Wollust in Blutgier«, zu tun habe. Sowieso sei das Werk allzu subjektiv gehalten. Selbst ein Dichter vom Format Kleists könne nicht vergessen machen, daß der unauslöschliche Konstruktionsfehler dieses Dramas im Gegenstand selbst gelegen sei, in der bizarren »Unnatur seines Stoffes«.[24] Den Frauen der Gründerzeit war somit »das Seelenleben eines Mannweibes« in der Form dieses »modernen Dramas« definitiv nicht zu empfehlen.[25] Weder die abgrundtiefen Einblicke in sexuell konnotierte

24 Vgl. Stohn, Litterarische Skizzen (wie Anm. 3), S. 134.

25 Betrachtet man im Gegensatz dazu das Kleist gewidmete, zumeist von Frauen verfaßte »gender«-Schrifttum der letzten Jahre, könnte man den Eindruck erhalten, allein diese und nur diese Facette des Werks konstituiere Kleists Kanonizität und vermöchte es, weibliches wissenschaftliches Interesse zu erwecken (vgl. z. B.: Jennifer M. Kapczynski: Imperfect myths: gender and the construction of nation in Heinrich von Kleist's »Die Hermannsschlacht«. In: Conquering women: women and war in the German cultural imagination. Berkeley 2000. (Research series / International and Area Studies [...]. 104), S. 143-155; Christine Künzel: Vergewaltigungslektüren: zur Codierung sexueller Gewalt in Literatur und Recht. Frankfurt 2003; Eleanor E. Ter Horst: Lessing, Goethe, Kleist, and the transformation of gender: from hermaphrodite to Amazon. New York 2003. (American university studies. Ser. 1. Germanic languages and literature. 110); Julia Scholl: »Penthesilea« und »Das Käthchen von Heilbronn«. Zwei Geschlechterdramen um 1800. In: Revolution und Emanzipation. Geschlechterordnungen in Europa um 1800. Hrsg. von Katharina Rennhak u. Virginia Richter. Köln; Weimar; Wien 2004, S. 109-128, sowie: Penthesileas

emotionale Extreme und Gewaltausbrüche noch die irritierende Dekonstruktion von Geschlechterrollen schienen geeignet, der »Herzensbildung« schlichterer Gemüter zu dienen;[26] eine Lesart im übrigen, die durch die ein gutes Jahrfünft zurückliegende Uraufführung vermutlich eher noch bestätigt worden war. Besonders verstörend wirkte auf Stohn auch das gewaltgesättigte, »schicksalschwere Bild vom Negerleben«, das im *Erdbeben in Chile* [!][27] gezeichnet wird und in dem ausgerechnet dem »Kind der Sünde« eine so bedeutende Rolle zukommt.

Den Nachweis der herausragenden Fähigkeiten Kleists bleibt Stohn dennoch nicht schuldig. Am Ende vermag er sich sogar zu einem partiell freilich gleichfalls ambivalenten Lob dreier seiner Dramen aufzuraffen. Das »jugendlichste« dieser Werke, *Käthchen von Heilbronn* solle das Ideal weiblicher Liebe skizzieren. »[D]er ganzen Welt« habe Kleist zeigen wollen, »wie das Weib lieben müsse, ganz kindlich seelisch, ganz somnambul verloren, ganz reine Magd mit verzückter Engelsmiene und mit dem Seufzerhauch: Mein hoher Herr!«[28] Den Hinweis auf männliches Wunschdenken mag man sich hier ersparen können, nicht aber den auf den vom Verfasser konstatierten, offenkundig doch um 1880 längst eingetretenen Schwund der Popularität dieses im 19. Jahrhundert bekanntesten und beliebtesten der Werke Kleists. In seiner Machart entspreche es ganz und gar den Vorlieben, die schon die Mütter der Leserinnen in ihrer Jugend gehegt hätten. Geradezu der Inbegriff ihrer Träume von »keusche[r] Liebe« »unter dem Fliederbusch« sei es. Letzte Reste des Zaubers und der umfassenden Volkstümlichkeit der vom Autor nicht mehr recht nachvollziehbaren Popularität seien lediglich »in unsern Vorstadttheatern« noch zu verspüren. Dort allein fände sich ein Publikum, das, »zu arm an Bildung und zu schwer bedrückt von den Sorgen des eigenen Lebens«, sich an diesem »einfachen Märchen« schlichtweg zu erfreuen vermöge. Der Abstieg des Kleistschen Schauspiels zu einem Unterhaltungstück für eher bildungsferne Unterschichten sei unaufhaltsam, und die »Ansprüche der absoluten Kritik« könnten hier ohnedies nicht zur Geltung kommen. Immerhin aber habe die anhaltende Beliebheit den einen Vorzug, daß sie auf einen originär ›deutschen‹ Text gerichtet sei und nicht etwa auf ein »Pariser Hetärendrama«.[29]

Geradezu als eine literarisierte Bestätigung dieses Niedergangsbefundes liest sich eine bekannte Passage aus Theodor Fontanes Roman *Effi Briest* (1894/96). In ihr werden die anläßlich der Hochzeit Effis stattfindenden Proben für eine Laiendarsteller-Aufführung einer *Käthchen*-Bearbeitung beschrieben. Die rabiate Reduktion der Vorlage auf die »Holunderstrauch«-Szene (IV,2), die Stohn als ein typisches Szenario längst vergangener Jungmädchen-Liebesträume deklariert, findet sich auch in Pastor Niemeyers Adaptation, dort allerdings deutlich anders nuanciert. Diese fraglos

Versprechen. Exemplarische Studien über die literarische Referenz. Hrsg. von Rüdiger Campe. Freiburg 2008. (Rombach-Wissenschaften: Reihe Litterae. 162).

26 Vgl. Stohn, Litterarische Skizzen (wie Anm. 3), S. 134.

27 Ebd., S. 135.

28 Ebd., S. 137.

29 Ebd., S. 138.

zentrale Passage des Kleistschen Werks gibt im Roman den Anlaß, männliche Vorstellungen von weiblichen Rollen mit der gesellschaftlich tatsächlich wünschenswerten Rolle der Frau zu vergleichen. Hierbei treten bemerkenswerte Differenzen zwischen dem Bildungsbürger Niemeyer und dem Adeligen Briest zutage. Zwar vermag Hulda Niemeyer als Käthchen im »sehr eng anliegende[n] Sammetmieder« Vater Briest sozusagen auch als Mann zu erfreuen, dennoch aber verärgert ihn ihr gemeinsamer Auftritt mit »Leutnant Engelbrecht von den Husaren«.[30] Der fiktive Kleist-Bearbeiter Niemeyer scheut dabei nämlich keineswegs vor mehr oder minder konkreten Hinweisen auf die »Nutzanwendung auf Innstetten und Effi« zurück. Briests Reaktion hierauf hat wenig mit dem Interesse an einer möglichst korrekten Wiedergabe einer literarischen Vorlage zu tun. Als eine väterlich-liebende zielt sie auf Effis künftige Rolle als Ehefrau, die er in Niemeyers traditionalistischer, rollenaffirmativer Interpretation vollständig falsch wiedergegeben findet. Die bei Kleist allein in der besagten Szene (direkt und indirekt formuliert) zwölfmal eingesetzte, immer wieder leicht abgewandelte Anrede »Mein hoher Herr« wird Briest in Niemeyers Version zum echten Ärgernis, das er energisch an- und ausspricht:[31]

> Hoher Herr und immer wieder Hoher Herr - was soll das? Das leitet in die Irre, das verschiebt alles. [...] Ich will nicht, daß eine Briest oder doch wenigstens eine Polterabendfigur, in der jeder das Widerspiel unserer Effi erkennen muß - ich will nicht, daß eine Briest mittelbar oder unmittelbar in einem fort von »Hoher Herr« spricht. Da müßte denn doch Innstetten wenigstens ein verkappter Hohenzoller sein, es gibt ja dergleichen. Das ist er aber nicht, und so kann ich nur wiederholen, es verschiebt die Situation.

Das von Niemeyer anhand von Kleists Vorgaben konstruierte Rollenverständnis einer verheirateten Frau als willfähriger Dienerin des Mannes wird von Briest kategorisch abgelehnt, weil die adlige Herkunft Effis durchaus ein vom Ehemann weithin unabhängiges selbstbewußtes Auftreten gestattet. Gegen Ende des 19. Jahrhunderts, so wird man vorläufig festhalten dürfen, wird der Wandel traditioneller weiblicher Verhaltensweisen und -muster evident: bei Fontane, der sich, um Traditionsbrüche schildern zu können, der Kleistschen Vorlage bedient, aber auch bei Stohn, der aller Sympathie für weibliche »Herzensbildung« zum Trotz eingangs doch schon völlig selbstverständlich von der berufstätigen Frau als Leserin seines Werkes ausgegangen war.

In seiner zum Lebensende Kleists als dem eigentlichen Schaffenshöhepunkt hin

30 Vgl. Theodor Fontane: Effi Briest. Mit e. Nachw. neu hrsg. von Helmuth Nürnberger. München 1995. (dtv. 2366), S. 26f.

31 Ebd.; zum Kleist-Verständnis im Werk Fontanes bzw. beider »entfernte Nähe« vgl. auch: Hans Joachim Kreutzer: Blumen und Hafer in der Mark: Fontane und Kleist. In: Fontane-Blätter 86 (2008), S. 119-144, und: Bettina Plett: Preußische Ideen. Preußenbild und »Vaterländisches« bei Kleist und Fontane. In: Fontane, Kleist und Hölderlin. Literarisch-historische Begegnungen zwischen Hessen-Homburg und Preußen-Brandenburg. [...] Hrsg. von Hugo Aust, Barbara Dölemeyer u. Hubertus Fischer. Würzburg 2005. (Fontaneana. 2), S. 121-136.

angelegten, steigernden Argumentation wird die *Hermannsschlacht* besonders intensiv aufgewertet.[32] Die Brutalität des Szenarios und des ihm zugrundeliegenden Gedankenguts wird den Damen dabei bemerkenswerterweise nicht vorenthalten: wer Kleists Satz »alle Triften, alle Stätten färbt mit ihren Knochen weiß«[33] recht verstehen wolle, müsse sich lediglich des authentischen, in den Befreiungskriegen verbreiteten Spruches »Schlag' ihn tot, Patriot, mit der Krücke ins Genicke« erinnern.[34] Jenseits des Lobs für Hermann und dessen zeittypisch als verschiedentlich übertragbar verstandene staatsmännische Verhaltensweisen konzentriert sich der Autor auf gleich acht Seiten auf »die schöne Amazone [!]« Thusnelda und ihr Verhältnis zum Römer Ventidius. Damit verweist er auf eine bis heute in der Forschungsdiskussion viel zu wenig beachtete Lesart, die bereits 1908 von Robert Walser poetisch eindeutig ausgelegt worden ist,[35] als er rhetorisch fragte: »Kann es eine reizendere Liebhaberrolle geben als den jungen Römer Ventidius?« Die eigentliche künstlerische Größe der *Hermannsschlacht* wäre danach in jener so drastisch beendeten Episode zu erkennen und gerade nicht in den auf komplexe Weise zeitgebundenen politischen Aussagen und dem damit verknüpfbaren Entwurf einer nationalen Mythographie.

Ob Stohn tatsächlich so weit dachte wie Walser? Wohl kaum: ihm diente die minutiöse Erörterung des Haarlocken-Motivs[36] augenscheinlich dazu, das »schöne, goldene, trockne« Haar, wie es »das deutsche Weib« trägt, als ›pars pro toto‹ und Ideal gegen ein stereotypes Bild der fremdartigen »Römerinnen«, die »schwarze, häßliche und fettige Haare« haben, abzusetzen.[37] Die kaltblütige Ermordung des Ventidius im Bärengraben (V,17/18) erhält ihre Legitimation durch die damit zugleich postulierte Gefühlsintensität ›deutscher‹ Frauen. Thusnelda repräsentiert nach Ansicht des Verfassers in ihrer bipolaren Leidenschaftlichkeit die Fähigkeit zur Liebe wie zur Rache als Reaktion auf Falschheit sowie durch ihre Entscheidungsstärke auch eine spezifisch deutsche Mentalität.[38] Allerdings: so richtig zufrieden mag sich der Lehrbuch-Autor nicht zurücklehnen. Die Nähe zu Penthesileas Tat erscheint ihm allzu groß, allzu »empörend« auch die Bärengraben-Szene und Thusneldas Charakter nicht zweifelsfrei. Erträglich sei höchstens die Hally-Szene und der Mord an ihr (IV,6), weil »Verbrechen wider die Frauen bei allen Völkern jederzeit ein Haupt-

32 Vgl. Stohn, Litterarische Skizzen (wie Anm. 3), S. 140ff.

33 Vgl. Heinrich von Kleist: Germania an ihre Kinder. In: Heinrich von Kleist: Erzählungen. Anekdoten. Gedichte. Schriften. Hrsg. von Klaus Müller-Salget. Frankfurt 1990. (Bibliothek deutscher Klassiker. 51), S. 426-433 und 668-674, hier S. 671 [Stohns Zitat entspricht keiner der Fassungen exakt].

34 Stohn paraphrasiert hier das im 19. Jahrhundert verbreitete anti-napoleonische Lied *Brüder uns ist alles gleich,* dessen zweite Strophe lautet: »Patriot, schlag ihn tot, / Bonapart, den Erzkujon / Mit der Picke ins Genicke, / Daß er kriegt die schwere Not!«

35 Vgl. Robert Walser: Auf Knien. In: Die Schaubühne 4 (1908), Nr. 19, S. 498.

36 Vgl. Heinrich von Kleist, Hermannschlacht. (in: Heinrich von Kleist: Dramen 1808-1811 (wie Anm. 22), S. 435-554, hier: S. 471f. (z. B. V. 599-607, 623-637).

37 Vgl. Stohn, Litterarische Skizzen (wie Anm. 3), S. 146.

38 Ebd., S. 149ff.

hebel großer Empörungen waren«.[39] Weil sich (deutsche) männliche Tugend erst an solchen Verbrechen wie Vergewaltigung entzünden kann, ist deren indirekte Schilderung für ihn akzeptabel und notwendig.

Im Vergleich dazu fällt das Lob des »letzten und schönsten« Stückes, *Prinz Friedrich von Homburg*, als Kulminationspunkt des Kleistschen Schaffens, knapp aus.[40] Wo die »heimischen Zustände« so authentisch geschildert werden wie hier, kann das politische Ziel eines »wohlgeordneten Kriegerstaates«, das Stohn anpreist, nicht mehr weit sein. Preußens Vormachtstellung im Deutschland der zweiten Hälfte des 19. Jahrhunderts und der Anspruch darauf in ganz Europa habe seine beste Rechtfertigung bereits im ersten Jahrzehnt gefunden, so die These Stohns. Spätestens an dieser Stelle unterscheidet er auch nicht mehr zwischen Geschlechtern, weil er gerade dieses Werk als ein nationales Anliegen wahrnimmt:[41]

> In jeder Zeile kriegerisches Feuer, überall die kecke, frische deutsche Reit- und Schlaglust und doch so gar nichts von dem polternden Säbelgerassel der Franzosen. Es ist als ob der Dichter vor- und rückschauend ein ideales Durchschnittsbild gezogen hätte aus der Geschichte der preußischen Armee von Fehrbellin bis zur Gegenwart. Tapfere Krieger, geschart um einen heldenhaften Fürsten, in fester Mannszucht geschult, und doch freie Männer, deutsche Naturen, die auch unter der harten Ordnung des Gesetzes sich noch ein selbständiges Herz bewahren und dem Herrscher aufrecht die Wahrheit sagen - so war, so ist das Heer, das Deutschlands Schlachten schlug, und hier wird es uns geschildert mit einfacher Treue, mit jener anheimelnden Wärme, welche nur das Selbsterlebte dem Dichter in die Seele haucht.

Bei solch wuchtig-pathetischem, pro-militaristischem und pro-preußischem Überbau stört die von Kleist inszenierte »tiefste Entwürdigung« des Helden durch seine Todesangst mächtig. Folgerichtig wird sie, wie bei so vielen anderen Kleist-Interpreten in dieser Zeit, marginalisiert.

Weil Stohns Schulbuch-Text als repräsentativ für das Verständnis vieler publizistisch tätiger Kleist-Leser des 19. Jahrhunderts gelten kann, ist er hier recht ausführlich behandelt worden. Dabei bleibt festzuhalten, daß die Texte Kleists offenbar signifikant stärker als diejenigen anderer Autoren populärwissenschaftliche Interpreten wie Stohn dazu einluden, entschärfend einzugreifen, sie anders zu akzentuieren und damit zu zensieren. Dies mag in ihrer kompromiß- und maßlosen Sperrigkeit angelegt sein. Nicht unmittelbar nachzuvollziehen ist jedoch, warum das Bekenntnis zu Kleist und seiner schriftstellerischen Größe, daß in derartigen Verlautbarungen stets explizit vollzogen wird, warum diese Akzeptanz immer eine ambivalente, irgendwie einschränkende und eingeschränkte bleibt. Daß solch ausblendendem, selektierendem Umgang mit Werk und Autor stets ein letzter Rest von Tadel für dichterische und menschliche Unbotmäßigkeit in mancherlei Sinn eingeschrieben bleibt, wirkt, mit Verlaub, ein wenig schizophren.

Freilich findet sich genau dieses Phänomen noch heute, wenn auch unter umge-

39 Ebd., S. 150.

40 Ebd., S. 151-153.

41 Ebd., S. 152.

kehrten Vorzeichen, weil unsere Berührungsängste eben anderer Natur sind. Schwer zu schaffen machen uns nämlich gerade die im 19. Jahrhundert völlig mühelos akzeptierbaren Facetten des Kleistschen Œuvres und Seins: sein Haß, die Rachegelüste und der unverhohlene Nationalismus.[42] Das eigentlich Hervorhebenswerte aber an derartigen Textauswahlverfahren ist die durch historische Empirie begründete Verschiebung von Akzenten. Während man namentlich im späteren 19. und frühen 20. Jahrhundert meinte, sogar die ohnehin populären Werke *Michael Kohlhaas* und *Käthchen von Heilbronn* für juvenile Rezipienten eigens aufbereiten zu müssen,[43] tut man sich heute eher schwer mit den politisch und nationalistisch extremen Standpunkten, die Kleist nicht nur einmal eingenommen hat. Weil sich diese nicht guten Gewissens als ›Ausrutscher‹ bewerten lassen, werden sie tendenziell tabuisiert und verschwiegen.

Daß unabhängig hiervon mit dem Einrichten, Kürzen und Glätten von Texten gerade um die Jahrhundertwende andere Ziele verfolgt wurden als heute, mag ein kurzer abschließender Blick auf eine von Ludwig Ganghofer (1855-1920) noch 1916

42 Einsichten in die didaktisch motivierte, schülerschützende Textkastration erhält man auch heute noch bereits anhand der Buchtitel: Michael Kohlhaas. Erzählung. Mit neuer Rechtschreibung, dem modernen Deutsch angepasst, anmessen [!] gekürzt, mit Infos, erläuternden Abbildungen und Verständnisfragen. Auf der Grundlage der Erstausgabe von 1810 für die Schule bearb. von Diethard Lübke. Berlin 2007. (... einfach klassisch); vgl. auch: Das Käthchen von Heilbronn. Nach Heinrich von Kleist. Neu erzählt von Barbara Kindermann. Mit Bildern von Christa Unzner. Berlin 2006; Kennst du Heinrich von Kleist? Vorgestellt von Arno Pielenz. Weimar 2007. (Bertuchs Weltliteratur für junge Leser. Hrsg. von Wolfgang Brekle. 4) und im Gegensatz dazu: Kinder über [Heinrich von] Kleist. Hrsg. von Barbara Honigmann. Berlin 1979. (Randlage. 9); vgl. aber auch die auf die philologische Dimension zurückgefahrene, von politischen und historischen Implikationen absichtsvoll abgekoppelte Interpretation bei Heinrich Detering (Heinrich Detering: Art. »Lyrik« [Nationalreligion und poetische Aporie], in: Kleist-Handbuch. Leben - Werk - Wirkung. Hrsg. von Ingo Breuer. Stuttgart; Weimar 2009, S. 175-180, hier:. S. 178-180) und ebd. (Art. »Die Herrmannsschlacht«, S. 76-79, hier: S. 79) die Distanz schaffende Bemerkung von Klaus Müller-Salget, das Stück bleibe »gerade auf dem Hintergrund unserer Erfahrungen mit dem ›Dritten Reich‹, ein sehr problematisches, immer noch auch Ärgernis erregendes Werk«.

43 Vgl. etwa: Lebensspiegel in Erzählungen: von H[einrich] v. Kleist; G. H. v. Schubert [u. a.]. Aus deren Werken für die reifere Jugend ausgewählt. Mit vier Bildern. Coesfeld [1846]; Das Käthchen von Heilbronn: Ritterschauspiel in vier Akten. Für Kindertheater bearb. von Inno Tallavania. Eßlingen 1880. [Reprint: Heilbronn 2004]; Das Käthchen von Heilbronn. Ritterschauspiel in 3 Aufzügen, für Kinder-Theater bearbeitet. Neu-Ruppin [ca. 1890]; Das Käthchen von Heilbronn oder die Feuerprobe: Ein großes historisches Ritterschauspiel. Mit einer Einführung von Gotthold Klee. Wien; Leipzig; Mainz 1912. (Neuere Dichter für die studierende Jugend. 41); Michael Kohlhaas. Aus einer alten Chronik. Mit e. Einleitung von Spiridion Wukadinović. Wien 1911. (Neuere Dichter für die studierende Jugend. 19); Was gilt es in diesem Kriege? Jena 1915. (Flugblätter an die deutsche Jugend. 6); Michael Kohlhaas. Historische Erzählung. Mit vier mehrfarb. Einschaltbildern u. 12 einfarb. Textbildern von Franz Stassen. Braunschweig 1924. (Lebensbücher der Jugend. 49).

für seine Enkelkinder bearbeitete Version des *Zerbrochnen Kruges* belegen.[44] Mit ihr knüpfte er an seine frühere intensive Beschäftigung mit dem Werk Heinrich von Kleists an. Seit den frühen 1880er Jahren, als er noch nicht vollends der Ganghofer war, dessen Andenken heute von Carolin Reiber in der Hörbuch-Reihe »Stimmen der Heimat« recht einseitig bewahrt wird, war er zunächst am Wiener Ringtheater angestellt. Als Theaterdichter und Dramaturg arbeitete er dort, später als Journalist und Berufsschriftsteller.[45] 1895 legte er *Amphitryon*[46] und *Penthesilea* in freier Bearbeitung für die Bühne vor.[47]

Seine ausgesprochen zeittypisch anmutende Arbeitsweise erschließt sich bereits beim Blick in die *Penthesilea*-Adaptation.[48] Vergleicht man mit dem oben schon zitierten Bericht der Merope bei Kleist (23. Auftritt, V. 2650ff.), so wird eine umfassende Tendenz zum Mildern und Abschwächen erkennbar, die aus dem pragmatischen Bedürfnis nach Bühnentauglichkeit resultiert sein mag:[49]

---

44 Vgl.: Roman Luckscheiter: Das falsche Maß. Ludwig Ganghofer und die Moderne. In: Figurationen der literarischen Moderne. Hrsg. von Carsten Dutt u. Roman Luckscheiter. Heidelberg 2007. (Beiträge zur neueren Literaturgeschichte. F. 3. 245), S. 225-242; Walter Hettche: Literaturpolitik. Die »Münchner literarische Gesellschaft« im Spiegel des Briefwechsels zwischen Paul Heyse und Ludwig Ganghofer. In: Zeitschrift für bayerische Landesgeschichte 55 (1992), S. 575-609; Emil Karl Braito: Ludwig Ganghofer und seine Zeit. Innsbruck 2005 [die Kleist-Texte werden dort nicht berücksichtigt; vgl. aber S. 260] und: Alpenkönig und Kinofreund. Ludwig Ganghofer (1855-1920) zum 150. Geburtstag. München 2005.

45 Vgl. hierzu auch die ausführliche Schilderung in: Ludwig Ganghofer: Lebenslauf eines Optimisten. Stuttgart 1925, S. 921-996. In den späten siebziger Jahren hatte er in Berlin u. a. bei dem einflußreichen Germanisten Wilhelm Scherer (1841-1886) studiert und dort eine Vorlesung über die »Literatur von 1805-1832« besucht (ebd., S. 723).

46 Vgl. Anne Fleig: Art. Amphitryon. In: Kleist-Handbuch. Leben - Werk - Wirkung. Hrsg. von Ingo Breuer. Stuttgart; Weimar 2009, S. 41-50, hier: S. 48, und: Rüdiger Dorr: Heinrich von Kleist's Amphitryon. Deutung und Bühnenschicksal. Oldenburg 1931 [Reprint: Heilbronn 2004], S. 79.

47 Für freundliche Auskünfte danke ich Frau Dr. Astrid Pellengahr vom Stadtmuseum Kaufbeuren, wo wichtige Teile des Ganghofer-Nachlasses betreut werden. Vgl. auf der Website »150 Jahre Ludwig Ganghofer. Kaufbeuren« das von Egon Guggemos zusammengestellte Verzeichnis der Primärliteratur (Nr. 42: Amphitryon. Lustspiel von H. v. Kleist, in 2 Akten frei für die Bühne bearbeitet. [1895] und Nr. 43: Penthesilea. Trauerspiel von H. v. Kleist, in 4 Akten frei für die Bühne bearbeitet. [1895]). Grundsätzlich dazu auch der Sammelband: Kehrseite eines Klischees. Der Schriftsteller Ludwig Ganghofer. Hrsg. von Astrid Pellengahr u. Jürgen Kraus unter Mitarb. von Anne-Cécile Foulon u. Ulrich Heiß. Thalhofen 2005. (Kaufbeurer Schriftenreihe. 6); vgl. ebd., S. 66 (Inv. Nr. 2138/2), sowie das von Egon Guggemos erstellte Werkverzeichnis Ludwig Ganghofer, S. 222-239, hier: S. 230.

48 Vgl. das vom Münchner »Bureau Pape für schriftliche Arbeiten. Schreibmaschinen. Mimeograph, Stenographie« erstellte Typoskript in Wien (Wienbibliothek im Rathaus; Signatur: 107812 B): Penthesilea. Eine Tragödie von Heinrich von Kleist in vier Akten für die Bühne bearbeitet von Ludwig Ganghofer.

49 Ebd., »Vierter Act«. »Fünfte Scene«, S. 13-18, hier: S. 16.

Meroe
Röchelnd wankt er ... stürzt ...
Den Pfeil, den weit vorragenden, im Nacken,
Hebt er sich stöhnend auf –, und überschlägt sich,
Und hebt sich wieder auf und will entfliehn.
Doch sie, mit gellend kreischendem Gelächter,
Stürmt schon herbei, und »Hussa! Hetz« so stachelt
Sie noch der Hunde mörderische Wuth.
Dumpf heulend stürzen sie auf ihn: der greift
Die Arme, der die Brust ihm, der den Nacken ...
Und gleich der Hündin, Hunden beigesellt,
Wirft sie sich mitten unter ihre Doggen
Und reisst den Sinkenden am Helmbusch nieder.
Er, in dem Purpur seines Bluts sich wälzend,
Rührt ihre sanfte Wange an und ruft:
»Penthesilea, meine Braut, was thust du?
Ist dies das Rosenfest, das du versprachst?
(Alle Mädchen wenden sich schluchzend ab und verhüllen das Gesicht)
Doch sie .... die Löwin hätte ihn gehört,
Die hungrige, die wild nach Raub umher
Auf öden Schneegefilden heulend streift ...
Sie aber hört ihn nicht, in Gier und Wahnsinn
Fällt sie ihn an, wetteifernd mit den Hunden,
Und schlägt, die Rüstung ihm vom Leibe zerrend,
Mit eingekrampften Fingern alle Nägel
In seine weisse Brust ... und mit den Zähnen ...
(Bedeckt schaudernd das Gesicht mit beiden Händen; lautlose Pause des Entsetzens [...]).

Die Anpassung an Bühnengegebenheiten des späten 19. Jahrhunderts geschieht hier u. a. durch das Einführen von Akten anstelle der Szenenfolge sowie durch das Verschieben und Austauschen von Vokabeln der Vorlage (»Röchelnd«; »treibt« wird »streift« etc.). Der Vorgang des Fallens bzw. des temporären Wiederaufrichtens von Achill und damit das Element des Sukzessiven dieses Vorgangs wird stärker als bei Kleist betont. Bei Ganghofer soll der Moment der höchsten Dramatik sichtlich ›geordneter‹ über die Bühne gehen: hier erhält der Wahnsinn sozusagen Methode. Erhebliche Eingriffe erfolgen daher auch bei Penthesileas Auftritt; ihr in Geisteskrankheit gründendes Ausrasten wird offener signalisiert (»mit gellend kreischendem Gelächter«, »in Gier und Wahnsinn«). Beim Aufhetzen der Hunde werden deren antikisch konnotierte Namen gestrichen und durch einen lautmalerischen Hetzruf ersetzt. Die Emphase mutiert so zu einem mehr oder minder fest konturierten Aufbruch zu einer gewalttätigen Jagdszene (mit deren Ablauf sich Ganghofer zweifellos bestens auskannte). Achills milde Worte folgen Kleist. Die danach neu eingeführte Szenenanweisung enthält ein der Vorlage eher fremdes Element von Rührung und Emotionalität auf Seiten der Gefährtinnen Penthesileas; eine Art Ablenkungsmanöver, das durchaus geeignet ist, kurzzeitig die Protagonistin vergessen zu machen. Der relativ abstrakte Passus von Vers 2666-2668 wird beibehalten, nicht aber die Verse 2669ff. Sofern das überhaupt möglich ist, entschärft der Autor deren Gewalttätigkeit: Der »Zahn« Penthesileas wird nicht mehr direkt »in seine weiße Brust« geschlagen, stattdessen sind es zunächst die Fingernägel und dann erst folgt der verstummende Hinweis »... und mit den Zähnen ...«. Ersatzlos gestrichen wird die anstößige Stelle (V. 2474): »Troff Blut von Mund und Händen ihr herab.« Derart also versuchte Ganghofer die schockierende Wirkung von Kleists Gewaltexzeß für erwachsene Theaterbesucher abzumildern.

Und auch im Blick auf seine »Enkelkinder«, denen er in späteren Jahren den *Zerbrochnen Krug* nahelegen wollte,[50] behielt er seine Verfahrensweise im Prinzip bei. Vor was aber suchte er diese zu beschützen? Die abgründigen Umstände des Zerbrechens des Kruges, die in der Eingangsszene in der Gerichtsstube in fragmentarisch-vieldeutiger Form beginnen, dramatische Gestalt anzunehmen, sucht Ganghofer zu vereindeutigen. Solche Dimensionsreduktion erfolgt nicht zuletzt auf der Ebene der Szenenanweisungen. Wo Kleist allein notiert »Adam sitzt und verbindet sich ein Bein. Licht tritt auf.«, erläutert der Bearbeiter die von ihm abgestrebte Ausgangssituation ausführlicher:

> Rechts und links eine Tür; rechts in der Ecke ein Ofen, links ein Tischchen mit zwei Sesseln; in der Mitte, hinten an der Wand ein Antritt mit dem Gerichtstisch und zwei Lehnstühlen; auf den Ofenstangen die Kleider Adams; vor dem Ofen seine Stiefel. Adam sitzt in Unterhose und Nachthemd auf einem Sessel und verbindet sich das linke Bein, das wie ein Klumpfuss gestaltet ist; er hinkt beim Gehen.

Ganz so, als vertraue er der Wirkungsmacht des Kleistschen Textes nicht, vereindeutigt er dessen schillernd-changierenden Charakter. Dabei bleiben nur die beiden ersten Verse vollständig erhalten. Für die jugendlichen Rezipienten formuliert Ganghofer nun eine namentlich von den vielfach ironisch gebrochenen Verweisen auf biblische Textstellen weitgehend bereinigte Fassung, die das komödiantische Element eher auf der Aktions- als auf der Sprachebene zu fassen sucht:[51]

> Adam (verlegen): Ich bin – ja, weiss der Kuckuck – hier im Zimmer
> Bin ich gestrauchelt und bin hingefallen.
> Licht: Im Zimmer? Hier? Auf diesem glatten Boden?
> Adam (geärgert und scheu): Zum Straucheln braucht der Mensch nur seine Füsse.
> Licht (lacht): Und einen Kopf, um drein ein Loch zu schlagen.

---

50 Vgl. Münchner Stadtbibliothek Monacensia: Nachlaß Ludwig Ganghofer, Kass. 20 [Manuskript und Typoskript] Der zerbrochene Krug. Ein Lustspiel von Heinrich v. Kleist. (Einrichtung des Mannheimer Liebhabertheaters.) (Bearbeitet für meine Enkelkinder) 1916. Mein herzlicher Dank für Auskünfte und Hilfestellungen gilt dem stellvertretenden Leiter der Monacensia, Herrn Frank Schmitter. Die näheren Umstände der Mannheimer Aufführung, die im Zusammenhang mit Ganghofers Kontakt zur bekannten Mannheimer Familie Reiß stehen könnte und womöglich privater Natur war, konnten (bisher) noch nicht geklärt werden. In diesem Zusammenhang bin ich Frau Dr. Susanne Schlösser vom Stadtarchiv Mannheim für ihre diesbezüglichen Hinweise sehr verbunden.

51 Ebd., S. 3f.

Sagt, wann geschah das?
Adam (nach einer Ausrede suchend): Jetzt! Da ich dem Bett
Entsteig', und eh' ich noch den Tag beginne,
Renkt unser Herrgott mir den Fuss schon aus. [...].

Kein Wort mithin vom biblischen ›Skandalon‹ (V. 6 bei Kleist), kein Hinweis auf die Vertreibung aus dem Paradies und deren Ursache (V. 9ff.). Die körperliche Versehrtheit tritt ins Zentrum des Interesses, während die Hinweise auf größere, metaphysische Zusammenhänge wie Frömmigkeit, Sündenfall und höhere bzw. weltliche Gerechtigkeit (z. B. V. 18 (»Morgenlied«), V. 4-7, 9-11, 23) getilgt worden sind. Das darstellerische Ziel dürfte dabei wohl eine in der Tradition des volkstümlichen Theaters stehende, mit erkennbar mehr Klamauk durchsetzte, stärker also zum Lustspiel im burlesken Sinne neigende, insgesamt leicht faßlichere und damit entschieden weniger abgründige Fassung gewesen sein. Kleists Text wird so zwar zum zahnlosen Papiertiger; die ›literarische‹ Bildung der Enkel aber dürfte dennoch entschieden intensiviert worden sein. Ganghofer schreibt offenkundig für Darsteller, die unerfahren bei der Interpretation einer Rolle sind: ihnen gibt er die aus seiner Sicht naheliegende Lesart vor.

Anhand beider Ganghofer-Adaptationen wird deutlich, daß in der Zeit um 1900 für altersdifferenzierende Bearbeitungen Kleistscher Texte eigentlich nicht signifikant andere Kriterien zugrundegelegt worden sind als bei solchen für Erwachsene. Wie im gesamten 19. Jahrhundert kommt dem jeweiligen Bühnenbearbeiter eine zwar machtvolle, aber doch außerordentlich zwiespältige Rolle zu. Daß für Theaterinszenierungen gestrichen werden muß(te), steht dabei natürlich außer Frage. Wie aber im Detail eingerichtet worden ist, ist bisher kaum je systematisch untersucht worden. Jenseits der bekannten und geradezu entstellenden Fassungen des *Käthchen von Heilbronn*, die dessen Popularität freilich erst erzeugen halfen (wie z. B. diejenige von Holbein von 1822), ist eine Reihe derartiger, mehr oder minder detailgetreuer Theaterparaphrasen überliefert. Weil sie die Textbasis waren für das Bild, das sich das Publikum vom Dramatiker Kleist machte, wären sie es wohl wert, eingehender noch als bisher zur Kenntnis genommen zu werden.

Aus dem Gesagten mag im Ansatz wenigstens deutlich werden, daß im Falle der Wirkungsgeschichte Kleists der Schritt von der Verklärung zur schonungs- und kompromißlosen Konfrontation mit ihm und seinem Werk, der eigentliche Schritt in die Moderne gewesen ist. Der historische Moment also, in dem das Verschweigen, das Aus- und Beiseitelassen unliebsamer Details seiner Texte zur Untugend geworden ist, läßt sich damit zugleich als Konsequenz einer neuartigen Weltsicht deuten. Ausnahmen bestätigen hierbei die Regel. Um 1900 wird die ursprüngliche Aversion gegen Kleists komplexe Realität(en) allerdings zumeist durch das andere Extrem, durch ein Zuviel an Realität nämlich, ersetzt. Das Bedürfnis nach ›Herzensbildung‹ als Idealausdruck der conditio humana in einer menschlichen Welt weicht der physischen und psychischen Gewalt als dem Spiegel einer zusehends unmenschlichen; eine Lesart, für die Kleist seither bevorzugt als Repräsentant beansprucht wird. Es ist anzunehmen, daß die zunächst so sparsame und erst im Zeichen der Moderne enorm gesteigerte Resonanz seiner Werke mit diesem extremen Wandel von Welterfahrung in engem Zusammenhang steht.

2. DIE »VATERLÄNDISCHE ADER« DER »NATIONALLITERATUR«[52]

Kleist als Urheber ebenso reizvoller wie erschreckender Frauenfiguren und akribischer Schilderer von extremen Gefühlslagen und -zuständen, von Leidenschaftlichkeit im buchstäblichen Sinne also, der Kleist mithin, der sich für Frauen und Kinder passend machen ließ, dieser Kleist war wohl nicht unbedingt der der Männer. Jedenfalls lassen dies verschiedene Interpretationen annehmen, in denen der Dichter jenseits dieser Aspekte vor allem zum Gewährsmann einer nationalen deutschen wie spezifisch preußischen Mythographie[53] erhoben worden ist. In ihnen wird das Augenmerk zumeist auf politische und/oder militärische Facetten gelegt. Als Mitbegründer und besonders typischer Vertreter dieser Lesart darf der u. a. wegen seiner Methoden,[54] seiner Verherrlichung des Krieges und seines Antisemitismus schon zu Lebzeiten umstrittene Heinrich von Treitschke (1834-1896), der Nachfolger Rankes in Berlin (seit 1874) und offizielle preußische Hof-Historiograph (seit 1886), gelten. Im Zuge seiner umfassenden Legitimationsbestrebungen für das protestantische Preußen wurde ihm Kleist recht frühzeitig zum wichtigen Zeugen für Reflexionen über das Werden und die Spezifika Preußens.[55]

52 Johannes Scherr: Germania. Zwei Jahrtausende deutschen Lebens. Kulturgeschichtlich geschildert von Johannes Scherr. Stuttgart 1878, S. 343-345, S. 343: Heinrich von Kleist zählt für den seinerzeit viel gelesenen Scherr ganz entschieden zur Reihe derjenigen Romantiker, die der »Nationalliteratur« »manch ein Juwel, obzwar von mehr oder weniger bizarrer Fassung« hinterlassen haben; wenn er auch sonst als problematisch gelten müsse, mache ihn doch seine ausgeprägte »vaterländische Ader« zu einem vertrauenswürdigen Gewährsmann; vgl.: ders.: Allgemeine Geschichte der Literatur von den ältesten Zeiten bis auf die Gegenwart. Ein Handbuch für alle Gebildeten. Stuttgart 1852, S. 483. Zur politischen Deutung Kleists vgl. Anett Lütteken: Heinrich von Kleist - Eine Dichterrenaissance. Tübingen 2004. (Studien und Texte zur Sozialgeschichte der Literatur. 96), S. 131-140 und 151-179.

53 Vgl. Wulf Wülfing: Zum Napoleon-Mythos in der deutschen Literatur des 19. Jahrhunderts. In: Mythos und Mythologie in der Literatur des 19. Jahrhunderts. Hrsg. von Helmut Koopmann. Frankfurt 1979, S. 81-109, hier: S. 102.

54 Treitschke bekannte sich z. B. offen zur Vorstellung, daß allein Individuen die Geschichte gestalten; vgl. hierzu auch: Stefan Fisch: Erzählweisen des Historikers, Heinrich von Treitschke und Thomas Nipperdey. In: Gedenkschrift für Thomas Nipperdey. München 1993, S. 54-62; Andreas Biefang: Der Streit um Treitschkes Deutsche Geschichte 1882/83. In: Historische Zeitschrift 262 (1996), S. 391-422.

55 Vgl. etwa: Heinrich von Treitschke: Heinrich von Kleist. In: Preußische Jahrbücher 2 (1858), H. 6, S. 599-623, aber auch: Heinrich von Treitschkes Briefe. Hrsg. von Max Cornicelius. Erster Band. Leipzig 1912, S. 299 (8. April 1855); S. 346 (17. Februar 1856 an Heinrich Bachmann; über *Die Hermannsschlacht* heißt es dort: »Von all dem Bardengebrüll ist rein gar Nichts auch nur der Rede werth - Kleist natürlich ausgenommen. Seine Hermannsschlacht ist die großartigste Verklärung des vaterländischen Hasses; herrli-

In seinen erstmals 1865 erschienenen und mehrfach wieder aufgelegten Sammelband *Historische und Politische Aufsätze* integrierte er auch eine längere, chronologisch aufgebaute Abhandlung *Zur Geschichte des deutschen Dramas*.[56] Getreu der öfter von Treitschke geäußerten Überzeugung, daß Individuen (= Männer) die Geschichte, hier: die Literaturgeschichte, gestalten, werden darin als zentrale Figuren dieser Gattungsgeschichte Gotthold Ephraim Lessing, Heinrich von Kleist, Otto Ludwig und Friedrich Hebbel behandelt. Die Auswahl gibt zu denken, werden in ihr doch herausragende Dramatiker wie (der Schwabe) Friedrich Schiller von vornherein weitgehend ausgespart.[57] Dies hat natürlich mit dem ausgeprägten Willen des Verfassers zur Konstruktion von Geschichte zu tun, der postuliert, »Dichtkunst« sei stets die »Herzenskündigerin ihrer Zeit«.[58] Lessing wird ihm daher mit Haut und Haaren zur Inkarnation des zukunftsweisenden Protestantismus;[59] Otto Ludwig zum Gegenstand des Nachdenkens über das tragisch anmutende Ringen von dramatischem und epischem Talent, das als ein Reflex künstlerischer »Unfruchtbarkeit« verstanden wird;[60] Friedrich Hebbel zum Exemplum eines »Sonderlings«,[61] der trotz des Wandels »unserer sittlichen Begriffe« einen individuellen Weg zu beschreiten imstande war. Und Kleist? Er bereitet dem Historiker als jemand, der sehr offenkundig keinerlei »feste Stelle [...] in der gegebenen Ordnung des Staates und der Sitte« eingenommen hat, durchaus einige Probleme.[62] Dennoch aber gilt Treitschkes Sympathie dem gescheiterten Dichter, weil er eben als ein Individuum versucht hat, einen vom Willen der Gesamtheit unabhängig gewählten Weg zu beschreiten. Treitschke schildert und anerkennt damit die besonderen ›Rahmenbedingungen‹ einer künstlerischen Lebensform.

Indem er mit Friedrich Theodor Vischers verbreitetem Konzept vom »partiellen Genie« und Kleists Formel »Die Hölle gab mir meine halben Talente [...]«[63] argumentiert,[64] versucht er die Grenzen wie die Möglichkeiten des Dichters adäquat zu

cher hat selbst Schiller nicht für die Freiheit geschrieben.«); vgl. dazu auch: Heinrich von Treitschke: Literatur und Kunst im ersten Jahrzehnt des 19. Jahrhunderts. In: Heinrich von Treitschke: Bilder aus der Deutschen Geschichte. Dritte Auflage. Leipzig 1909, S. 26-43, hier: S. 38.

56 Hier zit. nach: Heinrich von Treitschke: Historische und Politische Aufsätze. Neue Folge. Leipzig 1870, S. 635-743.

57 Ebd., S. 742f.

58 Ebd., S. 718.

59 Vgl. ebd., S. 647ff. und passim.

60 Ebd., S. 716.

61 Ebd., S. 727.

62 Vgl. ebd., S. 656-693, hier: S. 656.

63 Vgl. Heinrich von Kleist an Ulrike von Kleist, Genf, 5. Oktober 1803. In: Heinrich von Kleist: Briefe von und an Heinrich von Kleist. 1793-1811. Hrsg. von Klaus Müller-Salget u. Stefan Ormanns. Frankfurt 1997. (Bibliothek deutscher Klassiker. 122), S. 319-321, hier: S. 320.

64 Vgl. Treitschke, Aufsätze (wie Anm. 56), S. 657, sowie: Friedrich Theodor Vischer: Ästhetik oder Wissenschaft des Schönen. Reutlingen; Leipzig; Stuttgart 1846-1858. 10 Bde.

fassen. Dieser dritte Typus - neben dem Originalgenie und dem ehrgeizigen, zur Autodidaxe fähigen Talent - scheint ihm wohl am ehesten geeignet, Kleists künstlerischen Werdegang zu beschreiben. Von dieser Warte wird dessen Größe nur sehr bedingt allein im literarischen Schaffen erkennbar. Treitschke neigt daher eigentlich dazu, das Leben Kleists, das er als mitleidgebietende »entsetzliche Krankheitsgeschichte« interpretiert, mit Abstrichen zugleich auch als eine Art Kunstwerk anzusehen, weil »in dem Dasein jedes bedeutenden und gesunden Mannes die Geschichte seiner Zeit wie in einem Mikrokosmos erscheint«.[65]

Das Austarieren von Schwäche und Pathologischem mit Charakterzügen, die »ehrlich, hochherzig, bedeutend« wirken, wird somit zur wichtigsten Herausforderung für diesen Interpreten. Er betont denn auch, daß Kleist von Jugend an unprätentiös gewesen sei und im Alltagsleben bar jeder Phantasie.[66] Der junge Dichter lasse sich nur *ex negativo* charakterisieren, aus den Texten, die er nicht geschrieben hat:[67]

> Kein Liebeslied, kein rhetorischer Dithyrambus hat ihm, wie anderen glücklicheren Künstlern, die holde Schwärmerzeit des Lebens verschönt; die Erstlinge seiner Muse sind - seine schmerzbewegten Briefe an Ulrike.

Seiner labilen Zustände zum Trotz resultiere seine Größe vor allem aus einem immerwährenden, strebenden Bemühen. Daß er nach schweren Krisen die Chance ergriffen habe, »das Unglück des Vaterlandes« zu einem »neuen reichen Inhalt« seines bis dahin »verwüstete[n]« Lebens zu machen, habe ihm erst zur schriftstellerischen Größe verhelfen können.[68] Indem Treitschke also die therapeutischen Möglichkeiten des Patriotismus betont, findet er zugleich den Schlüssel zum dichterischen Erfolg. Treitschke möchte Kleist entschieden nicht als einen Romantiker bezeichnen, für ihn ist er Solitär.[69] Dabei schätzt er ihn namentlich als Dramatiker, obwohl er gerade in dieser Gattung »zu früh« gewirkt habe, um recht verstanden zu werden. Positiv, weil shakespearisch, wirkt auf ihn schon *Robert Guiscard*, dessen Sprache er lobt. Bescheidener im Ansatz sei dagegen *Die Familie Schroffenstein*, die allenfalls ein werdendes Talent erahnen lasse, und gerade wegen der »unerbittlichen Wahrheit, welche die Frauen so leicht von Kleist's Werken zurückschreckt«, problematisch wirkt: »das Ganze ein Bild finsterer blutiger Kämpfe, ohne jede Spur einer höheren Idee«.[70]

Positiv konnotiert wird dagegen *Amphitryon*. Anders als eine echte, eine gewissermaßen originär deutsche, ›männliche‹ »Neuschöpfung« lasse sich das Stück nämlich gar nicht bewerten,[71] denn: in Kleist »lag nichts von weiblicher Empfänglich-

65 Ebd., S. 658.

66 Ebd., S. 660.

67 Ebd., S. 661. Dies dürfte zugleich ein Passus sein, auf den sich auch Stohn bei seinem Urteil implizit bezogen hat (s.o.).

68 Ebd., S. 663.

69 Ebd., S. 669.

70 Ebd., S. 670. Den Gegenbeweis hierfür trat Hermann Stohn (s.o.) engagiert, aber dennoch gut erkennbar auf Basis der Urteile Treitschkes an.

71 Ebd., S. 671; vgl. auch S. 672f. die Äußerungen über den tiefen »Gegensatz« zwischen

keit«. Die Vorstellung, ein deutschsprachiger Schriftsteller könne mit Gewinn etwas aus der französischen Sprache entlehnen, paßte - wie hier gut erkennbar - nicht so ganz in das Weltbild des Interpreten. Keinerlei Irritationen fand er daher beim *Zerbrochnen Krug* vor, der als »ein Werk aus Einem Gusse, rund und fertig, harmonisch bis in die letzte Zeile« zu gelten habe.[72] Dieses Urteil über das Werk, das Stohn (s. o.) seinen Leserinnen als sein eigenes präsentiert hatte, war also in Wahrheit eine nicht deklarierte Anleihe bei Treitschke; von tatsächlicher Adressatinnenorientierung kann somit nicht mehr uneingeschränkt die Rede sein.

Einigermaßen ratlos und auch verächtlich, obwohl die Erzählungen Kleists strikt betrachtet gar nicht zu seinem Gegenstand gehören, steht Treitschke vor diesen. Nirgendwo »auf der Höhe« der Dramen seien sie, weil viel zu formlos und pathologisch grundiert ungezügelt.[73] »[So] ganz Verfehltes« wie die »häßlichen Schauergeschichten« (*Der Findling* und *Das Bettelweib von Locarno*) oder »die weinerliche Legende von der heiligen Cäcilie« falle im Vergleich zu den »echte[n]«, in steigernder Abfolge behandelten Novellen Kleists (*Das Erdbeben in Chili, Die Verlobung von St. Domingo, Die Marquise von O.* und *Michael Kohlhaas*) stark ab. Letztere meint der Autor gängigen Gattungstheorien subsumieren zu können: Kleists vermeintliche Orientierung an Gattungsregularien würde danach allem voran die erzählerische Qualität dieser Werke ausmachen. Ein weiteres Problem, ein unverzeihliches moralisches, gibt es für ihn ausgerechnet bei der am »meisten gerundet« wirkenden Erzählung, der *Marquise von O.*: »[...] alle Kunst des Dichters bringt uns nicht dahin, daß wir den schändlichen und - was schlimmer ist - grundhäßlichen Ausgangspunkt der Erzählung verwinden, daß wir dem Helden einen Frevel an einem bewußtlosen Weibe vergeben«.[74] Aus solchen Urteilen läßt sich mindestens punktuell der Wertungshorizont des Urteilenden erkennen: wichtig ist ihm die Hierarchisierung literarischer Genres; in welcher Hinsicht auch immer ungeeignete Stoffe oder

---

deutschem und französischem »Kunstgefühl[...]«.

72 Ebd., S. 674.

73 Ebd., S. 674f.; vgl. auch Treitschke, Briefe (wie Anm. 55), u. a. S. 421f. (An den Vater, 3. Mai 1857: »[...] Oft und mit großer Freude lese ich in den Schriften Heinrichs von Kleist. Er ist mir unendlich lieb geworden, und doch ists eine traurige Lektüre. Ich glaube bestimmt, der Reichthum und die Gestaltungskraft seiner Phantasie war größer als die Schillers. Aber da kommt es plötzlich über ihn, eine Neigung zum Gräßlichen oder zum Somnambülen oder sonst eine häßliche Schrulle, und der Eindruck seiner edelsten Gedichte wird verdorben. Einen feurigeren Patrioten hat Deutschland nie gehabt: das ist ein glühender Haß gegen die fremden Eroberer, wie er nur unter einer andern Sonne erstarken kann. - Und dieser große Mensch mußte sterben bevor er die Stunde der Befreiung sah, eines wahnwitzigen verbrecherischen Todes sterben. Es ist grauenhaft, wie nahe das Edle und das Niedrige grade in den besten Köpfen bei einander liegen. Klarer kann man es nicht sehen, daß die Festigkeit und Bestimmtheit des Willens dem Künstler so unentbehrlich ist wie die glückliche Begabung.«; S. 457 (24. Januar 1857); 457 (12. März 1858: dort auch der Hinweis auf die verschiedenen Fassungen des Kleist-Textes) und 473 (15. November 1858).

74 Vgl. Treitschke, Aufsätze (wie Anm. 56), S. 675.

Motive den Leser vergällen mögen, prioritär sind dabei Kategorien des sittlichen und moralischen Empfindens; jegliches Außer-Kraft-Setzen bürgerlicher Normen und Verhaltensweisen wird mißtrauisch beäugt und tendenziell als ein Manko des dichterischen Ausdrucksvermögens negativ bewertet.

Den Höhepunkt des Kleistschen Schaffens stellen aus dieser Perspektive natürlich die im weitesten Sinne patriotischen Dramen dar.[75] Demgemäß wird *Penthesilea* eher am Rande und summarisch erwähnt (»das subjectivste seiner Werke, unverständlich wie der Traum eines Fiebernden«),[76] wobei die »Unnatur seines Stoffes« ebenso wie »das Umschlagen der Wollust in Blutgier« wie schon geschildert freudig (und nachweislos) von Hermann Stohn aufgegriffen wurden.[77] Ähnlich sieht es im übrigen bei *Käthchen von Heilbronn* aus: auch hier bediente sich der Lehrbuchautor dankbar der Formel Treitschkes (»in unseren Vorstadttheatern weilt ein Publikum, zu arm an Bildung und zu schwer bedrückt von den Sorgen des eigenen Lebens [...]«).[78]

Im vorwiegend positiv bewerteten, patriotisch ausgerichteten Kernbereich des Kleistschen Œuvres nun werden nach dieser Lesart angesiedelt: im Vorhof gleichsam die Ode *Germania an ihre Kinder*[79] und im Haupthaus *Die Hermannsschlacht*[80] und *Prinz Friedrich von Homburg*. Auffällig ist hierbei die Neigung, die Intensität von Kleists Haß als Spiegelung einer ebenso intensiv verspürten Liebe für das Vaterland zu begreifen.[81] *Prinz Friedrich von Homburg* als ein »heiteres Bild der Heimathliebe« verstanden, bildet in dieser Konstruktion den künstlerischen Gipfel.[82] An dieser Stelle erst finde Kleist zur für ihn allein geeigneten, zur strengen dramatischen Form.[83] Der einzige »Mißklang« sei und bleibe hier »jene verrufene Szene, die uns den Prinzen in feig unwürdiger Todesfurcht vorführt«.[84] Ansonsten gilt Treitschkes ganze Wertschätzung diesem »einzig [...] gelungene[n] historische[n] Drama, das seinen Stoff aus der neuen deutschen Geschichte schöpft« und mit der politischen Realität preußischer Vormacht im Deutschen Reich engstens verknüpft ist.[85]

Die Lektüre des seinerzeit weithin bekannten Kleist-Essays von Treitschke legt mancherlei Schlüsse hinsichtlich seiner wertungsgeschichtlichen Relevanz nahe. Erstens scheint es so zu sein, daß nur sehr wenige Exegeten – so wie Treitschke

75 Vgl. hierzu auch: Jens Reichenbach: Die nationale Stimme Heinrich von Kleists. Sein politisches Wirken im Dienst der deutschen Nation (1808/09). Saarbrücken 2007, S. 36-59 und 106-111.

76 Vgl. Treitschke, Aufsätze (wie Anm. 56), S. 677.

77 Ebd., S. 678.

78 Ebd., S. 680; dort finden sich auch die Hinweise auf das »pariser Hetärendrama« und die Nichtigkeit der »Ansprüche der absoluten Kritik«.

79 Ebd., S. 683f.; wiederum übernimmt Stohn die zentralen Passagen dieser Vorlage (s. o.).

80 Vgl. ebd., S. 687. Von hier übernimmt Stohn wortwörtlich das Urteil über die Hally-Szene (s. o.).

81 Ebd., S. 685f.

82 Ebd., S. 688.

83 Ebd., S. 689.

84 Ebd., S. 690.

85 Ebd., S. 691f.

eben – überhaupt in der Lage sind, eigenständige Werturteile zu fällen. Im konkreten Fall verfügte der Verfasser über hinreichend viel Autorität in der Öffentlichkeit, daß seine Werturteile als maßgeblich erachtet wurden. Immerhin so maßgeblich, daß Multiplikatoren wie Hermann Stohn sich diese Urteile kommentarlos aneigneten. Es mag durchaus sein, daß sich dies schlicht als Plagiarismus buchen läßt. Jenseits des reinen ›Abkupferns‹ aber ist in diesem Vorgang natürlich stets auch das Eingeständnis enthalten, daß jemand anderes eine definitive inhaltliche und sprachliche, eine gültige Form für einen Sachverhalt gefunden hat. Aufgrund dessen ließe sich sehr wohl überlegen, ob man im Zusammenhang mit rezeptionsgeschichtlichen Fragestellungen künftig nicht mehr Interesse für die ›Genealogie‹ von Werturteilen aufbringen sollte. Denn die gerade geschilderten Beispiele lassen daran denken, daß mindestens zwei Typen von Wert-Urteilen zu unterscheiden sind: 1. originale und autarke Urteile und 2. Urteilsderivate, die manchmal wohl lediglich Urteilskopien sind. Eine stärkere Feindifferenzierung von Eigenständigkeit in der Urteilsfindung und einem, wie auch immer motivierten, Anlehnungsbedürfnis (das wir z. B. auch heute in den sehr einseitigen Theoriepräferenzen vieler geisteswissenschaftlicher Autoren mitunter als unerquicklich wahrnehmen), könnte dabei helfen, die Genese und den Wandel von literarischen Urteilsmustern angemessener zu beschreiben. Eingehender zu prüfen bliebe dabei, ob nicht ein gut Teil – und womöglich mehr als allen daran Interessierten recht sein kann – der langfristig verwendeten Werturteile über einen Autor auf sehr wenige oder gar nur einzelne Verfasser und Texte zurückzuführen ist. Hieraus resultiert zwingend die Erfordernis, die Urheber von Urteilen mitsamt deren Wertungshorizont explizit zu benennen sowie das Verhältnis anderer dazu zu bestimmen und damit eine Werturteilshierarchie zu formulieren.

Im konkreten Fall wäre dabei davon auszugehen, daß Heinrich von Treitschke, neben Ludwig Tieck, Eduard von Bülow oder auch Julian Schmidt, zu den wichtigsten ›Erst-Urteilern‹ überhaupt zu zählen ist, solchen Personen also, die Urteilsraster für Poesien oder Poeten maßgeblich entwickeln. Geht man von der Relevanz des Fortwirkens solcher Einzel-Urteile und Urteilsschemata aus, erhalten deren Varianten und Metamorphosen einen anderen Stellenwert. Daß hierdurch im Blick auf Kleists Nachruhm viele der Urteile, die die Protagonisten der Moderne als eigenständig entwickelte deklariert haben, sich im Nachhinein lediglich als vergleichsweise unselbständige, weil direkt abhängige Umkehrungen von vorhandenen Urteilen erweisen könnten, bleibt dabei ebenso und insbesondere hinsichtlich der Relevanz für das Epochenverständnis zu prüfen.

3. FLIESSENDE ÜBERGÄNGE: KLEIST UNTER DEN EPIGONEN

Zu den bisher erstaunlich wenig beachteten Episoden der postumen Wirkungsgeschichte Kleists zählt seine Rezeption im Münchner Dichter- und Künstlerkreis seit der Jahrhundertmitte. Dabei darf diese sehr wohl als besonders epochentypische gelten. Denn daß Schriftsteller und Künstler ein ganz besonderes Interesse für Kleist entwickelt und ihn als einen der ihren betrachet haben, zählt zu den entschieden kontinuierlichen Linien seines Nachruhms. Wenn auch vielleicht auf den ersten Blick das München der Jahrhundertmitte mit den exklusiven Symposien um König Maximilian II. nicht als der naheliegendste Ort hierfür erscheinen mag, so darf doch festgehalten werden, daß namentlich der seinerzeit außerordentlich populäre spätere Literaturnobelpreisträger Paul Heyse (1830-1914) viel für Kleists Renommee als Dichter getan hat.[86] Indem er nämlich gemeinsam mit Hermann Kurz (1813-1873) im ersten Band der Reihe *Deutscher Novellenschatz* Kleists *Die Verlobung in St. Domingo* an zweiter Stelle herausgab, verlieh er dem Text einen besonderen Status. Für viele Leser war er so als ›erste Wahl‹ erkennbar, wenn es darum ging, Novellen besonderer Qualität zu bestimmen.[87]

Im Druck selbst folgt auf eine sehr knappe biographische, relativ neutral gehaltene und an Adolf von Wilbrandts Studie (Nördlingen 1863) orientierte biographische Skizze[88] eine knappe Einführung von Hermann Kurz. Bei aller Prägnanz darf sie als ausgesprochen breitenwirksam gelten, da die Sammlung insgesamt sehr positiv aufgenommen wurde. Damit verdienen auch die hier festgehaltenen Werturteile eine gewisse Aufmerksamkeit.

Ein wenig ratlos zwar, aber dennoch stark affiziert von Kleists Texten wirkt das von Kurz getroffene Urteil: »Es ist schwer diesem Dichter gerecht zu werden, von welchem man sich ebenso gewaltig angezogen als abgestoßen fühlen muß«.[89] Kleists dichterisches Schwanken zwischen Extremen stelle dabei ohne Frage den außergewöhnlichen Reiz seiner Texte dar. Ganz auf der Linie des wenige Jahre zuvor von Cesare Lombroso publizierten Bandes *Genio e follia* (1864) argumentiert er im folgenden: eine »dunkle Fügung« habe »hier einen Genius von seltener Größe in ein krankes Gefäß eingeschlossen«, bei dem »Poesie und Irrsinn Hand in Hand gehen«.[90] Ungewöhnlich wirkt daher die Herausgeber-Entscheidung, aus genau diesem Grund ausgerechnet den populären *Michael Kohlhaas* nicht in die Sammlung aufzunehmen. Wenn diese Erzählung auch anfänglich musterhaft zu nennen sei, stellt Kurz fest, so gleiche sie doch »in der zweiten (kleineren) Hälfte [...] der schönen Jungfrau, die in einem Fischschwanz endet, indem das Gemälde einer großartigen Leidenschaft für Volksrecht und Manneswürde auf einmal zu einer albernen Gespenstergeschich-

86 Ausführliche Literaturangaben in: Anett Lütteken: Art. »Heyse, Paul«. In: Die Musik in Geschichte und Gegenwart. Supplement. Hrsg. von d. Schriftleitg. Kassel, Basel u. a. 2008, Sp. 330-334.

87 Vgl. Deutscher Novellenschatz. Hrsg. von Paul Heyse u. Hermann Kurz. Erster Band. München [1871-1874], 24 Bände, hier: S. 45-106. Der abgedruckte Text folgt den von Tieck herausgegebenen *Gesammelten Schriften*. Berlin 1826; vgl. auch das Sonett von Paul Heyse auf Hermann Kurz in: Paul Heyse: Skizzenbuch. Lieder und Bilder. Berlin 1877, S. 195.

88 Ebd., S. 46: »Heinrich von Kleist [...] endete ein theils durch eigene, noch weit mehr aber durch die Schuld des Geschicks und einer für seine hohe dichterische Begabung blinden Mitwelt verfehltes Leben, indem er sich nebst einer Freundin, die an einem unheilbaren Uebel zu leiden glaubte, am Wansee [!] bei Potsdam erschoß.«

89 Ebd., S. 47.

90 Ebd.

te wird«.[91] Wiederum also wird die These vom ›partiellen Genie‹ ventiliert. Da es zu den ausgesprochen fortschrittlichen Editionsprinzipien der Herausgeber zählte, keinerlei Veränderungen an den Texten der Anthologie-Autoren vorzunehmen, entschieden sich beide – wohl mancher Vorbehalte gegenüber dem allgegenwärtigen »Dämon« des Dichters zum Trotz – für die insgesamt homogenere Novelle *Die Verlobung in St. Domingo*. Die Kritik von handwerklich geschulter, professioneller Schriftstellerseite fällt hier also selbst auf so knappem Raum sachkundig und souverän aus. Kleist wird als Dichter ernstgenommen, woraus eine Kritik seiner Darstellungsverfahren in nuce resultiert: die Motivierung der Geschichte und deren Abfolge werden ebenso hinterfragt wie das nur bedingt zwingende Ende. Nichtsdestotrotz gilt der Text wegen »der Tiefe des Gehalts« und der »Meisterschaft der Form« als musterhaft und wurde allein schon hierdurch anthologientauglich.[92]

Zum direkten intellektuellen Umfeld der formbewußten Münchner Novellen-Sammler und -Herausgeber ist auch Adolf Friedrich Graf von Schack (1815-1894) zu zählen. Heute eher wegen der nach ihm benannten und auf seiner Sammlung basierenden Münchner Galerie noch vertraut, war er für seine Zeitgenossen stets zugleich auch als Schriftsteller und Übersetzer präsent. In seiner Autobiographie hat er sein gleichfalls für die autonome Urteilsweise von Autoren repräsentatives, weil eben nicht ›normiertes‹ Urteil über Kleist abgegeben:[93]

Drei Dichter.

Nächtlich aus ihrer Ruhestatt
Steigen drei deutsche Dichter;
Klagend schaun sie mich an und matt -
Blasse Totengesichter.

Deutsche Mutter, wie warst du so karg
Deinen Söhnen im Leben;
Nichts als die Wiege, den Gram und den Sarg
Hast du den Edlen gegeben.

Dort den trauerverhüllten Geist,
Kennst du ihn? gib mir Kunde!
Ueber der mächtigen Stirne weis't
Er die klaffende Wunde.

Kummer um Dich, der sein Leben geknickt,
Trieb ihn hinab zu den Toten;
Stärker, wie er dich wieder erblickt,
Rieseln die Tropfen, die roten.

91 Ebd., S. 47f.

92 Ebd., S. 49.

93 Vgl. Adolf Friedrich Graf von Schack: Ein halbes Jahrhundert. Erinnerungen und Aufzeichnungen. In drei Bänden. Zweite, durchgesehene Auflage. Stuttgart; Leipzig, Berlin; Wien 1889, Sechstes Kapitel, S. 52-72, hier: S. 63f.

Und der zweite, die Locken zerrauft,
Weiß die Mär zu erzählen,
Wie du die eigenen Söhne verkaufst
An die Mäkler der Seelen.

In den Wäldern des Westens voll Gram
Irrte der Fremdling verloren;
Selbst den Wilden verschwieg er vor Scham,
Welches Land ihn geboren.

Und der dritte mit starrem Blick,
Aber den Zügen der Griechen,
Stammelt verstört: Warum, o Geschick,
Mußt ich in Deutschland siechen?

Schon in der Wiege traf ihn der Fluch,
Der sich am Jüngling erfüllte,
Bis mit des Wahnsinns Schleiertuch
Mild ihn der Himmel umhüllte.

Das sind die Drei, die im Trauerchor
Nächtlich den Reigen schlingen.
Sage, wie tönt dir das Lied ins Ohr,
Mutter, das sie dir singen?

Deutsche Mutter, verbirg dein Gesicht!
Nicht mit marmornen Platten,
Und mit dem Lorbeer auf Gräbern nicht
Sühnst du die zürnenden Schatten.

Den klassischen Stilprinzipien des Münchner Dichterzirkels gemäß fomiert Schack hier, im Anschluß an einen Bericht über seinen Besuch beim kranken Hölderlin, einen ungewöhnlichen ›Dichterkatalog‹, indem er Kleist, Hölderlin und Johann Gottfried Seume kombiniert.[94] Konkrete Namen bleiben dabei jedoch ausgespart. Und das ist sehr typisch für den Umgang von Autoren mit anderen Autoren: denn es herrscht stilles Einverständnis darüber, daß es unter Kennern und Eingeweihten schlichtweg nicht nötig ist, solche Namen zu nennen. Wer dieser intellektuellen Elite angehört, vermag es, die erforderlichen Schlüsse selbst zu ziehen. Daß sein Dichterkatalog hinsichtlich Seumes bereits im 19. Jahrhundert fremdartig wirken mußte, veranlaßte Schack zu genaueren Erklärungen. Seumes dichterisches Vermögen stünde dem der anderen zwar »weit nach«, dennoch aber vereine ihn die Schwere des Schicksals mit der der beiden anderen Autoren. Über Kleist heißt es daraufhin u. a.:[95]

94 Vgl.: Anett Lütteken: Hölderlin, Kleist, Büchner – Arbitrary Groupings in the Literary Discourse Around 1900 [(im Druck) erscheint in: Facing mental landscapes. Hrsg. von Walter Milz. Hildesheim: Olms].

95 Vgl. Schack, Jahrhundert (wie Anm. 93), S. 64-67.

Ebensosehr oder, hinsichtlich des in ihm zu Grunde gegangenen Genius, in noch höherem Grade muß das Los Heinrich's von Kleist ein deutsches Gemüt mit Schmerz, sowie zugleich mit Scham und Unwillen erfüllen. [...] Er ging jedoch an der Teilnahmslosigkeit seiner Nation und an den unglücklichen Zeitverhältnissen früh zu Grunde. [...] Nachdem das bittere Gefühl des Verkanntseins, verbunden mit materieller Not, ihn getrieben, seinem Leben ein Ende zu machen, vergingen noch viele Dezennien, in denen wohl vereinzelt Einige auf die Werke des Dahingeschiedenen aufmerksam machten, die letzteren jedoch in weitere Kreise des Publikums nicht durchdrangen. Es ist noch gar nicht lange her, daß [...] der *Prinz von Homburg* bei den sporadischen Aufführungen [...] entschiedene Mißerfolge hatte – eine hübsche Lehre für diejenigen, welche den Wert eines Stückes nach dem Beifall oder Mißfallen abmessen, mit dem dasselbe vom Publikum aufgenommen wird [...]. Jetzt ergreift uns Groll über das Unrecht, das mindestens zwei Generationen an Heinrich von Kleist verübt haben; leider sind neuerdings alle Anzeichen vorhanden, daß dieses Beispiel nicht dazu dienen wird, deutsche Dichter, welche wirklich einen solchen Namen verdienen, vor ähnlichem Schicksale zu schützen. [usw.].

So spricht ein in solchen Belangen und im Guten wie im Schlechten ganz offenkundig erfahrener Autor, der als bekennender Epigone gerade hier ein Exempel für den allgemeinen Verfall der literarischen Kultur erkennen möchte. Sein Wert-Urteil steht zwar fest, erscheint jedoch nicht zementiert. Der eher konservativen Ausrichtung seines Urhebers gemäß wird die Relevanz der Nation für Ruhm und Nachruhm eines Dichters hervorgehoben. Sein ernstes Mahnen klingt dabei ein wenig wie eine auf die damalige Gegenwart gemünzte Paraphrase zum Sachs-Schlußmonolog in Richard Wagners *Meistersingern*:[96] »Verachtet mir die Meister nicht, / und ehrt mir ihre Kunst! [...] / Drum sag' ich Euch: / ehrt Eure deutschen Meister, / Dann bannt ihr gute Geister [...]«. Schack postuliert damit die Verantwortung einer Nation für das Wohlergehen ihrer herausragenden Köpfe. Aus seiner Sicht mochte dies so etwas sein wie ein Grundrecht für Genies. Damit aber formuliert dieser ›Epigone‹ ein Deutungsmuster, das wenig später von den Protagonisten der literarischen Moderne geradezu epidemisch aufgegriffen und mit noch heftigeren Schuldzuweisungen unterlegt worden ist.

Jenseits davon eröffnet Schacks Lesart (ebenso wie die Aktivitäten von Heyse und Kurz) den Blick auf eine gleichfalls bisher kaum je systematisch untersuchte Form literarischer Wirksamkeit, die im Falle Kleists von besonderem Interesse sein muß, nämlich den Umgang mit seinem Werk in Schriftsteller-Zirkeln. Es erscheint lohnend, diesen Aspekt künftig stärker zu fokussieren. Schließlich ist anzunehmen, daß in den vorab wohl eigener Profilierung dienenden Diskursen solcher Zirkel unter Laborbedingungen gleichsam maßgebliche Urteile über Kleist formuliert worden

96 Vgl. Richard Wagner: Die Meistersinger von Nürnberg. Textbuch der Fassung der Uraufführung mit Varianten der Partitur. Hrsg. von Egon Voss. Stuttgart 2002. (Universal-Bibliothek. 5639), V. 2813f.; vgl. hierzu auch Richard Wagner: Sämtliche Schriften und Dichtungen. Leipzig 1871ff., Bd. 9, S. 187f.: »[...] und wollen wir nach der würdevollsten Seite des eigenthümlich tüchtigen deutschen Wesens hin sogleich ein allervortrefflichstes Bühnenwerk bezeichnen, so nennen wir Kleist's wundervollen Prinz von Homburg [...].«

sind, bei den Münchner »Krokodilen«[97] genauso wie im Berliner »Tunnel über der Spree«[98]. Hier bleibt noch manches zu erforschen.

4. DAS »UNSICHTBARE THEATER« IM »KUNSTWERK DER ZUKUNFT«: EIN AUSBLICK

Und wenn denn schon von Desideraten die Rede sein soll, dann darf ein besonders wichtiges hier nicht verschwiegen werden: Richard Wagners Umgang mit den Werken Heinrich von Kleists. Welcher Techniken sich der begeisterte Leser Wagner bediente, um seine insbesondere anhand der Tagebücher Cosima Wagners gut belegbaren Kleist-Lektüren kreativ anzuverwandeln und in eigene Bilder zu transformieren, ist bisher gleichfalls nicht systematisch untersucht worden.[99] Dabei finden sich zahlreiche Hinweise auf seinen intensiven Umgang mit diesem Autor.[100] Hiervon ausgehend bleibt vor allem zu fragen, ob sich die Vorliebe des Dichter-Komponisten Wagner für Kleist tatsächlich in seinen Werken manifestiert und, falls ja, auf welche Weise dies geschieht. Ansatzpunkte hierfür gibt es: die Charakterzeichnung Kundrys im *Parsifal* etwa. Die »wilde Reiterin«,[101] deren düstere Fremdartigkeit im Zaubergarten-›Rosenfest‹ Klingsors des zweiten Aufzugs zunächst zur erotischen Verheißung und dann im dritten so jäh zu einer dienenden Büßerhaltung mutiert, lohnt eine Spurensuche entschieden. Nicht nur von fern erinnern schließlich auch Brünnhilde und ihre Begleiterinnen in der *Walküre* an Kleist. Ihre Gewalttätigkeit macht sie ebenso zu Schwestern im Geiste Penthesileas wie ihre Leidenschaft und trotzige Wesensart. Die künstlerische Verwandtschaft Kleists und Wagners war zumindest für einzelne zeitgenössische Beobachter offenkundig. So hielt z. B. Peter Cornelius (1824-1874) in einer Wagner-Kritik fest, daß »dramatische Poesie [...] unausgesetzt ein Heimweh in das Land der Töne hinüber« habe.[102] Wagner wie Kleist

97 Vgl. Die Krokodile. Ein Münchner Dichterkreis. Hrsg. von Johannes Mahr. Stuttgart 1987. (Universal-Bibliothek. 8378)

98 Vgl. etwa: Elke-Barbara Peschke: Ungeahnter Knotenpunkt eines Netzwerkes von Personen und Ideen. Erschließung des Vereinsarchivs »Tunnel über der Spree«: Beiträge von der Tagung in der UB der Humboldt-Universität zu Berlin am 9. Oktober 1998. (Schriftenreihe der Humboldt-Universität zu Berlin. 61); Anike Rössig: Juden und andere »Tunnelianer«: Gesellschaft und Literatur im Berliner »Sonntags-Verein«. Heidelberg 2008.

99 Allenfalls vage Ansätze dazu finden sich bei: Fred Bridgham: Emancipating Amazons: Schiller's Jungfrau, Kleist's Penthesilea, Wagner's Brünnhilde. In: Forum for Modern Language Studies 36 (2000), 1, S. 64-73.

100 Vgl. z. B. seine Anregung für Bülow (In: Richard Wagner: Briefe an Hans von Bülow. Jena 1916, S. 229, 11. November 1864): »Sag' ihr [Cosima] auch, daß Kleist fortfährt, mir große Freude zu machen: ich habe für die Prinzessin von Homburg gar nicht Lob genug! – Zu dem mußt Du Deine schönste Ouvertüre schreiben. Ich hab' keine Zeit dazu, -«.

101 Vgl. Richard Wagner: Parsifal. Ein Bühnenweihfestspiel in drei Aufzügen. Stuttgart 2002. (Universal-Bibliothek. 5640), S. 12.

102 Peter Cornelius: Der Tannhäuser in München. In: Peter Cornelius: Aufsätze über Musik und Kunst. Zum erstenmal gesammelt u. hrsg. von Edgar Istel. Leipzig 1904, S. 126-143, hier: S. 126 [zuerst in: Neue Zeitschrift für Musik, Nr. 38/39 (1867)]; Vgl. auch: ebd.:

sind ihm wertvolle Gewährsmänner für diese These, die er in einem direkten (Text-) Vergleich der letzten Szene des *Lohengrin* mit der Todesszene *Penthesileas* (24. Auftritt, V. 3025-3034) untermauert.[103] Weitere Parallelen beider Künstler wären zudem in der offenkundigen Geneigtheit zu einer Sprachwahl zu suchen, die, an der Oberfläche, auf einen in der Art und Weise der Paraphrase blasphemischen Umgang mit biblischen Texten setzt, im Kern aber gerade hierdurch neben weihevoller Atmosphäre eine ins Unendliche gesteigerte Sinnpotenzierung generiert. Womöglich also täte man gut daran, Wagner künftig etwas weniger ›nordisch‹ und etwas mehr ›kleistisch‹ zu denken, denn es spricht doch einiges dafür, daß Wagners »Kunstwerk der Zukunft« überhaupt erst durch Kleists »unsichtbares Theater« denk- und machbar wurde.

Deutsche Kunst und Richard Wagner (S. 187-200), S. 192; Peter Cornelius: Ausgewählte Briefe nebst Tagebuchblättern und Gelegenheitsgedichten hrsg. von seinem Sohne Carl Maria Cornelius. Leipzig 1904, passim. Magda Marx-Weber: Art. »Cornelius, Peter«. In: Die Musik in Geschichte und Gegenwart. [...]. Personenteil 4. Kassel u. a. 2000, Sp. 1618-1627.

103 Ebd., S. 142f.; vgl. Richard Wagner: Lohengrin. Textbuch mit Varianten der Partitur. Hrsg. von Egon Voss. Stuttgart 2001. (Universal-Bibliothek. 5637), S. 83.

HANS WEDLER

HIER AUF ERDEN KEIN BLEIBEN MEHR?

DER SUIZID IN DEN ERZÄHLUNGEN VON HEINRICH VON KLEIST UND DAVID FOSTER WALLACE

Jeder Suizid ist verständlich und rätselhaft zugleich. Verständlich, weil es nun einmal in der Macht des Menschen liegt, dem eigenen Leben und Leiden vorzeitig ein Ende zu setzen. Rätselhaft aber bleibt immer die Frage, welche Kraft so viel stärker ist als das jedem Menschen vertraute Festhaltenwollen am ohnehin begrenzten Dasein. Manchmal können Abschiedsbriefe das Dunkel ein wenig erhellen, meistens leider nicht, da man nicht mehr erfährt als das, was ohnehin bekannt ist. Abschiedsbriefe dienen weniger der Enthüllung denn als kleine versöhnliche Geste den Hinterbleibenden gegenüber.

Bei Menschen aber, die ihren Mitmenschen ohnehin etwas mitzuteilen gehabt hatten wie bei Schriftstellern, liegt die Versuchung nahe, nach Spuren für eine Antwort in ihrem hinterlassenen Werk zu fahnden.

Das hat bisweilen etwas Unaufrichtiges, gar Hinterhältiges an sich, so als müsse man nach dem Suizidtod eines Schriftstellers sein Werk plötzlich ganz anders verstehen als zuvor, es neu interpretieren, solange bis das eigene Weltbild wieder stimmt. Die Deuter tun dann so, wie es in einem publizistischen Nachruf (7) heißt, »als hätten sie es jahrelang mit einem Betrüger zu tun gehabt, der vorgab, er könne das Leben ertragen«. Andererseits: So richtig überrascht von dem Vollzug dessen, was sich schon so lange angekündigt hatte, scheinen diejenigen gar nicht gewesen zu sein, die einst Heinrich von Kleist und jetzt David Foster Wallace nahe gestanden hatten. Zu lange schon war der Suizid bei beiden ein Thema gewesen, im Leben wie im Werk.

UNGLEICHE ÄHNLICHKEIT

Obwohl rund zweihundert Jahre sie voneinander trennen, haben beide Autoren einige auffällige Gemeinsamkeiten.[1] Beide sind nach ersten Jahren des Suchens recht bald als herausragende schreibende Talente wahrgenommen worden, bei beiden blieb diese Wahrnehmung zunächst auf einen kleinen Verehrerkreis begrenzt. Gemeinsam ist ihnen, daß das Werk, das sie hinterließen, weit über ihre Zeit hinaus weist. Bei Kleist steht das längst außer Frage. Sein Denken, das so viele Tabuzonen seiner Zeit durchbrach, seine Sprache, die mehr an den deutschen Expressionismus als an Klassik oder Romantik erinnert, haben ihn scheinbar erst im 20. Jahrhundert so richtig »ankommen« lassen. Heute ist er zu einem der meist gespielten Bühnenautoren der Gegenwart avanciert.

1 Daß es auch sehr vieles gibt, was beide Autoren unterscheidet, muß nicht speziell erwähnt und soll hier auch nicht näher ausgeführt werden.

Bei Wallace kann man ähnliches aus seinem allmählich bekannter werdenden, noch längst nicht vollständig ins Deutsche übersetzten Werk bislang nur erahnen, wobei schon jetzt deutlich ist, daß dieses mit der Vielfalt seiner sprachlichen Mittel und der Virtuosität, wie der Autor diese einzusetzen verstand, weit aus allem Zeitgenössischen herausragt - zumindest, wenn man sich als Leser auf ein Denken einzulassen bereit ist, das der Genauigkeit in der Wahrheit zuliebe immer neue sperrige Verständigungshürden aufbaut, um, sobald man darüber stolpert, den Schmerz spüren zu lassen.

Kleist wie Wallace erscheinen als unerbittliche und messerscharfe Analytiker der Conditio humana ihrer Zeit und zugleich als meisterliche Psychologen. Man könnte es als ein gemeinsames Erkennungszeichen, als eine Art Sticker am Revers der beiden betrachten, daß in keinem ihrer Werke das Böse im Menschen erscheint, ohne zumindest von dem Schimmer einer »guten« Seite begleitet zu sein und damit bei allem Grauen in gewissem Sinne doch auch nachvollziehbar zu werden.

Als »genial« gelten sie beide. (Die Vokabel, die so leichthin über die Lippen geht, darf hier einmal ohne große Scham und allzu viel Zaudern verwendet werden, ist sie doch so abgegriffen, daß man niemandem mehr damit weh tun und doch einen bescheidenen Kniefall andeuten kann.) Für Kleist gilt das ohnehin. Seine Fähigkeit, mit nicht einmal einer Handvoll von Wörtern eine Wahrheit in ihrem Kern freizulegen, ist vermutlich unübertroffen. Über Wallace schreibt zum Beispiel David Gates (2) in einem Nachruf, er sei vielleicht weniger ein genialer Schriftsteller gewesen (wie z. B. Hemingway) als ein Genie, das zum Schriftsteller geworden sei. Er sei mehr ein Entdecker als ein Beobachter gewesen. War es bei Kleist anders?

Beide Autoren hatten nur eine begrenzte Schaffensperiode von bei Kleist etwa zehn, bei Wallace rund achtzehn Jahren. Bei beiden war der Suizid seit ihrer Schulzeit ein immer wiederkehrendes, zentrales Lebensthema gewesen, bis sie in einem für schreibende Künstler jugendlichen Alter ihrem Leben ein Ende setzten: Kleist 34jährig am 21. November 1811 gemeinsam mit Henriette Vogel, indem er erst seine krebskranke Begleiterin, dann sich selber erschoß, Wallace, 46 Jahre alt, am 12. September 2008, als er sich an einem Balken im Patio im hinteren Teil seines Wohnhauses in Kalifornien erhängte.

Sowohl bei Kleist wie bei Wallace wird der Suizid an vielen Stellen ihres Werkes thematisiert. Nachdem Kleist zwar acht Theaterstücke, aber keinen Roman, Wallace zwei Romane, aber kein Theaterstück hinterlassen hat, bleiben als gemeinsame Informationsquelle die Erzählungen. Bei Kleist sind es acht größere Erzählungen und zahlreiche Anekdoten; bei Wallace stellen viele Dutzend Erzählungen in unterschiedlichsten Formen und Dimensionen einen wesentlichen Teil des Hauptwerks dar, zumal auch die beiden Romane in vieler Hinsicht wie angehäufte, von einem gemeinsamen Rahmen zusammengehaltene Erzählungen anmuten.[2]

2 Es kann in den folgenden Ausführungen nicht um Vollständigkeit gehen, sondern nur um Beispiele. In vier der acht Kleistschen Erzählungen wird suizidales Verhalten ausdrücklich thematisiert, in zwei anderen indirekt angedeutet. Bei Wallace läßt sich ähnliches überhaupt nicht abschätzen. Die Anzahl seiner Erzählungen ist derzeit noch völlig

Die Suizidthematik erscheint in den Erzählungen beider Autoren mit jeweils abgestufter Gewichtung, in einem Spektrum zwischen ihrer Hervorhebung als zentrales Geschehen, auf das sämtliche Erzählstränge letztlich zulaufen, und der beinahe nebensächlichen Erwähnung der bloßen Möglichkeit oder gar nur der Vokabel.

Bei Wallace hört sich das beispielsweise so an. In *Vergessenheit* (11), einer alptraumhaften (und sich schließlich als Alptraum erweisenden), allein schon sprachlich quälerischen Erzählung, in der die Lösung eines Ehekriegs zwischen zwei einigermaßen neurotischen Personen inmitten einer hochmodernen Patchworkfamilie mit Hilfe der ausgefeilten Technik eines Schlaflabors konsequenterweise mißlingt, taucht in einer von nervenden Umgebungsgeräuschen begleiteten therapeutischen Besprechung unter anderem ein die »diagnostischen Verfahrensabläufe und Prozeduren« überprüfender, etwas unsympathischer Verwaltungsbeamter auf. (Die Institution, in der dieser Lösungsversuch der Eheprobleme sich abspielt, heißt übrigens zynischerweise »Darling-Gedenkklinik«, und die Ehefrau des Ich-Erzählers hat den ebenso schillernden wie provozierenden Vornamen »Hope«, Hoffnung.) Auf dem Höhepunkt dieser für alle Teile unbefriedigenden und unerfreulichen Sitzung heißt es: »Dann bildete ich mir ein, halluzinierte oder wurde Zeuge, wie der Mund von Dr. ›Desmondo-Ruiz‹ – dem glupschäugigen lateinamerikanischen Verwaltungsmenschen oder Compére – überdeutlich, aber sans einen Laut hervorzubringen, das Wort ›Su-i-zid‹ bildete.«[3]

Nirgendwo wird das Thema Suizid in dieser Erzählung ansonsten erwähnt, und auch hier wird es mit aller sprachlichen Raffinesse so weit zurückgenommen (Einbildung, Halluzination oder Realität?; lautlose Silbenbildung; in die Originalsprache eingestreute französische Vokabeln), daß man geradezu mit der Nase darauf gestoßen wird: eine eben nur hingetupfte Andeutung, die wie eine Klette haften bleibt (wie eben Suizid-Assoziationen im Alltagsbewußtsein).

Eine ähnliche Wirkung mag, wenn man sich einmal in das Geistesleben zu Beginn des 19. Jahrhunderts zurückversetzt, von einer kurzen, unvermittelten Suiziddrohung ausgegangen sein, wenn der Protagonist in Kleists Erzählung *Michael Kohlhaas* ausgerechnet in Martin Luthers Studierstube sich vor diesem Gehör verschafft, indem er eine Pistole zieht und sich damit auf der Stelle zu erschießen droht, falls der vom Besuch des Terroristen und Gerechtigkeitsfanatikers völlig überraschte Luther, um Hilfe herbeizuholen, die Alarmglocke läuten sollte. Kohlhaas erreicht damit, was er beabsichtigt hatte, nämlich eine Intervention Luthers zu seinen Gunsten. Vom Suizid ist im weiteren Verlauf der Erzählung, die allerdings auf dem Schafott endet, nicht mehr die Rede.

---

unübersehbar: Vieles wurde verstreut in Literaturzeitschriften und Lifestyle-Magazinen publiziert, nur ein kleiner Teil des Werks bis heute ins Deutsche übersetzt. Dieser Aufsatz erhebt nicht den Anspruch wissenschaftlicher Vollständigkeit und Kompetenz, er soll vor allem der Anregung dienen.

3 Im amerikanischen Original: »I then either imagined, hallucinated or witnessed Dr. ›Desmondo Ruiz‹ – the large eyed Latin administrator's or *compére's* – mouth mouth, very distinctly, the word ›*Su-i-cide*‹, sans any emergent sound.«

Diese fast beiläufige Erwähnung der stets beunruhigenden und bedrohlichen Gegenwärtigkeit der Suizidalität findet sich bei beiden Autoren an verschiedenen Stellen ihres Werkes, oftmals in verdeckter Form.

LIEBE UND SUIZID

Menschliche Beziehungskonflikte sind im realen Leben, mehr noch in der Literatur die weitaus häufigsten Motive für suizidales Verhalten: enttäuschte, unerfüllte Liebessehnsucht, Liebesbetrug, Liebesverrat, Eifersucht, Haß. Der springende Punkt für das Aufkommen der beschwichtigend so genannten Lebensmüdigkeit ist dabei die Unerreichbarkeit des ersehnten Liebesobjekts, mit dem sich zu vereinigen in der »Neurose der Verliebtheit« oder an dem wie angeklebt festzuhalten für das Weiterleben als unabdingbar erachtet wird.

Bemerkenswerterweise findet sich das Liebesmotiv als Auslöser suizidalen Verhaltens in den Erzählungen von Kleist und Wallace nur in stark modifizierter Form. (Gewiß: Im Kleistschen Ritterdrama *Das Käthchen von Heilbronn* erfahren wir, daß die Protagonistin in einer Art entschlossenem Liebeskummer aus dem Fenster auf die Straße gesprungen sei, um anschließend monatelang das Bett hüten zu müssen, bis die Knochen wieder verheilt waren und das eigentliche Theaterstück seinen Anfang nehmen konnte. Das Ganze ist seltsam genug, denn Käthchen hatte ihren Traumritter gerade ein einziges Mal »auf fünf Minuten« gesehen und kaum gesprochen. Immerhin, der Ritter hatte die Fünfzehnjährige zum Abschied auf die Stirn geküßt, und ihr mochte die wahnhaft ersehnte Verbindung, die sich am Ende des Stückes unter Zuhilfenahme allerlei bunter dramaturgischer Zaubertricks erfüllt, zu diesem Zeitpunkt noch unerreichbar erschienen sein.) In den Erzählungen jedoch nimmt Kleist (ganz anders als Goethe) unerreichbare Liebe nur mit größter Zurückhaltung als Anlaß für Suizidalität.

Kleists Erzählung *Das Erdbeben von Chili* beginnt damit, daß sich ein Gefängnisinsasse, Jeronimo Rugera, an einem Pfeiler erhängen will. Er hat die Tochter eines »der reichsten Edelleute der Stadt«, Donna Josephe, die ihr Vater vorsichtshalber bereits in ein Kloster hatte sperren lassen, im Klostergarten des Nachts besucht und geschwängert mit der Folge, daß Josephe nach glücklicher Entbindung zum Verbrennungstod verurteilt, dann aber doch lediglich zur Enthauptung »begnadigt« worden war. Als die Totenglocke, die Enthauptung ankündigend, zu läuten beginnt, sieht Jeronimo keinen Ausweg mehr, »das Leben schien ihm verhaßt«, er will es mit Hilfe eines Stricks auf der Stelle beenden.

Gehindert am Suizid wird er durch das in diesem Moment einsetzende Erdbeben, das »St. Jago« im Jahr 1647 verwüstete. Während Tausende in den Trümmern der Stadt sterben, gelangen sowohl Jeronimo als auch Josephe im allgemeinen Chaos ungehindert in die Freiheit, derer sie sich allerdings nur einen Tag lang freuen können: Ausgerechnet in einem Dankgottesdienst für die Überlebenden der Naturkatastrophe werden sie von einer aufgebrachten Menge erkannt und auf offener Straße gelyncht. Nur der Säugling wird gerettet.

Kern der Story ist mithin die Manipulierbarkeit der Deutung »göttlicher Signale«.

Während der Leser eben noch gemeinsam mit dem geretteten Liebespaar das Erdbeben für ein göttliches Signal hält, wider die brutale Gewalt einer sich auf religiöse Vorschriften berufenden, menschenverachtenden Rechtsmoral,[4] sieht das Volk - wie immer auf der Suche nach einem, der an allem schuld ist, und angestachelt durch die Geistlichkeit - im Gegenteil das Beben als eine Strafe Gottes für den Verstoß gegen eben diese Vorschriften durch die beiden jungen Menschen.

Der beinahe vollzogene Suizid erscheint in Kleists Erzählung moralisch neutral. Er wird in dieser für Jeronimo aussichtslosen Situation, die auf dem Weg zum Schafott befindliche Geliebte jemals wieder erreichen zu können, als verständliches Verhalten dargestellt - auch wenn der weitere Verlauf der Dinge die Einschätzung der Aussichtslosigkeit widerlegt. Der Suizid, so klingt es heraus, ist auch nichts anderes als ein Tod, der in dieser Erzählung so viele ereilt. Und das Leben ist nun einmal aus vielerlei Gründen gefährlich.

Liebe als Suizidmotiv klingt auch in einer der Kleistschen Anekdoten mit dem bezeichnenden Titel *Der neuere (glücklichere) Werther* an. Ein junger Diener hat sich in die Frau seines Brotherrn heimlich verliebt. Während einer kurzfristigen Abwesenheit des Ehepaars schleicht er sich in das Schlafzimmer und ins Bett der Verehrten, wird dort aber von den vorzeitig zurückgekommenen Brotgebern aufgestöbert. Vor Scham und Verzweiflung schießt er sich in die Brust. Jedoch: nicht er stirbt, sondern der Schuß wird stattdessen zum Auslöser eines tödlichen Schlaganfalls des Brotherrn, dessen Witwe der junge Mann nach Abheilung seiner Wunde und einer Anstandsfrist sogar ehelichen darf.

Ein Happy-end also nach versuchtem Suizid. Dessen Motiv ist allerdings nur zur Hälfte in einer unerreichbar scheinenden (!) Liebe zu sehen, eher als ein Ausdruck der Scham über die Entdeckung des, nun ja, fetischistisch gefärbten Liebesbegehrens. Für Kleist sind Scham und Verzweiflung, wie die Lektüre seiner weiteren Werke zeigt, ohnehin stärkere Suizidmotive als die Liebe.

Bei Wallace ist die reine Liebessehnsucht als Suizidmotiv nirgendwo zu finden. In der Erzählung *Lyndon* (10), einem Quasi-Portrait des einstigen US-Präsidenten L. B. Johnson, stirbt der höchst eifersüchtige Freund des homosexuellen Ich-Erzählers, eines engen Mitarbeiters des texanischen Senators und späteren Präsidenten, durch Suizid, nachdem dieser Ich-Erzähler jenen Freund - eben wegen der übertriebenen Eifersucht - verlassen hatte. Der Suizid sei auf eine »extrem häßliche Art« geschehen, da der Freund, bevor er sich am Heizungsrohr unter der Zimmerdecke erhängte, ein desavouierendes, aus Dichtung und Wahrheit zusammengekleistertes Dokument verfertigt hatte, aufgrund dessen der Erzähler die Yale-Universität, wo er damals studierte, verlassen mußte. Es war also neben enttäuschter Liebe auch Rache im Spiel.

---

4 Was im katholisch geprägten Südamerika noch im 17. Jahrhundert anscheinend allgemeine Gültigkeit hatte, findet sich heutzutage in kaum veränderter Form in der Gerichtspraxis des fundamentalistischen Islam. Wäre es nicht ratsam, dem Taliban Kleist als Lektüre zu empfehlen?

MORD UND SUIZID

Daß Liebe, wenn sie sich nicht oder nicht dauerhaft erfüllt, in Haß umschlagen und dann bis zum Mord führen kann, ist eine Alltagserfahrung. Beinahe täglich lesen wir über solche, meist wiederum beschönigend als »Familientragödie« titulierten Vorkommnisse in der Zeitung. ›Mord und Suizid‹ ist damit natürlich ein bevorzugtes Sujet in der Literatur. Wir begegnen ihm auch in den Erzählungen von Kleist und Wallace – und zwar mit Aplomb!

Der Mord mit nachfolgendem Suizid am Ende von Wallace' Tristan-Erzählung (17) ist die zugleich läppische wie beklemmende Folge von wie Marionetten wirkenden und handelnden Personen in der vom Profit diktierten Welt der kommerziellen Fernseh-Industrie. Opfer ist die durch zahllose Eingriffe der kosmetischen Chirurgie zu einer Schönheitsikone »optimierte« Lieblingstochter Sissee des allgewaltigen TV-Programmdirektors Agon M. Nar bei der Produktionsfirma »des passiven Konsums« Stanley, Stanley und Stanley – oder kurz Tri-Stan. Täter ist der zuvor von Nar aus strategischen Gründen gefeuerte »oberste Rekombinierer des gesamten Tri-Stan-Imperiums« Reggie Ecko, anscheinend aus Venedig stammend, der durch den Rauswurf eine »massive Affektverlagerung im Bereich des Selbstwertgefühls erlitten« und sich seither vollständig dem Konsum von Alkohol und Kokain ergeben hatte, obgleich, wie es heißt, weiterhin »extrem vergeltungsorientiert«. Ecko, der am Ende infolge seiner Sucht »die diplomatischen Beziehungen zur Realität praktisch abgebrochen hatte«, verliebt sich wie rasend in Sissee, die (weil sie keinerlei schauspielerisches Talent und eine unerträgliche Stimme hat) als immer nur schlafende Nymphe in einer mythologisch gestylten Fernsehproduktion erscheint, die jede Nacht zwischen 4 und 5 Uhr gesendet und von Ecko konsumiert wird. Ecko wird darüber zum Stalker, sieht aber ein, daß die Liebe mit der jungen Schönheit für ihn als völlig heruntergekommenen ältlichen Mann »im gnadenlosen Tageslicht der 3-D-Realität unvollziehbar sei« und er Sissee »nur in dem gleich machenden Verschmelzen in des Todes ewiger Nacht ›erreichen‹« könne. Folglich erschießt er zunächst die naive und fern jedes eigenständigen Denkens existierende Sissee, die zudem unter dem Einfluß ihres Vaters »ein extrem unterentwickeltes Ego hat«, und dann auf der Stelle sich selbst.

Da der Mord an dem prominenten Schönheitsstar und der Suizid des bekannten, wenngleich geschaßten TV-Regisseurs natürlich für die Medien-Industrie ein gefundenes Fressen sind und die Fotos der beiden Toten aus glanzvolleren Tagen nebeneinander in den Illustrierten erscheinen, erfüllt sich Eckos Wunsch: Tatsächlich sind sie auf »tiefgehende und mythische Weise vereint, im Tode verschmolzen«.

Wallace reflektiert in dieser assoziationsreichen und allein sprachtechnisch hoch komplexen Erzählung das bei aller kommunikativen und medialen Verflachung tiefe mythologische Bedürfnis der im passiven Konsum versinkenden Zeitgenossen. »In einer Nation, deren Ursprungsmythos ist, daß sie keinen Ursprungsmythos hat, [ist] Vertrautheit gleich Zeitlosigkeit, Allwissenheit, Unsterblichkeit, ein Funke des Göttlichen aus zweiter Hand.« Der Autor schlüpft selber in die Rolle des Ovid und nennt die Geschichte »so etwas wie ein ironisch-zeitgemäßes und reflektierendes, aber dennoch Mythen anklingen lassendes und hochliterarisches Entertainment-Ding«.

Mit etwas anderer Akzentuierung ließe sich das auch über Kleists Erzählung *Die Verlobung in St. Domingo* sagen. Nur daß nicht die griechische Mythologie, die mittelalterliche Tristan-Sage und Richard Wagners Mythos-Adaptation herangezogen und allegorisch eingewoben werden, sondern der Mythos von der spätestens mit der Entjungferung einsetzenden bedingungslosen Selbstopferungsbereitschaft engelhaft idealisierter Frauen (wie geradezu musterhaft verkörpert im *Käthchen von Heilbronn).*

Eine solche Frau ist auch Toni, eine fünfzehnjährige »Mestize«. Sie wird in den Tumulten des Aufstands dunkelhäutiger Sklaven gegen die französischen Kolonialherren am Anfang des 19. Jahrhunderts auf der Karibikinsel von ihrer Mutter, einer Mulattin, als Lockvogel eingesetzt, um Weiße ins Haus zu lotsen, damit sie dort leicht von einem besonders brutalen aufständischen Anführer umgebracht werden können. Der schweizerische Offizier Gustav von der Ried, mit seinem Anhang auf der Flucht, gerät nachts in dieses Haus. Toni, die ihn sofort an seine einstige Verlobte erinnert, die im Zuge der Französischen Revolution heldenhaft statt seiner auf der Guillotine gestorben war, bereitet ihm Abendbrot und ein Fußbad. Gerührt von der traurigen Geschichte, welche der galante Offizier ihr erzählt, verliert Toni, das strenge Verbot ihrer Mutter ignorierend, ihre Jungfernschaft noch in derselben Nacht.

Im Folgenden ist das arme Mädchen hin und her gerissen zwischen Solidarität mit der Mutter und der Sache der Schwarzen einerseits und der Rettung ihres geliebten Offiziers andererseits. Mit größter Umsicht und Klugheit weiß sie diesen selbst bei der überraschend vorzeitigen Rückkunft des aufständischen Anführers im nächtlichen Haus zu retten und Hilfe herbeizurufen, wobei sie sogar den schlafenden Gustav, um Zeit zu gewinnen, ans Bett fesseln muß, um einen für den Offizier aussichtslosen Zweikampf mit der Übermacht zu verhindern und zugleich Solidarität mit der Sache der Schwarzen vorzutäuschen. Als schließlich die aufständischen Eindringlinge vom herbeigeholten Clan Gustavs vertrieben sind und letzterer von seinen Fesseln befreit ist, greift Gustav zur Pistole und erschießt unbedacht und voller Wut Toni, von der er meint, daß sie ihn verraten habe. Sobald die entsetzten Umstehenden ihm seinen Irrtum offenbart haben, tötet sich Gustav durch einen Pistolenschuß in den Mund – in der gleichen Weise also, wie Kleist selber später seinem Leben ein Ende setzen sollte.

Der Mord ist demnach ein Versehen – ebenso ein »Versehen« wie Penthesileas Mord an Achilles in Kleists gleichnamigem Trauerspiel.[5] Auch wenn in beiden Szenarien die äußeren, höchst angespannten Bedingungen mit unmittelbarer, anhaltender Lebensbedrohung für das Mißverstehen eine Rolle gespielt haben mögen, sind die eigentlichen Ursachen dafür aber zwischenmenschliches Mißtrauen, lückenhafte Kommunikation und Unaufmerksamkeit, die gemeinsam zu Fehldeutungen füh-

5 » – So war es ein Versehen. Küsse, Bisse, / Das reimt sich, und wer recht von Herzen liebt, / Kann schon das eine für das andre greifen.« (Penthesilea, V. 2981-2983)

ren.
Sein irrtümliches Handeln ist für Gustav die Besiegelung einer persönlichen Katastrophe. Zum zweiten Mal hat sich eine ihn liebende Frau unter Einsatz ihres eigenen Lebens für ihn geopfert, jetzt, beim zweiten Mal, ist er selber zu ihrem Henker geworden. Unter solchen Bedingungen, da läßt Kleist keinerlei Zweifel, ist der unmittelbar folgende Suizid aus Scham und Verzweiflung nicht nur gerechtfertigt, sondern geradezu unausweichlich. Die Liebe erscheint als das höhere Gut als das Leben, und so begräbt man Toni und Gustav in einem gemeinsamen Grab: »Nachdem man noch die Ringe, die sie an der Hand trugen, gewechselt hatte, senkte man sie unter stillen Gebeten in die Wohnungen des ewigen Friedens ein.« Auch Kleist war ein Virtuose der untergründigen Ironie.
In der Tristan-Erzählung spielen als Motive für Mord und Suizid – man könnte auch von einem Mitnahme-Suizid sprechen – neben tiefer Kränkung und Rachegedanken psychopathologische Gegebenheiten eine Rolle: die Sucht, der sich der aus seiner beruflichen Aufgabe Herausgefallene überläßt und die ihn trotz zwischenzeitlicher Entziehungsversuche bis in eine wahnhafte Verkennung der Wirklichkeit treibt, »wie vom Liebestrank vergiftet«. In der Kleistschen Erzählung sind es die traumatische, als schuldhaft empfundene Verstrickung in die eigene Geschichte (nur auf Kosten einer Unschuldigen überlebt zu haben) und die eigene Feigheit, Unaufmerksamkeit und Charakterschwäche, einem Menschen einerseits ein Höchstmaß an Vertrauen abzuverlangen, ihm dann aber nicht in gleicher Weise vertrauen zu können. Während bei Wallace das mythologische Zutun pompös mit Ironie und Sarkasmus in Szene gesetzt wird, spielt bei Kleist das Schicksal in Form des unbewußten oder überrealen Wiederholungszwangs eine mitbestimmende Rolle. In beiden Erzählungen sind Opfer und Täter am Ende – in ironischer Brechung – »friedlich vereint«.

SUIZID IM FOKUS

In den beiden zuletzt genannten Erzählungen bilden Mord und Suizid den perspektivischen Fluchtpunkt, auf den alle narrativen Stränge zulaufen. In Kriminalromanen ist der Mord ja ohnehin das Ereignis, um das sich alles dreht. Doch auch der Suizid allein ist in manchen literarischen Werken zentraler Gegenstand der Handlung. Das berühmteste Muster ist natürlich Goethes *Die Leiden des jungen Werthers.* Der Berliner Philologe Dirk Lange hat in seinem lesenswerten Buch *Warum will Frankensteins Monster sterben?* gezeigt, welch dominierende Rolle der Suizid im englischen Roman des 19. Jahrhunderts einnahm. Neben Mary Shelleys *Frankenstein* sind Robert Louis Stevensons *Dr. Jekyll and Mr. Hyde* und Oscar Wildes *The Picture of Dorian Gray* die wohl bekanntesten Beispiele (4).

In keinem von Kleists Werken nimmt der Suizid eine vergleichbar zentrale Stellung ein – mit einer Ausnahme: dem Trauerspiel *Penthesilea.* Zwar wird die Suizidthematik in deren Bühnenversionen heutzutage (noch?) weitgehend unterschlagen. Liest man den Text ohne die dramaturgischen Streichungen, zeigt sich jedoch, daß die Amazonenkönigin nicht nur am Ende sich das Leben nimmt, sondern daß sie zuvor bereits zwei Suizidversuche unternommen hat und daß die Handlung beinahe von

Anfang an mit einer Unbedingtheit auf den Suizid zusteuert, wie man es in kaum einem anderen Werk der Weltliteratur finden wird. Darüber hinaus illustriert das Theaterstück die Ambivalenz des sozialen Umfelds mit seinen suizidpräventiven Bemühungen mit einer geradezu bitteren Lakonie und Präzision (18).

Wallace hat in einer seiner Erzählungen, in *Good old Neon,* den Suizid völlig ins Zentrum gestellt (9). In einer Art postmortaler Lebensbeichte berichtet der Ich-Erzähler Neal über die Gründe seines Suizidentschlusses, die letzten Stunden der Vorbereitung, die darin wieder aufkeimende Ambivalenz, »das Hüh und Hott und die Unsicherheiten, die es in rauen Mengen gab«. Erklärend heißt es: »Suizid läuft so vielen in der Festplatte verdrahteten Instinkten und Trieben zuwider, daß niemand, der bei klarem Verstand ist, ihn ohne allerlei inneres Hüh und Hott begeht, Zeitabschnitte, in denen man es sich fast wieder anders überlegt usw.« Er schildert, wie er die notwendigen geschäftlichen Dinge ordnete, Abschiedsbriefe schrieb und sich dabei vorstellte, wie es den Empfängern beim Lesen derselben ergehen wird. Schließlich beschreibt Neal die Durchführung des Suizids selber, die Einnahme einer Überdosis Schlaftabletten, um anschließend im Auto mit hoher Geschwindigkeit gegen den Betonpfeiler einer Autobahnbrücke zu rasen, den Crash in seinem Ablauf minutiös vor Augen führend, bis zum ENDE. Und er erwähnt beiläufig, wie er später seinem inzwischen an Krebs verstorbenen Psychoanalytiker wieder begegnet sei und wie sie gemeinsam über manche Gedanken und Äußerungen in den Therapiestunden nachträglich »herzhaft gelacht« hätten.

Das führende Suizidmotiv erscheint im ersten Satz der Erzählung: »Ich war mein Leben lang ein Heuchler.« Er habe seit der Kindheit alle Anstrengungen darauf verwandt, bei seinen Mitmenschen einen besonders vorteilhaften und großartigen, in seinen Augen jedoch keineswegs zutreffenden Eindruck zu hinterlassen. Paradoxerweise fühle man sich jedoch um so weniger »beeindruckend und attraktiv«, je mehr man sich bemühe, vor anderen Leuten so dazustehen. (Im Traum kommt ihm die Ahnung, »daß ich in Wirklichkeit gar kein wahres inneres Selbst besaß«.)

Nach vielen Anstrengungen, dieser »Falle der Heuchelei« zu entkommen, inklusive Hochleistungssport, Eintritt in eine »charismatische Kirche«, Meditation, Joggen, Hypnose, Kokain, sexuellen Exzessen und vielem anderen mehr, wobei er stets resignierend entdeckt habe, doch immer nur gegenüber den anderen Teilnehmern in einem besonderen Licht dastehen zu wollen, begibt sich Neal in eine Psychoanalyse, die viele Seiten der Erzählung in Anspruch nimmt (und nebenbei nicht ganz den Vorstellungen entspricht, die man mit diesem Verfahren verbindet). Die triumphale Einsicht des Therapeuten, jemand, der so offen über seine Heuchelei spreche, könne in Wirklichkeit gar kein großer Heuchler sein, entlarvt der Patient rasch als elend kurzschlüssig – denn er weiß ja von sich, daß er auch hier in der Therapie vor allem als ein besonders »guter« und offener Patient erscheinen will, also auch wieder nur heuchelt. Dem Gedanken, die ganze Heuchelei beruhe eigentlich auf der Unfähigkeit zur Liebe, kann er vorübergehend etwas abgewinnen, bis er feststellen muß, daß es sich auch hier nur um ein »melodramatisches« Klischee handelt, mit dem er es erneut geschafft habe, »mir etwas in die Tasche zu lügen«. Da ihm diese Erkenntnis beim zufälligen Betrachten einer uralten TV-Comic-Sendung kommt, fühlt er sich geradezu veralbert – der unmittelbare Anlaß für den Suizidentschluß.

Selbst wenn Wallace das in keiner Weise betont, ist Neals Geschichte auch die eines Hochbegabten, der zu viel in der Welt sieht und versteht, als daß er das Leben als dumpfes Herdentier (wie die meisten Menschen) aushalten könnte. (Die zum großen Teil genetisch verankerte Hochbegabung ist ja leider auch eine Form der Behinderung wie ihr Gegenstück, die Debilität, auch wenn die Lehrbücher das so bisher nicht ausweisen. Man kann es an den Lebensläufen und dem oftmals darin erkennbaren Scheitern ablesen. Anklänge an die eigene Biographie des Autors sind hier unüberhörbar.) Bereits als Vierjähriger hat Neal es verstanden, das Denken seiner Pflegeeltern so zu manipulieren, daß er diesen als ein besonders gutes und liebevolles Kind erscheinen mußte. Von seinem Analytiker, den mit seinen gescheiten Interventionen »wie ein Hund seinen Spielknochen herumzuschubsen« ihm nach kurzer Zeit schon keine Mühe mehr bereitet, ist er enttäuscht, da dieser ihm auch nicht helfen konnte, »meiner aus Heuchelei und Unglück selbst gebauten Falle jemals [zu] entrinnen«. Geradezu beklemmend mutet die ständige Sehnsucht an, »jemandem zu begegnen, der einem gewachsen ist und sich nicht hinters Licht führen läßt«. Die Einsamkeit, die der Ich-Erzähler Neal brüsk abtut (»Nun sind wir natürlich alle einsam«) – haftete sie nicht trotz all der Freunde, die sie umgaben, auch Kleist und Wallace zu Lebzeiten an?

Der Autor David Foster Wallace erscheint tatsächlich in Person gegen Ende der Erzählung, wo er sich in einem quasi dissoziativen Prozeß vom Ich-Erzähler abspaltet. Er erweist sich als ein ehemaliger Mitschüler, dem der ältere Neal immer als besonders beeindruckend und authentisch, »ein echtes lebendes Wesen eben«, imponiert habe. Er selber, Wallace, habe dagegen all die Skrupel gehabt, unter denen, wie er erst nachträglich erfährt, Neal gelitten, was er jedoch bei diesem niemals erwartet hatte. Das alles liege jetzt aber schon viele Jahre zurück, und so heißt es am Ende der Erzählung: »Der echtere, robustere und sentimentalere Teil von ihm (Wallace) verurteilte jenen anderen Teil zum Schweigen, als sähe er ihm fest in die Augen und sagte fast schon laut: ›Kein Sterbenswörtchen‹.«

Dieser mutige und anrührende Impuls, quasi in Selbsthilfe dem Suizid vorzubeugen oder ihm zuvorzukommen, wird in der Erzählung allerdings relativiert durch einige gedankliche Fallschlingen: aus der philosophischen Logik abgeleitete Reflexionen über die Relativität der Zeit und die darin eingebundene Existenz. Man könne mit Hilfe der Zeit Bewegungen oder Geschwindigkeiten messen, nicht aber die Geschwindigkeit, mit der sich die Zeit bewegt. »Was ist, wenn es in Wirklichkeit gar keine Bewegung gibt«, wenn sich alles, was je gedacht oder gesagt wurde, wie ein »Blitz« entfaltet, den wir »Gegenwart nennen«? Dann kann man auch über das sprechen, was nach dem Moment des Sterbens passiert, wobei die sprachliche Kommunikation ohnehin ein »Affentheater [sei], das man nur pro forma veranstaltet«, weil gleichzeitig so unendlich viel mehr Gedanken im Gehirn präsent seien. »In Wahrheit ist das Sterben nicht schlimm; es dauert nur ewig lange. Und ewig nimmt keine Zeit in Anspruch.«

Das blitzartige Aufleuchten wie die Aura vorgespiegelter Brillanz: Beides ist mit dem Begriff Neon assoziiert. (Und des Autors Reflexionen erinnern nebenher auch ein bißchen an Schopenhauers Gedanken, daß die Welt dem Subjekt gegenüber immer nur als Vorstellung existiert.)

TODESSEHNSUCHT

In der Analyse des tiefen existentiellen Selbstzweifels des modernen Menschen, die die Erzählung *Good old Neon* tatsächlich ist, folgt Wallace einer mehr als 2.000 Jahre alten Denktradition zur Erklärung des Suizids, die Albert Camus mit seinem Ausspruch, der Suizid sei das einzige wahre Problem der Philosophie, auf den Punkt gebracht hat. In einer Welt, in der Sein und Schein zu virtuellen Größen geworden sind und scheinbar ausschließlich von der Perspektive abhängen, die man gerade einnimmt (wann war es je anders?), in der es keine Selbstvergewisserung gibt, die sich nicht in ihr Gegenteil manipulieren ließe, scheint die suizidale Konsequenz eine nur noch moralische Frage, die der Selbstachtung zu sein - und eine Frage der Zeit.

Mit der Feststellung der Unmöglichkeit, das Fortschreiten der Zeit zu erfassen - wo uns die Zeit doch bei allen Unwägbarkeiten im Leben als einzig verläßliche Konstante, gerade in ihrer Zielgerichtetheit auf den Tod, erschienen war - geht Wallace dann allerdings über die üblichen existentiellen Selbstzweifel hinaus, führt sie ins Absurde und hebt sie damit beinahe wieder auf. So als käme es gar nicht darauf an, ob, wie und wann man stirbt.

In seinem berühmt gewordenen Vortrag vor Absolventen des Kenyon College in Gambier (Ohio) (16) entlarvt sich Wallace, drei Jahre vor seinem Suizid, vollends als der fast altmodisch klingende Moralist, den man immer schon - trotz aller Maskerade - in ihm vermuten durfte. Sein flammendes Plädoyer, nicht sich selber im Zentrum der Welt zu sehen, sondern »sich anderen Menschen wahrhaftig zuzuwenden und Opfer für sie zu bringen«, denn nur das sei die »wirkliche Freiheit« - im Gegensatz zum Standardverhalten in der »Tretmühle« - mündet in einem bedingt antisuizidalen Bekenntnis: »Die Wahrheit [...] meint das Leben vor dem Tod. Sie meint, es bis 30 oder vielleicht bis 50 zu schaffen, ohne sich eine Kugel in den Kopf schießen zu wollen. Sie meint einfache Bewußtheit [...] für das, was so wirklich und wesentlich ist, so unsichtbar gegenwärtig, daß wir es uns wieder und wieder ins Gedächtnis rufen müssen.«

Drei typische Formen der Todesverdrängung, wie sie die gegenwärtige Tourismusindustrie - als Pars pro Toto des modernen Lifestyles - fortwährend offeriert, benennt Wallace in seiner Reportage einer Schiffskreuzfahrt (8): *Ertüchtigung*, nämlich das Übertünchen des realen Verfalls (am Beispiel der vor sich hin rostenden Außenhäute der Schiffe), *Erregung* in Form »gnadenlosen Vergnügens« und die gleichzeitig verheißene *Entspannung*. Dahinter aber lauern Traurigkeit, Verzweiflung und Todessehnsucht, »verbunden mit dem vernichtenden Gefühl der eigenen Bedeutungslosigkeit«. »Man möchte sterben, um der Wahrheit nicht ins Auge blikken zu müssen, der Wahrheit nämlich, daß man nichts weiter ist als klein, schwach und egoistisch - und daß man mit absoluter Sicherheit irgendwann sterben wird. In solchen Stunden möchte man am liebsten über Bord springen.«

Kleine Bemerkungen in seinen Briefen zeugen davon, daß auch Kleist Lebensüberdruß und Todessehnsucht nicht fremd waren, wenn er zum Beispiel davon schreibt, daß das Leben »ganz öde« vor ihm liege,[6] die Gesichter der Menschen ihm »zuwider« seien[7] und sein Leben »das allerqualvollste, das je ein Mensch geführt hat«,[8] gewesen, schließlich, daß er »zum Tode ganz reif«[9] geworden sei. Das war unmittelbar vor seinem Suizid. In Kleists Erzählungen erscheint der Lebensüberdruß allerdings nirgendwo direkt in dieser existentiellen Form, sondern, ebenso wie die Suizidalität, immer durch konkret faßbare äußere Umstände begründet.

Beispielhaft dafür ist die Anekdote *Der verlegene Magistrat*. Ein Soldat, der unerlaubt die Stadtwache verlassen hatte, wurde zu einer Geldstrafe verurteilt. Der aber war zur Zahlung nicht bereit und bestand auf der Todesstrafe, die, zwar formal für dieses Vergehen noch gültig, schon »seit vielen hundert Jahren« nicht mehr angewandt worden war. Dem Magistrat sei schließlich nichts anderes übrig geblieben, als die Geldstrafe zu erlassen, und dabei »noch froh« gewesen, als der Soldat erklärte, unter diesen »Umständen am Leben bleiben« zu wollen.

In der Erzählung *Der Findling* ist es die unbändige Wut, die den betrogenen Mörder Piachi mit aller Vehemenz seine sofortige Hinrichtung ohne vorherige priesterliche Absolution verlangen läßt, um des in extremer Form undankbar gewesenen Pflegesohns Nicolo, dem er »das Gehirn an der Wand« eingedrückt hatte, noch »in der Hölle wieder habhaft zu werden«.

Eine Mischung aus Scham, Schuld, Reue, verlorener Ehre und wohl auch unerfüllbarer Liebessehnsucht veranlaßt in der Erzählung *Die Marquise von O...* den Grafen F, sich nach vollzogener Vergewaltigung der Marquise, über deren sexuelles Einverständnis der Leser sorgsam im Unklaren gelassen wird, nicht völlig zwingend in eine Schlacht zu begeben, bei der er beinahe tödlich von einer Kugel getroffen wird. Sein im Augenblick der Verletzung bezeugter Ausruf »Julietta! Diese Kugel rächt dich!« läßt eine zumindest latente Todessehnsucht des edelmütigen Vergewaltigers erkennen, bevor die Geschichte zwar nicht glanzvoll, aber doch verhalten glücklich enden kann.

Die Erzählung *Das Bettelweib von Locarno* schließlich endet mit einem Suizid aus verzweifeltem Lebensüberdruß. »Müde seines Lebens« setzte der Marchese sein Schloß in Flammen, um darin zu verbrennen und nichts hinter sich zu lassen als eine Ruine und »weiße Gebeine«, nachdem sich zuvor eine momentane Herzlosigkeit gegenüber dem alten und kranken Bettelweib auf magische Weise derart gerächt hatte, daß der Schloßherr seines Lebens nicht mehr froh werden konnte.

6 An Marie von Kleist, Sommer 1811, (3), Bd. 2, S. 874.
7 An Marie von Kleist, 10. November 1811, (3), Bd. 2, S. 884.
8 An Marie von Kleist, 21. November 1811, (3), Bd. 2, S. 887.
9 An Marie von Kleist, 19. November 1811, (3), Bd. 2, S. 885.

Die vier zuletzt genannten Erzählungen Kleists lassen sämtlich neben unglücklichen, schicksalhaften Verwicklungen, die dazu geführt hatten, daß die Protagonisten scheinbar leichthin ihr Leben aufgaben und nach dem Tod geradezu verlangten, Besonderheiten der Persönlichkeitsprägung erkennen, ohne die es mit größter Wahrscheinlichkeit gar nicht so weit gekommen wäre.

In der Anekdote vom »verlegenen Magistrat« zeigt der angeklagte Wachsoldat einen sturen, eigensinnigen und selbstgerechten Charakter (stark an Michael Kohlhaas erinnernd), der auch vor der Todesdrohung keinen Millimeter zurück weicht. Ähnlich sturköpfig erscheint im *Findling* der Kaufmann Piachi in seiner nach Rache dürstenden Wut, die sich als die Kehrseite seiner vorher gezeigten, fast überschwenglichen Menschenfreundlichkeit und Großherzigkeit erweist. Die Vergewaltigung – unter Ausnutzung einer verworrenen äußeren Situation und einer Ohnmacht – der Marquise erscheint als der einzige Fehltritt eines ansonsten untadeligen, ehrenhaften adligen Offiziers, der aber gerade wegen dieser unbedingten Tadellosigkeit den Tod in der Schlacht sucht. Und auch der Schloßbesitzer im *Bettelweib* hatte letztlich nur einen momentanen Fehltritt begangen. Er scheitert (wenn man die Kleistsche Gespenstergeschichte als Fortdauer der im Unbewußten unbesänftigten Schuldgefühle deutet) an der Diskrepanz zwischen seinem Herrschaftsanspruch und den Regungen seines Gewissens, die er aufgrund seiner Persönlichkeit nicht zu überbrükken oder zu versöhnen vermag.

Eine Erzählung von Wallace spricht die Beziehung von Persönlichkeitsprägung und Suizidalität in besonderer Weise an: *Suizid als eine Art Geschenk* (13). Erzählt wird die Leidensgeschichte einer in ihrer Persönlichkeit offenbar schwer gestörten, zutiefst selbstunsicheren Frau mit einem Übermaß an Angst und Selbsthaß, die ihren Sohn, allein erziehend, derart versorgt, daß sie all ihre negativen Gefühle sich konsequent versagt, die perfekte, liebende und alles verstehende Mutter spielt mit der Folge, daß eben die von ihr konsequent unterdrückten, von ihr selbst als abscheulich empfundenen Emotionen wie blinde Wut und sogar Mordimpulse sich in dem Sohn wieder finden und dieser sich zu einem wahren Ekel entwickelt. Von Suizid ist an keiner Stelle der Erzählung die Rede, nicht einmal ein Gedanke daran taucht im Text auf. Man könnte als Leser den Titel nun so verstehen, daß die Mutter, indem sie sich ihre heftigen Emotionen versagt in der Annahme, dadurch ihren Sohn vor deren Auswirkungen zu schützen, ihre gesamte Persönlichkeit aufgibt, sich damit als eigenständiger Mensch quasi suizidiert und daß sie diesen Suizid ihrem Sohn zum »Geschenk« macht.

Psychopathologische Elemente finden sich häufig im Werk von Wallace. Erinnert sei an das hochneurotische Ehepaar in *Vergessenheit,* an Neal in *Good old Neon* und an den narzißtisch gekränkten und darüber süchtig gewordenen Reggie Ecko in der Tristan-Episode. Manche Erzählungen des Autors wirken geradezu wie psychopathologische Charakterstudien. So zeichnet Wallace in der Erzählung *Die depressive Person* (14) das traurige Bild einer äußerlich depressiv erscheinenden, tatsächlich aber in schwerster Form persönlichkeitsgestörten Frau, die in ihrer anklammernden Abhängigkeit erkennbar vor allem davon lebt, ihr soziales Umfeld in unerträglicher Weise zu tyrannisieren. Die Folge sind »toxisches Selbstmitleid« und ein Teufelskreis zwischen einer sich immer mehr verstärkenden Einsamkeit und dadurch ausgelösten, immer größer werdenden paradoxen Anstrengungen, dieselbe zu überwinden. Ironischerweise - psychopathologisch gesehen aber mit einer gewissen Konsequenz - suizidiert sich in der Geschichte nicht die Protagonistin, sondern die sie behandelnde Psychotherapeutin.

Anders als Kleist, zu dessen Lebzeiten psychische Krankheit als Ursache von Suizidalität zwar schon bekannt, aber noch in keiner Weise wissenschaftlich begründet, geschweige denn im öffentlichen Bewußtsein gegenwärtig war, war Wallace sich dieser Zusammenhänge in hohem Maße bewußt. Er selber hatte seit der Adoleszenz an rezidivierenden depressiven Episoden, dem Vernehmen nach an einer bipolaren Störung, oft schwer gelitten und war über Jahrzehnte hinweg mit antidepressiver Medikation behandelt worden. Nach aufgetretenen Unverträglichkeitserscheinungen und dem dadurch veranlaßten Absetzen der Medikamente hatte sich sein Befinden in den letzten Monaten seines Lebens radikal verschlechtert. Der Suizid, nachdem alle alternativen Therapieversuche keine Wirkung mehr gezeigt hatten, wurde von Nahestehenden als Resignation vor der schweren Erkrankung interpretiert: Er habe, wie selbst seine Mutter im Nachhinein meinte, das Leiden einfach nicht länger ertragen können (5).

In der Erzählung von der »depressiven Person« (die, wie gesagt, offensichtlich weniger an einer Depression als an einer schweren Persönlichkeitsstörung leidet) wird eine ganze Litanei an Psychopharmaka aufgezählt, die sämtlich keinen Erfolg gebracht hätten. Auch die Elektrokrampftherapie, der Wallace sich kurz vor seinem Lebensende selber unterzogen hatte, wird genannt. Die Erzählung ist bei aller Anerkennung der therapeutischen Bemühungen auch ein stiller Vorwurf gegenüber den Ärzten, die so gerne ihren eigenen Theorien folgen, dabei ihrem Steckenpferd frönen und aus Befangenheit oder Verblendung unzutreffende Diagnosen stellen. Daß infolgedessen sich der gewünschte therapeutische Effekt nicht einstellt, ist dann kaum mehr verwunderlich.

In der Erzählung *Oktett* (12) gibt es eine im Hinblick auf die Leidensgeschichte des Autors sehr berührende Passage. Sie taucht in einer der für den Schreibstil von Wallace so charakteristischen Fußnoten auf und beschreibt die ungeheure Erleichterung, die der depressiv Kranke fühlt, wenn eine antidepressive Behandlung erfolgreich ist und die Symptome schwinden: »Das Mittel ist tatsächlich derart wirksam, daß beim Patienten auch die allerletzten Anzeichen von Dysphorie, Anhedonie, Agoraphobie, zwanghaften Störungen (OCD), existentiellen Ängsten wie weggeblasen sind, wobei Selbstbewußtsein, Lebenslust, Beziehungsfähigkeit und ein beinahe mystisches Gefühl des Einsseins mit dem Universum an die Stelle der alten Störungen tritt, dazu eine überwältigende, tief empfundene Dankbarkeit ...«

Aber auch die Folgen psychischer Krankheit und insbesondere eines Suizids für das Umfeld, für die Hinterbliebenen, werden bei Wallace thematisiert. In *Die depres-*

sive Person hat der – als Vergiftungsunfall getarnte – Suizid der Psychotherapeutin für die Patientin katastrophale Folgen. Diese hatte, so meint sie zumindest im Nachhinein, nach drei Jahren Therapie gerade Vertrauen gefaßt und das Gefühl gewonnen, etwas an ihren, ein normales Leben unmöglich machenden Symptomen ändern zu können. Jetzt fühlt sich die Patientin »verraten«.

Noch weitaus realer sind die Folgen eines Suizids für die unmittelbaren Angehörigen. In *The suffering channel* (15) wird von einem Familienvater berichtet, der sich in der Garage seines Hauses in der behaglich kleinstädtischen Bürgerlichkeit des mittleren Westens der USA mittels Autoabgasen suizidiert hatte, »worauf sowohl der Sohn [...] als auch alle anderen in der Familie mit so einem seltsam gefrorenen Lächeln herumliefen, was tapfer war und gleichzeitig ziemlich gespenstisch«.

In derselben Erzählung, die auf einem schmalen Grat zwischen absurder Realität und Surrealismus balanciert, findet der Suizid an späterer Stelle als Medienereignis Erwähnung: Im Programmfundus eines Fernsehsenders wird unter anderem das »Video eines angekündigten Suizids von 60jährigem Patentanwalt« aufgeführt, »vollständig vermittels Handfeuerwaffe, Lichtverhältnisse gut«. – Was die Gesichter der emotional Verbundenen zur dauerhaften Maske erstarren läßt, dient der anonymen Masse als Umsatz förderndes Unterhaltungs-Event. Kann man als Moralist die Entmenschlichung der so genannten entwickelten Gesellschaften in noch krasserer Form illustrieren?[10]

VERLETZBARKEIT DER SEELE

In der wissenschaftlichen Erforschung der so menschlichen (d. h. nur dem Menschen eigenen) Möglichkeit, das eigene Leben vorzeitig auszulöschen – sie wird gegenwärtig fast ausschließlich von Medizin und Psychologie dominiert –, gilt die psychische Erkrankung als entscheidender, manchmal – überspitzt – als alleiniger ursächlicher Faktor für Suizidalität. Auch wenn seelisch krankhafte Merkmale, von Befindlichkeitsstörungen bis zur schweren, dauerhaften Psychose, als Wegbereiter für einen Suizid unübersehbar sind und kaum zu bestreiten ist, daß niemand sich »freiwillig« das Leben nimmt, stellt sich doch immer die Frage, welchen Einfluß die äußeren Lebensbedingungen auf eine seelische Entgleisung hatten.

Die menschliche Seele ist bekanntermaßen ein fragiles Konstrukt, ständig beschossen und verformt durch von außen kommende Eindrücke und Informationen, willkommenen und solchen, die sie ständig aus dem Gleichgewicht zu bringen drohen. Glücklicherweise lernt der Mensch, seine Seele zu schützen, sie mit einem dikken Panzer, besser: einer intelligenten Membran zu umgeben, die das Erwünschte durchläßt, das Gefährdende aber aussortiert und im Speicher des Unbewußten hor-

10 Was bei Wallace noch Fiktion war, wurde kürzlich bereits zur Realität: Laut Mitteilung der *Los Angeles Times* vom 22. 11. 2008 loggte sich ein 19jährige College-Student aus Florida in ein Online-Forum ein, richtete eine direkt mit der Website einer Video-Plattform, Justin.tv, verbundene Kamera auf sein Bett und schluckte eine Überdosis Schlaftabletten. Einige Zehntausend sahen dabei zu, wie er starb. Als nach 12 Stunden endlich jemand die Polizei benachrichtigte, war der Student bereits tot.

tet. So gelingt es den meisten Menschen recht gut, seelisch einigermaßen durchzukommen, selbst wenn sich der Schutzmantel hier und da als löchrig erweist.

Schwierig zu leben ist es jedoch für jenen, der schreibend die Welt in ihrer Wirklichkeit reflektiert. Die Membran, die seine Seele schützt, muß zugleich in hohem Maße durchlässig sein, um Freuden und Leiden der Welt und ihrer Bewohner in unverfälschter Form wahrnehmen und danach im eigenen Werk bezeugen zu können. Was der Durchschnittskonsument im Hagel der täglich auf ihn herab prasselnden medialen Botschaften locker von sich abtropfen und ihn selbst in der Stimmungslage kaum beeinflussen läßt, das trifft einen Ausnahme-Schriftsteller wie Kleist oder Wallace als wären es Pfeile, die fortwährend mehr oder minder schmerzende Wunden hinterlassen. Ob und wie lange solches - selbst unter dem Schutz gebenden Dach gesellschaftlicher Gratifikation, eines finanziell gesicherten Auskommens, einer abschirmenden Beziehung - auszuhalten ist, bleibt jenen meist eine lebenslange Frage. Manchmal ist der Suizid eine Antwort.

Sowohl bei Kleist wie bei Wallace sind psychopathologische Auffälligkeiten unübersehbar.

Kleist litt an offenbar wiederholt auftretenden Depressionen (6) und zeigte Merkmale einer Persönlichkeitsstörung (Näheres in (18) Endnote 2). Einige seiner Briefe, geschrieben im Rahmen kritischer Auseinandersetzungen während der letzten Lebensmonate, enthalten Hinweise auf eine zumindest situative Realitätsverkennung. Er selber sah sich als ein im Leben Gescheiterter, als einen, »dem auf Erden nicht zu helfen war«.[11] Die schweren depressiven Zustände, unter denen Wallace zu leiden hatte, wie auch die damit verbundenen, über lange Zeit erfolgreichen, zuletzt aber scheiternden Therapieversuche wurden bereits erwähnt.

Dennoch ist damit nicht viel erklärt. »Das kulturell Besondere des suizidalen Denkens«, schreibt der Medizinethiker Matthias Bormuth, »kann in seinem spekulativen Gehalt nicht allein psychopathologisch erklärt werden«. Es lasse sich »im Hinblick auf selbstzerstörerische Impulse nur schwer entscheiden, ob psychopathologische Auffälligkeiten oder geistiger Radikalismus den Menschen und Künstler bestimmen« (1).

In den Erzählungen von Kleist ist der Suizid kein moralisches Problem. Für ihn ist er eine Todesart unter vielen, das Ergebnis des Scheiterns an einem Lebensproblem oder in der Lebensbewältigung schlechthin, wie Kleist es in eigener Person erfahren hatte. Scham und Schuld, Kränkung und die Wut eines aufbrausenden Charakters sind für ihn die führenden Suizidmotive, aber auch Verzweiflung und der Lebensüberdruß einer besonders geprägten Persönlichkeit, die mit der Lebenswirklichkeit nicht zurechtkommt.

Demgegenüber dominieren in den Erzählungen von Wallace existentieller Selbstzweifel und Todessehnsucht als Suizidmotive, vor allem aber die gekränkte und die kranke Seele. Für den amerikanischen Schriftsteller ist der Suizid ein ernstes moralisches Problem, eine ständige Herausforderung an den Menschen im Kampf gegen die Unwahrheiten in der Welt, die Manipulierbarkeit des Menschen und die

11 An Ulrike von Kleist, 21. November 1811, (3), Bd. 2, S. 887.

drohende Überwältigung durch die Depression.

Beide, Kleist wie Wallace, haben die tiefe Einsamkeit des denkenden Individuums in einer Welt empfunden, die von den wirklichen Konsequenzen des Denkens so wenig wissen will.

Die Abreise seines Freundes Müller, mit dem er in Berlin vieles gemeinsam unternommen hatte, habe ihn »in große Einsamkeit versenkt«.[12] »Das Leben, das ich führe, ist seit Ihrer und A. Müllers Abreise gar zu öde und traurig«, schreibt Kleist an die Freundin Marie von Kleist. »Auch bin ich [...] fast täglich zu Hause, von Morgen bis auf den Abend, ohne auch nur einen Menschen zu sehen, der mir sagte, wie es in der Welt steht. Sie helfen sich mit Ihrer Einbildung [...]. Aber diesen Trost, wissen Sie, muß ich unbegreiflich unseliger Mensch entbehren. [...] So geschäftig dem weißen Papier gegenüber meine Einbildung ist, [...] so schwer, ja ordentlich schmerzhaft ist es mir, mir das, was wirklich ist, vorzustellen. [...] Das Leben, mit seinen zudringlichen, immer wiederkehrenden Ansprüchen, reißt zwei Gemüter schon in dem Augenblick der Berührung so vielfach aus einander, um wie viel mehr, wenn sie getrennt sind. An ein Näherrücken ist gar nicht zu denken; und alles, was man gewinnen kann, ist, daß man auf dem Punkt bleibt, wo man ist.«[13]

»Anfang Mai [vier Monate vor dem Suizid], am Ende des Semesters, saß er mit einigen Studenten der Abschlußklasse für Literatur in einem nahe gelegenen Café. Wallace antwortete auf die ängstlichen Fragen der angehenden Stückeschreiber. Auf einmal begann er zu würgen, erinnert sich einer der Studenten. Er fing damit an, wie sehr er uns vermissen werde - und er begann zu weinen. Weil ich Dave niemals weinen gesehen hatte, dachte ich, er macht Spaß. Dann schniefte er schrecklich und sagte: ›Geht ihr nur und lacht. Hier sitze ich und muß weinen. Aber wirklich, ich werde Euch alle sehr vermissen.‹« (5)

Literatur

1. Bormuth, Matthias: Ambivalenz der Freiheit - Suizidales Denken im 20. Jahrhundert. Göttingen: Wallstein Verl. 2008, S. 321.
2. Gates, David: David Foster Wallace, 1962-2008. In: Newsweek Web Exclusive, 14. 9. 2008.
3. Kleist, Heinrich von: Sämtliche Werke und Briefe. Bd. 1-2. Hrsg. von Helmut Sembdner. München: Dt. Taschenbuch Verl. 2001.
4. Lange, Dirk: Warum will Frankensteins Monster sterben? Heidelberg: Winter 2005.
5. Lipsky, David: The lost years and last days of David Foster Wallace. In: Rolling Stone, Edition 1064, 30. 10. 2008 (Zitat übersetzt vom Verf.)
6. Schulz, Gerhard: Kleist - Eine Biographie. München: Beck 2007.
7. Staun, Harald: Kein Weg zurück. In: Frankfurter Allgemeine Sonntagszeitung, 21. 9. 2008.
8. Wallace, David Foster: A supposedly fun thing I'll never do again. New York: Little, Brown & Co 1997. Dt. Übers. von Marcus Ingendaay u. d. T.: Schrecklich amüsant - aber in Zukunft ohne mich. München: Goldmann 2006.
9. Wallace, David Foster: Good old Neon. In: Oblivion. New York: Little, Brown & Co. 2004.

12 An Marie von Kleist, Juli 1811, (3), Bd. 2, S. 872.

13 An Marie von Kleist, Sommer 1811, (3),Bd. 2, S. 873.

Dt. Übers. von Ulrich Blumenbach u. d. T.: Neon in alter Vertrautheit. In: In alter Vertrautheit. Köln: Kiepenheuer & Witsch 2006
10. Wallace, David Foster: Lyndon. In: Girl with curious hair. London: Little, Brown (1989) 2009. Dt. Übers. von Marcus Ingendaay u. d. T.: Lyndon. In: Kleines Mädchen mit komischen Haaren. Reinbek: Rowohlt 2002.
11. Wallace, David Foster: Oblivion. In: Oblivion. New York: Little, Brown & Co. 2004. Dt. Übers. von Ulrich Blumenbach u. d. T.: Vergessenheit. In: Vergessenheit. Köln: Kiepenheuer & Witsch 2008.
12. Wallace, David Foster: Octet. In: Brief Interviews with hideous men. London: Little, Brown (1999) 2008. Dt. Übers. von Marcus Ingendaay u. d. T.: Oktett. In: Kurze Interviews mit fiesen Männern. Reinbek: Rowohlt (2004) 2008.
13. Wallace, David Foster: Suicide as a sort of present. In: Brief Interviews with hideous men. London: Little, Brown (1999) 2008. Dt. Übers. von Christa Schuenke u. d. T.: Selbstmord als eine Art Geschenk. In: Kurze Interviews mit fiesen Männern. Reinbek: Rowohlt (2004) 2008.
14. Wallace, David Foster: The depressed person. In Brief Interviews with hideous men. London: Little, Brown (1999) 2008. Dt. Übers. von Marcus Ingendaay u. d. T.: Die depressive Person. In: Kurze Interviews mit fiesen Männern. Reinbek: Rowohlt (2004) 2008.
15. Wallace, David Foster: The suffering channel. In: Oblivion. New York: Little, Brown & Co. 2004. Dt. Übers. von Marcus Ingendaay u. d. T.: TV der Leiden - The suffering channel. In: Vergessenheit. Köln: Kiepenheuer & Witsch 2008.
16. Wallace, David Foster: This Is Water. In: Kenyon Commencement Address. New York: Little, Brown & Co 2009. Dt. Übers. von Wieland Freund u. d. T.: »Die enorme Last des Erwachsenwerdens«. www.welt.de/kultur/article2952066.
17. Wallace, David Foster: Tri-Stan: I sold Sissee Nar to Ecko. In: Brief Interviews with hideous men. London: Little, Brown (1999) 2008. Dt. Übers. von Clara Drechsler u. d. T.: I(ch) sol(l) d(i)e Sisse Nar an Ecko verkauft ham. In: Kurze Interviews mit fiesen Männern. Reinbek: Rowohlt (2004) 2008.
18. Wedler, Hans: »Staub lieber als ein Weib sei, das nicht reizt« - Suizid als Thema in Kleists »Penthesilea«. In: Heilbronner Kleist-Blätter 20. 2008, S. 92-102.

WOLFGANG SCHMIDBAUER

...UND NUR DIE LIEBE MACHT DAS LEBEN SÜSS

KÄTHCHEN UND PENTHESILEA AUS DER SICHT DES PAARTHERAPEUTEN[1]

Haben sich Haß und Liebe, Angst und Wut immer so angefühlt, wie wir sie heute spüren? Wahrscheinlich nicht ganz, aber doch irgendwie. Seit Darwin wissen wir, daß Mensch und Tier viele Affektäußerungen teilen. Immer wieder wird auch hier die Frage nach dem Angeborenen und dem Erworbenen gestellt, immer wieder muß sie als unzureichend verworfen und durch so uneindeutige Konzepte wie die *Ergänzungsreihe* ersetzt werden.

Es fällt nicht leicht, unbetroffen über existenzielle Fragen nachzudenken: Haben wir eine freie Wahl? Sind wir Knechte unserer Gene, Unterworfene der Triebe, tapert unser bewußtes Erleben und Entscheiden unbewußten Prozessen nach wie das Schaf dem Hirten in einem Schafsglauben, sein Wille sei es, der ihm den Weg weise?

Wo drängende Interessen den Blick zu trüben drohen, klärt ihn die Beschäftigung mit der Vergangenheit wieder. Aus diesem Grund scheint es mir auch so nützlich, sich immer wieder an Freuds Hinweis zu erinnern, daß die Werke der Dichtkunst den klinischen Psychologen im Verständnis der Gegenwart unterstützen. Nicht nur, weil seine Patienten auch Leser sind und es ihm die Kenntnis ihrer Lektüre erleichtert, mit ihnen ins Gespräch zu kommen. Sondern auch, weil (Selbst-)Analysen, die einige hundert Jahre alt sind, unsere Sensibilität für Zeitbedingtes und Zeitloses stärken.

Darin sehe ich auch einen ganz praktischen Einwand gegen vorgefertigte Deutungen, sei es von Gestalten der thebanischen Sage,[2] sei es von Autoren des beginnenden 19. Jahrhunderts: sie erweitern unseren Gesichtskreis nicht, sondern engen ihn ein, indem sie uns zwingen, überall das zu finden, was wir bereits besitzen.

Die Beschäftigung mit Kleist erschließt eine Quelle in die Geburtswehen der modernen Liebe, mit denen sich aus einer anderen Perspektive, in vieler Hinsicht trivialer als Kleist, ein Pionier der systemischen Theorie in den Kulturwissenschaften befaßt hat.

> Intimität (läßt sich) dadurch charakterisieren, daß schon das (selektive) Erleben und nicht nur das Handeln des einen Partners für den anderen handlungsrelevant wird. Topoi der französischen Klassik hierfür waren: Es gibt keine Bagatellen in der Liebe; Betonung der Pflichterfüllung ist mit Liebe unvereinbar; man muß nicht nur alles tun,

1 Nach einem Vortrag vom 14. 6. 2009 in Heilbronn. Der Vortrag wurde frei gesprochen; die Verschriftlichung weicht von ihm ab.

2 Ich beziehe mich hier auf die Mythen um König Ödipus, gegen deren psychoanalytische Deutungen ich Argumente gesammelt habe, vgl. Schmidbauer, W.: Mythos und Psychologie. Methodische Probleme, aufgezeigt an der Ödipus-Sage. München 1970, 1999.

was verlangt wird, man muß zuvorkommen. Der deutsche Idealismus hätte gesagt: sich das Weltverhältnis des anderen zu eigen machen, das heißt: mitgenießen. Auch der hohe Grad an Verbalisierung der Liebesverhältnisse belegt diese These. Liebende können unermüdlich miteinander reden, weil alles Erlebte mitteilenswert ist und kommunikative Resonanz findet.[3]

So Nikolaus Luhmann, der seine Konstruktion über *Liebe als Passion* auf die Semantik des 18. Jahrhunderts aufbaut. Kleist geht in seinen ersten Analysen der Liebe, die er in seinen Brautbriefen formulierte, raffinierter vor als der Soziologe. Während Luhmann die Kommunikation zwischen den in ihrer Substanz nicht veränderten Männern und Frauen zur Grundlage seines Modells macht, konzipiert Kleist zwei kühnere Sichtweisen: Er sieht in der Liebe eine Kraft, die Menschen verändert, ähnlich wie das Freud später in *Massenpsychologie und Ich-Analyse* versucht hat. Und er erweitert das Modell der vorweggenommenen Erfüllung, bis er sich dem Paradox des egoistischen Altruismus nähert.

In seiner Beschreibung der Hingabe seines Freundes auf der Reise nach Würzburg zählt Kleist Brockes' zuvorkommende Liebesbeweise auf.

[...] er vergaß sein ganzes eignes Interesse, [...] er opferte 600 Rth. von seinem eignen Vermögen, mir zu folgen, und *uns beide* glücklich zu machen [...] Wenn wir beide in den Postwagen stiegen, so nahm er sich immer den Platz, der am wenigsten bequem war. – Von dem Stroh, das zuweilen in den Fußboden lag, nahm er sich nie etwas, wenn es nicht hinreichte, die Füße beider zu erwärmen. – Wenn ich in der Nacht zuweilen schlafend an seine Brust sank, so hielt er mich, ohne selbst zu schlafen – Wenn wir in ein Nachtquartier kamen, so wählte er für sich immer das schlechteste Bett. – Wenn wir zusammen Früchte aßen, blieben immer die schönsten, saftvollsten für mich übrig.[4]

Kleist schließt mit einem nachdenklichen Passus, der seine Kunst der dramatischen Inszenierung von Liebesübertreibungen andeutet und Luhmanns These ironisch auflöst.

Denn wahre Uneigennützigkeit zeigt sich in dem Talent, sich durch den Eigennutz andrer nie gekränkt zu fühlen, ebenso gut, ja selbst noch besser, als in dem Talent ihm immer zuvor zu kommen. Daher klage den andern nie um dieser Untugend an. Wenn er dein *freiwilliges* Opfer nicht versteht, so schweige und zürne nicht, und wenn er ein Opfer von Dir *verlangt*, vorausgesetzt daß es nur möglich ist, so tue es, und er mag es Dir danken, oder nicht, schweige wieder und zürne nicht. – O Wilhelmine! Gibt es etwas, das Dich mit so hohen Erwartungen in Deine *neue Epoche* einführen kann, als diese herrlichen Vorsätze? Ich freue mich darauf, daß ich Dich nicht wiedererkennen werde, wenn ich Dich wiedersehe. Auch Du sollst besser mit mir zufrieden sein. Adieu. Dein Geliebter H. K.[5]

Luhmann hat Liebes- und Briefromane, Traktate und Ratgeber des 17. und 18. Jahr-

3 Nikolaus Luhmann: Liebe als Passion. Frankfurt 1986, S. 200.

4 Brief vom 31. Januar 1801 an Wilhelmine, zit. nach: Heinrich von Kleist: Sämtliche Werke und Briefe. Bd. 2. München 1993, S. 622-623.

5 Brief vom 31. Januar 1801 an Wilhelmine, [Anm. 4], S. 624-625.

hunderts untersucht. Auf ihnen baut er seine Vorstellung über *Liebe als Passion* auf. Zwar müssen sich die Partner gegenseitig lieben, aber Liebe darf kein Handel sein. Liebe darf keine Regeln kennen außer die der Liebe selbst. Luhmann behauptet nicht ohne Ironie, das 18. Jahrhundert habe eine Lösung für die extrem widersprüchlichen und verwirrenden Funktionen der Liebe als Grundlage einer Ehe gefunden: Liebe ist inkommunikabel, unverständlich, nicht in Worte zu fassen. Sie hat sich zu einer Passion gewandelt. Wir sind Opfer, wie Kleist sagt: Herzen werden *geraubt*, nicht verschenkt, getauscht oder verliehen.

Kleist hat scharfsinnig das Wesen der neuen, nicht mehr vom Standeskorsett geordneten Liebesbeziehung erkannt. Es geht nicht darum, den Egoismus des Partners durch geschickte Gesten vorwegzunehmen und ihn dadurch gewissermaßen aus der Welt zu schaffen, ihn auszulöschen. Es geht vielmehr darum, *den Eigennutz wahrzunehmen und die Kränkung der eigenen Liebeserwartungen zu ertragen*. Das ist ein durchaus neuer Gedanke, dessen Brisanz freilich Kleist in dieser frühen Äußerung nicht weiter verfolgt. Als sei er von seinem eigenen Gedanken erschrocken, mildert er ihn wieder, sucht den tragischen Widerspruch moralisierend aufzuheben.

Kleist gelingt es in den Brautbriefen, seine Ängste vor realem Kontakt und die in ihnen wurzelnde Sehnsucht nach idealer Verschmelzung zu kleinen Alltags-Tragödien individualisierter Liebebeziehungen zu formen. Den immer wieder spürbaren, bald als Erhebung, bald als Last empfundenen Adelsstolz verwandelt er in etwas wie Seelenadel, ein Manöver, mit dem die preußische Standesgesellschaft noch lange erfolgreich zu operieren wußte.

> [...] denn das Gemeine kann man nur brauchen, nur das Edlere kann man lieben, und nur die Liebe macht das Leben süß.[6]

Kleists Brautbriefe wirken gelegentlich lieblos, selbst grausam, unterwerfen sie doch die Liebste harten Prüfungen. Sie sind in der Literaturgeschichte auch öfters sehr abschätzig beurteilt worden. Mich verblüfft hier, wie sich die sonst so anspruchsvollen Germanisten in ihrer Liebesvorstellung eher an trivialen Modellen orientieren, in denen doch auch niemals die Liebenden einander zum ärgsten Problem werden, sondern allenfalls mißgünstige Verwandte oder neidische Nebenbuhler.

Wer sich an die psychoanalytische Behandlung von Paaren wagt, wie es der Autor naseweis im Schwung der 68er versucht und bis heute fortgesetzt hat, der bemerkt bald, daß Kleists Geste äußerst realistisch ist. Die ärgsten Feinde einer Liebe sind in der Regel die Liebenden selber. Wenn sie einander die Narben der Verletzungen, welche sie sich durch ihre Suche nach der oder dem »Richtigen« zugefügt haben, später mit Humor zeigen können, haben sie Glück gehabt. Dieses Glück wurzelt darin, daß die Angst nicht übermächtig wurde, das eigene Leben zu verfehlen, indem frau/mann einem Fremden darin Raum gibt.

Wir verstehen Kleists grausame Gesten und Beziehungsabbrüche erst, wenn wir seine Ängste in Rechnung setzen. Angst macht nicht nur ausnahmsweise, sondern in der Regel ab einem gewissen Grad ihrer Intensität die von ihr Ergriffenen ganz

---

6 Brief vom 11./12. Januar 1801 an Wilhelmine, [Anm. 4], S. 610.

und gar rücksichtslos, unfähig zur Einfühlung. Wer von Angst getrieben ist, verhält sich in der Suche nach einer Zuflucht nicht anders als der Süchtige auf der Suche nach dem Mittel, das seinen Entzug lindert. Um so respektabler ist, was Kleist im entspannten Feld seiner Reflexion und künstlerischen Darstellung menschlicher Leidenschaften leistete.

Kleist-Forscher wie Walter Bormann (1886) und Max Morris (1899) haben im ausgehenden 19. Jahrhundert die Kleistsche Angst vor körperlicher Nähe zu einer Phimose materialisiert, von der ein angeblich nur in Würzburg aufzufindender Chirurgus den aus Scham pseudonym reisenden Dichter befreite. Diese Konstruktionen hat zwar Diethelm Brüggemann (1985) zerpflückt,[7] aber sie sind in der Art einer Gegenübertragung auf Kleists Nöte angesichts der körperlichen Liebe auf ihre Weise einfühlend.

In der Tat sind die meisten Angstkranken immer auf der Suche nach einem materiellen Grund, der ihnen die eigenen Spannungen erklärt. Normale Menschen können sich leicht verständlich machen, wenn sie sich fürchten. Angstkranke hingegen werden von Ängsten überfallen, die sie nicht verstehen und daher als etwas erleben, das sie von ihren Mitmenschen trennt. Diese Isolation steigert ihre Spannungen und ihre innere Unruhe. Sie fürchten, als verrückt zu gelten, haben Sorge, daß ihnen jemand ihren Zustand anmerkt.

Kleists soziale Ängste und körperlichen Angstäquivalente sind von ihm selbst so genau und gut dokumentiert, daß Konstruktionen zu einer über sie hinausgehenden Ursache seiner Schwebezustände zwischen Nähe und Distanz überflüssig sind. Gleichzeitig haben diese Grübelphasen zwischen Angst und Sehnsucht Kleists Blick auf den inneren Mechanismus von Liebesbeziehungen geschärft. Er erkennt ihren mächtigen Einfluß auf die Psyche, die mit ihnen verknüpften und oft so zerstörerischen Abhängigkeiten. Er weiß genau, daß nur ein naiver Betrachter glauben kann, Eros werde vom Lustempfinden gesteuert.

Wie nicht die Lust, sondern die Furcht Kleists Blick bestimmt hat, wie er im guten Zureden für Wilhelmine sich selbst gut zuredet und wie daraus immer wieder überraschende Analysen des sich ankündigenden Wandels zur individualisierten und zum Teil auch psychologisierten modernen Liebesbeziehung entstehen, das macht die Lektüre der Brautbriefe so spannend und schärft das Bedauern, daß Wilhelmines Texte fast gänzlich verloren sind. Sie wären gewiß sehr lehrreich. Aus den wenigen Andeutungen wissen wir, daß Wilhelmine versuchte, Kleists kühne Ansprüche mit Realität und Konvention zu versöhnen und eine freundschaftliche Bindung zu pflegen. Er aber empfand sie als Teil von sich selbst, konnte sich daher nur ganz und gar von ihr losreißen und vollständig verstummen.

»Manches Mädchen habe ich schon mit Dir verglichen, und bin ernst geworden«, schreibt Kleist im Januar 1801 an Wilhelmine. Er übertritt alle Gebote von Takt und Romantik, welche doch der Liebsten ihren einzigartigen Status auch dann garantieren, wenn sie gar nicht die Einzige ist. Kleist nennt sogar Namen,

7 Diethelm Brüggemann: Drei Mystifikationen Heinrich von Kleists. New York 1983. S. a. Morris, Max: Kleists Reise nach Würzburg. Berlin 1899.

> z. B. die Lettow, die Duhatois etc.; manches ist auch hier in Berlin, das ich gegen Dich halte, und ernst macht mich jedesmal diese Vergleichung; aber Du hast eine jahrelange Bekanntschaft, die innigste Vertraulichkeit, eine beispiellose Tat und ebenso beispiellose Verzeihung für Dich, und wenn Du nur ein weniges noch, nur die Ähnlichkeit mit meinem Ideale, nur den ernsten Willen, es einst in Dir darzustellen, in Deine Waagschale legst, so sinkt die andere mit allen Mädchen und mit allen Schätzen der Erde.[8]

Sicher hat Kleist auch davon geträumt, eine Frau mit einer reichen Mitgift - *allen Schätzen der Erde* - zu heiraten. Er kann nicht ganz darauf verzichten, Wilhelmine mit ihrer Armut zu konfrontieren, mit seiner Enttäuschung, daß er den Versorger spielen muß und nicht versorgt wird. Denn hinter den Verschmelzungswünschen des narzißtisch Traumatisierten steht die Sehnsucht nach der Wiederherstellung eines spannungslosen Zustands, dessen Symbol die intrauterine Existenz ist.

Kleists Bestreben, Wilhelmine zu seinem Idealbild zu formen, erklärt seine Grausamkeiten. Wo geschnitzt wird, fallen Späne. Freilich handelt der Bildhauer nicht aus innerer Sicherheit und reifem Gestaltungswillen, sondern aus Angst vor dem Unbekannten, in das er einzutauchen droht. Er sehnt sich so sehr nach Auflösung, nach Verschmelzung mit der Geliebten, daß er fürchten muß, sich selbst zu verlieren, wenn er sie sich nicht vorher anverwandelt hat.

In einer normalen Adoleszenz besiegen schließlich Neugier auf die genitale Erfahrung, körperliche Lust und das Bestreben, eine Schwellensituation zu bewältigen, die Angst. Diese läßt sich bei vielen jungen Männern beobachten, ist aber nur wenigen von ihnen auch bewußt. Es geht in ihr darum, daß das Heranwachsen zum Mann störbarer und komplizierter ist als das zur Frau, denn Frauen reifen in ihren frühesten Jahren mit einem Bild des gleichen Geschlechts vor Augen, Männer aber mit einem Bild des anderen Geschlechts, von dem sie sich distanzieren müssen, wenn sie die eigene Männlichkeit finden wollen.

Die Zurücknahme der früheren Identifizierung mit der Mutter als dem Leben spendenden Objekt kostet den Mann seelische Energie und gefährdet seine Kränkungsverarbeitung ebenso wie die Toleranz für Nähe und für das Fremde. Die Angst, im Weiblichen, in der Mutter zu ertrinken, jeden Halt, jede Kontur zu verlieren, das soeben gewonnene geistige Ich wieder zu verlieren, macht sich dann bemerkbar, wenn die Desidentifizierung zur Mutter nicht genügend gefestigt werden konnte, beispielsweise weil andere, dringende Entwicklungsaufgaben zuviel Energie für sich beanspruchten.

Kleist ist tiefer in die Geheimnisse und Widersprüche von Narzißmus und Objektliebe eingedrungen als alle Autoren vor und viele nach ihm. Er hatte den Mut, ungeschützt und für ein breites Publikum in Worte zu fassen, was hundert Jahre später Sexualforscher wissenschaftlich verklausuliert zu formulieren begannen: daß die gelingende Liebe nicht das Geschenk der Natur ist, sondern mühevoll genug einem wütenden Gemisch von Leidenschaft und Geistesverwirrung abgerungen werden muß.

Freud hatte 1905 die polymorph-perverse Grundlage der Sexualität beschrie-

8 Brief vom 11./12. Januar 1801 an Wilhelmine, [Anm. 4], S. 610f.

ben. Er entschärfte dieses Konzept freilich dadurch, daß er derlei Verirrungen in die Kindheit zurück verlegte. So störte er den Kosmos der bürgerlichen Moral nur halbherzig: das reife Sexualverhalten war nach psychoanalytischer Denkweise ein Geschenk des erwachsenen Lebens und der definitiven Überwindung seiner Wurzeln im Chaos. Einige Blicke in die Welt, auf die Kriminalstatistik, in die Familien zeigen, wie sehr hier fromme Wünsche die Wirklichkeit vernebeln. Nicht allein in der Kindheit allein ringen Liebe und Zerstörungslust; im Erwachsenen wirken ähnliche Kräfte.

Käthchen, Penthesilea, die Marquise von O... – Kleist hat das Scheitern und Gelingen der Liebe in vielen Facetten untersucht, dargestellt, weiterentwickelt. Liebe will ganz frei sein und ist doch Versklavung; sie fordert die höchste, bewußteste Entscheidung und ist doch Gewalt an einer Ohnmächtigen, wie in der durch ihre ödipalen Details ergreifenden Marquise von O..., in der ja die Beziehung der im Dämmerzustand mißbrauchten Witwe zu ihren verstörten Eltern sehr viel mehr Raum beansprucht als die Begegnungen mit dem Bräutigam. Vielleicht die anrührendste biographische Szene in diesem Widerspiel von Liebesleben und Kunst spiegelt ein verwirrender Bericht über echte Tränen angesichts einer erfundenen Liebenden.

> Er wohnte mit Pfuel in Dresden 1807 und 1808 in einer gemeinschaftlichen Wohnung Stube an Stube. In dieser Zeit dichtete er seine Penthesilea. Eines Tages trat er ganz verstört und tiefseufzend bei Pfuel ein, der besorgnisvoll auffuhr und fragte: »Was ist dir denn, Kleist? Was ist geschehen?« Dabei sah er, daß ihm die hellen Tränen über die Backen flossen. Kleist antwortete mit dem Ausdruck verzweiflungsvoller Trauer: »Sie ist nun tot!«- Wer denn? – »Ach, wer sonst, als Penthesilea!« Trotz des erschütternden Ausdrucks wahrhaften Schmerzes, den hier Kleist fühlte, konnte Pfuel sich doch einiges Lächelns nicht erwehren, und sagte: »Du hast sie ja selber umgebracht!« – »Ja, freilich!« erwiderte Kleist, und ging nun allmählich in die heitre Stimmung des Freundes über.[9]

Nun sagte Kleist viel früher, in einem Brief an Marie von Kleist aus dem Spätherbst 1807, er habe diese Tränen nicht selbst geweint, sie seien seinem Freund Pfuel in die Augen getreten. Es heißt dort über das soeben vollendete Stück:

> Für Frauen scheint es im Durchschnitt weniger gemacht als für Männer, und auch unter den Männern kann es nur einer Auswahl gefallen. Pfuels kriegerisches Gemüt ist es eigentlich, auf das es durch und durch berechnet ist. Als ich aus meiner Stube mit der Pfeife in der Hand in seine trat, und ihm sagte: jetzt ist sie tot, traten ihm zwei große Tränen in die Augen. Sie kennen seine antike Miene: wenn er die letzten Szenen liest, so sieht man den Tod auf seinem Antlitz. Er ist mir so lieb dadurch geworden, und so Mensch.[10]

Wenn wir uns daran erinnern, daß Pfuel einer jener Standhaften war, die Kleist dadurch am Leben erhielten, daß sie sich weigerten, mit ihm zusammen zu sterben, gewinnen diese wechselseitig dem Freund unterstellten Tränen über Penthesileas Ende eine besondere Bedeutung. Sie machen Penthesilea zu einer Anspielung auf

9 Sembdner, Lebensspuren 198, S. 171.

10 An Marie von Kleist, Spätherbst 1807, [Anm. 4], S. 796.

die unerfüllte Liebe zwischen den beiden Männern. Ich vermute, daß Kleist die damals noch frische Szene korrekt wiedergibt, Pfuel hingegen dem Dichter die eigenen Tränen sozusagen posthum hinzuerfand. Penthesilea ist Kleist, aber auch der todeswunde und liebesgläubige Achill ist Kleist. Und Pfuel ist ebenso beides. Beide haben einander ihre Liebe bewiesen, indem sie diese opferten; Kleist in der Realität, Pfuel in einer heftigen Einfühlung, einer inneren Verbindung mit Kleist, die er wohl erst in seiner späteren Ehe überwand.

Pfuels Erinnerungen wurden erst viele Jahre später aufgezeichnet, als Kleist eine verklärte Gestalt aus seiner Vergangenheit geworden war. Kleist konnte nach eigener Aussage nicht weinen, eine Hemmung, die gut zu dem Bild seiner Person und zum Thema der erzwungenen, verfrühten Autonomie des traumatisierten Kindes paßt.

Ein wenig mutet es an, als ob Kleist sich selbst Mut zuspricht, wenn er vom Ideal schwärmt, welches durch die Liebe der Wirklichkeit nahe gebracht wird. Er spricht von der Wahrheit,

> daß die Liebe immer unglaubliche Veränderungen in dem Menschen hervorbringt; ich habe schwache Jünglinge durch die Liebe stark werden sehen, rohe ganz weichherzig, unempfindliche ganz zärtlich; Jünglinge aber, die durch Erziehung und Schicksal ganz vernachlässigt waren, wurden fein, gesittet, edel, frei; ihr ganzes Wesen erlitt schnell eine große Reform [...].[11]

Kleist erahnt hier eine der zentralen Aussagen in Freuds Theorie der Verliebtheit, die von diesem in *Massenpsychologie und Ich-Analyse* formuliert wird und mehrere Rätsel zu lösen verspricht: das der Manipulierbarkeit des Menschen in der Masse, das der Suggestion, das der Bindung des Mediums an den Magnetiseur, schließlich die Rätsel der Übertragung und der Überschätzung des Liebesobjektes.

In dieser 1921 entworfenen psychoanalytischen Beziehungslehre[12] entwickelt Freud das Konzept des Narzißmus weiter und entfaltet manchmal prophetische Qualitäten, denn in dieser Zeit beschäftigt eine soziale Neuerung der Nachkriegszeit Europa: die faschistischen Bewegungen, welche sich aus den Kränkungen der Niederlage und der Kriegstraumatisierung breiter Bevölkerungsschichten speisen und drohen, die um 1900 kulminierenden Hoffnungen auf den auch ethischen Fortschritt zu Toleranz und Humanität definitiv zu zerstören.

Freud untersucht zunächst spontane Massen wie einen Volksauflauf. Er übernimmt hier die Dämonisierung der Masse durch den französischen Journalisten Le Bon. Dann wendet er sich »künstlichen Massen« zu, der Kirche und dem Heer. Er kommt auf einen zentralen Unterschied in den Beziehungen zwischen Menschen zu sprechen: wir können eine andere Person zum Objekt machen, d. h. uns ihr wie einem Teil der Außenwelt zuwenden und sie auch in dieser Rolle belassen, oder wir können uns mit dieser Person identifizieren. Sie wird dann zu einem Teil von uns, trägt Eigenschaften, die wir uns für uns selbst wünschen; umgekehrt werden wir

11 Brief vom 11./12. Januar 1801 an Wilhelmine, [Anm. 4], S. 611.

12 Sigmund Freud: Massenpsychologie und Ich-Analyse. Wien 1921, später in Ges.W. XIII.

wie sie und können dadurch auch ihren Verlust kompensieren. Beispiel: Ein Mann läßt sich einen Vollbart wachsen von dem Jahre an, in dem sein Vater, ebenfalls Bartträger, verstorben ist.

Die Gemeinsamkeit der Masse, sagt nun Freud, entsteht dadurch, daß sich ihre Mitglieder mit einem Führer identifizieren, ihn in ihr Ich aufnehmen, ihn zu ihrem »Ich-Ideal« erheben. Damit wird die Studie über Massenpsychologie auch zu einer Grundlage der psychoanalytischen Lehre von der Strukturierung der menschlichen Persönlichkeit. Während das Lernen an Vorbildern der allgemeinen Psychologie bekannt ist, gehört zur Identifizierung auch die Möglichkeit, sich mit einem in der eigenen, unbewußten Phantasie geschaffenen Ideal zu verschmelzen und dadurch Eigenschaften zu entwickeln, die gerade nicht in den realen Vorbildern der Umwelt auftauchen. So wird die vernachläßigte Tochter Krankenschwester - sie identifiziert sich mit dem Ideal der guten Mutter, welche ihr in ihrer Lebensrealität mangelte (»Helfer-Syndrom«).

Mit diesem Modell erklärt Freud nun auch die Macht des Hypnotiseurs bzw. der Suggestion: Sie funktionieren, weil die Patientin (oder das Medium, wie die französischen Magnetiseure sagten) den Arzt als Ich-Ideal erlebt und sich ihm folglich bedingungslos unterwirft, ähnlich wie es im *Käthchen von Heilbronn* geschildert ist. In der Verliebtheit sind solche Identifizierungen mit dem idealisierten Objekt gegenseitig; in der Übertragungsliebe während einer Psychoanalyse (zumindest dem Modell nach) einseitig.

Kleist führt in seinem Text zur Veränderung des Menschen durch die Liebe seine Detailschilderungen schließlich zu dem erhabenen Prinzip,

> alles, was schön ist und edel und gut und groß, das faßten sie [die Jünglinge in Liebe] mit offner, empfänglicher Seele auf, es darzustellen in sich; ihr Herz erweiterte sich, die Seele hob sich ihnen unter der Brust, sie umfaßten irgend ein Ideal, dem sie sich verähnlichen wollten [...][13]

PIONIERE DER TIEFENPSYCHOLOGIE

Erfüllte Liebe bringt die Reflexion zum Schweigen, um den Genuß nicht zu stören. Nur von unerfüllter Liebessehnsucht Gepeinigte denken gründlich darüber nach, was ihnen so zu schaffen macht. So wurde Kleist nach der Trennung von Wilhelmine ein unermüdlicher Beobachter des Liebeslebens und suchte tiefer, als es in seiner Epoche üblich war, dessen Geheimnisse zu ergründen.

Gotthilf Heinrich Schubert, der als Arzt und Naturphilosoph während der Zeit des *Phöbus* in Dresden lebte und von dem umtriebigen Adam Müller mit Kleist zusammengebracht wurde, ist wohl Kleists wichtigste Quelle über die neu entdeckten Erscheinungen des seelischen Magnetismus und der Somnambulie gewesen. Kleist hat angesichts dieser Erscheinungen eine Einsicht vorweg genommen, die gegenwärtig fast durchweg Sigmund Freud zugeschrieben wird, obgleich der Psychiater Gilles de la Tourette bereits Ähnliches vermutet hat. Es geht, kurz zusammenge-

13 Brief vom 11./12. Januar 1801 an Wilhelmine, [Anm. 4], S. 612.

faßt, um die enge Verwandtschaft des menschlichen Liebeslebens und der Erotik zu den Erscheinungen des Schlafwandelns, der Besessenheit und des animalischen Magnetismus. Um diese Zusammenhänge zu erfassen, ist es notwendig, etwas auszuholen.[14]

Die rätselhafte Kraft des Magneten hat schon früh das Denken des Menschen beschäftigt. Im 18. Jahrhundert veränderte sich dieser Blick noch einmal; die Physik als Wissenschaft entstand. Auch Kleist verwendet - beispielsweise im *Allerneuesten Erziehungsplan* - mit großer Hingabe Gleichnisse aus der physikalischen Welt, um Psychologisches zu fassen.

Da Kraft im magischen Denken eng mit dem Leben und der Seele verschwistert ist, wird schon bei Paracelsus eine Tradition faßbar, welche im Magneten ein *Heilmittel* sieht, ähnlich geeignet, Krankheit aus dem Leib zu ziehen wie eine eiserne Nadel zu heben. Diese Auffassung des Magneten ist von den Schülern des Paracelsus getreulich weitergegeben worden. So erfuhr auch Franz Anton Mesmer (1734-1815), ein Wiener Arzt, von ihr.

Dank einer reichen Heirat führte Mesmer das Leben eines Mäzens (in seinem Gartentheater wurde Mozarts Singspiel *Bastien und Bastienne* uraufgeführt) und dilettierenden Forschers. Er hörte von einer erfolgreichen Kur an einer durchreisenden Dame, die an Magenkrämpfen litt und der sein Freund, der Astronom Hell, einen passenden Magneten hergerichtet hatte, den sie sich auf den Magen band. Die Krämpfe verschwanden. Mesmer ließ sich nun ähnliche Magnete fertigen, erprobte sie an Kranken und heilte viele, vor allem die besonders hartnäckigen nervös Gestörten.

Mesmer hatte 1766 über ein astrologisches Thema promoviert: De Planetarum influxu [Über den Einfluß der Planeten]. In dieser Arbeit erklärte er die Kraft der Gestirne durch einen Uräther, ein mit physikalischen Methoden nicht nachweisbares Fluidum. Seine Heilerfolge mit den Magneten weisen ihm den Weg, diese Lehre auszuweiten: Die Kraft des Magneten ist mit diesem universalen Fluidum identisch. Mesmers Praxis vergrößerte sich schnell und er entdeckte, daß seine Erfolge von der Verwendung des Magneten unabhängig waren und eher von seiner Person ausgingen.

Mesmer muß gewesen sein, was man noch heute eine Persönlichkeit von magnetischer Anziehungskraft nennt. Zwar überragte er nicht, wie Zweig[15] uns glauben machen will, seine Mitmenschen um Haupteslänge (auf einer Aufenthaltskarte, die 1798 in Paris ausgestellt wurde, findet sich sein Signalelement: »176 cm groß, Haar, Augen und Augenbrauen braun, Doppelkinn, volles Gesicht«), doch bestachen sein feuriges Temperament, seine Kontaktfähigkeit, seine selbstsichere Güte, zu denen sich bald der Ruf des mächtigen Heilers gesellte. 1775 formulierte Mesmer seine Lehre vom tierischen und menschlichen Magnetismus in 27 Thesen, welche er an alle Akademien Europas schickte.

14 Ich lege hier entsprechende Passagen aus W. Schmidbauer: Vom Umgang mit der Seele - Geschichte und Gegenwart der Psychotherapie (Frankfurt 1999) zugrunde.

15 Stefan Zweig: Die Heilung durch den Geist. Frankfurt 1952.

Hier begründet Mesmer die Lehre von einer Möglichkeit, andere Menschen *magnetisch* zu beeinflussen und diese Kraft auf unbelebte Gegenstände zu übertragen. Das spielte in seinen späteren Seancen eine große Rolle, in denen er sein eigenes magnetisches Fluidum angeblich auf die sogenannten Baquets übertrug, Zuber, die mit Flaschen voll magnetisierten Wassers gefüllt waren und das Fluidum über eiserne Stäbe zu den Patienten leiteten.

Die überwiegende Mehrzahl seiner Thesen versuchte, die Natur des imaginären Fluidums zu bestimmen und seine Eigenschaften zu beschreiben. Spiegel vermehren es und strahlen es zurück, es wirkt in Nähe und Ferne, kann aber durch manche Körper auch gestört und gehemmt werden. Tierischer und mineralischer Magnetismus sind verschieden; *wenn die Elektrizität und der mineralische Magnetismus Kranken nützen, so nur deshalb, weil sie von tierischem Magnetismus begleitet werden.*

Mesmer erkannte, daß die Wirkungen, die von ihm ausgingen, nicht physikalischer Natur waren, fand aber keine psychologische Erklärung, sondern suchte das Lehrgebäude der Physik umzustürzen, die seit Galilei und Newton auf festen Füßen stand, obschon Michael Faradays (1791-1867) Forschungen über den Zusammenhang von Elektrizität und Magnetismus noch ausstanden.

Die Akademien lehnten seine Theorie ab. Sie konnten von einem geschulten Physiker der damaligen Zeit nicht ernst genommen werden. Mesmer wurde in seinen Ansichten immer wieder bestätigt, da er sie ja nicht physikalisch beweisen wollte, sondern an Menschen, auf welches Gebiet ihm nun wiederum die Physiker nicht folgten.

So liegt die Tragik Mesmers darin, daß er richtige Beobachtungen durch eine ungeeignete Theorie erklärte, während seine wissenschaftlichen Gegner mit ihren Argumenten gegen Mesmers Theorie seine Beobachtungen aus der Welt zu schaffen glaubten.

In einer Selbstschilderung, die Justinus Kerner in Mesmers literarischem Nachlaß fand, findet sich ein Zeugnis seiner suggestiven Behandlung (es war eine Be-Handlung im ursprünglichen Sinn: Handauflegen, streichende Bewegungen entlang der Nervenbahnen), die ihm immer wieder die Gültigkeit seiner Lehre zu bestätigen schien:

> Wenn ich einen an irgendeinem Ort [...] festgesessenen Schmerz mit meinem Finger hinführe, wo mir's beliebt; wenn ich ihn nach meinem Gutbefinden vom Gehirn in den Magen, vom Magen ins Gehirn treibe, so kann nur die ausgemachteste Narrheit oder eine aufs höchste getriebene Bosheit den Urheber von diesen Gefühlen verkennen.[16]

Schließlich bittet der König die französische Akademie der Wissenschaften um ein Gutachten. In der Kommission sitzen berühmte Männer: der Astronom Bailly, der Arzt Guillotin, der im philanthropischen Geist der Zeit eine humane Hinrichtung fordert und eine Maschine dafür entworfen hat, Benjamin Franklin, Lavoisier, der berühmte Chemiker. (Zwei der Mitglieder dieser Kommission, Bailly und Lavoisier,

---

16 Johannes Heinrich Schultz: Psychotherapie - Leben und Werk großer Ärzte. Stuttgart 1952, S. 16.

werden wenige Jahre später durch die Erfindung ihres Confrère Guillotin vom Leben zum Tode gebracht.)

Mitglieder der Akademie nehmen an den Séancen Mesmers teil. Sie sehen ihre Wirkungen: Manche Kranke sind ruhig, still und verzückt, andere haben Krämpfe, schwitzen und husten. Doch keines der Mitglieder der Kommission, die in Mesmers Haus am Baquet saßen, hat irgend etwas gespürt. Das Fluidum Mesmers wird auch von den Gläubigen im damals zuerst erprobten Blindversuch nicht erkannt: Man gibt einer Kranken Tassen zur Auswahl, von denen eine mit magnetischem Wasser gefüllt ist, und sie irrt. Freilich, als Mesmer ihr die Tasse gibt, setzt die Krise sofort ein.

Die Akademie prüft Mesmers Theorie. Sie sucht nicht, seine Wirkung zu erklären. Somit ist die *nullité du magnetisme* kein falsches, aber ein ungenügendes Urteil. Deshalb ist die Geschichte der Entdeckungen Mesmers auch mit diesem Gutachten aus dem Jahr 1784 noch nicht zu Ende.

In demselben Jahr gibt ein Schüler Mesmers, der Marquis Chastenet de Puységur, in einem *Mémoire du Magnetisme* Experimente bekannt, die sich als folgenschwerer herausstellen als alle Theorien Mesmers. Der vornehme Franzose hat magnetische Kuren an Bauern und Hirten auf seinem Landgut versucht. Statt in die von Mesmer erwartete und deshalb auch meist eintretende Krise mit Krämpfen und Schweißausbrüchen zu geraten (die bereits Hippokrates als wichtigen Schritt zur Genesung forderte), schläft einer von ihnen ein.

Als der Marquis ihn schüttelt, beginnt er wie ein Schlafwandler in gewählter Sprache zu reden und Befehlen automatisch zu gehorchen. Der *künstliche Somnambulismus* ist entdeckt; in der Folge gelingt es Puységur, andere Personen in diesen Zustand zu versetzen. Während Mesmer eine pseudophysikalische Wirkung der magnetischen Fähigkeiten *des Arztes* konzipiert hatte, entdeckte Chastenet de Puységur die Kranken als Werkzeuge der eigenen Heilung. In dem somnambulen Zustand, erklärte der Marquis, wüßten sie besser als im Wachzustand, aus welchen Quellen ihre Leiden stammen würden und was sie tun müßten, um zu genesen.

Diese Vorstellung eines somnambulen Zustandes, der Menschen zu Werkzeugen (Medien) wunderbarer Kräfte macht, hat im ausgehenden 18. Jahrhundert eine tiefe Wirkung auf den Zeitgeist entfaltet. Grenzen einer intellektualisierenden Aufklärung, die Kleist noch als eine ganz persönliche (Kant-)Krise beschrieben hatte, waren zu einem zentralen Thema der jungen Intelligenz geworden.

Interessant ist der Glaube, daß Somnambule wunderbare geistige oder musikalische Leistungen vollbringen, zu denen sie im Wachzustand nicht imstande sind. Sie können Bücher mit der nackten Haut lesen, sie decken hellseherisch Verbrechen auf, schauen in die Zukunft, ins Geisterreich, erspüren, bis zum Gürtel in die Erde verrufener Keller eingegraben, verborgene Schätze. Sie sprechen Aramäisch und Griechisch, ohne diese Sprachen je gelernt zu haben, erkennen Krankheiten und wählen die einzig hilfreiche Medizin.

Im pseudophysikalischen Gewand des Magnetismus ist das Phänomen der ekstatischen Riten nach Europa zurückgekehrt. Es ist, wie Kleist als Kenner des Ursprungs der Tragödie im Dionysos-Kult wohl wußte, auch die Urszene des Theaters und des Rollenspiels. Der Schauspieler muß seine Rolle nicht lernen, ein Gott oder Dämon ergreift von ihm Besitz und gibt sie ihm ein.

In Kleists Erzählung über die Marquise von O… ist das Opfer in einem somnambulen Zustand geschwängert worden. Der Täter, ein Edelmann, hat die Soldaten vertrieben, welche die Marquise vergewaltigen wollten. In höchster Erregung ist er ihr als rettender Engel erschienen; unsicher bleibt, ob sie sich ihm hingegeben hat und sich nachher an nichts erinnert oder ob er ihre Ohnmacht als Hingabe nahm. Jedenfalls weiß die Schwangere von nichts und kann sich die Veränderungen ihres Leibes nicht erklären. Der Offizier schämt sich seiner Tat und will sie wieder gut machen. Die Eltern der Marquise verstoßen sie und drohen, ihr die Kinder wegzunehmen.

Nach heftigsten Verwirrungen verzeihen erst die Eltern dem Opfer und dann dieses dem Täter. Die Erzählung klingt in einer zweifachen Vermählung aus: das erste Mal, um den Schaden zu heilen, das zweite Mal, um die Liebe in ihr Recht einzusetzen. Während in den Texten zu den Seelenzuständen der Somnambulen die Leidenschaft zur Rolle wird, welche der Magnetiseur inszeniert, entwickelt Kleist große Sensibilität für den Widerstand, den das bewußte Ich angesichts der Begegnung mit den eigenen erotischen Impulsen entfaltet. Seine Somnambulen handeln aus innerstem Antrieb.

In diesem Zusammenhang stellt sich auch die Frage, welche Einflüsse auf der Schwelle zur bürgerlichen Revolution Entdeckungen wie den animalischen Magnetismus, das künstliche Schlafwandeln und die Hypnose förderten. Wir gehen kaum fehl, hier erste Signale jener Bedürftigkeit nach Ersatz für verlorenen Traditionshalt zu suchen, wie ihn später die Psychoanalyse nicht nur anbieten, sondern auch wissenschaftlich erforschen sollte. Ergebnis dieser Forschung: Der Mensch kann intellektuell autonomer sein, als er es emotional verkraftet. Er ist nicht so sehr Herr im eigenen Haus, wie es Schiller im *Tell* verheißt: »Der Starke ist am mächtigsten allein.«

KÄTHCHEN, GRISELDIS, SCHEHREZADE – SCHUTZGEISTER GEGEN PENTHESILEA?

Kleist hat festgestellt, daß Käthchen und Penthesilea innerlich zusammenhängen. Wie schon Günther Emig vermutet hat,[17] könnte ein Flugblatt über die Griseldis-Sage für einige Motive des *Käthchen von Heilbronn* verantwortlich sein. Ich würde noch eine dritte Figur dazu nehmen: Schehrezade. Diese drei stehen für ein Gegenbild zu der männerzerfetzenden Amazonenkönigin Penthesilea, formulieren insgesamt aber das Konzept einer Abwehr männlicher Ängste vor einer Überwältigung durch die Macht weiblicher Gefühle.

Das männliche Selbstgefühl ist in seinen Grundlagen – dem Vollzug des Sexualak-

17 Günther Emig: Die Wahrheit über Katharina Friedeborn. Vortrag, Heilbronn, 17. 7. 2008, www.kleist.org/kaet/vortrag/kaethchen_vortrag_kolping_bildungszentrum.pdf.

tes – sehr viel leichter erschütterbar, sehr viel prekärer, sehr viel weniger belastbar als das erotische Selbstbewußtsein einer Frau. Das hängt mit der menschlichen Anatomie zusammen; Homo hat keinen Knochen, der den Penis versteift, sondern ist auf die vegetativ-nervöse Steuerung und damit die von Versagensängsten bedrohte Emotionalität angewiesen. Zusätzlich belastet wird der männliche Narzißmus noch, wie schon erwähnt, durch den Objektwechsel, die Desidentifizierung von der Mutter: Frauen und Männer empfangen ihre prägenden, frühen Identifizierungen von einer Frau.

Die männliche Ur-Angst vor weiblicher Falschheit und Tücke hängt damit zusammen, daß Männer Frauen heftig um deren Fähigkeit beneiden, eine funktionierende Erotik als Rolle spielen zu können. Daher müssen Frauen auch ihre Erotik weniger beweisen; gerade weil sie weniger Ängste vor dem Verlust dieser Bestätigung haben. Sie sind psychisch in der Liebe die Stärkeren, sie sind weniger abhängig; dagegen werden gesellschaftliche Rituale der Macht aufgerichtet. Unverblümt sagt es Sarastro in der Zauberflöte (I,15):

> Ein Mann muß eure Schritte leiten,
> Denn ohne ihn
> Pflegt jedes Weib aus seinem Wirkungskreis zu schreiten!

Die literarische Figur der völlig hingegebenen und unterwerfungsbereiten Frau erlöst den Mann symbolisch von den Ängsten, die sich hier indirekt ausformulieren.

Die Freudschen Thesen zur Weiblichkeit sind ein gutes Beispiel für diese Abwehr in einer psychologischen Theorie. Freud gelingt es sonst oft, die Dynamik von Erlebnisweisen und sozialen Institutionen aus einem Konflikt abzuleiten: der gütige Arzt kompensiert seinen kindlichen Sadismus, der Pedant seine Lust am analen Chaos, die jüdisch-christlichen Religionen den kulturstiftenden Vatermord durch das Opfer des Sohnes am Kreuz.

Nichts davon ist in seinen Theorien zur Weiblichkeit spürbar. Sie sind nicht dynamisch oder dialektisch, sondern linear. Die Frau hat keinen Penis, deshalb beneidet sie den Mann um dieses Organ. Der Mann hat einen Penis und fürchtet sich, ihn zu verlieren. Töchter hängen lebenslang an ihren Vätern – es sei denn, sie gebären einen Sohn; Söhne lösen sich von ihren Müttern, die sie mit der reinsten denkbaren Liebe auf ihre Laufbahn in der Welt vorbereiten. Von dem sonst für die Psychoanalyse charakteristischen Umdenken, daß eine derart energische Produktion von Schein Abwehrgründe haben muß, findet sich hier nichts.

Freud spricht den Männern größere Unabhängigkeit, eine bessere Fähigkeit, den Ödipuskomplex durch Vateridentifizierung zu bewältigen, ein höheres Gerechtigkeitsempfinden und eine größere Entwicklungsfähigkeit in höherem Alter zu. In keinem dieser Punkte gewinnt er Abstand zu den sexistischen Klischees seiner Zeit. Das abhängige Weibchen, das männlichen Schutz braucht, ist doch ein zentrales Gegengift gegen das reale Bild der männlichen Kindheit – eines Knaben, der die mütterliche Schutzmacht benötigt, obwohl sie ihm derart fremd ist. Selbst die Vateridentifizierung ist ein Mythos angesichts der häufigen Abwesenheit der Väter und angesichts ihres Desinteresses an den Ängsten und Schwächen des Kindes.

Wo der reale Vater mangelt, identifiziert sich der Sohn mit dem Idealbild des Mannes, der von der Mutter, nein: von der ganzen Welt bewundert wird, des Eroberers, den niemand ungestraft verletzt.[18]

Eine der Geschichten, welche die weibliche Kompensation der männlichen Kränkbarkeit ausbreitet, ist der in vielen Varianten überlieferte Griseldis-Stoff. Die erste schriftliche Fassung findet sich bei Boccaccio; es gibt Dichtungen von Petrarca, Hans Sachs, Chaucer und vielen anderen Autoren. Der Markgraf Gualteri von Saluzzo, der die Ehe ablehnt, weil er sich keiner Frau fügen will und dieses Schicksal für unvermeidlich hält, sobald er heiratet, wird von seinen Untertanen so bedrängt, daß er schließlich die Bauerntochter Griseldis ehelicht. Er stellt ihr die Bedingung des völligen Gehorsams, den er prüft, indem er ihr die beiden Kinder wegnimmt, die sie ihm geboren hat, sie schließlich nach fünfzehnjähriger Ehe verstößt und von ihr fordert, seine neue Gemahlin bei dem Hochzeitsfest zu bedienen. Erst als Griseldis dies alles willig duldet, deckt er auf, daß die angebliche Braut ihre fern von ihr großgezogene Tochter ist, und setzt Griseldis wieder als seine Gemahlin ein.

In dieser Geschichte spiegeln sich die männlichen Ur-Ängste: die Frau (Mutter) ist mächtiger als der Mann; sie ist stärker, weil sie Kinder gebären kann; sie liebt diese Kinder mehr als den Mann. Nur die Frau, welche bewiesen hat, daß sie sich vollständig den männlichen Bedürfnissen unterwirft, kann Kastrationsangst und Gebärneid kompensieren und den ängstlichen Helden beziehungsfähig machen. Auch der Orient kennt dieses Problem. Hören wir von Schehrezade:

Als der jüngere Bruder Schahzaman einen Tag gereist war, fiel ihm ein, daß er etwas vergessen hatte. Er kehrte um und ging eilig in sein Schloß. Dort fand er seine Gemahlin, wie sie einen hergelaufenen schwarzen Sklaven auf seinem Bett umarmt hielt. Darauf zog er sein Schwert, tötete beide und kehrte zu seinem Gefolge zurück. Sie reisten fort, bis sie in die Stadt des Bruders Schehrijar kamen, der ein noch mächtigerer König war. Dieser freute sich herzlich, die Stadt wurde geschmückt, Feste wurden gefeiert, aber der Besucher war bleich und kränkelte. Schahzaman konnte nicht vergessen, was seine Gemahlin getan hatte. Er schämte sich aber und erzählte seinem Bruder nicht, was ihn plagte. Dieser versuchte, ihn aufzuheitern, richtete eine große Jagd aus und lud ihn ein mitzukommen. Doch der Bruder lehnte ab, so daß der König alleine aufbrach.

Als er fort war und alle im Palast dachten, der Gast sei mit ihm geritten, sah Schahzaman aus seinem Fenster, wie sich die Palasttür öffnete und zwanzig Sklavinnen und zwanzig Sklaven herauskamen, mitten unter ihnen die Königin, eine wunderschöne Frau. Sie schritten zu einem Springbrunnen; dort entkleideten sie sich, und die Sklavinnen setzten sich zu den Sklaven. Dann rief die Königin »Masud!«, da kam ein schwarzer Sklave, umarmte sie und legte sich zu ihr. Ebenso taten es die

18 Freud berichtet in seiner Selbstdarstellung, wie es ihn als Kind empörte, daß sein Vater nichts unternommen hatte, als einmal ein Passant ihm mit den Worten »Jud, herunter vom Trottoir« die neue Pelzmütze vom Kopf schlug. Freud identifizierte sich als Kind mit semitischen Eroberern wie Hannibal.

anderen Sklaven mit den Sklavinnen, und so trieben sie es den ganzen Tag.

Als der Bruder des Königs dies sah, sagte er bei sich: »Bei Allah! Mein Leid ist leichter als dies Leid.« Da war er von seiner Eifersucht befreit und vergaß seinen Gram und aß und trank nach Herzenslust.

Als der König zurückkam und seinen Bruder geheilt sah, wollte er wissen, was geschehen war. Dieser erzählte ihm freimütig von seinem eigenen Schicksal und erst auf das größte Drängen des Königs hin von dem Betrug seiner Gemahlin. Dieser sagte: »Ich will es mit eigenen Augen sehen!« So ging er ein zweites Mal zur Jagd, kehrte aber in einer Verkleidung zurück und setzte sich neben seinen Bruder an das Fenster. Und in der Tat sahen sie dasselbe Schauspiel wie das letzte Mal. Da ward König Schehrijar wie von Sinnen und sagte: »Auf, laß uns fortziehen, so wie wir sind, wir brauchen keine Königswürde mehr, bis wir jemanden treffen, dem es wie uns ergangen ist! Sonst wäre der Tod besser für uns als das Leben!«

So zogen sie hinaus und wanderten Tag und Nacht, bis sie zu einer Quelle kamen, die unter einem hohen Baum mitten in einer Wiese am Rand des Salzmeeres lag. Sie tranken sich satt und rasteten, da wallte das Meer auf und sie sahen aus ihm eine schwarze Säule aufsteigen, die sich bis zum Himmel reckte und genau auf sie zukam. Erschreckt kletterten sie auf den Baum und versteckten sich in den Zweigen. Sie sahen nun einen riesigen Dämon mit breiter Stirn und Brust, der eine Truhe auf dem Kopf trug. Er stieg an Land, näherte sich dem Baum, setzte die Truhe ab, öffnete die Schlösser, nahm daraus eine Schachtel und aus der Schachtel ein schlankes Mädchen von strahlender Schönheit. Als der Dämon sie sah, sagte er zu ihr: »O Herrin der Keuschheit, die ich in der Hochzeitsnacht entführt habe, ich möchte schlafen.« Darauf legte er sein Haupt in ihren Schoß und schlief ein.

Die Maid aber sah um sich und entdeckte die beiden Männer in der Baumkrone. Sie winkte ihnen herabzusteigen; als sie sich weigerten, drohte sie ihnen, den Dämon zu wecken. Als sie vor ihr standen, entblößte sie sich und sagte: »Stechet einen starken Stich, sonst wecke ich den Dämon auf!« In seiner Furcht sagte König Schehrijar zu seinem Bruder, dem König Schahzaman, »Bruder, tu du, was befohlen ist!« Der aber erwiderte: »Ich tu es nicht, du tust es denn zuerst!« So winkte einer dem anderen zu, ihr zu Willen zu sein, sie aber sagte: »Was seh ich euch winken? Wenn ihr nicht beide vortretet und handelt, so wecke ich den Dämon auf.«

In ihrer Angst taten die beiden, was sie wollte, und als sie fertig waren, sagte sie: »Erhebt euch!« Dann nahm sie ihnen ihre Ringe ab und holte einen Beutel hervor, aus dem sie eine Schnur herausnahm, an der fünfhundertundsiebzig Ringe waren. Sie erklärte ihnen, die Besitzer all dieser Ringe seien ihr zu Willen gewesen. »Dieser Dämon hat mich in meiner Brautnacht entführt; dann hat er mich in eine Schachtel gesteckt und die Schachtel in eine Truhe, vor die er sieben starke Schlösser legte, und so hat er mich auf den Boden des Meeres gelegt. Aber er wußte nicht, daß eine jede von uns Frauen, wenn sie etwas durchsetzen will, sich durch nichts zurückhalten läßt.«

Als die beiden Könige dies vernommen hatten, waren sie sehr erleichtert, denn dem Dämon war noch ein weit schlimmeres Schicksal widerfahren als ihnen. So eilten sie fort und kehrten an den Hof des Königs Schehrijar zurück. Dieser ging in sein Schloß und schlug seiner Gemahlin, den Sklavinnen und Sklaven den Kopf ab. Von nun an nahm König Schehrijar jede Nacht eine Jungfrau zu sich, schlief mit ihr und tötete sie am Morgen, um seiner Ehre sicher zu sein, und so geschah es drei Jahre lang, bis sein Volk in Aufruhr geriet und alle Familien mit Töchtern aus der Stadt flüchteten. Der König befahl nun seinem Wesir, ihm wie gewöhnlich eine Jungfrau zu bringen. Dieser suchte überall, fand aber keine und kehrte betrübt nach Hause zurück, denn er fürchtete um sein Leben.

Der Wesir hatte zwei Töchter, die älteste hieß Schehrezade, die jüngere Dinazad. Die ältere hatte alle Bücher gelesen, alle Annalen und Weisheitslehren, Dichterwerke und Geschichten von entschwundenen Völkern; es heißt, daß es über tausend Werke waren. Sie versprach nun dem Vater, den König zu bezähmen, und ließ nicht ab von ihrem Vorhaben, obwohl er ihr Schläge androhte. Dann ließ sie sich als Braut schmücken, weinte aber, ehe der König mit ihr schlafen konnte, und setzte so durch, daß er nach ihrer Schwester schickte, damit sie sich von ihr verabschieden könne. Die Schwester saß zu Füßen des königlichen Lagers, als der Herrscher Schehrezade entjungferte. Als sie nachher beisammen saßen und plauderten, bat Dinazad ihre Schwester, ihr eine Geschichte zu erzählen, und mit Zustimmung des Königs geschah es so. Die Zahl der Nächte, die Schehrezade durch ihre Märchen am Leben bleiben durfte, betrug ebensoviele wie die Zahl der Nächte, in denen jedesmal eine Braut nach der ersten Nacht enthauptet worden war.

Nach tausend Nächten hatte Schehrezade dem König drei Söhne geboren - einer ging, einer kroch, der dritte lag an ihrer Brust. Und jetzt bat sie ihn um ihr Leben, denn wer sonst sollte seine Söhne erziehen? Der König dankte ihr gerührt, er hatte sich das selbst schon so überlegt. Er pries ihre Tugend, widerrief seinen grausamen Entschluß, beschenkte den Wesir mit einem Ehrengewand und ließ ein großes Fest feiern, zu dem alle verlorenen Jungfrauen zurück in die Stadt kamen. Daß er den Ermordeten Unrecht getan hat und ihn die beraubten Familien hassen, ist nirgends erwähnt; das Ende seiner grausigen Willkür wird gefeiert wie der Frühling nach einem finsteren und frostigen Winter.[19]

In dieser Geschichte wird die Verwundbarkeit des männlichen Narzißmus durch weibliche Täuschung und die Heilung dieser Wunden durch Sieg in einer Rivalität (einem mächtigeren Mann ist dasselbe, ja Schlimmeres angetan worden), durch Gewalt (nicht nur die betrügerischen Frauen werden getötet, sondern alle Bräute auf den bloßen Verdacht hin) und schließlich durch extreme weibliche Demut (der Schlächter wird behandelt, als sei er liebesfähig) illustriert.

Penthesilea ist das Gegenbild zu Schehrezade und Griseldis. Es erfüllt mit großem Respekt vor den Geheimnissen der künstlerischen Umformung des biographischer Erfahrungen, wenn wir den Zusammenhang zwischen Penthesilea und Kleists herzzerreißenden Ängsten und Sehnsüchten im Kontext mit der Liebe des 23jährigen zu Wilhelmine von Zenge untersuchen, über die wir aus den Brautbriefen sehr viel mehr wissen als über alle späteren Leidenschaften des Dichters.

19 Nacherzählung aus W. Schmidbauer: Die Rache der Liebenden. Reinbek 2005.

Gegenüber Wilhelmine hat Kleist anfangs Griseldis gespielt – er wollte alles tun, sich in allem fügen, nur um für sie liebenswürdig zu sein. Daß soviel Nachgiebigkeit und Demut nicht kernecht ist, sondern eine magmatische Tiefe narzißtischer Wut verbirgt, verrät er in *Penthesilea*.

Als Wilhelmine das erste, schriftlich vorgebrachte Liebesansinnen von Kleist zurückwies, warb dieser mit größtem Nachdruck um sie und bot an, sich in genau den Mann umzuformen, den sie als Bild eines möglichen Bräutigams in sich trug. Der künftige Dichter meinte, die Enttäuschung nicht ertragen zu können, daß sein einsam zu Sprache geformter Wunsch unerfüllt bliebe. Hier deutet sich an, wie die Möglichkeit der Verschriftlichung eines Wunsches Kleist half, seine Angst zu überwinden, diesen direkt zu äußern.

Was schließlich blieb, war keine reife, wechselseitige Liebe, sondern ein Text, den Kleist später zu seinen wichtigsten Liebesdramen weiter entwickelt hat: dem *Käthchen von Heilbronn* und der *Penthesilea*. Sie sind in ihrer gleichzeitig leidenschaftlichen und konstruierten, hoch intellektuellen und theatralisch-bildhaften Struktur bewundernswert, Werke aus einem Guß, zärtlich und grausam.

Kleist hatte einen anderen Homer gelesen als Goethe. Er war unter Soldaten groß geworden und hatte, noch längst nicht erwachsen, das blutige Handwerk des Krieges nicht nur erlernt, sondern auch ausgeübt. Etwas von der Solidarität zu den Kampfkameraden blieb in seiner Phantasie wohl bewahrt, auch als er der Kaserne für immer den Rücken kehrte, um andere Aufgaben zu suchen als das Einerlei des damaligen Friedensdienstes mit kargem Sold und geringer Aussicht auf Beförderung.

In der *Penthesilea* geht es um Nekrophilie im wörtlichsten und im übertragensten Sinn. Der oral-kannibalische Sexualakt der Königin am Leichnam Achills spiegelt die in den Homer-Scholien überlieferte Vergewaltigung von Penthesileas totem Körper durch den größten Helden vor Troja. Ähnlich wie in der *Marquise von O…*, wo der Vergewaltiger Juliettas heroisiert und zugleich zum masochistischen Dulder erniedrigt wird, halten sich auch in *Penthesilea* Abscheu und Bewunderung angesichts solcher Exzesse die Waage.

Es ist klar, daß Vergewaltigung eines oder einer (Schein-)Toten dem zärtlichen Liebesideal der Romantik kraß widerspricht. Gleichzeitig widerstrebt Kleists kritischem Geist ein frommes Wunschdenken zutiefst, das sich heute als *political correctness* ausgibt. Als Achilles und Penthesilea sich begegnen (und als Käthchen den Ritter sieht), entsteht eine Liebe, die nicht schwärmerisch ist, sondern selbstvergessen, hinreißend, aus dem Augenblick geboren, weltverändernd. Die Liebenden sind um so eher bereit, zu verschmelzen, je weniger sie sich kennen, je ungestörter sie glauben können, ihr Gegenüber füge sich in ihre Erwartungen. Die narzißtisch durchtönte Leidenschaft der Verliebtheit macht das Gegenüber zu Materie, zu Stoff, aus dem das Selbstobjekt gebaut wird.

Diese ganz auf das Gegenüber bezogenen, sich ihm ganz opfernde Liebe wirft als Schatten die Nekrophilie. Darin wird aus dem Gegenüber eine Puppe, mit der das Größenselbst machen kann, was es will. Vergewaltigung und Nekrophilie sind

Motive, von denen wir am liebsten nichts wissen wollen, politisch höchst unkorrekt, moralisch verabscheut. Sie werden verdrängt und verleugnet. Es fällt schwer, sich der schmerzlichen Einsicht zu öffnen, daß sie gültige Metaphern für einen sadistischen Zug in der menschlichen Natur sind, unter dem nicht nur Frauen zu leiden haben, sondern auch Männer und vor allem Kinder.

Wenn wir die unzähligen Situationen gewichten, in denen Kinder seelisch und körperlich vergewaltigt werden, will uns dieses Leid schier erdrücken, das in fast jeder Kindheit einige Male heftig verspürt wird. Kleists Kreisen um das Thema der Vergewaltigung aus Liebe hat hier seinen kulturellen Ort.[20] Es liegt für Eltern unendlich nahe, in ihren Kindern Stoff zu sehen, Materie, formbares Material für ihre Absichten, wie ein guter und richtiger Mensch zu sein habe. Überall, wo wir der Liebesleidenschaft begegnen, steckt in ihr diese narzißtische Komponente, das Gegenüber zu gestalten, mit sanftem, mit heftigerem Druck, notfalls mit Gewalt. Diese Komponente treibt den Stalker an, sein Objekt zu verfolgen, den Analysanden, den Analytiker gemäß seiner Übertragung zu verformen. Sie weckt die Überredungskünste und die Drohungen der Verliebten.

Sind nicht auch Künstler Nekrophile? Versuchen sie nicht, tote Materie zu behandeln, als sei sie lebendig, sie zu beleben, indem sie ihr Gewalt antun, indem sie sie formen? Wie jemand, der aus frisch gefallenem Schnee eine Figur formt, verdichtet der Poet die Worte, bis sie die von ihm erzwungene Gestalt annehmen. Und berichten Dichter nicht immer wieder, daß ihre Gestalten ein Eigenleben annehmen, daß sie, ob sie nun einen Roman schreiben oder eine Tragödie, eigene Wege gehen und sich erst im Gespräch mit dem Golem herausstellt, welches seine nächsten Schritte sein werden?

In den fernen Welten am Skamander kann die Nekrophilie an die Oberfläche treten. Geschildert freilich wird die Szene von den Beobachterinnen; leibhaft erleben wir sie so wenig wie in der *Marquise von O…*, in der Kleist außer einem Gedankenstrich jede direkte Beschreibung des nekrophilen Aktes unterläßt.

Mit dem Bild der Nekrophilie nähern wir uns dem Widerspruch zwischen Kleists biographisch nachweisbaren Ängsten vor sexuellen Beziehungen und der so intensiven Beschäftigung mit diesem Thema in seinem Werk. Dem Scharfsinn des Dichters ist sicher nicht entgangen, daß die Idee der völligen Selbstaufgabe des Liebenden zugunsten der Geliebten (und umgekehrt) eine nekrophile Qualität hat. Es ist, als ob das Objekt der Liebe leblos, ohne eigene Regung bleibt, ganz und gar Hingabe wird.

Wir nähern uns hier einem Zug des Dichters, den vor allem Wieland als etwas »Räthselhaftes und Geheimnisvolles« beschrieben hat,

> eine seltsame Art der Zerstreuung, wenn man mit ihm sprach, so daß zum Beispiel ein einziges Wort eine ganze Reihe von Ideen in seinem Gehirn, wie ein Glockenspiel an-

20 Der Dichter hat sich im *Allerneuesten Erziehungsplan* ebenso wie in der *Verfertigung der Gedanken beim Reden* und im *Marionettentheater* intensiv mit den Kränkungen durch wohlmeinende Erzieher oder Examinatoren beschäftigt. Auch hier übertrifft er alle Pädagogen seiner Zeit an kritischem Blick – ebenso wie viele, die heute noch ihr Handwerk treiben.

> zuziehen schien, und verursachte, daß er nichts weiter von dem, was man ihm sagte, hörte und also auch mit der Antwort zurückblieb. Eine andere Eigenart und eine noch fatalere, weil sie zuweilen an Verrücktheit zu grenzen schien, war diese: daß er bei Tische sehr häufig etwas zwischen den Zähnen mit sich selbst murmelte und dabei das Air eines Menschen hatte, der sich allein glaubt oder mit seinen Gedanken an einem anderen Ort oder mit einem ganz anderen Gegenstand beschäftigt ist.[21]

Solche Verhaltensweisen passen zu Kleist Aussagen, wie oft er sich in Gesellschaft unwohl und nur alleine ganz bei sich fühle. Sie entsprechen den zahlreichen Beschreibungen von Zeitgenossen, daß der Dichter manche Tage alleine im Bett verbringt und niemanden ertragen kann. Heute würden wir soziale Phobien und Stimmungsschwankungen auf der Grundlage einer Selbstgefühlsstörung diagnostizieren, aber damit ist auch im 21. Jahrhundert wenig Brauchbares gesagt, um einen schöpferischen Menschen zu verstehen.

Spannender wird es, Kleists Ängste mit der Nekrophilie zu verbinden. Die Suche nach Trost in der Materie, die sich (wie im *Marionettentheater* gesagt) nicht ziert, die sich ganz dem schöpferischen Impuls hingibt, sich formen läßt und so das über die Maßen verwundbare Selbst bestätigt, pflegt, schützt – das ist eine Art Geheimgedanke Kleists, eng mit seiner Todessehnsucht verwandt.

Wielands Brief erweist Kleist als einen jungen Hochbegabten, der in einer eigenen Welt lebt, zu der andere nicht immer Zutritt haben und dem es nicht gegeben ist, sich höflich zu verstellen. Wieland deutet die heftigen (Angst-)Spannungen nur an, unter denen Kleist steht; später wird er deutlicher.

> Wenn ich nun alle diese Umstände, seinen auf Selbstgefühl gegründeten, aber von seinem Schicksal gewaltsam niedergedrückten Stolz, die *Exzentrizität* der ganzen Laufbahn, worin er sich, seitdem er aus der militärischen Karriere ausgetreten, hin und her bewegt hat, seine fürchterliche *Überspannung*, sein *fruchtloses Streben* nach einem unerreichbaren Zauberbild von Vollkommenheit und seinen bereits zur *fixen Idee* gewordenen *Guiscard*, mit seiner geschwächten Gesundheit und mit den Mißverhältnissen, worin er mit seiner Familie zu stehen scheint, zusammen kombiniere, so erschrecke ich vor den Gedanken, die sich mir aufdrängen, und fühle mich beinahe genötigt zu glauben, es sei sein guter Genius, der ihm den Einfall, sich in Coblenz zu einem Tischler zu verdingen, eingegeben.[22]

Tischler fertigen nicht nur Tische, sondern auch Särge. Sich in die Materie zu vergraben, als Bauer oder als Tischler, ist eine der sprechenden Mystifizierungen von Kleist. Wie er sich in Wielands Tischgesellschaft vor den sozialen Anforderungen in seine Dichterwerkstatt zurückzieht und nicht mehr zuhört, so will er sich auch in seinen Krisen vor der ganzen sozialen Welt zurückziehen und sich in die Erde oder das Holz einwühlen.

Kleist war kein zurückgezogener Sonderling, der Kontakte scheute – er interes-

---

21 Wieland, Christoph Martin: Briefe, Bd. 16.1, S. 283-286, zit. nach: Gerhard Schulz: Kleist. München 2007, S. 247.

22 Wieland an Dr. Georg Christian Wedekind, Weimar, 10. April 1804, zit. nach: Sembdner, Lebensspuren 125a, S. 114f.

sierte sich brennend für Menschen, für Neuigkeiten, wie nur je ein Journalist. Er hat als junger Paris-Reisender in Form von Briefen an verschiedene Frauen glänzende Reportagen geschrieben, in denen er sich selbst zitiert, als bedauere er, seine Schilderungen nur einer Empfängerin zukommen zu lassen. Später, im *Phöbus* und noch mehr in den *Berliner Abendblättern* bestätigt sich diese Nähe zu seinen Lesern und zum Lauf der Dinge um ihn herum.

Und doch gibt es auch diese andere Seite, in der Menschen bedrohlich werden und nur die Stille, die Einsamkeit von quälenden Gefühlen entlasten. Menschen haben Kleist vermutlich insgesamt doch mehr belastet als bereichert, mehr in Spannung gesetzt als beruhigt. Das mag, wie schon erwähnt, mit den frühen Verlusten von Vater und Mutter, den Verletzungen des hoch begabten Kindes durch verständnislose Lehrer zusammenhängen; Tatsache ist, daß der Dichter stets instabil an seine Mitmenschen gebunden blieb, sich in ihrer Anwesenheit nicht beruhigen konnte und es doch nicht gut ertrug, ganz allein zu sein.

Das Liebesobjekt soll also da sein, aber es soll nicht durch eigene Regung, eigene Beweglichkeit Ängste wecken. Diese Phantasie hat Kleist mehr und prophetischer beschäftigt als seine Zeitgenossen. Seit der Krise seiner intellektualisierenden Abwehr, die auch zur Trennung von Wilhelmine führte, öffnete er sich mit kaum glaublicher Energie und Sprachkraft für die unheimlichen Qualitäten jener menschlichen Leidenschaften, die in der seine Zeit prägenden kulturellen Geste der Individualisierung, der französischen Revolution, so übermächtig geworden waren.

Wo die Weimarer Klassiker höhnische Distanz zu dem individualisierten Exzeß aufbauten (Schiller: »wehe, wenn sie los gelassen« oder »da werden Weiber zu Hyänen«), macht Kleist aus der Nekrophilie ein Thema der übersteigerten und gekränkten Liebe. Er akzeptiert sie in ihrer Ambivalenz, er erkennt, wie gefährlich es ist, sich selbst dem Liebespartner als Material anzubieten oder diesen zur Materie zu machen. Er läßt die Faszination zu, die in solchen Kräften schlummert, sie sind ihm erhaben und abscheulich zugleich.

Käthchen und Penthesilea sind beide nahe an der Liebe und nahe am Tod; Käthchen begegnet mehrmals dem Tod und findet schließlich in todesähnlicher Ohnmacht doch die Liebe. Penthesilea begegnet der Liebe, entzückt sich an ihr, setzt sich über innere und äußere Grenzen hinweg, wird endlich zum Werkzeug des Todes, für den Geliebten wie für sich selbst. Die Liebestragödie ist dem Leben näher als das Melodram. Sie macht uns auch mehr Mut, denn wer sich von den Gefahren des Scheiterns der Liebe ergreifen läßt, geht vorsichtiger um mit dem, was uns darin gelingen kann, doppelt kostbar, weil es so wenig ist.

Literatur

Bisky, Jens: Kleist. Eine Biographie. Berlin 2007.

Brüggemann, Diethelm: Drei Mystifikationen Heinrich von Kleists. New York 1983.

Bülow, Eduard von (Hrsg.): Heinrich von Kleist's Leben und Briefe. Mit einem Anhange. Berlin 1848. (Reprint: Heilbronn 2004)

Dettmering, Peter: Heinrich von Kleist. Zur Psychodynamik seiner Dichtung. Eschborn 1999.

Emig, Günther: Die Wahrheit über Katharina Friedeborn. Vortrag, Heilbronn, 17. 7. 2008, www.kleist.org/kaet/vortrag/kaethchen_vortrag_kolping_bildungszentrum.pdf.
Kleist, Heinrich von: Sämtliche Werke und Briefe. Hrsg. von Helmut Sembdner. Bd. 1-2. 9. Aufl. München 1993.
Kurzke, Hermann: Heinrich von Kleists Krankheit und Größe. In: Die Welt, 28. 10. 2007.
Luhmann, Nikolaus: Liebe als Passion. Frankfurt 1986.
Morris, Max: Kleists Reise nach Würzburg. Berlin 1899.
Ranke-Graves, Robert von: Griechische Mythologie. Bd. 1-2. Hamburg 1960.
Schulz, Gerhard: Kleist. Eine Biographie. München 2007.
Schultz, Johannes Heinrich: Psychotherapie – Leben und Werk großer Ärzte. Stuttgart 1952.
Schmidbauer, Wolfgang: Mythos und Psychologie. Methodische Probleme, aufgezeigt an der Ödipus-Sage. München 1970, 1999.
Schmidbauer, Wolfgang: Alles oder nichts. Über die Destruktivität von Idealen. Reinbek 1980.
Schmidbauer, Wolfgang: Der hysterische Mann. München 1999.
Schmidbauer, Wolfgang: Die Rache der Liebenden. Reinbek 2005.
Sembdner, Helmut (Hrsg.): Heinrich von Kleists Lebensspuren. Dokumente und Berichte der Zeitgenossen. Neuausg. München 1996.
Staengle, Peter: Heinrich von Kleist. Sein Leben. Heilbronn 2006.
Zweig, Stefan: Die Heilung durch den Geist. Frankfurt 1952.

EBERHARD SIEBERT

KLEIST-GRAB ODER NUR KLEIST-GEDENKSTÄTTE?

EINE NOTWENDIGE KLARSTELLUNG

Im Jahre 1905 kam das Gerücht auf, daß das Kleist-Grab nicht mehr an seiner ursprünglichen Stelle liege,[1] aber niemand wußte, wann die angebliche Verlegung stattgefunden haben sollte. In dem Akten-Material über die Vorgänge um Kleists Tod, das Georg Minde-Pouet 1925 veröffentlichte, wurde die Lage des laut Stahnsdorf-Machnower Kirchenbuch[2] mit dem Todesort identischen Begräbnisplatzes mit ungefähr 100 Schritt (= 75 m) Entfernung von der Berlin-Potsdamer Chaussee angegeben,[3] während das uns bekannte Grab etwa 150 m weiter südwestlich liegt. Diese auffällige Diskrepanz hätte seinerzeit zu Nachforschungen anregen müssen, aber dazu kam es erst in den 1980er Jahren. Erika Müller-Lauter wurde zur vehementen Verfechterin des näher an der Chaussee gelegenen Begräbnisortes und folglich der Verlegungshypothese. Noch bevor sie ihre Auffassung im *Kleist-Jahrbuch 1991* darlegte,[4] haben Horst Schumacher und ich ihr gegenüber in Diskussionen die »allerentgegengesetzteste Ansicht« vertreten, um mich einer Formulierung aus der *Phöbus*-Werbung zu bedienen. Wir waren von Anfang an davon überzeugt, daß das Grab niemals anderswo als an der heutigen Stelle gelegen habe, und wir hofften, in den zeitgenössischen Quellen eine bis dahin unbeachtet gebliebene, als Ausgangspunkt für einen Echtheitsnachweis taugliche Information zu entdecken. In der Tat fand sich eine solche, nämlich die zu Protokoll gegebene Aussage des Gastwirtes Stimming, das schreckliche Geschehen habe »auf Machenowschen Boden« stattgefunden.[5] Glücklicherweise ließ sich aus dem Landesarchiv Berlin eine zeitlich in etwa passende Flurkarte beibringen.[6] Die dort eingezeichnete Grenze, die den Grundbesitz des Rittergutes Klein-Machnow vom Gebiet des Ortes Stolpe (mit Stimmings Neuem Krug) trennt, verlief ca. 150 m südwestlich der Chaussee. Im Zusammenwirken mit Stimmings Angabe – und der sie bestätigenden Zuständigkeit

1 Klaar, Alfred: Das Kleist-Grab. In: Vossische Zeitung, Nr. 393 vom 23. August 1905. Bis 1912 erschienen weitere Beiträge zu diesem Thema.

2 Heinrich von Kleists Lebensspuren. Dokumente und Berichte der Zeitgenossen. Hrsg. von Helmut Sembdner. 7., erw. Neuaufl. München/Wien 1996, Nr. 537.

3 Minde-Pouet, Georg: Kleists letzte Stunden. Teil 1: Das Akten-Material. Berlin 1925, S. 10. (Schriften der Kleist-Gesellschaft. Bd. 5). Reprint: Heilbronn 2004. (Heilbronner Kleist-Reprints). Die Entfernungsangabe ist auch abgedruckt in: Lebensspuren (wie Anm. 2), Nr. 533.

4 Müller-Lauter, Erika: Geschichte des Kleist-Grabes. In: Kleist-Jahrbuch. 1991, S. 229-256.

5 Lebensspuren (wie Anm. 2), Nr. 532, S. 468.

6 Karte von den im Teltower Kreise belegenen Rittergute Klein-Machnow mit den dazugehörenden Forsten. Aufgenommen im Jahre 1828. (Landesarchiv Berlin, acc. 2870, Nr. 112). Die Karte ist wiedergegeben bei Horst Schumacher/Eberhard Siebert: Wurde das Kleist-Grab verlegt? In: Beiträge zur Kleist-Forschung. 1993, S. 109-122; hier: S. 114.

des Pfarrers von Stahnsdorf-Machnow! – war und ist damit die heutige Lage des Grabes als die ursprüngliche, originale erwiesen, die von Frau Müller-Lauter favorisierte hingegen ausgeschlossen.

Damit nicht genug. 1818 hat Ferdinand Grimm vom Grab aus den »spitzigen Kirchturm« des »fernen Spandau« gesehen;[7] 1846 berichtete Eduard von Bülow über die »zwei Meilen entfernten Türme von Spandau« dasselbe.[8] Wegen der inzwischen erfolgten intensiven Bebauung und Bewaldung läßt sich diese Beobachtung jetzt nicht mehr in der Realität nachprüfen; jedoch kann man kartographisch-mathematisch nachweisen, daß der Turm der Spandauer Nikolaikirche von der heutigen Begräbnisstelle aus zu sehen gewesen ist.[9] Die Sichtbarkeit von dem Platz aus, für den Erika Müller-Lauter plädiert hat, war jedoch wegen der zu großen Höhe des Grunewald-Ufers gegenüber der Insel Schwanenwerder nicht gegeben.

Unsere argumentative Auseinandersetzung mit Frau Müller-Lauters Sicht der Dinge haben Schumacher und ich am 17. Oktober 1992 in der Kleist-Gedenk- und -Forschungsstätte in Frankfurt (Oder) vorgetragen. Für die Publikation in den *Beiträgen zur Kleist-Forschung* haben wir den Lichtbildervortrag in eine mit vier Abbildungen auskommende Form gebracht.[10] Im Spätherbst 1993 bot sich die Gelegenheit, die Frankfurter Version des Vortrags in Berlin-Wannsee zu wiederholen.

Man hätte denken können – und ich habe es gedacht – daß unsere mit neuem Material untermauerten neuen Beweisgänge mit der Zeit eine gewisse Wirkung entfalten würden. Weit gefehlt. Nachdem es etliche Jahre um das Kleist-Grab ziemlich still gewesen ist, wird es jetzt – im Vorfeld des 200. Todestages und zweier Initiativen zur Neugestaltung des Grabgeländes – wieder etwas lebhafter. Den publizistischen Auftakt bildete am 23. Juli ein Artikel von Ingeborg Harms in der *Frankfurter Allgemeinen Zeitung*.[11] Er stützt sich ausschließlich auf Erika Müller-Lauter; unsere Gegenposition wird mit Stillschweigen übergangen. Ich erkenne nicht, wie ein solches Vorgehen mit dem Gebot wissenschaftlicher Redlichkeit oder der journalistischen Sorgfaltspflicht zu vereinbaren ist. Auch wenn sich Frau Harms von unserer Argumentation – wie es scheint – nicht überzeugen lassen konnte, hätte sie mindestens erwähnen sollen, daß es sie gibt. Ich habe auf diese Einseitigkeit mit einem Leserbrief an die *Frankfurter Allgemeine* reagiert; er wurde am 10. August dort abgedruckt.[12]

Der Grund für meine Erwiderung war eine schlimme Befürchtung. Wenn an so prominentem Ort wie der *Frankfurter Allgemeinen* der Eindruck erweckt wird, daß wir an der heutigen Stelle nicht mehr das ursprüngliche Grab, sondern nur noch eine Stätte des Gedenkens vor uns haben, dann werden Gartenarchitekten, Land-

7 Lebensspuren (wie Anm. 2), Nr. 561a.

8 Lebensspuren (wie Anm. 2), Nr. 563, S. 495.

9 Schumacher/Siebert (wie Anm. 6), S. 116f.

10 Wie Anm. 6.

11 Harms, Ingeborg: Nun, o Unsterblichkeit, bist du ganz mein. In: Frankfurter Allgemeine Zeitung, Nr. 168 vom 23. Juli 2009, S. 27.

12 Siebert, Eberhard: Noch am ursprünglichen Platz: das Kleist-Grab. In: Frankfurter Allgemeine Zeitung, Nr. 183 vom 10. August 2009, S. 8.

schaftsbauer, Künstler, Entscheidungsträger usw. bei ihren Planungen dem Überlieferten erheblich weniger Respekt entgegenbringen. Die Gefahr, daß historische Substanz irreparablen Schaden erleidet, ist nicht von der Hand zu weisen. An die für die Um- oder Neugestaltung des Grabes und seiner Umgebung letztendlich Verantwortlichen ist dringend zu appellieren, gegenüber der von Schumacher und mir als original erwiesenen Kleist-Stätte – es ist eine der ganz wenigen! – Pietät walten zu lassen.

PETER STAENGLE

DER KLEISTFORSCHER S. RAHMER UND SEINE NACHKOMMEN

In seinem 1995 erstmals veröffentlichten Porträt der schriftstellerischen Arbeiten des Arztes und Kleistbiographen Sigismund Rahmer hat Horst Häker die bis dato spärlichen Kenntnisse über Rahmers Lebens- und Bildungsgang um einige wichtige Daten zu ergänzen gewußt.[1] Sie seien hier zunächst resümiert.[2]

Rahmer wurde am 10. März 1863 in Gleiwitz geboren; seine Eltern waren der Seifensieder Moritz Rahmer und dessen Ehefrau Friederike geb. Landsberger. Nach dem Abitur am Gleiwitzer Gymnasium nahm er im Herbst 1882 ein Medizinstudium an der Berliner Friedrich-Wilhelms-Universität auf, wo er u. a. bei Virchow studierte. Im Sommersemester 1886 wechselte er an die Greifswalder Universität und bestand dort am 10. November 1886 das Examen rigorosum; den Doktortitel erhielt er am 25. Februar 1887 mit einer Dissertation über ein spezielles Thema der Lungenerkrankungen.

> Spätestens 1891/92 hat sich Rahmer als praktischer Arzt in Berlin SW in der Blücherstraße nahe dem Halleschen Tor [...] niedergelassen, wo er bis zu seinem Tod am 14. Februar 1912[[3]] bleiben wird. Der Tod wird gegenüber dem Standesbeamten von einem Maurermeister Richard Rahmer (1872-1926) angezeigt. Die Todesursache wird in der Sterbeurkunde nicht genannt. Zu Rahmers in der Sterbeurkunde erscheinenden Ehefrau Gertrud geb. Itzig konnte lediglich festgestellt werden, daß sie in Wilmersdorf, Konstanzer Straße 11, gewohnt hat und daß sie nicht das Erbbegräbnis ihres Mannes teilt. Es ist auch nicht bekannt, ob Sigismund und Gertrud Rahmer Kinder hatten.

Das besondere Interesse der Kleistforschung an Rahmer gilt dem Verbleib seines literarischen Nachlasses, zumal Rahmer auch in den Besitz der Hinterlassenschaft des Publizisten und Kleistherausgebers Theophil Zolling (30. 12. 1849 - 22. 3. 1901) gekommen war.[4] Eine Anfrage beim Amtsgericht Tempelhof-Kreuzberg, Abteilung für Nachlaßsachen, hat diesbezüglich leider keine neuen Indizien erbracht - auch nicht über das Schicksal von Rahmers bedeutender Plakatsammlung[5] –, wohl aber bisher unbekannte Informationen über Rahmers Ehefrau und Kinder.

1 Häker, Horst: Sigismund Rahmer. In: Häker, Horst: Überwiegend Kleist. Vorträge, Aufsätze, Rezensionen. 1980-2002. Heilbronn: Kleist-Archiv Sembdner 2003. S. 155-172 (zuerst in: Beiträge zur Kleist-Forschung 1995. S. 17-26). Häkers Aufsatz ist die überarbeitete und um Anmerkungen ergänzte Fassung eines Vortrags im Rahmen eines Symposiums am 23. 10. 1994. Vgl. a. S. 162 Anm. 1: »Während des Symposiums, an dem [Klaus] Kanzog teilnahm, zeigt es sich, daß er nach 1979 [s. u. Anm. 4] weitere Informationen über Rahmer gesammelt, aber nicht veröffentlicht hat.«

2 Ebd. S. 155f.

3 Im Neudruck 2003 versehentlich »4. Februar 1912«.

4 Kanzog, Klaus: Edition und Engagement. 150 Jahre Editionsgeschichte der Werke und Briefe Heinrich von Kleists. Bd. 1-2. Berlin [u. a.]: de Gruyter 1979. Bd. 1. S. 293.

5 Cf. Nachruf in der Vossischen Zeitung (Berlin), 16. 2. 1912

Das eigenhändig geschriebene Testament:

Berlin SW. Bluecherstraße 9 d. 30. Januar 1911

Folgendes ist meine letztwillige Verfügung:
Zu Erben meines Vermögens setze ich ein:
1. meine Ehefrau, Gertrud Rahmer, geb. Itzig.
2. meine Kinder und zwar
a.) meine Tochter Melanie
b.) meinen Sohn Bernd Anselm
c.) diejenigen, welche etwa noch in meiner Ehe geboren werden sollten.
Meine Ehefrau soll, solange sie lebt, den Nießbrauch des gesammten Nachlasses haben, sofern sie sich nicht wieder verheiratet.
Bei ihrer Wiederverheiratung hat sie mit den Kindern in der Weise Teilung zu halten, daß sie die eine Hälfte des Nachlasses, meine Kinder zusammen die andere Hälfte des Nachlasses erhalten. Der Nießbrauch an den beiden Hälften steht, solange sie für meine Kinder sorgt bzw. solange dieselben nicht ausgestattet werden müssen, meiner Frau zu.
Als Beistand bei der Verwaltung des Vermögens bzw. als meinen Testamentsvollstrekker, welcher den Nachlaß zu verwalten hat, bestelle ich meinen Schwager Herrn M. Perl,[6] Genthinerstr 36, mit der Maßgabe, daß er für den Fall seines Ablebens, selbstständig einen zuverlässigen Vertreter bestimmt.
Der Erbanteil sub 2.) wird, solange nur zwei Kinder am Leben sind, so geteilt, daß a) daran 2/3 b) 1/3 Anteil erhält.
Meine Ehefrau ist verpflichtet die Kinder auszusteuern 1) meine Tochter bei ihrer Verheiratung 2) meinen Sohn im 25. Lebensjahre, wenn ein nachweisbares Bedürfnis vorliegt.
Meine Ehefrau ist verpflichtet jährlich in vierteljährigen Raten zu zahlen: 1.) M. 300 an meine Schwester Frau Anna Brasch während Lebensdauer 2.) M. 200 an meine Schwester Frau Rosa Hirschfeld, bis einer ihrer Söhne eine selbstständige Existenz hat.

Dr. Sigismund Rahmer.

Die Geburtsdaten der Kinder sind in einem weiteren Dokument zur Nachlaßsache festgehalten. Zur Ausstellung des Erbscheins gibt Gertrud Rahmer am 29. März 1912 vor dem Notar Justizrat Bernhard Breslauer u.a. zu Protokoll:[7]

1. Der praktische Arzt, Doktor der Medizin Siegismund [!] Rahmer, der seinen letzten Wohnsitz, hierselbst hatte, ist am 14. Februar 1912 in Berlin, Blücherstraße 9 gestorben.
2. Er hat am 30. Januar 1911 ein Testament errichtet, in dem er als seine Erben eingesetzt hat
a) mich, seine Ehefrau Gertrud Rahmer geb. Itzig zu 1/2 des Nachlasses
b) unsere Tochter Melanie, geboren am 24. Januar 1906 zu 1/3 des Nachlasses
c) unsern Sohn Bernd Anselm, geboren am 12. Januar 1909 zu 1/6 des Nachlasses [...].

---

6 Der Kaufmann Moritz, gen. Martin, Perl, Genthinerstraße 36 (Berliner Adreßbuch 1911; ab 1912:) Charlottenburg, Kantstraße 90; Inhaber der Fa. Martin M. Perl, Vertr.[ieb?] auswärtiger Häuser, Scharrenstraße 10 I.

7 Nr. 149 des Notariats-Registers für 1912.

3. Eine weitere letztwillige Verfügung oder einen Erbvertrag hat der Erblasser nicht hinterlassen.
4. Eine Tochter des Erblassers, Gerda Rahmer, geboren am 23. Januar 1905 ist vor dem Erbfall, am 25. Februar 1905 verstorben. [...]
7. Alle drei zu Erben eingesetzten Personen haben die Erbschaft angenommen und zwar die Erben zu 2b und c durch mich, ihre gesetzliche Vertreterin.

*

In dem zitierten Protokoll ist als Gertrud Rahmers Wohnsitz Berlin-Wilmersdorf, Konstanzerstraße 11, angegeben. Unter dieser Adresse findet man sie auch noch im Berliner Adreßbuch 1916. In den Jahren danach taucht ihr Name in den Adreßbüchern nicht mehr auf. Und doch läßt sich ihre Spur wieder aufnehmen, dank der Lebenserinnerungen, die der Berliner Journalist Fritz Teppich (geb. 26. 11. 1918), Teilnehmer auf seiten der Republikaner am Spanischen Bürgerkrieg, 1996 unter dem Titel *Der rote Pfadfinder*[8] veröffentlicht hat. Gertrud verw. Rahmer hatte 1917 den Engros-Kaufmann Richard Teppich (gest. 1935)[9] geheiratet, der Ehe entstammen drei Söhne: Hans (geb. 1917),[10] Fritz und Helmut Bernhard (12. 3. 1923 - 25. 4. 1945)[11]. 1918 bezog die Familie eine Villa in Charlottenburg, Rüsternallee 33.[12]
Bei Fritz Teppich liest man:

> Meine Mutter Gertrud Teppich, geborene Itzig, verwitwete Rahmer hatte 1885 in Berlin das Licht der Welt erblickt. Sie war noch ein kleines Mädchen, als ihr Vater sich das Leben nahm, weil er aufgrund falscher Information annahm, sein gesamtes Vermögen in einer Börsenspekulation eingebüßt zu haben. Schlimmer Irrtum! Gertrud wurde ein aufmüpfiger Backfisch. Mit siebzehn brach sie aus mütterlicher Obhut aus, auf seinerzeit für eine Bürgertochter einzig möglich erscheinende Weise: Sie heiratete. Ehemann

8 Teppich, Fritz: Der rote Pfadfinder. Der abenteuerreiche Weg eines Berliner Juden durch das 20. Jahrhundert. Berlin: Elefanten Press 1996. Vgl. auch: Lorenz, Lutz: Der »Erbe« der Kempinskis. Die Familiendynastie gibt es nicht mehr. Aber sie hat einen Verfechter. In: Jüdische Zeitung. Januar 2007 [http://www.j-zeit.de/archiv/artikel.200.html].

9 Ebd. 33 und 293; beigesetzt auf dem jüdischen Friedhof Berlin-Weißensee.

10 Nach seiner Emigration in die USA ließ sich Hans/John Teppich in New York nieder und wurde zu einem namhaften Buchillustrator, Graphiker und Akademielehrer (1962-1981 an der New Yorker High School of Art and Design). [http://www.wardnasse.org/3t01p.htm]

11 Gedenkstätte Yad Vashem, The Central Database of Shoah Victims' Names: http://www.yadvashem.org/wps/portal/!ut/p/_s.7_0_A/7_0_FL/.cmd/acd/.ar/sa.portlet.VictimDetailsSubmitAction/.c/6_0_9D/.ce/7_0_V9/.p/5_0_P1?victim_details_id=1399845&victim_details_name=Teppich+Helmut&q1=wA4pJl5UtTo%3D&q2=Do3pkmb5R0r2EPdF9ALMDfA%2FKhUQLvy%2B&q3=jrv5FPFqlik%3D&q4=jrv5FPFqlik%3D&q5=o1KFpXLpQXs%3D&q6=cdthsXMWxcY%3D&q7=3SdNsbxGZrLh%2BiBlTC%2BKdCNAuWLej%2B15&frm1_npage=1. Fritz Teppich zufolge wurde Helmut »im Zuge einer KZ-Räumung erschossen« [http://www.schattenblick.de/infopool/medien/altern/rotfu073.html]

12 Teppich, Fritz [wie Anm. 8]. S. 11; siehe auch Berliner Adreßbuch 1918; dort firmieren Richard und Franz Teppich als Inhaber der Fa. Casparius & Umlauf, Leinenweberei in Herzogswalde.

> des reizenden Springinsfelds wurde ein feingebildeter, progressiver Kreuzberger Armenarzt und Kleistforscher, der doppelt so alt war wie sie, Dr. Sigismund Rahmer. Als er nach zehn Jahren starb, blieb Gertrud mit den Kindern Mela und Bernd allein zurück, gereift durch den Tod ihres Erstgeborenen[[13]] [...]. Jahre später ehelichte sie meinen Vater, einen gutmütigen, aber extrem eifersüchtigen Geschäftsmann, dabei von liberaler Gesinnung. Offensichtlich paßte er besser zu ihr als der intellektuelle Mediziner und Forscher. Mit ihm hatte sie drei Söhne, Hans, heute John, Fritz, also mich, und Helmi, wie wir zärtlich unseren Jüngsten nannten. Mein Vater starb - zum Glück! - 1935, ehe das größte Elend begann. John und ich entkamen der Ausrottung, nicht zuletzt dank der Weitsicht und Vorahnung unserer guten Mutter. Sie wie auch Helmi und viele weitere Angehörige wurden deutsch-staatlich ermordet.[14]

Ende 1933 hatte Gertrud Teppich ihre beiden ältesten Söhne Hans und Fritz erst nach Frankreich, dann nach Belgien in eine Kochlehre vermittelt. Sie selber blieb mit ihrem jüngsten Sohn Helmut bei ihrem pflegebedürftigen Mann in Berlin. Nach der Pogromnacht floh sie in die Niederlande nach Den Haag, die weitere Flucht nach England, wohin ihre Tochter Melanie Rahmer mit ihrem Ehemann emigriert war, scheiterte. Nach dem Einmarsch der Nazis wurde sie von Groningen, ihr Sohn Helmut von Amsterdam[15] aus zunächst in dem Durchgangslager Westerbork interniert und über Theresienstadt schließlich nach Auschwitz deportiert. Ihre Lebensdaten, nach Mitteilung ihrer Tochter Melanie, verzeichnet »The Central Database of Shoah Victims' Names« der Gedenkstätte Yad Vashem:

> Gertrud Teppich, 18. 7. 1885 (Berlin) - 26. 2. 1943 (Auschwitz), Tochter von Johanna und Isidor Itzig.[16]

*

Gertrud und Sigismund Rahmers Kinder, Melanie, genannt Mela, und Bernd Anselm, sind zu verschiedenen Zeiten und auf unterschiedlichen Wegen nach Groß-

---

13 Ebd. S. 9: »Ihre Erstgeborene war an einer damals unheilbaren Infektion gestorben, obwohl ihr Mann [...] alles zur Rettung des Säuglings aufgeboten hatte.«

14 Ebd. S. 291-293.

15 van der Poel, Stefan: Joodse stadjers. De joodse gemeenschap in de stad Groningen. 1796-1945. Diss. Groningen 2004. S. 129 [http://irs.ub.rug.nl/ppn/260521469]; eine Fotografie von Helmut Teppich S. 130. Ferner »Digitaal Monument Joodse Gemeenschap in Nederland«; zu Gertrud Teppich: http://www.joodsmonument.nl/person-459402-nl.html?lang=en; zu Helmut Teppich: http://www.joodsmonument.nl/person-459993-en.html (Todesdatum 10. 5. 1945).

16 http://www.yadvashem.org/wps/portal/!ut/p/_s.7_0_A/7_0_FL/.cmd/acd/.ar/sa.portlet.FromDetailsSubmitAction/.c/6_0_9D/.ce/7_0_V9/.p/5_0_P1?related_key=&DTsearchQuery=&todo=2&images=%5B%2F21031025_248_5165%2F246.jpg%2C+%2FHall+Of+Names%2F5165%2F1705300_1.JPG%5D&imagedescs=%5B%2F21031025_248_5165%2F246.jpg%2C+%2FHall+Of+Names%2F5165%2F1705300_1.JPG%5D&itemid=1705300&q1=wA4pJl5UtTo%3D&q2=&q3=jrv5FPFqlik%3D&q4=jrv5FPFqlik%3D&q5=o1KFpXLpQXs%3D&q6=cdthsXMWxcY%3D&q7=3SdNsbxGZrLh%2BiBlTC%2BKdCNAuWLej%2B15&npage=&zoomdesc=&victim_details_name=+Teppich+Gertrud&fromSearch=yes&victim_details_id=1705300&imagenum=0&searchfor=1

britannien emigriert. Über Bernd Anselm, der nach dem Krieg als Nationalökonom und Experte für Energiefragen mit Büchern und Fachartikeln auch publizistisch hervorgetreten ist,[17] liegen mir keine näheren Auskünfte vor.

Melanie Rahmer (gest. 1973)[18] heiratete Anfang der 30er Jahre Gerhard Kempinski, den »einzige[n] Sohn von Luise und Hans Kempinski, dem Miteigentümer und allein verbliebenen Namensträger des gleichnamigen Restaurant-, Wein- und Delikatessen-Familienunternehmens, das 1937 ›arisiert‹ werden sollte.«[19] Auf der Flucht vor den Nazis entkamen der Berliner Hotelier und Gerhard mit seiner Frau nach Großbritannien, wo Hans Kempinski in London ein Restaurant eröffnete, das unter dem Namen seines Sohnes »G. Kempinski« firmierte. Als Hans Kempinski 1940 in die USA emigrierte, übernahm sein Sohn Gerhard die Geschäftsführung des Restaurants.[20] Gerhard Kempinski (gest. 1947) war seinerzeit ein bekannter Schauspieler. Für die Zeit der Exiljahre ab 1942 sind Rollen in fünfzehn Kinofilmen belegt, in denen er u. a. neben Lilli Palmer und Albert Lieven mitgewirkt hat.[21]

Zwei Jahre nach der Flucht nach England kam in London das einzige Kind des Ehepaars Melanie und Gerhard Kempinski zur Welt: Tom Kempinski (geb. 24. März 1938), der Enkel Sigismund Rahmers. Tom Kempinski hat zunächst Karriere als Schauspieler (u. a. am Old Vic, am National Theatre, am Royal Court Theatre sowie bei Film und Fernsehen) gemacht. Seit Jahrzehnten arbeitet er nur noch als Dramatiker und Übersetzer. Sein Werk umfaßt mittlerweile mehr als 50 Bühnenstücke. *Duet for one (Duett für eine Stimme)* hat 1980 in London als »Bestes Stück des Jahres« den Preis der Theaterkritik erhalten, ist in über 40 Ländern gespielt und 1986 mit Julie Andrews, Alan Bates, Max von Sydow und Liam Neeson verfilmt worden.

---

17 Rahmer, B. A.: Fuels for the future. A survey of world energy alternatives. London: Petroleum Economist 1980.

18 Teppich, Fritz [wie Anm. 8]. S. 293 (Fotografie: »[…] Mela Kempinski 1973 in London, kurz vor ihrem Tod«).

19 Ebd. S. 20f.; ausführlich zur »Arisierung« das Kapitel »Der Kempinski-Krimi«, S. 291-303. – Im Juni 2006 versteigerte das Auktionshaus Wendl in Rudolstadt ein von Eugen Spiro gemaltes Öl-Porträt der Melanie Kempinski aus dem Jahr 1933; Katalogtext: »Elegante junge Frau aus d. Familie d. Berliner Hoteliers mit reichem Schmuck in modischem grünen Kostüm, die einen Arm auf die Sessellehne stützt u. dabei offenherzig zum Betrachter schaut. 92 x 73 cm.« Text und Abb.: http://katalog.auktionshaus-wendl.com/de/cmd/d/o/119.55.4174/auk/55/p/1/. – Zur Geschichte des Hotel- und Gaststättenunternehmens Kempinski cf. Kleining, Jochen: Die »Arisierung« des Berliner Unternehmens M. Kempinski & Co. O.H.G. 1933-1941. Hamburg: Diplomica 2007; Pracht, Elfi: M. Kempinski & Co. Hrsg. von der Historischen Kommission zu Berlin. Berlin: Nicolai 1994.

20 Kleining, Jochen [wie Anm. 19]. S. 69.

21 »The Internet Movie Database«: http://www.imdb.de/name/nm0447459/

HORST HÄKER

EIN POLNISCHER SCHRIFTSTELLER ÜBER KLEIST

»Er wurde nachdenklich, und als er schon im Begriff war, das grüne Buch zurückzustellen, reichte er es mir rasch. Es waren die Briefe Kleists in der schönen Ausgabe von Erich Schmidt, Georg Minde-Pouet und Reinhold Steig aus dem Jahre 1905, ein Buch, das ich auch heute noch gerne zur Hand nehme.« Diese beiden Sätze stehen auf Seite 136 des 279 Seiten umfassenden Romans *Tod in Danzig* von Stefan Chwin, der im polnischen Original, 1995 erschienen, *Hanemann* heißt. Er wurde von den Literaturkritikern des Landes zum besten Roman des Jahres erklärt.

Kleist wird bis zur S.136, also in der ersten Hälfte des Textes, nicht erwähnt; um so auffallender ist es, daß ihm nun, im Zentrum des Romans, zwölf aufeinanderfolgende Seiten fast ausschließlich gewidmet sind, genauer: den letzten beiden Tagen seines Lebens bei und in Stimmings Wirtshaus am Wannsee nahe der nach dem König benannten Friedrich-Wilhelms-Brücke. Das geschieht in zwei Abschnitten, von denen der erste mit »Der Gutenberg-Hain« überschrieben ist, der folgende mit »Fraktur«.

Der Abschnitt »Gutenberg-Hain« ist als einziger des gesamten Romans von Anfang bis Ende in Anführungszeichen gesetzt, womit deutlich gemacht wird, daß hier nicht das gleich im ersten Satz des Romans sich meldende Ich erzählt, sondern jemand anderes das Wort ergreift. Ein Einschub, den in Anführungszeichen stehenden Bericht unterbrechend, klärt den Leser auf, um wen es sich handelt: » [...], sprach Andrzej Ch. weiter, der Germanist, den ich Jahre später an der Universität Bremen traf, wo er für Studenten aus allen Ländern der Welt [...] ein Seminar zur ostmitteleuropäischen Kultur hielt«. Dieser spätere Germanist bezeichnet sich selbst anschließend als »sechzehnjährigen Jungen aus der Ulica Obrońców Westerplatte«; er lernt bei Hanemann Deutsch.

Wir sind in Danzig in der Zeit bald nach dem Zweiten Weltkrieg; es ist nicht zu erkennen, in welchem Jahr. Während die Epoche der Freien Stadt Danzig auf den ersten 20 oder 30 Seiten mit Jahreszahlen durchsetzt ist und mitunter sogar genau datiert wird, läßt Chwin die Zeit nach der Flucht der Deutschen und während der allmählichen Besiedlung der großenteils zerstörten Stadt durch die im Osten von den Ukrainern vertriebenen Polen in der Schwebe. Für die mit dem Frühjahr 1945 beginnende Zeit nennt er niemals ein Datum. Korrespondierend mit dieser Eigentümlichkeit gibt es eine Fülle deutscher Namen, jedermann bekannte wie Hitler, Göring und den »Reichsführer«, die Danziger Politiker Rauschning, Greiser und Forster – die letzten beiden von den Polen hingerichtet – sowie die nur im Roman agierenden Personen mit Hanemann an der Spitze. Die Polen bleiben anonym, selbst wenn es um eine historische Person wie Witkiewicz geht, der sich 1939 nach dem Einmarsch der Russen das Leben nahm; er wird nur als »der Maler« bezeichnet. Die Orts- und Straßennamen hingegen werden – je nach dem Zusammenhang im Text – exakt deutsch oder polnisch wiedergegeben. Als Hanemann, der das Polnische beherrscht, zu einer Behörde vorgeladen wird und dort seinen Wohnsitz als »Lessingstraße 17« bezeichnet, wird er korrigiert: »Sie wollten sagen: [...] Ulica Grottgera?«

Hanemann hält die Teile der Handlung zusammen, so wie er auch die Polen und die Deutschen sprachlich verbinden kann. Er ist es, der Kleist in den Roman einführt. Und er bildet die Brücke zwischen den Zeiten der Freien Stadt Danzig und der Aera der Polonisierung nach dem Inferno vom Januar/Februar 1945. Er ist Anatomie-Professor; das Sezieren hat er in Berlin-Moabit an den Leichen von Selbstmördern gelernt. Die Handlung des Romans beginnt in der Danziger Anatomie am 14. August eines nicht genannten Jahres. Die auf dem Seziertisch liegende junge Tote wurde gerade aus einem gesunkenen kleinen Dampfer geborgen. Hanemann erkennt in ihr Luise Berger, seine Geliebte. Ein rosa-violetter Streifen an ihrem Hals zeigt, daß sie nicht ertrunken ist, sondern ermordet wurde. Hanemann übergibt die weitere Arbeit seinem Assistenten und verläßt die Anatomie, um sie nie wieder zu betreten – aber nicht wegen der Erschütterung über den Tod der Geliebten, sondern weil man ihn »rausgeworfen« hat, wie es wörtlich heißt. Er hatte sich in der schon vor 1939 von der NSDAP beherrschten Stadt allzu kritisch über »das Singen von Marschliedern und das Marschieren mit Fackeln« geäußert. Die Geliebte wurde wahrscheinlich seinetwegen ermordet.

Danach gehört Hanemann nicht mehr zu den real Lebenden; er nennt seine Existenz ein »Scheinleben«, einen »halben Tod«. In seiner Vorstellung erscheint ihm der »gemeinsame Tod von Kleist und Henriette am Wannsee [...] wie ein Geschenk«. Seine Lethargie hindert ihn schließlich im Januar oder Februar 1945, die Fähre zu besteigen, die ihn und Tausende seiner Landsleute zu einem im offenen Meer ankernden großen Frachtschiff bringen soll. Als einer von sehr wenigen Deutschen bleibt er in Danzig. Tragische Ironie: Fast alle Flüchtlinge, die an Bord der »Friedrich Bernhoff« gelangt sind, ertrinken, als das Schiff vor Bornholm von Torpedos getroffen wird, aber der todessüchtige Hanemann existiert weiter als Scheinlebender in einer Stadt, die nun Gdansk heißt. Dorthin – und gerade in die Ulica Grottgera 17 – kommt auch, noch im Mutterleib geborgen, der Ich-Erzähler Piotr, der Brückenbauer von der polnischen Seite. Er tritt kaum hervor, weiß aber alles über Hanemann, studiert später in Deutschland und weist verschlüsselt schon auf Seite 83 auf Kleists Todesort hin, wenn er die – alle unzerstört gebliebenen – Häuser der früheren Lessingstraße mit den »Sommerhäusern am Wannsee« vergleicht.

Chwin stellt Kleists und Henriettes Tod in den zwei Blickweisen dar, die der Forschung und den ihr zugrunde liegenden Texten entsprechen: der subjektiven der Briefe Kleists und Henriettes vom letzten und vorletzten Tag ihres Lebens und der objektiven Berichte der Außenstehenden, wie sie Minde-Pouet 1925 in *Kleists letzte Stunden* veröffentlicht hat. Die erste Blickweise findet ihren Niederschlag im Abschnitt »Der Gutenberg-Hain«, die zweite im anschließenden Abschnitt »Fraktur«. Chwin geht dabei völlig frei mit den Quellen um, nur seinen Zwecken als Romanautor folgend. So ist mehrfach von Briefen Kleists an Henriette die Rede, obwohl kein einziger solcher Brief bekannt ist, und im Abschnitt »Fraktur« wird nur der frei bearbeitete »Bericht des Gastwirts Stimming« zitiert, und zwar in voller Länge.

Es mutet seltsam an, in einem Roman, der den Untergang des deutschen Danzig 1945 zum Gegenstand zu haben scheint, den Herren Peguilhen und Vogel aus dem Jahre 1811 zu begegnen und von einem Buchhalter Meves zu hören, an den besagter Peguilhen in der Berliner Porzellanfabrik sich wenden solle, um eine Schmucktasse als Weihnachtsgeschenk seiner erschossenen Frau für den Witwer Vogel zu bestellen. Das trägt aber nicht nur wesentlich zum Reiz, man könnte fast sagen, zum Charme des Romans bei, es dient vor allem der Präsentation der Doppeltötung am Wannsee als eines glückhaft-positiv gesehenen Falles des freiwilligen Abschieds vom Leben, dargestellt vor dem historischen Hintergrund von Morden, Greueltaten, Hinrichtungen, der Vertreibung und Flucht ganzer Völker und dem Untergang von Tausenden im Wasser der Ostsee.

Den unmittelbaren Kontrast bildet der gescheiterte Versuch des Malers Witkiewicz, sich zusammen mit einer viel jüngeren Frau in den Sumpfwäldern des Ostens das Leben zu nehmen. Nur ihm gelingt es, indem er sich mit dem Rasiermesser die Pulsadern durchschneidet; die junge Frau überlebt den Versuch, sich zu vergiften. Ihnen war das Geschenk des gemeinsamen Todes, wie Hannemann sinniert, versagt geblieben. »So etwas fällt vom Himmel,« denkt Hanemann. »Unverdient. Ungerecht.« Und er gerät ins Träumen: »der blaue See, die roten Ahornbäume, die Wiese, die weiße Tischdecke auf dem Gras, die zwei Pistolen, die Weingläser und der goldene Pfad, der zu den Wolken führte ... Als betrachtete er eine Lithographie von Caspar David Friedrich. Herr J. aber, der polnische Deutschlehrer, den die Deutschen im KZ Stutthoff gequält hatten, wird von einem mißtrauischen Nachbarn Hanemanns gefragt: »Wozu gehen Sie dorthin? Lassen Sie sich nicht täuschen. Er verachtet uns wie jeder Deutsche. Jetzt hassen die Deutschen und die Russen einander, aber wenn sie sich erst mal einigen, geben die ihnen Danzig wieder. Und werfen ihnen uns zum Fraß vor.« Und Herr J. denkt, der Nachbar müßte eigentlich sagen, »der einzige Ausweg sei die Rasierklinge des Malers«. Selbstmord als die Befreiung der Polen von ihren Ängsten?

Eine andere gescheiterte Selbsttötung ereignet sich in unmittelbarer Nähe Hanemanns. In Piotrs Familie in der Ulica Grottgera 17 lebt und arbeitet als Haushaltshilfe seit einiger Zeit die junge Hanka, die sie »die Ukrainerin« nennen. Freundlich und geschickt, ist sie bald bei allen beliebt. Doch der erfahrene Hanemann bemerkt eines Tages den Gasgeruch, der aus der abgeschlossenen Küche dringt. Es gelingt ihm, die schon stark betäubte Hanka zu retten. Weshalb sie sich umbringen wollte, bleibt im Dunkel ihres früheren Lebens verborgen. Sie will jetzt Piotrs Familie verlassen, besinnt sich jedoch und bleibt. Doch sie fällt Hanemann an und schreit: »Du ... du verdammter Deutscher du ... Wer hat dich geheißen ... Wieso hast du dich eingemischt ...« Nachdem sie sich gesagt hat: »Euch werd ich's zeigen!«, lebt sie fast so wie vorher.

Dem Generalthema des Romans, dem Tod, dient auch ein Gespräch zwischen Hanemann und Herrn J. über Kleists Homburg. »Ein schönes, sehr patriotisches Stück von einem jungen Deutschen, der von der Rettung Deutschlands träumt, vom Ruhm eines Kämpfers und so weiter. [...] der verbissene Ehrgeiz des jungen deutschen

Aristokraten, der vom Sieg über die Feinde träumt. [...], in Danzig habe ich gesehen, wozu solche Phantasien führen.« Herr J. gibt hier offensichtlich eine unter gebildeten Polen verbreitete Ansicht wieder. Darauf Hanemann: »Das ist doch nur Kulisse.« Es gebe eine den Deutschen peinliche Szene: Homburg, dem die Erschießung droht, fleht eine deutsche Fürstin auf den Knien um Gnade an. »Er will leben. Um jeden Preis. Doch dann findet er sich plötzlich mit dem Tod ab.« Er sei auf dem Schlachtfeld, den Befehl des Kurfürsten mißachtend und dadurch siegend, »zum ersten Mal wirklich er selbst« gewesen. Dafür müsse man mit dem Leben bezahlen. »Dieser Selbstmord am Wannsee ...« Herr J. weiß nicht, was er davon halten solle. »Trotz allem, was er über Kleist gehört hatte, weckte diese Gestalt keine Sympathie« in ihm, der Tod des Malers in den Sümpfen des Ostens kam ihm »viel schmerzhafter, viel ernsthafter« vor als das, was am Wannsee geschehen war. » [...] an einem schönen See zu sterben, nachdem man einen extravaganten Brief geschrieben und ein erlesenes Frühstück genossen hat?« Er fürchtete, daß Hanemann in dem Bericht von dem Maler und dem Mädchen, die gemeinsam hatten sterben wollen, »nichts fand, was sein Gemüt mit jenem Licht erfüllen konnte, mit dem ihn die Geschichte von Heinrich und Henriette erfüllte«. Der Maler war wohl für ihn ein Flüchtling, der sich die Pulsadern aufschnitt, als ihm die Russen den »Weg versperrten«. Er hatte »sich nicht wie ein freier Mensch verhalten. [...] Er war schwach gewesen.«

Die Faszination durch das Ereignis vom Wannsee im November 1811 gibt Chwin an seine Leser weiter: Zwei Menschen, die ganz bereit sind, miteinander zu sterben. In ihrer Fröhlichkeit und Heiterkeit erscheinen sie geradezu übermütig. Das Sterben ist ihnen eine »große Entdeckungsreise«; in der Stunde des Todes werden, so gibt der polnische Autor ein bekanntes Kleist-Zitat wieder, »unsere Seelen sich, wie zwei fröhliche Luftschiffer, über die Welt erheben«. Sie haben – auch das gehört zur Faszination – trotzdem alles wohlbestellt, was die Zurückbleibenden angeht, und vor allem: Kleist braucht nur zwei gut plazierte Pistolenschüsse, um die Tat zu vollbringen. Eine Inszenierung der Perfektion; es gibt keine Gelegenheit für unerwünschte und peinliche Versuche der Rettung zurück ins Leben.

Chwins Roman schließt elegisch-pessimistisch. Zu den Bewohnern der Ulica Grottgera 17 gehört plötzlich auch ein – wie es heißt – »Zigeunerjunge« namens Adam in Piotrs Alter. Er ist stumm, kann sich aber vorzüglich mit Gebärden verständlich machen. Mit wenigen Gesten und Andeutungen kann er treffend die Menschen seiner Umgebung charakterisieren. Seine Kunstfertigkeit erinnert lebhaft an ein Grundmotiv von Kleists Marionettentheater, wonach die Vollendung aus der Behinderung erwachsen kann. Nur wenige Wochen vergehen, und Herr J. warnt Hanemann vor der bevorstehenden Verhaftung, die auch Hanka und Adam drohe. Schnell wird gepackt, und im Morgengrauen verlassen die drei das Haus, um mit der Eisenbahn zu entkommen, vermutlich in Richtung Westen. Der Deutsche, die Ukrainerin und der »Zigeunerjunge« sind verschwunden; die Polen sind jetzt ganz unter sich. Piotr aber wartet vergebens auf einen Brief von den dreien. Dieser Schlußabschnitt heißt »Rauhreif«.

NACHBEMERKUNG.

Der Text des voranstehenden Aufsatzes ist identisch mit dem des Vortrags, den ich am 22. November 2008 im Kleist-Museum in Frankfurt (Oder) gehalten habe. Zu Stefan Chwins Roman hat Alicja Kowalska aus Wrocław, damals Studentin der Europa-Universität Viadrina Frankfurt (Oder), zum 5. Frankfurter Kleist-Kolloquium (22./23. Juli 2000) einen Vortrag gehalten, für dessen Kenntnis ich Herrn Dr. Hans-Jochen Marquardt zu danken habe. Ich habe von Frau Kowalskas Text keinen Gebrauch gemacht. Dasselbe gilt für einige Rezensionen des Romans in deutschen Zeitungen oder Zeitschriften, z. B. in der *Süddeutschen Zeitung* oder der *ZEIT*. Für die Übermittlung mehrerer von ihnen danke ich Herrn Burkhard Wolter.

HORST HÄKER

DREI PREUSSISCHE DENKMÄLER UND EIN SÄCHSISCHER FRIEDHOF

Friedrich Eberhard von Rochow (1734-1805) ist vor allem als ein Mann der Aufklärung bekannt, der um pädagogischen Fortschritt bemüht war; er gründete z. B. in Reckahn, dem Mittelpunkt seines Gutsbesitzes, eine Volksschule, in der er die Kinder seiner Bauern unterrichten ließ. Man kann sich heute in Reckahn in einem vorzüglich eingerichteten kleinen Museum darüber informieren, und man kann auch das vollständig erhaltene kleine Schulhaus besichtigen.

Herr von Rochow war nicht nur ein gebildeter Aufklärer, er war auch ein preußischer Patriot. Dies hat er mit einem kleinen vierseitigen Denkmal dokumentiert, das er in Hakenberg, dem wichtigsten Ort der Schlacht bei Fehrbellin, im Jahre 1800 errichten ließ. (Von diesem Rochowschen Denkmal, das an der Straße nach Fehrbellin steht, führt schnurgerade eine etwa siebenhundert Meter lange Allee zu der Siegessäule, deren Grundstein Kaiser Wilhelm I. am 18. Juni 1875, dem 200. Jahrestag der Schlacht, legte; sie wurde 1879 fertig.)

Auf jeder Seite des Denkmals ist eine Metalltafel angebracht, auf der - ausschließlich in Versalien - steht, was dem Stifter wichtig war. Auf der Ostseite heißt es:

FRIEDRICH WILHELM
DER GROSSE
KAM SAH U. SIEGTE
DEN XVIII JUNI
MDCLXXV

Gegenüber, auf der Westseite, hat von Rochow sein patriotisches Bekenntnis abgelegt:

HIER LEGTEN
DIE BRAVEN BRANDENBURGER
DEN GRUND
ZU PREUSSENS GRÖSSE

DAS ANDENKEN
AN DEN HELD
UND SEINER GETREUEN
ERNEUERT DANKBAR
MIT JEDEM FREUNDE
DES VATERLANDES
FRIEDR. EBERHARD VON ROCHOW
AUF REKAHN
MDCCC

Die Tafeln im Norden und Süden enthalten die Namen der bekanntesten Teilnehmer der Schlacht: Friedrich Landgraf v. Hessen, v. Treffenfeld, v. Strauss, v. Sydow, v.

Zabeltitz, v. Dörflinger, v. Görzke, v. Götz, v. Canowsky, v. Moerner und Froben.

Es fällt auf, daß Friedrich Eberhard von Rochow zwar »PREUSSENS GRÖSSE« beschwört, aber dabei nur dem Großen Kurfürsten huldigt, während er die preußischen Könige nicht einmal erwähnt. Das hängt vielleicht mit Ereignissen zusammen, auf die er neun Jahre zuvor, vermutlich 1791, mit einem Denkmal ganz anderer Art, eigentlich einem Mahnmal, dauerhaft hat hinweisen wollen. Eine einfache Pyramide aus Feldsteinen von den Äckern des Rochowschen Gutes soll an die »grossen unersetzten Schäden dieser Güter« erinnern, die 1741 durch ein halbjähriges Heerlager – »Campement« – der preußischen Armee entstanden waren. König Friedrich der Große hatte im ersten der »schlesischen« Kriege mehr als 30.000 Soldaten – Musketiere und Kavalleristen – zum Schutz Berlins und als Reservestreitmacht nahe Reckahn auf den zum Gutsbesitz des Herrn Friedrich Wilhelm von Rochow gehörenden Feldern ein Lager errichten lassen, das sich bald zu einem alles gewöhnliche Leben störenden und zerstörenden Übel entwickelte. Das »Campement« erstreckte sich über mehrere Kilometer; es bestand aus zahlreichen Zelten und einer Art von Erdbunkern, in denen bald nicht nur die Soldaten, sondern auch von vielen von ihnen die Ehefrauen und Kinder lebten, ganz zu schweigen von Marketenderinnen und Prostituierten. Der Bedarf dieser zeitweilig vierzig- bis fünfzigtausend Menschen an Nahrungsmitteln und Brennholz war riesig, während zugleich die landwirtschaftliche Arbeit in weitem Umkreis völlig zum Erliegen kam. Der nach der Aufhebung des Lagers Mitte September 1741 von der Seite der Geschädigten penibel berechnete Schaden ging weit über die damals ungeheure Summe von 40.000,- Reichstalern hinaus; die königliche Kommission kam jedoch nur auf weniger als 12.000,– Taler. Der Streit über die Entschädigung, in dessen Verlauf Herr von Rochow sich nicht scheute, dem König zu trotzen und dessen Zorn herauszufordern, zog sich bis ins Jahr 1747 hin; es blieb am Ende im wesentlichen bei den »grossen unersetzten Schäden«. Friedrich Wilhelm von Rochow überließ seinem Sohn Friedrich Eberhard das Gut schon 1760, vier Jahre vor seinem Tode. Der Sohn setzte mit der Feldsteinpyramide nicht nur seinem Vater ein Denkmal, er zeigte auch, Patriot, der er war, wo Preußens großer König die Gerechtigkeit grob mißachtet hatte.

An sich wäre damit die Geschichte dieser bemerkenswerten Gedenkstätte zu Ende, aber sie findet ihre Fortsetzung zu Beginn des 20. Jahrhunderts und erstreckt sich darüber hinaus bis in die jüngste Vergangenheit. Im September 1741, wenige Wochen vor der Aufhebung des Feldlagers, wurde gerade dort auf Befehl des Königs das Regiment »Schwarze Husaren« (wegen des Emblems auf ihren Mützen auch als »Totenkopfhusaren« bekannt) gegründet. Der »Verein ehemaliger Leibhusaren zu Berlin« stiftete im August 1907 eine prachtvoll polierte große Granittafel mit goldener Inschrift, in der die Namen Friedrichs des Großen und von »Kaiser und König Wilhelm II« durch die Größe der Buchstaben hervorgehobenen sind. Die Tafel wurde mit großem Zeremoniell auf der Ostseite der Pyramide so angebracht, daß der Eindruck entstehen mußte, das Denkmal sei ihretwegen – also zur Erinnerung an die Gründung eines berühmt gewordenen Husarenregiments – errichtet worden. Die bescheidene Tafel mit dem Hinweis auf die »unersetzten Schäden«, auf der Ostseite befestigt, nahm sich demgegenüber befremdlich und wie unpatriotische Nörgelei aus.

Nach 1945 verfiel das Mahnmal allmählich, wurde aber weder zerstört noch entfernt. Im August 1992, nur zehn Monate nach der Wiedervereinigung, erlebte es seine Rekonstruktion. Dabei wurde auch eine Replik der Tafel mit dem Hinweis auf den »grossen unersetzten Schaden dieser Güter« angebracht. Eine recht große schlichte Tafel, seitab am Fuße der Pyramide aufgestellt, informiert den Besucher darüber, wem sich die Wiederherstellung verdankt. Ihr vollständiger Text lautet:

> Den toten Kavalleristen zum Gedenken
> und den Lebenden zur Mahnung
>
> Dieses Denkmal wurde nach den schweren Jahren des Vaterlandes 1945-1990 mit der Wiedervereinigung Deutschlands durch den »Traditionsverband Kavallerie -Regiment 5 -Feldmarschall von Mackensen» (Traditionsträger des 1. und 2. Leibhusarenregiments), Kommandeur Major a. D. Grieser und die Bundeswehr, Panzeraufklärungsbataillon 80 Beelitz, Kommandeur Oberstleutnant Werren, in kameradschaftlicher Zusammenarbeit restauriert.
> Diese Steinpyramide soll nun wieder in einem vereinten Deutschland von der Opferbereitschaft der früheren preussischen »Schwarzen Totenkopfhusaren« und der deutschen Kavalleristen mit ihrem Kamerad Pferd künden.
> August 1992

Im unteren Drittel der Tafel ist das schwarze Wappen des (Husaren-)Regiments 5 mit den Insignien König Friedrichs unter einer Krone abgebildet. Das Regiment »Schwarze Husaren« hatte die Nummer 5.

*

Westlich von Berlin, über Staaken hinaus, liegt die Döberitzer Heide, ein unbesiedeltes und – mit geringen situationsbedingten Ausnahmen – unbebautes Gebiet von mehreren Dutzend Quadratkilometern. Dort steht auf dem »Hasenheider Berg«, einer in der flachen Landschaft kaum wahrnehmbaren Erhebung, ein Obelisk, der 1903 im Auftrag des Kaisers errichtet und am 29. Mai desselben Jahres mit viel Pomp als Denkmal eingeweiht wurde. Die Bronzetafeln, auf denen der Zweck des Bauwerks erklärt wurde, sind längst schon entwendet worden; auf einer einfachen Tafel neben dem Obelisken erfährt der Betrachter, was auf ihnen gestanden hat. Da liest man also: »Friedrich II. König von Preußen lag mit 44.000 Mann im Lager zu Döberitz 2.-14. September 1753.« Die Katastrophe von Reckahn konnte sich hier nicht wiederholen, da in meilenweitem Umkreis keine Landwirtschaft betrieben wurde.

Den deutschen Kaiser hat das Vorbild seines großen Ahnen so sehr inspiriert, daß er das 150jährige Jubiläum des Manövers zum Anlaß nahm, seinerseits ans selben Ort ein »Lager« abzuhalten. So heißt es denn weiter auf der Informationstafel: »Wilhelm II. Deutscher Kaiser König von Preußen lag mit dem Gardekorps im Lager zu Döberitz 28.-29. Mai 1903.« Die zum Manövergelände führende Landstraße erhielt spätestens gegen Ende des 19. Jahrhunderts den Namen »Heerstraße«, den sie auch heute noch trägt.

Auf den Bronzetafeln war ferner zu lesen: »Wilhelm II. dem Andenken Seines

Großen Ahnherren Seiner ruhmvollen Armee und heldenmütigen Tapferkeit.« Und schließlich: »Ihre Thaten blieben unser Eigentum ein Beispiel der Nacheiferung für alle Zeiten.«

Auch dieses Denkmals Geschichte reicht bis in unsere Gegenwart. Die Zeiten der »Nacheiferung« wilhelminisch-nationalistischer Prägung endeten bekanntlich im Mai 1945, aber die Döberitzer Heide blieb, was sie jahrhundertelang gewesen war: Manövergelände. Es waren nun die Soldaten der sowjetischen Armee, die hier zu Zehntausenden ihre Übungen abhielten; es wurden entlang der heutigen Bundesstraße 5 am Rande der Heide kilometerlang sich erstreckende Kasernen für sie gebaut. Sie haben in den Jahrzehnten ihrer Anwesenheit soviel gefährliches Material – Blindgänger, verrottende Waffen usw. – hinterlassen, daß die trotzdem reizvolle Landschaft, heute unter Schutz gestellt, nur auf wenigen vorgeschriebenen Wegen betreten werden darf. Eines aber haben die russischen Soldaten und ihre Kommandeure nicht getan, hier so wenig wie in Reckahn: Sie haben weder den Obelisken des Kaisers noch die Pyramide des Herrn von Rochow beschädigt oder gar zerstört. Man kann allerdings am Denkmal auf dem »Hasenheider Berg« zahlreiche kyrillische Inschriften finden.

*

Als Friedrich der Große im Oktober 1758 mit 30.000 Mann ein Lager bei Hochkirch bezog, im wendischen Sachsen auf halbem Wege zwischen Bautzen und Löbau gelegen, ging es längst nicht mehr um ein »Heerlager«, ein Manöver. Seit zwei Jahren schon war Krieg, und 65.000 Österreicher unter dem Kommando von Friedrichs fähigstem Gegner, dem Feldmarschall Leopold Josef Daun, warteten in einer günstigen Position auf die fällige Schlacht. Friedrichs enger Vertrauter, der aus Schottland stammende Generalfeldmarschall Jacob von Keith, warnte den König wegen des ganz unzulänglichen Lagers der preußischen Armee: »Wenn uns die Österreicher hier ruhig lassen, so verdienen sie gehängt zu werden.« Das sah König Friedrichs Gegner, von ihm offenbar unterschätzt, genauso. Um fünf Uhr morgens am 14. Oktober 1758 überfielen Dauns Truppen die noch in ihren Zelten schlafenden Preußen; der König hatte es diesmal an der nötigen Vorsicht fehlen lassen und auch nichts auf Keiths Warnung gegeben. Das Gemetzel der folgenden drei bis vier Stunden war unvorstellbar. Die österreichischen Soldaten hatten gleich zu Beginn die preußischen Kanonen erobert und sie auf ihre Gegner gerichtet; Hunderte der noch Schlaftrunkenen gingen in einem Blutbad unter. Nebel und schlechte Sicht erschwerten oder verhinderten es, die für eine effektive Gegenwehr notwendige Ordnung wiederherzustellen. Nach kaum drei Stunden war die Schlacht – in den Darstellungen der Historiker gewöhnlich als »Überfall« bezeichnet – entschieden. Das Dorf brannte nieder; vom Schicksal seiner Einwohner schweigen die Berichterstatter. Die preußische Armee hatte insgesamt 9.097 Mann – fast ein Drittel ihres Bestandes – verloren, die Österreicher trotz ihrer vorteilhaften Ausgangslage immerhin etwa 6.000 Mann. Zu den Toten von König Friedrichs Armee gehörten u. a. der Generalfeldmarschall Keith, der, 1696 geboren, schon über sechzig Jahre alt war, und der nur 26 Jahre alte Generalmajor Friedrich Franz Herzog von Braunschweig; ein weiterer preußischer

Generalfeldmarschall, Prinz Moritz von Anhalt-Dessau, war schwer verwundet worden. König Friedrich selbst trug eine leichte Verwundung davon.

Auf dem Friedhof, wo ein wesentlicher Teil der Kämpfe sich ereignete, und in der – unzerstört gebliebenen -- barocken Kirche wird mit mehreren Mahnmalen an die Schlacht und ihre Toten erinnert. 2008, 250 Jahre nach dem unglaublich blutigen Ereignis, wurde vor dem Friedhof ein schlichtes Denkmal aufgestellt. Es trägt die Inschrift:

SCHLACHT BEI HOCHKIRCH
GENERALFELDMARSCHALL
JACOB VON KEITH
† 14. 10. 1758
LEID ELEND TOD

NACHBEMERKUNG

Einige Angaben zum Feldlager von Reckahn verdanke ich der Publikation »Reckahn. Das Rochowsche Gutsdorf in der Mark. Geschichte und Geschichten aus dem Dorf Reckahn, verfaßt zum 650. Jahrestag der Ersterwähnung 1351-2001. Hg.: Förderverein Historisches Reckahn e.V. 2.001.«

Für die freundliche Mitteilung über die Anzahl der Toten und Verwundeten in der Schlacht bei Hochkirch und über die für sie errichteten Denkmäler und ihnen gewidmeten Gedenktafeln danke ich Herrn Pfarrer Haenchen vom Ev.-Luth. Pfarramt Hochkirch.

Die beigefügten Fotografien hat Frau Dr. Barbara Wilk-Mincu beigesteuert, wofür ich ihr danke.

Abbildungen auf der folgenden Seite:

Abb. 1: Denkmal in Hakenberg an der Straße nach Fehrbellin, im Jahre 1800 von Friedrich Eberhard von Rochow auf Reckahn gestiftet. (Aufnahme: James Steakley)

Abb 2: Die Steinpyramide bei Reckahn, Gesamtansicht. An der Pyramide befestigt, die Granittafel von 1907, links davon die freistehende Informationstafel von 1992. (Aufnahme: Jon Mincu)

Abb. 3: Hölzerne Replik der Tafel von 1791, die außer dem Text eine schematische Darstellung des kilometerlangen Lagers enthält. Sie ist an der Seite gegenüber der Granittafel angebracht. (Aufnahme: Jon Mincu)

Abb. 4: Obelisk von 1903 in der Döberitzer Heide westlich von Berlin, errichtet auf Geheiß Kaiser Wilhelms II. zur Erinnerung an ein großes Manöver Friedrichs des Großen 1753 an dieser Stelle. (Aufnahme: Dr. Barbara Wilk-Mincu)

Abb. 5: Denkmal auf dem Friedhof des sächsischen Dorfes Hochkirch zur Erinnerung an die Schlacht vom 14. Oktober 1758 zwischen Preußen und Österreichern, bei der von den etwa 90.000 Teilnehmern mehr als 15.000 ums Leben kamen.

Abb. 1

Abb. 2

Abb. 3

Abb. 4

Abb. 5

TANJA LANGER / WOLFGANG SIANO

KEINE ANANAS FÜR HERRN VON KLEIST

KOMÖDIE

Personen

HEINRICH VON KLEIST, unsterblicher Dichter
ERNST VON PFUEL, etwa 80 Jahre oder Mitte 30, als er mit KLEIST zusammen war
Die polnische Putzfrau HANNA, 35 Jahre
HENRIETTE VOGEL, Kriegsreporterin, etwa 40 Jahre
AFRIKANISCHER JOURNALIST, möglichst dunkelhäutig, Mitte 30
Zeit: Unsere Tage
Ort: Die Wohnung der Herren KLEIST und PFUEL / Eine Altherren-WG
Je nach Auffassung des Stücks können die beiden Herren gemeinsam alt sein oder PFUEL, der im Leben 80 wurde, deutlich älter als KLEIST, der mit 34 Jahren starb. Die Unsterblichkeit der beiden hat etwas von Nietzsches ewiger Wiederkehr des Gleichen. Sie legt sich als Staub über sie.

Wohnung der Herren KLEIST und PFUEL: Billig möbliert, unordentlich und staubig. Schlafcouch mit Bettzeug und Zierkissen. Klappbett, das an der Wand verschwindet. Abgenutzter Biedermeiertisch, beladen mit Büchern und Papieren, Federn und Tassen. Vitrine, in der folgende Gegenstände zu sehen sind: Das Porzellan, das Wilhelmine KLEIST schenkte. Das Halbhemdchen, das Luise ihm nähte. Die Pistolen, mit denen KLEIST HENRIETTE VOGEL und sich selbst erschoß. Auf dem Schrank Kleists Klarinette. Am Schrank Jacken, Hemdkragen und Halsschleifen von 1800. An der Wand eine alte Karte von Europa. Ihre Kleidung ist einfach, die von PFUEL gut in Ordnung gehalten, die von KLEIST vernachlässigt. KLEIST trägt die ganze Zeit Socken. Er stottert hin und wieder.

1.

KLEIST schlafend im Bett, PFUEL in langen Unterhosen und Schlafhemd, damit beschäftigt, sein Klappbett aufzuräumen. Er trägt eine Trillerpfeife um den Hals.
KLEIST *im Schlaf:* Nimm deine Lanze, Kleist
zwölf Kugeln
jetzt
in den Staub mit ihr
nein nein nein
Diese geistlosen Exerzitien

Diese alberne Küsserei
kichert
durch die Straßen schleif sie
durch den Staub
Wolken
Wellen
PFUEL: Steh auf, Heinz
KLEIST: In den Staub mit allen Brandenburgern!
PFUEL kichert
PFUEL: Wach auf, Heinz
KLEIST: Vom Staub kommt alles!
niest
PFUEL: Steh auf, Heinrich
PFUEL ist fertig mit seinem Bett, nimmt Trillerpfeife, geht ganz nah an Kleist heran, pfeift auf der Trillerpfeife. KLEIST schießt senkrecht hoch. Auf dem Bett salutierend.
KLEIST: Kleist, Heinrich von
Gefreiter Corporal des
3. Bataillons Garderegiment 15 b zu Potsdam
Aus der Familie derer von Clest, Klist, Klistow
Deutsche Ritter
Preußischer Offiziersadel
PFUEL macht Kniebeugen
KLEIST: Unser Wappen ist ein weißes Feld
Mit roten Querbalken
Drunter und drüber läuft
Ein wilder Fuchs
Vielleicht wars mal ein Wolf
Er läuft mit blutroter Zunge
streckt Zunge weit heraus
er hetzt über den Balken
heraus hängt ihm die Zunge
blutrot aus dem Maul
macht Bewegungen eines Tieres, dessen Kopf hin und herschwingt
Königsberg Berlin
Berlin Thun
Thun Paris
Paris Dresden
Es fällt mir schwer zu sprechen
Chili Haiti
PFUEL: Nun komm mal auf den Teppich
Und zieh deine Pantoffeln an
In Haiti bist du nie gewesen
In Haiti warst du nie

Ich heiße Ernst von Pfuel
Ich bin dein Freund, doch du
Du redest von Haiti
Du raubst mir den Verstand
Es fällt dir schwer zu sprechen sagst du
Und redest den ganzen Tag
Ich krieg kaum nen Fuß in die Tür
Auch ich altes Adelsgeschlecht
Alles Militär
Bis ins letzte Glied
kichert
Steh jetzt sofort auf, Hanna kommt!
KLEIST *erwacht:* Warum weckst du mich denn nicht?
KLEIST springt vom Bett, stürzt, fällt, steht auf, will das Bett machen.
Es klingelt, er gerät in Panik, hält inne, wirft sich wieder ins Bett.
PFUEL: Hanna holde Jungfer
Hanna unsere Lichtgestalt
KLEIST: Neinn nein
Ich will nicht
Ich kann niemanden sehn heute
Schick sie weg
Die Natter
Ich hasse sie
Ich muß dichten
Denken
Ich hatte eine gute Idee
Jetzt hast du sie verjagt
Sie soll fortgehn
Ich will sie nicht
niest
HANNA die Putzfrau kommt mit vielen Tüten herein, hört die letzten Worte, schüttelt den Kopf. Während sie spricht, zieht sie sich um.
HANNA: Ich heiße Hanna.
Ich putze für Herrn Kleist.
Sie schaut zu KLEIST, der sich die Decke über den Kopf zieht.
PFUEL: Heinz! Sag Guten Morgen.
KLEIST brummt unter der Decke.
HANNA: Und Herrn Pfuel natürlich auch
PFUEL: Seid mir gegrüßt, Königin. Wie geht's?
HANNA: Herr Kleist macht mehr Staub
Deshalb putz ich für ihn
Herr Pfuel gibt mir Geld
Also putze ich für Herrn Pfuel

Herr Pfuel ist ein vornehmer Mann
Herr Kleist spielt Schule mit mir
Ich putze für ihn
Herr Pfuel ist nett zu mir
Also putz ich für Herrn Pfuel
Herr Kleist braucht mich
KLEIST: Ich brauche niemanden
Sag ihr, sie soll weggehn
PFUEL: Aber guck doch mal,
Heinrich, was Hanna
uns Schönes mitgebracht hat
HANNA packt Tüten aus. Viele Dosen mit Bier, Pfirsiche und Ananas, Suppen, Klopse, Staubsaugerbeutel, Tabak.
KLEIST: Ich brauche nichts
Hat sie an Tabak gedacht?
HANNA: Ich putze für Herrn Pfuel
Ohne mich verlottert Herr Kleist
Er braucht mich
KLEIST: Ich brauch nur meinen Tabak!
HANNA: Ich bin eine gute Putzfrau, ich bin treu.
PFUEL: Ja, Hanna, seit acht Jahren
Zeigen Sie doch mal
Mh
Eins, zwei drei, fünf, sieben
Sieben mal Königsberger Klopse
Lecker
Haben Sie auch an die Kartoffeln gedacht?
HANNA holt sieben Gläser mit geschälten Kartoffeln aus der Tasche.
KLEIST: Hat sie wieder diese gräßlichen
geschälten Dinger gebracht?
PFUEL *nimmt Ananasdosen in die Hand:* Was haben wir denn hier?
HANNA: Sonderangebot
Pfirsich und Ananaskompott
PFUEL: Um Himmels willen
tun Sie die Ananas weg
Keine Ananas für Herrn von Kleist!
HANNA knallt die Dosen auf den Tisch. HANNA zu KLEIST, zieht Decke weg, flucht.
KLEIST: Nein, nein, laß mich
Ich leide an Verstopfung
und Beängstigungen
ich schwitze viel und phantasiere
und muß unter drei Tagen
zweie das Bette hüten

Kampf zwischen KLEIST und HANNA
HANNA: Aber nicht Dienstag
Kleist aufstehen soll
Für Verstopfung viel Bewegung
Ich so nicht putzen können
Kleist wissen: Dienstag Hanna kommen
Jeden Dienstag
Kleist faul im Bett liegen
KLEIST *hält die Bettdecke fest, an der sie zerrt:* Mein Nervensystem ist zerstört!
HANNA: Jetzt Hanya Zeit rechnen
KLEIST: Ich will mich hier, wie die Spinne,
zusammen knäueln, daß ich aussehe
wie ein Häuflein argloser Staub
HANNA: Staub Hanna wegmachen
KLEIST: und wenn sie im Netz sitzt
diese Hanyagunde
über sie herfahren –
HANNA zerrt an KLEIST.
PFUEL *hat jetzt genug, pfeift auf der Trillerpfeife:*
Und ich sage, daß Hanna endlich
ordentlich sprechen soll
sonst zieht Herr von Pfuel
ihr jedes falsche Wort vom Lohn ab
KLEIST: Ein Wort ein Euro
PFUEL: Und Hanya ärgert sich schwarz
HANNA: Hanya arbeitet nicht schwarz
KLEIST: Und jetzt kocht Hanya schwarzen Kaffee
PFUEL pfeift auf der Trillerpfeife.
HANNA: Ich bin eine gute Hanna
Ich bin treu
KLEIST: Und dann zeigt sie mir ihre Hausaufgaben
Ein Wort ein Euro
Das wäre ein Verdienst
Die Worte der Dichter sind Purpurstaub
Die Putzfrau kriegt einen Euro
Pro Stunde sieben Euro
Wieviel Zeilen schreibst du dafür?
PFUEL sinkt erschöpft am Tisch zusammen.
KLEIST: Sagen wir mal die Penthesilea
Drei Jungfrauen trat sie in den Staub
13 Druckbögen
353 Reichsthaler
3040 Zeilen

Das macht pro Druckzeile
3040 geteilt durch 353
Das sind fast zehn
Also sagen wir mal zehn
Oder muß man das andersrum rechnen
353 durch 3040
Jetzt hilf mir doch mal Pfuel
PFUEL: Ich helfe dir immer
PFUEL kommt näher, zieht KLEIST aus dem Bett, hilft ihm sich aus- und anzuziehen.
KLEIST: Zehn Thaler sagen wir mal
Zehn Euro pro Seite
Das kann ja nicht sein
Pfuel
Jetzt hilf mir doch mal
PFUEL: Ich helfe dir immer
Wie damals in Dresden weißt du noch
Deine Stube neben meiner Stube
Ich hörte dich die ganze Nacht
Es tut mir gut wenn du
mich hörst hast du
immer gesagt
Du warst damals in Henriette
von Schlieben verliebt
KLEIST: Das war aber vor Dresden
PFUEL: Dann war es
Julie von Körner
PFUEL zieht KLEIST Pantoffeln an.
KLEIST: Sie wollte mir nicht schreiben
KLEIST zieht Pantoffeln wieder aus.
PFUEL: Es tut mir gut
Hast du gesagt
Ich bin nicht allein
Mein Schlaf war dir gleich
1807 war das, oder 1808
Jetzt weiß ichs
Sophie wars
von Adam Müller die Frau
Den wolltest du von der Brücke stoßen
PFUEL zieht KLEIST Pantoffeln wieder an, kämmt KLEIST.
KLEIST: Wenn ich 3040 Zeilen rechne
Und pro Zeile
Sagen wir mal zehn Worte
Dann sind das

30.400 Worte
Für 353 Euro
Zappelt unruhig, PFUEL nimmt ihn auf den Schoß, massiert ihm den Kopf vielleicht mit Birkenwasser, KLEIST brabbelt Zahlen vor sich hin, versucht etwas auszurechnen.
PFUEL: Eine ganze Woche hab ich dich
In der Stube festbinden müssen
Gerast hast du
Wie eine Furie
Sophie
Hast du geschrien
Die muß es sein
Jeden Monat wars ne andre
Sophie allein
Macht mich glücklich
Und dann hast du den Adam Müller
Von der Brücke schubsen wollen
KLEIST: Die Drei ist eine interessante Zahl
Drei macht schon eine Tragödie
PFUEL: Ein kräftiger Mann
KLEIST: Zu kräftig
PFUEL: Von Arnim hat gelacht darüber
Der hatte dich auch nicht in seiner Stube
Was hast du geheult und gejammert
die ganze Nacht
den ganzen Tag
KLEIST springt nun ohne Pantoffeln weg von PFUEL, macht sich am Schrank zu schaffen, geht auf Socken unruhig murmelnd hin und her.
PFUEL: Fünf Regimenter
sind leichter zu kontrollieren
als du
Das Elbwasser war eisig um diese Jahreszeit
Müller hätte sich den Tod geholt
KLEIST: Das hätt er auch gesollt
PFUEL: Dann schriest du nach Opium
Nur Opium kann mir helfen
und alle fünf Minuten wolltest du
nur hin zu ihr
PFUEL wandert unruhig durchs Zimmer.
Dein seidiges Haar Sophie hast du geschrien
Sie ist verheiratet schrie ich
An meiner Brust hast du gehangen
Ich hab dich gestreichelt
Was für ein Mensch hab ich gedacht

Er lebt es für uns alle
Wir sind längst erkaltet
vor Tüchtigkeit und Ehrgeiz
vor Drill und Räsonnement
Und dann hab ich ihn gehalten und gewiegt
beruhige dich Kleist
habe ich gesagt
es gibt noch andre
KLEIST *wieder auf dem Bett:* Sie ist nun tot!
PFUEL: Wer?
KLEIST: Penthesilea!
PFUEL: Du hast sie selber umgebracht!
KLEIST *wirft sich brüllend unter die Decke:* Meine Penthesilea! Meine geliebte Sophie!
Meine Ulrike!
Meine Julie!
Meine!
Man hört ihn schluchzen. Plötzlich kommt er hoch.
Du erzählst das ja alles ganz falsch, Pfuel
PFUEL müde: So?
KLEIST: Ich kam aus meiner Stube
und sagte zu dir
Du hattest ja
keine Richtung
ohne mich
in mir hattest du eine Aufgabe
ich habe dich nicht gebraucht
ich sagte also zu dir
Sie hat ihn wirklich aufgegessen
den Achill
vor Liebe
Du frißt mich auch vor Liebe auf
Pfuel
Für dich hatte ich sie geschrieben
Für dein kriegerisches Gemüt
Jetzt ist sie tot
Hab ich damals
aus meiner Stube in deine
tretend gesagt
Deine Stube war mir wie meine
Wir gingen immer hin und her
Nur wenn ich schrieb dann
durftest du nicht kommen
PFUEL wischt sich Tränen aus den Augen: Du hast dann das Ende gelesen

Ich sah den Tod
in deinem Gesicht
Doch vorher schon
als ich es dir sagte
sie ist tot
PFUEL: Du hast sie selber umgebracht
KLEIST: Da traten Tränen in die Augen Dir
KLEIST springt aus dem Bett, rennt zu PFUEL, wirft sich vor ihm nieder, küßt ihm die Hände
KLEIST: Mein bester liebster
Du bist mir so lieb geworden
So Mensch
PFUEL *tätschelt ihm den Kopf:* Ist ja gut ist gut
Nun laß doch Heinrich
Du machst dich ja ganz staubig
KLEIST: Ein richtiger Mensch!
HANNA mit dem Kaffee kommt herein. Sieht die beiden. Schüttelt den Kopf. Will den Kaffee auf dem Tisch abstellen
HANNA: Los, Platz machen
Nicht immer weinen
Männer weinen nicht
Immer seid ihr so sentimental
statt mir zu helfen
Das macht ihr nur
weil ihr euch vor der Arbeit drückt
Stehn Sie auf, Herr Kleist,
tun Sie mal die Bücher zur Seite
Wo soll ich denn den Kaffee hinstellen
KLEIST: Du, die sich bloß in ihrer Schöne ruhig
zu zeigen brauchte, lieblich, das ganze
Geschlecht der Männer dir im Staub zu sehn!
Papiere und Bücher fallen auf den Boden. PFUEL kriecht herum und sammelt Blätter ein. HANNA holt unter PFUELS Bett Säbel und Zinnsoldaten hervor, trägt sie zum Schrank
PFUEL: Penthesilea, 15. Auftritt
HANNA: Staub lieber, als ein Weib sein
das nicht reizt
PFUEL: Penthesilea, 9. – aber Hanna!
KLEIST *geht im folgenden zum Schrank, holt Buch hervor, blättert, murmelt leise:*
Sentimental ...
Sentimental
HANNA: Früher nahm ich jede Woche
den Zug hierher aus Olshden
Allenstein sagen die Deutschen

Allenstein sagt auch mein Vater
Mein Vater war im Krieg
Er hat ein Bein verloren
Ein halbes Bein verlor er im Krieg
Im Krieg gegen die Deutschen
KLEIST: Sentimental
HANNA: Die Deutschen haben immer geschimpft
Die Polen sind faul und sind Schlampen
Jetzt ist Deutschland auf den Hund gekommen
Wir Schlampen putzen für sie
Einmal die Woche
hab ich den Zug genommen
War immer miede wenn
ich ankam
Müde beim Putzen
Müde beim Heimfahrn
Dann hab ich im Zug Janina getroffen
KLEIST / PFUEL: Janina?
HANNA: Ne andere Putzfrau
Warum bleibst du nicht hier?
Hat Janina gefragt
Polen ist nun bald EU
PFUEL: Darum ja
HANNA: Du wohnst mit mir
Wir teilen die Miete
KLEIST: Wie wir, Ernst, wie wir
PFUEL: Wie wir, nur, daß ich zahle
HANNA: Dann kam Jatzek
Jatzek, der Freund von Janina
PFUEL: Hanna, sprechen Sie ordentlich!
HANNA: Jatzek der Freund
PFUEL pfeift mit der Trillerpfeife
KLEIST: Der Freund aller Putzfrauen!
PFUEL: Wieviel geben Sie ihm, Hanna
HANNA: Ich ihm geben?
KLEIST: Wir sollten eine Schule
für Putzfrauen aufmachen, Pfuel
Eine Schule
zum Schreiben und Sprechen Lernen
PFUEL: Wieviel geben Sie von Ihrem Lohn ab?
HANNA: Ich nix abgeben Jatzek
Jatzek sein ein guter Mann
KLEIST: Sie sprächen unsere schöne

gute Muttersprache
Und bräuchten keinen Woitzek
HANNA: Jatzek heißt er Jatzek
Ich brauche Jatzek nicht
Ich liebe Jatzek
HANNA nimmt Flachmann aus der Tasche und einen kräftigen Schluck
KLEIST: Kann ich auch einen Schluck haben?
PFUEL pfeift auf der Trillerpfeife
HANNA: Ich liebe Jatzek
Wir sitzen zusammen und haben es warm
Er kümmert sich
KLEIST: Lieben?
Lieben?
PFUEL: Liebt diese Janina auch Ihren Woitzek?
HANNA *putzt bockig:* Ich spring gleich aus dem Fenster
KLEIST *beobachtet sie mitleidig, dann zu PFUEL:* Lassen wirs gut sein
Gegen die Liebe ist nichts zu machen
PFUEL: Das Zitat kenn ich gar nicht
KLEIST *kichert:* Das ist aus einem Brief
PFUEL: Welcher Brief
KLEIST *scharwenzelt um HANNA herum:* Hanna
Wir haben noch nicht unsre Aufgaben gemacht
Ein jeder Mensch braucht doch ein Ziel
Ganz ohne Bestimmung
sind wir gar nichts
PFUEL: Berlin ist keine Stadt
für die Liebe
HANNA *wütend:* Ich habe keine Zeit
Muß Staub wegmachen
Sie wirft den Staubsauger an. Alle brüllen gegen den Lärm an
PFUHL: Es ist eine Stadt
für Walfische und Heringe
HANNA: Ihr verdammtes Durcheinander
KLEIST: Es ist gut, einen Freund zu haben
Einen Freund aus der Heimat
Ich will mit dir von mir reden
als redete ich mit mir selbst
Man muß doch am Ich festhalten
Am Gefühl von sich selbst
HANNA: Eben drum will ich nur putzen
KLEIST: Da kann ein Freund recht hülfreich sein
Jetzt machen Sie doch das blöde Ding aus
PFUEL: Das Ding an sich

Ist ja nichts Schlechtes
KLEIST zieht den Stecker raus
PFUEL: Wilhelmine wollte er auch erziehen
Einen ganzen Kreis von jungen Mädchen
Weil sie die Muttersprache
so schlecht nur beherrschten
Er ließ sie Aufsätze schreiben
Wilhelmine die Verlobte
Ihre Schwester
Die Freundinnen
Formen wollt er sie
wie das Mundstück seiner Klarinette
Schaben und kratzen
Denn nur dann
hat er damals ihr gesagt
könne sie ihm ganz gehören
KLEIST *zu HANNA die jetzt mit einem Besen herumfuhrwerkt:*
Vergleiche nun einmal
den Menschen mit einem Klavier
HANNA: Wozu?
KLEIST: Du mußt dich in der Wahrnehmung
der Dinge üben
Das schärft deinen Verstand
Wozu haben wir ihn?
Er erhöht die Wichtigkeit aller
uns umgebenden Dinge!
Er veredelt unsre Arbeit
wenn diese nicht nur unseren Körper
sondern auch unsere Seele beschäftigt
Frage dich nun recht häufig
welche Sache in welcher Hinsicht etwa
dem Menschen ähnlich sei
PFUEL: Er will daß Sie
Metaphern bilden
HANNA: Metaphern?
KLEIST *krampft sich beim Sprechen zusammen, hält sich den Bauch:* Wahrnehmen das heißt mit der Seele
den Eindruck der Sinne denken
Drum frage dich recht häufig:
Worauf nun deutet das hin?
Du hast zwei Ohren und nur einen Mund
Mit den Ohren sollst du hören
Mit dem Munde sollst du reden

Ein Kapital brauchen wir
Und wenn es kein Geld ist
so muß es Bildung sein
Oh nun entschuldigt mich
KLEIST ab. HANNA läßt sich erschöpft auf einen Stuhl fallen
HANNA: Bei andere Leute putze ich
Andere Leute vertrauen mir
Geben mir ihren Schlüssel
Sagen: Hanya, Sie machen alles schön
PFUEL: Seien Sie nicht traurig Hanna
Es könnte schlimmer kommen
Wilhelmine mußte die Aufgaben
schriftlich lösen in der Brautzeit
HANNA: Ich mache alles schön für andere Leute
Es herrscht eine himmlische Ruhe in der Wohnung
Manchmal schaffe ich alles schneller
Aber dann geh ich nicht weg
Vertrauen ist Vertrauen
Dann mach ich Extrasachen, Fenster putzen, Silber polieren
PFUEL: Er wollte sie gar nicht
er hat sie hingehalten
Ich glaube –
Oder –
HANNA: Die Leute freun sich
über ihr schönes sauberes Haus
Jeden Dienstag denke ich: das ist das letzte Mal
und jedes Mal
PFUEL *kichert:*
Wilhelmine hieß sie dann von Krug
Wilhelmine von Krug
Und er er hat ihn
zerbrochen
Kichert
HANNA: Immer diese idiotischen Aufgaben
Liebe Hanna
Worauf nun deutet dies hin
Daß der Mensch zwei Ohren habe
Und nur einen Mund
Ich weiß nicht
Warum ich hier putze
Ist eine Katastrophe
So viel Staub
Irgendjemand muß sich ja kümmern

Und immer sprechen
Immer sprechen
Lieber nicht sprechen
Kein Wort
Lieber still putzen
Mehr will ich nicht
Und abends schön duschen
Essen fernsehen
Manchmal mit Janina und Jatzek
trinken essen
Haare färben
Nägel lackieren
Worauf nun deutet das hin?
Ich habe keine Ahnung
PFUEL kommt mit einem Stapel Briefe
HANNA: Was ist das?
PFUEL: Sie dürfen mich nicht verraten
Das sind die Briefe an Wilhelmine
blättert Briefe durch
Ja was ist denn das
Die kenne ich noch gar nicht
An wen hat er denn die geschrieben
Lieber Rühle
Innige Umschlingung
Und hier: Lieber Rühle
Ich drücke dich an meinen Busen
nebeneinanderliegen
Wird ganz aufgeregt
Lieber Brockes
Arm an Arm
Hand in Hand
Immer Gedanken wechselnd und Gefühle
Bald mit den Lippen
Bald mit den Fingern –
Lieber Lohse
Wie süß es mir war
Dir wehe zu tun –

2.

KLEIST kommt zufrieden wieder herein
KLEIST: Diese wunderbare Verknüpfung
eines Geistes mit einem
Konvolut von Gedärmen
und Eingeweiden
Es ist als ob ich
von der Uhr abhängig wär
die ich in meiner Tasche trage
PFUEL versteckt die Briefe hinter seinem Rücken, bedeutet HANNA, sie ihm abzunehmen
KLEIST: Gibts jetzt Frühstück, Hanna?
Schon wieder Aldimarmelade?
HANNA versteht nicht was PFUEL will. PFUEL macht verzweifelt hinter KLEISTS Rükken Zeichen
PFUEL: Liebe, verehrte Hanna
Wäre es nicht möglich
daß Sie uns einmal ein wenig
Marmelade kochten?
HANNA: Marmelade?
KLEIST: Mh, hausgemachte Marmelade.
HANNA: Kochen?
Ich soll Marmelade kochen?
KLEIST: Ach bitte! Mit Schnaps!
HANNA: Marmelade von Aldi ist prima
und preiswert
PFUEL versucht Briefe loszuwerden
PFUEL: Ach, das wäre schön
wenn der Duft der Früchte
durchs Haus zöge
HANNA: Schöner Duft, viel Arbeit
PFUEL: Wir zahlen extra
HANNA: Ich kann keine Marmelade kochen
KLEIST: Was machst du da eigentlich, Pfuel?
PFUEL: Ich?
KLEIST: Du Pfuel oder ist da noch ein anderer?
PFUEL: Ein anderer?
Dreht sich um
KLEIST: Du verbirgst doch etwas vor mir!
KLEIST setzt PFUEL nach, PFUEL stolpert, fällt
HANNA: Ei seht zum Straucheln braucht es nichts als Füße
Auf diesem glatten Boden, ist ein Strauch hier?
KLEIST: Der zerbrochne Krug, erster Auftritt,

was soll denn das jetzt?
PFUEL: Gestrauchelt bin ich hier, denn jeder trägt
Den leidgen Stein zum Anstoß in sich selber
KLEIST *wird jetzt ernst:* Was hast du, gibs her!
PFUEL will nicht, KLEIST entreißt ihm die Briefe
KLEIST: Meine Briefe!
Wer hat dir das erlaubt?
PFUEL: Erlaubt?
KLEIST: Du Verräter!
PFUEL: Nein oh nein
Kein Verrat
KLEIST: Du hast mich hintergegangen
Mein einziger Freund
Wie konntest du mich so betrügen
PFUEL: Hah betrügen
Das ist ein Wort
Hier diese Briefe
Entreißt sie Kleist
An Rühle
An Brockes nicht an mich
Und am schlimmsten der an Lohse
Da fragt sich
Wer hier wen betrügt
KLEIST setzt sich hin und weint bitterlich. HANNA bringt das Frühstück. Die Männer setzen sich schlechter Stimmung an den Tisch. Stille. Essen.
PFUEL: Mensch, schmatz nicht so
Stille
KLEIST: Entschuldige
Stille. Sie essen.
PFUEL: Jetzt schlürfst du
Stille
KLEIST: Verzeih
Stille
KLEIST *zwischen den Zähnen:* Da quillt es wieder
Unter dem Stein hervor
PFUEL: Du hast schon wieder gekleckert Heinrich
KLEIST: Du hast mein Gefühl verletzt
PFUEL: Verzeih
KLEIST: Du hast mein Vertrauen mißbraucht
PFUEL: Du hast mich betrogen
KLEIST: Hab ich nicht
PFUEL: Hast du doch
KLEIST: Ich habe dir nie verheimlicht

daß ich Brockes liebte
PFUEL: Du hast es mir nie richtig erzählt
KLEIST: Denk mal: Einer wird gewarnt
Die eingelegte Ananas nicht zu essen
Weil sie vergiftet sei
Die Pfirsiche soll er essen
Dann ißt er die Pfirsiche
Und wird schwer krank
PFUEL: Was ist so schlimm
daß ich deine Briefe las?
KLEIST: Das Kätzchen aber
das aus Zufall aß
die eingelegte Ananas
Dem Kätzchen
ist nichts widerfahren
PFUEL: Nichts widerfahren?
Ich sage nur: Brockes!
KLEIST: Ja drehen läßt sich
freilich alles
In dir liebte ich
das Höchste in der Menschheit
Die Ausbildung unserer Naturen
PFUEL: Und Lohse!
KLEIST: Den Enthusiasmus der Freundschaft
PFUEL: Und Rühle!
KLEIST: Unsere Seelen
PFUEL: Wie ich dich hasse!
KLEIST: Wenn du mir nicht vertraust
fühl ich
daß mich niemand mehr liebt
auf der Welt
Dann sondre dein Eigentum von meinem
Erhalte dir die Ruinen Deiner Seele
Sie sollen uns ewig
an die romantische Zeit
unseres Lebens erinnern
als ich zu dir sagte
Sei du die Frau mir
Die Kinder
Und die Enkel

PFUEL weint. HANNA kommt mit der Post herein

HANNA: Hier ist die Post

Aus Afrika
PFUEL *sich fassend und schneuzend:* Post!
KLEIST: Von Henriette!
HANNA: Schöne Briefmarke
KLEIST: Sie ist im Kongo! Stell dir vor! Der Kongo!
KLEIST springt auf, geht zur Karte, ratlos
KLEIST: Ist hier nicht drauf
So geht das nicht
Der Kongo muß doch drauf sein
PFUEL: Es ist eine Karte von Europa
Das weißt du doch
Europa
Das reicht vom Ural bis zum Atlantik
Vom Nordpol bis zum Mittelmeer
KLEIST: Das ist doch Unsinn
Europa reicht bis Haiti
Die Menschenrechte haben die Sklaven befreit
Europa reicht bis Chile
geht zum Tisch, wühlt in den Papieren, liest vor, evt. macht PFUEL Knieübungen:
hier
in Tonga beruft man sich auf Kant
im Königreich Tonga
das ist im Pazifik
stell dir mal vor
am anderen Ende der Welt
die Welt wächst zusammen
Hanna nicht wahr
Und in Tonga
beruft man sich auf Kant
Kant gegen das Klonen
darum gehts
König Toupou hat die Gene seines Volkes verkauft
Diabetiker hochinteressant
Doch das Volk hat sich gewehrt
Das Volk will nicht gekauft werden
Will seine Gene für sich behalten
Und das Volk beruft sich auf Herrn Kant
Die Würde aller Lebewesen
ist unantastbar
sagt das Volk von Tonga
Unverkäuflich
Uneintauschbar gegen
faucht

Geld
In Island hat sich das Volk kaufen lassen
in einer Gendatenbank
Sie lachen Hanna
Sie wissen nicht was das ist
Ein Volk
Ein Genpool
Das ist der Rohstoff der Menschen
Der Stoff aus dem wir alle sind
Estland hat sich auch schon
Verschrieben
Und nun kommt das kleine Königreich Tonga
und beruft sich auf Herrn Kant
Noch andere Inseln folgen
Im Pazifischen Ozean
Und Afrika
Sie schützen alle Formen des Lebens
Allein um ihrer selbst willen
Das nenn ich Fortschritt
PFUEL: Allons enfants à la patrie
Das war unsre Idee
Nicht nur die von Herrn Kant
KLEIST: Los Hanna
Kaufen Sie uns eine Karte
Unsere hier stimmt nicht mehr
HANNA: Ich muß erstmal die Dosen zurückbringen
Die Dosen das ist Europa
Für die Dosen zahlen wir Pfand
Da schlepp ich schon genug herum
KLEIST: Werfen Sie die Dosen weg
HANNA: Die Dosen kosten Pfand
PFUEL: Dann lassen Sie die Dosen hier!
HANNA: Den kriegen wir zurück
HANNA öffnet eine Kiste, Dosen fliegen heraus
KLEIST: Der Brief
Jetzt haben wir den Brief
ganz vergessen
Den Brief von Henriette
Aus dem Kongo
KLEIST *liest den Brief, gleichzeitig HENRIETTE tritt auf oder wird per Video eingeblendet oder Bar schiebt sich herein und KLEIST mimt den Reporter Jean Christoph*
Mein lieber Kleist
Gestern an der Hotelbar

In der Lumumba Lounge
Soff ich einen unter den Tisch
Den Kriegsreporter
Jean Christophe
Den hab ich unter den Tisch gesoffen
Du wärest stolz auf mich
Wir saßen gar nicht an dem Tisch
Auf zwei Hockern hockten wir
Zerzauste europäische Vögel
Blut am Schuh und in den Augen
Von Hunderten von Toten
Frauen Alte Kinder
Hutu und Tutsie
Metzeln einander wie einst
Die Weißen die Schwarzen
Die Schwarzen die Weißen
Am Rande der Welt
Wir werden bezahlt fürs Hinsehen
Wer kann das schon
Er ist einfach umgekippt
Nach dem zehnten Whisky
Zwei große starke Afrikaner
Mit weißen Zähnen lächelten mild
Sie haben ihn getragen
Unter den Achseln den verschwitzten
Der eine der andre
An den Füßen
An den Füßen
In den Schuhen
Mit dem Blut daran
Waschbare Schuhe
Hat er gesagt
Die nimmt er immer
Die kann er dann waschen
Da muß er nicht jedesmal
Hat er gesagt
Nicht jedesmal neue sich kaufen
Macht nichts Mam
Sagt der eine
Wirklich kein Problem
Gepackt haben sie ihn
Und aufs Zimmer geschleppt
Zwei wirklich schöne Kerle

Und heute da schimpft er und flucht
Gleich beim Frühstück
Ich durfte das nicht erlauben
Sein Leben hätt er mir anvertraut
Und ich ich hätte die *Neger* –
Verschleppen hätten sie
Als Geiseln hätten sie nehmen
Ihn
Man stelle sich vor
Ihn
Den berühmten Kriegsreporter Jean Christophe
Entführen
Ein Lösegeld erpressen
Von der UN
Da lachen ja die Hühner sage ich
Zu Herrn Jean Christophe
Die hätten niemals was gezahlt!
Er hätt sie gern gevögelt
Ich habs genau gesehn
Er weiß daß es stimmt
Für uns gibt keine Regierung
Auch nur einen Cent
Keinen Cent
Sind wir denen wert
Wir Augenzeugen des Unglücks
Dieses Unglück macht mich wütend!
Dieses Morden
Ohne Ende
Verschwindet einer
Dann gibts einen neuen
Aber weißt du
Gelächelt hat er wie ein Kind
In den Armen des großen Schwarzen
Als ging ihm ein Traum
In Erfüllung
So schön und selig hat er
Gelächelt
Ganz Hingabe war er
In den Armen des großen starken *Negers*
HENRIETTE ab / Ausblendung.
KLEIST träumt.
Pause. Stille.
HANNA: Ich hätt auch gern mal einen

der mich trägt
Aber schwarze Männer
riechen immer nach Küche
Wegen ihren Jobs in den Restaurants
Spülen abwaschen Boden wischen
Beschissene Jobs
KLEIST: Soll ich jetzt zu Ende lesen oder nicht?
KLEIST *liest*: Ich werf mich
Dem Tod in die Arme Kleist
Jeden Tag aufs neu
Der Tod der will nichts von mir
Er lächelt wissend scheu
Je voudrais de la mort
Chaque jour
Mais la mort ne veut pas de moi
C'est l'horreur
De voir la guerre
La mort
Et de ne pas pouvoir mourir
Es ist gräßlich den Krieg zu sehen
Den Tod schreibt sie
Und selber nicht sterben zu können

Einen Augenblick sind KLEIST und PFUEL ganz still. Dann wischen sie sich mit Taschentüchern die Tränen weg

HANNA: Tod Tod Tod
Immer nur Tod
KLEIST: Wenn man den Tod kennt
Die Unendlichkeit der Liebe
HANNA: Liebe?
KLEIST: Das Absolute
HANNA: In absoluten Zahlen
kann ich es nicht sagen
Dreitausend waren es zuletzt
Flüchtlinge
am Strand
von Sizilien
Schöne Männer und Frauen
aus Afrika
KLEIST *liest:* Wir wollen nichts
dem Zufall überlassen
Der Zufall verhöhnt unsere Würde
Aus dem Land der Hitze

des Staubes und des Schreckens
Unverdrossen Henriette
KLEIST macht im Durcheinander am Tisch mit Papier zu schaffen, murmelt, schreibt
PFUEL: Was murmelst du?
KLEIST: Nichts nichts
PFUEL: Du schreibst doch was Heinrich
beugt sich über KLEISTS Schulter
KLEIST: Laß mich in Frieden
PFUEL: Das ist unleserlich
KLEIST: Immer will einer dir ins Innre
Und wenn du dann nackt
Bist und ungeschützt
Reißt er dir das Herz aus
Das Hirn und dann die Hoden
PFUEL: Wie oft hat Henriette sich beklagt
sie könne deine Schrift nicht lesen!
Willst du denn nicht
daß sies versteht?
KLEIST: Verstehen verstehen
Nenn mir einen
der den andern verstünde
Au
Eine Sehnsucht ist es
au
Auf Erden unerfüllt
Auch in der Ewigkeit ists nicht zu finden
faßt sich an die Brust
Die Stiche
Die Tropfen
Meine Tropfen Pfuel
PFUEL zieht eine Uhr aus der Tasche
PFUEL: Es ist zu früh für deine Tropfen
KLEIST *krümmt sich:* Die Tropfen
PFUEL: Es ist noch nicht Zeit
KLEIST *wirft sich zu Boden:* Ich sterbe Pfuel
Die Tropfen
PFUEL: Dasselbe Theater seit
Zweihundert Jahren
Seit zweihundert Jahren
dieses Spiel
So leicht stirbst du nicht

3.

Lichtwechsel. Das Zimmer im Dunkeln. PFUEL schläft. KLEIST betrachtet die Landkarte, das Bild von HENRIETTE, sitzt ratlos auf seinem Bett. Er kommt langsam zum Sprechen. Macht immer wieder Pausen. Vielleicht ißt er Ananas direkt aus der Dose.
KLEIST: Vom Grab aus betrachtet
Sieht alles anders aus
Das Glück hatte immer andere Namen
Mit Lohse zu wandern
In der Schweiz
Mit Pfuel zu baden
Im Thuner See
Mit Karoline Gitarre zu spielen
Auf dem Sofa
Oder war es –
Mit Rühle zwischen zwei Lindenblättern
Abends auf dem Rücken zu liegen
Myriaden von Zeiträumen
Jedweder ein Leben
Ich war immerzu verliebt
Und immer war es ein andrer
Ich kam ihnen nah
Sie flohen meine Seele
Wo sie dunkel war
Henriette floh nicht
Sie liebte meine Traurigkeit
Ich dachte im Tod
und auch danach
ließ sich das fassen
Zwischen mir und dir
und dem ungeheuren Firmament
das nur ein Stäubchen ist vor
der Unendlichkeit –
Ein Drittel dacht ich
würd dauern der Tod
von meinem Leben
Dann wären wir verwest –
Das ist die größte Strafe
der Unsterblichkeit
Eingesperrt zu sein in
diesem Zimmer
mit Pfuel
Wenn er so schlürft

Er merkt es gar nicht
Wo war ich gleich ach ja
Mein Lebensplan
Meine Schwester schickte Geld
Doch am Ende hat
auch auch sie mich nicht
Lohse Rühle Brockes
Sie zogen sich zurück
in ihre eignen Pläne
Wollten nicht meine Gefährten sein
Jungen die toben
verbeißen sich manchmal
wie Hunde
sagt man
Laß uns was Gutes tun
hab ich gedacht –
und sterben –
Ich erwache zum Leben
wieder und wieder
Was da lebendig wird
hält kein Sterblicher aus
Kein Sterblicher hält seinen Scheitel hin
der Sonne auf daß sie ihn verbrenne –
dem Hund der Sonne den Wolken
Ich hab mich mit allem eins gewollt
Ich war
Der Bär der Bärenzerreißer
Der Tänzer die Marionette
Es ist so eine Sache
sich in der Sprache zu wiegen
wie im Arm der Mutter das Kind
Gehst du zu weit
frißt sie dich auf
werden Küsse zu Bissen
alles wird eins
Er steht auf, rafft sich, macht den Goethe
Mit der Penthesilea
kann ich so recht nichts beginnen
Sie ist aus einem so sonderbaren
Geschlecht
und bewegt sich in einer so
fremden Region
Auch erlauben Sie mir zu sagen

in aller Aufrichtigkeit
daß es mich immer betrübt
wenn ich junge Männer
von Geist und Talent
sehe
die auf ein Theater warten
welches da
kommen soll
Hier ist Rhodos
Hier wird gesprungen
verläßt Imitation
Einen der Millionen Tode
die wir schon gestorben sind
Und noch sterben werden
All die Verletzungen
Niederlagen
Meine kindliche Art zu lieben
Wenn du da rausfällst
aus diesem Gefühl
Der eine schlägt dich
Ein andrer weint
Wie traurig Pfuel
manchmal schlurft
flüstert zum Publikum
Sagen Sie mir die Wahrheit
Hassen Sie niemals den den Sie lieben
Rast in Ihnen niemals das Mißtraun
der Verrat
Ah Sie haben sich zurückgezogen?
Arrangiert?
Die Seele in den Schrank gehängt?
Nur zum Bedarf
Wird sie herausgenommen –
Ich hab das nie unterschieden
das Leben das Schreiben
das Wachen den Schlaf
Er legt sich auf den Boden
Dem Bären kauert zu Füßen mich
und streichelte das Pantherticr
Macht wieder den Goethe
Die aussöhnende Abrundung
lieber junger Mann
welche eigentlich von allem Drama

ja sogar von allen
poetischen Werken
erfordert wird
Ende Goethe
Was soll ich?
Den Menschen vergessen machen
seine tierische Natur
die Unruhe die ihn treibt?
Die Idee seiner Vollkommenheit?
In jeder Zeit ist es ein andres
das wir vergessen sollen
Und jede Zeit
die man erinnert
fragt
Warum schreibst du?
Warum atmet man?
Warum fragt keiner den Soldaten
Was ist der Sinn deines Treibens?
Lauscht als hörte er Antwort
Ich bin tot
Feuer und Wasser
Erde und Luft
Mensch und Tier –
Der Nachtwind hat meinen Namen geflüstert
wenn einer dich ansieht
Deine Wahrheit erkennt
Der Nachtwind hat meinen Namen geflüstert

4.

KLEIST schlafend im Bett, PFUEL, in langen Unterhosen und Schlafhemd, ist damit beschäftigt, sein Klappbett aufzuräumen. Er trägt eine Trillerpfeife um den Hals. Der Anfang wird schnell gespielt oder extrem langsam. Die beiden Männer wirken noch angestaubter, vernachlässigter und gereizt. HANNA hat nun mehr von einer Altenpflegerin als von einer Putzfrau. Sie sieht besser gekleidet aus, gepflegter, obwohl sie noch mehr schuftet. Sie hat die Männer fest im Griff.
KLEIST *im Schlaf:* In den Staub mit ihr
nein nein nein
Diese geistlosen Exerzitien
Diese alberne Küsserei
kichert
durch den Staub schleif sie

PFUEL: Steh auf, Heinz
KLEIST: In Staub mit allen –
PFUEL kichert
PFUEL: Wach auf, Heinz
KLEIST: Vom Staub kommt alles!
niest
PFUEL: Steh auf, Heinrich
PFUEL ist fertig mit seinem Bett, nimmt Trillerpfeife, geht ganz nah an Kleist heran, pfeift auf der Trillerpfeife. KLEIST schießt senkrecht hoch. Auf dem Bett salutierend
KLEIST: Kleist, Heinrich von
Gefreiter Corporal des
3. Bataillons Garderegiment 15 b zu Potsdam
Unser Wappen ist ein weißes Feld
Chili Haiti
PFUEL: Zieh deine Pantoffeln an
HANNA kommt herein, mit Tüten, zieht sich um
KLEIST: Nein nein
Ich will nicht
Ich kann niemanden sehn heute
Schick sie weg
Ich muß dichten
HANNA: Ich heiße Hanna
Ich putze für Herrn Kleist
Ich bringe das Essen
KLEIST brummt unter der Decke
HANNA: Und für Herrn Pfuel natürlich auch.
PFUEL: Seid mir gegrüßt, Königin. Wie geht's?
HANNA: Herr Kleist macht mehr Staub
KLEIST: Laß mich! Ich leide an Verstopfung
HANNA packt Tüten aus. Ananas, Klopse, Tabak
KLEIST: Hat sie an Tabak gedacht?
HANNA: Ich habe ein gutes Gedächtnis
PFUEL: Königsberger Klopse
HANNA: Im Unterschied zu anderen Leuten
PFUEL: Lecker
Ja was ist denn das?
HANNA: Sonderangebot, Ananas –
PFUEL: Wie oft muß ich noch sagen:
Keine Ananas für Herrn von Kleist!
KLEIST schießt aus dem Bett hoch
KLEIST: Diese Sache mit der Ananas
PFUEL: Das kann sich nur ein Irrer ausdenken
Wann gibst dus endlich zu

Die Ananas an sich ist schon
ein Unding
Es gibt überhaupt
zu viel Obst in deinen Stücken
Äpfel Feigen und Orangen
Tieck hat recht
KLEIST *schreit:* Tieck!
PFUEL: Wie eine reife Südfrucht
soll Achill ihr vor die
kleinen Füßchen fallen
Was für ein Quatsch
KLEIST *schreit:* Tieck! Tieck!
PFUEL: Katzen fressen keine Ananas
KLEIST: Als käm es darauf an
Hätt ich ihn nicht geliebt
ich hätte ihn gehaßt
Ein Kätzchen äße keine Ananas!
Das ärgre ihn als Katzenfreund
Dieser platte Realismus
Es gibt immer Ausnahmekatzen
Als käm es darauf an
Die Wirklichkeit der Seele ist
größer als die Wirklichkeit
HANNA zieht ihm die Bettdecke weg und zerrt ihn aus dem Bett, er bleibt darauf hocken, sie zieht schmutzige Socken heraus, Tabakreste, sie hält sich die Nase zu.
Sie schubst Kleist vom Bett herunter, er bleibt auf dem Boden hocken. PFUEL sucht etwas. HANNAs Putzen wird immer irrer. Sie fängt auch an, PFUEL zu waschen und zu rasieren.
PFUEL: Wo hab ich nur
Wo hab ich
KLEIST: Was suchst du?
PFUEL: Ich suche meine Brille
KLEIST: Was sähst du besser
als mit deinem Herzen
PFUEL: Meine Brille säh ich besser
KLEIST kriecht zu Pfuhls Bett und sucht
KLEIST: Was du sähst mein Freund
Führt nur zu einem andren
Ungesehnen
Denn was wir sehen
Das läßt uns fragen
Was verdeckt es
Hier liegt sie

Er nimmt die Brille, hilft KLEIST hoch
PFUEL: Hanna, wann gibt es Kaffee?
PFUEL will KLEIST umarmen.
KLEIST: Jetzt laß das doch
PFUEL: Sags ruhig, wen hättest
du dir lieber ausgesucht als mich
KLEIST: Fängst du schon wieder an?
PFUEL: Den alten Langweiler
der einen Beruf ergriff
eine Frau sich nahm
KLEIST hört nicht zu, er schreibt.
Nachkommen schuf
Wozu du dich außerstande sahst
Du hattest ja immer Verstopfung
Hast dich in deinem Ich gewälzt
Warst beschäftigt mit all den Widersprüchen
die unsereiner aushalten muß
KLEIST: Ich schreibe
Ich brauche Ruhe!
PFUEL: Du bist das lebende Beispiel
vor dem alle sich fürchten
Laß gut sein, Heinrich
Mir machst du nichts vor
Du hast immer nach Höherem gestrebt
Ich bin ein alter Esel der Vergeblichkeit
auf den du hinabsiehst
HANNA: Vergeblich wie meine Mühen
im Kampf gegen euren verdammten Staub
In jeder Szene der Penthesilea
da liegt er meterdick
der ganze Staub
Staubbedeckte Füße allenthalben
Durch den Staub will er sie schleifen
In dem Staub will sie ihn sehn
Was sind das nur für Verhältnisse
KLEIST: Was macht dich unsterblich?
Warum bist du hier?
PFUEL: Das frage dich nun einmal selbst
Worauf nun deutet dies hin
Es ist eine Sache der Logik
Du hast mich geliebt
Und bist vor mir geflohen
Nun kannst dus nicht mehr

Nun kannst dus nicht mehr!
HANNA setzt sich und macht eine Pause. Sie sieht den beiden zu. Manchmal hat man den Eindruck, sie spreche mit.
KLEIST: Das ist die Kannstkrise
PFUEL: Wir leben
in der permanenten
Kantkrise
Wenn du so willst
Vernunft gegen Gefühl
Hier hab ich den Beweis
Mir macht das nichts
Ich liebe dich
KLEIST: Was für ein Beweis?
PFUEL *außer sich:* Liebe schreist du Liebe
ein Bündel voller Mißtraun
Die andern sollen dir vertrauen
KLEIST: Ich will jetzt den Beweis!
PFUEL nimmt ein altes, zerlesenes Papier aus der Brusttasche und zeigt es, KLEIST will es greifen, PFUEL läßt es verschwinden
PFUEL: Das kriegst du nicht
Das ist meins
Und wenn du kämst
es mir im Schlaf zu rauben
KLEIST: Was ist das?
PFUEL: Es ist dein Brief an mich
Dein Brief nach Dresden
KLEIST: Was war da?
PFUEL *liest auswendig:* Ich werde jener
feierlichen Nacht
nie und nimmer vergessen
Da du mich aus dem
schlechtesten Loche
Frankreichs
einem Erzengel gleich
gerettet hast
KLEIST *als wär er im Duett:* Wie flogen wir einander
in die Arme
PFUEL *wie im Duett antwortend:* o du den ich über alles liebe
KLEIST: Wie öffnete sich die Welt
unermeßlich
gleich einer Rennbahn
PFUEL: Vor unsern in der Begierde
des Wettkampfs erzitternden Gemütern!

KLEIST: Und nun liegen wir
übereinander gestürzt
PFUEL / KLEIST: Im Staube unsres Sturzes
eingehüllt
HANNA bringt das Frühstück
HANNA: Ich faß es nicht!
Los, aufstehen!
Nicht gleich wieder weinen!
Die Männer setzen sich an den Tisch, HANNA könnte PFUEL ein Handtuch / Lätzchen umbinden. Er wehrt sich.

PFUEL: Du schmatzt
KLEIST: Entschuldige
PFUEL: Du hattest immer einen andren
Dem du die Seele verwickelt hast
KLEIST *weint:* Mein, mein ist die Schuld
Ich habe dich verwickelt, ach
Ich kann dirs nicht so sagen
wie ichs empfinde, lieber Pfuel
PFUEL: Du schlürfst
KLEIST: Was soll ich nun
mit all den Tränen machen?
PFUEL: Jetzt weinst du sie in alle Ewigkeit
Amen
HANNA *streng:* Nicht so sentimental!
Reißt euch mal zusammen!
KLEIST *mißtrauisch:* Du läßt mich bestrafen
Du hast Einfluß bei den Göttern!
HANNA *warnend:* Nicht weinen
KLEIST: Ich hätte bei dir schlafen können
so umarmte dich meine ganze Seele
Aber was hätte deine Frau dazu gesagt?
Was wär mit deinem Ehrgeiz geworden?
Ein Ministerpräsident mit einem Dichter?
Sag!
PFUEL: In Thun hatte ich noch gar keine Frau
Du
weißt ja gar nicht was es heißt
einen zu lieben mit
Haut und Haar
KLEIST: Ich wüßt es nicht? Ich wüßt es nicht?
Ich habe deinen schönen Leib
wenn du in Thun vor meinen Augen

aus dem See stiegst –
PFUEL: Ach sei doch endlich
Einmal still!
Immer redest du und redest und
drehst das Blatt um
wie deine heimtückische Gertrude!
KLEIST: Gertrude?
PFUEL: Die Intrigantin
Die Zicke mit der Ananas
KLEIST: Dem Pfirsich
PFUEL: Ist mir egal KLEIST *gleichzeitig:* Ananas Ananas
Es bleibt dabei Nana As Na Ana
Es ist mehr Glück
zu lieben als
geliebt zu werden
KLEIST versucht sich PFUEL zärtlich zu nähern, was PFUEL abwehrt.
PFUEL: Laß das!
KLEIST: Das halte ich nicht aus
Wenn
du mir nicht vertraust –
Sag mal Ernst
du erzählst das
alles ganz falsch!
Ich fragte *dich* mit mir
zu leben!
Steht alles in meinem Brief
Komm mit mir schrieb ich
Leb mit mir
Du hast dich nicht getraut!
Du!
Es klingelt, die Männer schrecken hoch.

5.

Lichtwechsel. Wie eine Erscheinung tritt farbiger JOURNALIST auf, in seinen Armen die bewußtlose HENRIETTE. Seltsame Musik, wie ein fernes Echo, Klarinette.
JOURNALIST: Es geschah alles sehr schnell
Es gab keine Warnung
Sie hatte einen Termin
in der Botschaft
wegen der Frauen
deren Söhne verschwanden

Der Knall
Die Explosion
Ohrenbetäubend
Die Menschen schrien
alle durcheinander
Körperteile flogen durch die Luft
Blut überall überall Blut –
Blechteile verbrannte Autos
Ein fieser Geruch
verbranntes Fleisch –
Es ging ganz schnell
Sie hat nichts gespürt –
Ein einzelner Splitter
mitten ins Herz –

6.

Lichtwechsel. Alle auf Stühlen, Betten, auch HENRIETTE. HANNA scharwenzelt um den JOURNALISTEN herum. KLEIST auf seinem Bett wie am Anfang; er murmelt den Text unhörbar, schwenkt Kopf hin und her, läßt Zunge heraushängen.
JOURNALIST: Manchmal
früh am Morgen
wenn ich einen Spaziergang
mache in den Sümpfen
schlägt mir ein Geruch entgegen
wie im Winter in Berlin
ganz seltsam
die Sümpfe sind üppig bewachsen
Farne Büsche
eine sehr feuchte Gegend
PFUEL: Ich habe das Wasser
immer geliebt
Ich lehrte die Soldaten
zu schwimmen
wie bei den Fröschen
hab ich gesagt
so müßt ihr euch bewegen
JOURNALIST: Ich hätte Appetit auf eine frische Mango
PFUEL / KLEIST: Mango?
JOURNALIST: Das stärkt die Widerstandskraft
das Immunsystem und schmeckt wie das Paradies
PFUEL: Schwimmen stärkt die Abwehrkraft

Man muß die Masse zu schwimmen lehren
KLEIST: Laß gut sein, Ernst, laß gut sein
JOURNALIST: Nein nein
Erzählen Sie
Ich bin als Kind
auch gern geschwommen
PFUEL: Ich lehrte die Soldaten das Schwimmen
An der Angel hielt ich sie
und erklärte die Bewegung
Ich erfand die Schwimmanstalten
JOURNALIST: Gestern hab ich ihr Grab besucht
Es lagen Rosen darauf
Blumen aus Plastik
Ein Meer von Kerzen
Zigaretten Amulette
Armbanduhren altes Geld
und vier Kürbisse
Prall und gelb
KLEIST: Kürbisse?
JOURNALIST: Kürbisse dick und rund
KLEIST *vergnügt:* Gibts schon einen Imbiß
Gleich neben meinem Grab?
Das wäre schön
Das würd ich mir wünschen
Einen Imbiß
Mit Schnaps und Würstchen
Andre Dichter kriegen ganze Häuser
neben ihrem Grab
PFUEL: Goethe etwa
KLEIST *schreit:* Goethe! Goethe!
wieder aufgeregt vergnügt
Man könnte etwas Gutes verkaufen
mit meinem Namen drauf
die gute »Heinrichmarmelade« etwa
hinter Potsdam gibts doch Obst
oder »Käthchenfrüchte« aus Holunder
Holunder war mein liebster Strauch
PFUEL: Wenn das man Ehre ist
sich eingekocht
als Marmelade einst zu finden
Als Wimpel mit nem Konterfei
KLEIST: Solang ich keinen Imbiß hab
bin ich nicht anerkannt als Dichter

HENRIETTE *plötzlich wach:* Ich habe jetzt auch einen Grabstein
KLEIST und PFUEL erstarren vor Überraschung
KLEIST und PFUEL: Was?
HENRIETTE: Ich habe nun auch einen Stein
Einen Stein zu meinem Gedenken.
KLEIST: Ach wie gebrechlich ist der Mensch, ihr Götter
PFUEL: Penthesilea, 24. Auftritt
KLEIST: Mein Pfuel braucht bald ein neues Gebiß
Und meine Beine werden immer müder
Wer hätte das gedacht
Greift sich an die Brust
Die Stiche
Die Tropfen
Meine Tropfen Pfuel
PFUEL: Es ist zu früh für deine Tropfen
KLEIST *krümmt sich:* Die Tropfen
PFUEL: Es ist noch nicht Zeit
KLEIST wirft sich zu Boden, JOURNALIST springt zu ihm
JOURNALIST: Um Himmels willen
KLEIST: Die Tropfen Pfuel
Ich sterbe
JOURNALIST: Er stirbt
KLEIST: Die Tropfen
JOURNALIST: So tun Sie was
PFUEL: Dasselbe Theater
seit zweihundert Jahren
Seit zweihundert Jahren
dieses Spiel
So leicht stirbst du nicht
KLEIST: Diesmal ist es anders
dies mal ist es ernst
Keiner braucht meine Dichtung
Alle kriegen einen Stein
HANNA: Hinlegen Herr Kleist
Ausruhen ganz ruhig
KLEIST legt sich hin. HANNA streichelt ihn.
HANNA: Als ich noch ein Kind war
Las meine Mama uns Gedichte vor
Polen war immer von anderen besetzt
Mal russisch mal deutsch
aber gebetet haben wir auf Polnisch
und polnisch waren unsere Gedichte
PFUEL: Wenn er von Henriette hörte

Befiel
ihn diese übergroße Sehnsucht
jetzt ist sie hier –
KLEIST: Sehnsucht
PFUEL: Die Sehnsucht nach der Sehnsucht
KLEIST: Sehnsucht
HANNA drückt ihn nieder aufs Bett.
HANNA: Ich habe Sehnsucht
nach meiner Mutter
Ich weine manchmal
weil sie schon tot ist
Sie las viele Bücher
jeden Abend in ihrem Bett
nach einem langen Tag der Arbeit
immer polnische Gedichte
PFUEL: Wann starb denn Ihre Mutter?
HANNA: Wir denken heute
nicht mehr national
Wer heute das Volk liebt
ist ein Faschist
PFUEL: Das Volk war einmal
eine revolutionäre Idee
HENRIETTE: Die Revolutionen in der ganzen Welt
laufen am Ende auf das gleiche hinaus
Krieg Krieg Krieg
Die Männer ziehen den Mantel an und aus
Die Frauen beweinen ihre Kinder
In deinen Erzählungen
schlagen die Weißen die Schwarzen tot
Heute töten Schwarze Schwarze
und Weiße beuten Weiße aus
Und immer geht es
um Macht und Märkte
KLEIST: Ist denn Henriette eine Dichterin?
Kriegt sie deshalb einen Stein?
PFUEL: Sie ist Kriegsberichterstatterin
KLEIST: Da gehts um Wirklichkeit und nicht um Dichtung
HENRIETTE: Ganz genau mein Lieber
darum geht es
es wird keine Erzählung daraus gemacht
keine Fiktion
HANNA: Dieses Durcheinander
JOURNALIST: Die Wirklichkeit ist heute

stärker als alle Dichtung
Wenn du von ihr redest
riskierst du Kopf und Kragen
KLEIST: Schon schon aber
macht dich das unsterblich?
HANNA: Jeder anständige Mensch
Braucht einen Grabstein
Ob Künstler oder nicht
KLEIST: Ich freu mich ja
Ich freu mich
Doch wofür kommen die Leute
an ihr Grab
Zu mir kommen sie doch
Zu einem Dichter
PFUEL: Heinrich, bitte
HENRIETTE: Ich bin entsetzt
daß ausgerechnet du
Du liebtest und verehrtest doch
die Frauen
KLEIST: Frauen die treu sind und unbedingt
HANNA: Frauen die im Schlaf empfingen
Mütter mit unehelichem Kind
PFUEL: Frauen die durchs Feuer gehen
HANNA: Und die eine
die nicht trennte Karriere und Verlangen
PFUEL: Penthesilea!
KLEIST: Frauen können nicht dichten
Die Penthesilea ist nichts für Frauen
Nein
Vergleichen Sie doch nur einmal
Den Menschen mit einem Staubsauger
HANNA / PFUEL: O nein!
HENRIETTE: Das ist gar nicht nötig
Heute geht es um ganz andere Fragen
PFUEL/HANNA: Er will
daß sie Metaphern bildet
HENRIETTE: In der transzendentalen
Obdachlosigkeit
Ist der Staubsauger ein Gott
Die Metapher weicht der Relation
KLEIST: Ohne Metaphern keine Dichtung
Ohne den Durchgang durchs Unendliche
keine Poesie

PFUEL: Das ist das berühmte Dritte
Das ist das berühmte Mehr
HENRIETTE: Wir haben den Durchgang
schon hinter uns
Wir sind unendlich müde
Sie legt sich hin
HANNA: Der Staubsauger
ist der Fluchtpunkt
des Unendlichen
JOURNALIST: Ein Staubsauger ist ein Staubsauger
Ist ein Staubsauger
HANNA: Vergleichen Sie doch mal
mein lieber Herr von Kleist
den Staubsauger
mit Ihrer Ananas
PFUEL: Ich sag es ja
Es ist die permanente Krise
Gut daß ich nicht am Leben bin
KLEIST: Es gibt nur eine Wahrheit
PFUEL: Ich habe meine Pflicht getan
ich diente Volk und Vaterland
ernährte Frau und Kinder
das Leben –
KLEIST: Das ist die Gewißheit des Gefühls
PFUEL/HANNA: Das Gefühl an sich ist keine schlechte Sache
Das Gefühl an sich
ist gut
HANNA macht den Staubsauger an
HANNA: Henriette war eine gute Reporterin
Henriette verdient einen Grabstein
Ich auch
Der Dichter braucht keinen Grabstein
Sein Grabstein sind die Verse
in der Seele des Volkes
Wer heute das Volk liebt
ist ein Faschist
Also braucht der Dichter
doch einen Grabstein
PFUEL: Was meinen Sie mit der Ananas
KLEIST: Es ist besser
das alles zu trennen
Es ist besser
ich hab mich geirrt

HENRIETTE: Ich will aber nichts trennen
Ich habe meine Arbeit
immer aus Liebe gemacht
Ich habe die Leute befragt
ich sah ihre Gesichter
keine Zahlen bewegliche Massen
ich sprach mit Diktatoren und Killern
mit Frauen
die ihre Kinder verloren im Krieg
mit Männern die –
KLEIST: Was weiß schon eine Frau davon
Sie hat ja keinen Ehrgeiz
Ehrgeiz ist ein Wort
das ist den Weibern fremd
PFUEL: Also Heinrich, bitte
HENRIETTE: Ach laß ihn doch
er wird das nie begreifen
KLEIST: Henriette, willst du nicht mit mir sterben
Das ist doch nicht zu fassen
Das Leben
Tot sein oder nicht tot sein
Das ist hier die Frage
Immer wollen die Menschen
nur das Leben
Jedes Geheimnis zerren sie ans Licht
Hat er oder hat er nicht
Trieb ers mit Männern oder gar nicht
JOURNALIST: In meinem Land
ist es verboten
daß ein Mann
einen Mann liebt
In meinem Land wirst du getötet
wenn du sagst daß du es tust
Wenn du es nicht sagst
stirbst du genauso
KLEIST: Ich hab es ja gesagt
Im Tod geht alles weiter
PFUEL: Es gibt kein Paradies
KLEIST: Es gibt keine Erlösung
HANNA: Nicht weinen, bitte
Ich kann Männer nicht
weinen sehn
JOURNALIST: Der Mann der die Bombe warf

hat es geglaubt –
HENRIETTE: Ich sah die bunten Kleider
der Frauen auf der Straße
ein Mosaik aus Fetzen
in meiner letzten Sekunde
angsverzerrt sah eine
mich an sie hielt ein Baby
Auch ich hatte ein Mädchen
sie war fast elf
KLEIST: Chile Haiti Santo Domingo
einst lebte ein Paar
ich träumte von diesen Ländern
ich schrieb Tag um Tag
von ihren Wirren
ich wollte kein Soldat sein
ich floh vom Heer
in der Dichtung sah ich
ein besseres Leben
Und als ich schoß
Henriette
sah ich uns schweben
über duftenden Wiesen
JOURNALIST: Der Mann der die Bombe warf
glaubte auch ans Paradies
Oder trug er sie vielleicht am Leib?
KLEIST: Nur in der Kunst hält man das aus
KLEIST versinkt in stilles Grübeln.
HANNA: Ich sah sie oft als Kind
In jeder Familie gab es Soldaten
Ich haßte diesen Geruch
nach Kohlsuppe widerlich
in den Feldküchen
Das war die Wirklichkeit für uns
Sie war grau und stank
PFUEL: Erzählen Sie mehr von Ihrer Heimat
HANNA: Die Heimat!
Wie sentimal!
Der Duft der Quitten Kirschen Pflaumen
Der Duft des angewärmten Schnaps
des warmen Brots
meiner Mutter
Ihre Küche in der wir
uns trafen

die ganze Familie
kam da zusammen
Das nannten wir nicht Wirklichkeit
Das war einfach so
unser Leben
PFUEL: Wenn ich Ihnen raten darf
Nicht zu viel Obst in Ihre Geschichte
Das stiftet nur Verwirrung
KLEIST: Eine interessante Idee
an Gerüchen
Wirklichkeiten zu vergleichen
HANNA: Ich spreche auch von den Plattenbauten
Vom Lehmbau zu den Plattenbauten
Das ist eine lange Geschichte
Der Alltag sieht eben anders aus
KLEIST: Auf den Alltag kommt es an
PFUEL: Ach ja?
KLEIST: Im Alltag beweist es sich
Doch zuerst kommt der Durchgang
durchs Unendliche
Das allein macht uns unsterblich
KLEIST versinkt in Grübeln, brummelt, als fiele er in einen Traum
JOURNALIST: Ich habe Heimweh
Ich will zurück
Ich vermisse das Singen
des Regenwaldes
das Tropfen Prasseln Pfeifen
sogar den Geruch der Nässe
wenn alles so schnell verwest
die Schönheit der flüchtigen Augenblicke
der Blume die blüht und
sofort verwelkt
HANNA: Wir denken heute
nicht mehr national
die ganze Welt ist unsere Heimat
JOURNALIST: Zwischen so vielen Welten
Zurück führt kein Weg
es zerreißt meinen Kopf
Mein Kopf ist schnell
Mein Herz brennt langsam
und meine Erinnerung kennt nur ein Land
HANNA: Das macht mich ganz traurig
wenn Sie das so sagen

JOURNALIST: Europa –
HANNA: Das ist der Dosenpfand
Samenbanken und Invitro
Ayurveda Antiaging
JOURNALIST: Wir pflegten gern alte Leute
in unseren Ländern
sterben alle jung
dann kamen Fremde
sie machten ein Geschäft draus
HANNA: Aura Karma und Aroma
Und dann zogen alle
sich russische Pelzchen an
Und sangen russische Lieder
Sie sind keine Kommunisten
Kommunisten sind das nicht
PFUEL: Allons enfants à la patrié
HANNA: Sie sind nur sentimental
JOURNALIST *zu KLEIST hin:* Was hat er
Er ist ja plötzlich so stumm
PFUEL: Da ist der Kant dran schuld
Und der Glaube an das Geld
JOURNALIST: Geld hab ich wenig
Wir sind schlecht bezahlt
Wir Berichterstatter der Wirklichkeit
Ich kann froh sein
daß ich noch lebe
viele werden ermordet
für die Sätze die sie schreiben
PFUEL: Was ist mit Ihren Verwandten?
JOURNALIST: Meine Familie –
Mein Bruder
handelt mit Autos
Er verkauft sie auf dem Markt
in Teilen und komplett
HANNA: Das ist stabil
das brauchen alle
HENRIETTE: Wie das Blut spritzte
Der Splitter traf mich sofort
Die Fetzen des bunten Kleides
rot rosa weiß
wie wilde Blumen
leuchteten sie auf
Seltsam

Ich hörte eine ferne Musik
wie das Echo
vergangener Tage
für die ich keine
Erinnerung –
KLEIST packt die Klarinette aus und beginnt leise zu spielen.
HENRIETTE: Ich hatte die leeren Zimmer gesehen
von denen die geflohen
das Bett unbenutzt
ein Bild oder zwei
die dünne Gardine im Wind
der leere Raum
das Warten auf ein Zeichen –
Ich habe nun auch einen Stein
Ich bekomme Rosen
Jemand hat an mich gedacht
HANNA: Mein Mann
ich hab ihn verlassen
ging oft ins Bordell
Ich liebe nur dich
hat er gesagt
Doch geiler waren die andern
Das hat nichts mit Liebe zu tun
hat er gesagt
JOURNALIST: Das sind nur die Gene
Die Haut der Geruch
Das macht die Liebe
KLEIST: Henriette –
erzähl mir
PFUEL: Jetzt ist es aus für mich
HENRIETTE: Ich hatte alles verschenkt
was ich liebte
es war für alles gesorgt
für Pauline meine Tochter
Ich schrieb auch Vogel
meinem Mann
mich ja nicht zu trennen
von dir
KLEIST: wie das Echo vergangener Tage –
Henriette –
Schmutz und Glanz
meiner Seele
PFUEL: Sie frißt ihn auf

ich bin nun vergessen
HANNA: Vom Staube kommst du
zum Staube gehst du
PFUEL: Das ist der Ausdruck des Lebens
Dahin dahin
Alles wird plötzlich so ruhig
Hanna, merken Sie das?
Alle sitzen etwas ratlos da.
JOURNALIST: Ich muß nun gehen
Ich habe zu tun
Die Arbeit wartet
Ich kann nicht ruhn
Ich muß berichten
mit eigenen Augen –
KLEIST *umarmt ihn:* Liebe
Solange du lebst
und freu dich
die Unsterblichkeit bringt auch nichts Neues
du wirst es sehen
Vergiß mich nicht!
HENRIETTE: Vergiß mich nicht!
JOURNALIST verabschiedet sich von allen.
KLEIST *wie zu sich selbst:* Schreib davon
Geh durch alles hindurch
Jede erste Bewegung
ist schön
Alles Unwillkürliche
ist schön
PFUEL: Sie müssen uns wieder besuchen
HANNA / KLEIST *schon abwesend, in Gedanken:* Ach bitte ja
JOURNALIST verschwindet.
HENRIETTE: Nun ist er fort
PFUEL: Er ist gegangen
HANNA: Ich hätte auch gern einen
der mich trägt
PFUEL: Ich helfe immer
Was gibt es denn heute?
KLEIST nimmt die Klarinette und spielt ein paar Takte.
KLEIST: Es wird immer so sein
einer kommt einer geht
wir werden vergessen
und dann –
jemand denkt an dich –

Stimmen flüstern –
der Nachtwind vielleicht –
So können wir einmal
Wenn wir uns wiedersehn
Zueinander sagen:
Guten Tag
Was hast du geträumt?
Und unser Gespräch
von vor einem Jahr
als wär es von gestern
fortsetzen –
wie –
wie – *Spielt wieder Klarinette. Licht langsam aus.*

MIRIAM SACHS

BRIEF AN GÜNTHER EMIG

20. August 2009

Lieber Herr Emig!

Ich bin zurück aus der Schweiz und danke Ihnen nochmals für die Anregungen.

Thun ist tatsächlich wunderschön gewesen. Hotels waren ausgebucht, nach einer Nacht in einem letzten freien Zimmer sind wir nach Gwatt – das ist da, wo er sich einen Hof hat kaufen wollen, und dann doch nicht. Wir sind auf den Camping Platz, zelten – und dann doch nicht, weil es dauerregnete und das Zelt schwamm. Glücklicherweise hat der Campingplatz auch Unterkünfte. Mit Dusche u n d Fernseher u n d direkt am See. Total komfortabel. Fernsehen mit Blick auf See. Hätte auch Wilhelmine nichts auszusetzen gehabt.

Und was für ein heller, weiter See, als hätte ein sehr blauäugiger riesiger Mensch die Augen aufgeschlagen und man hüpft (oder watet) hinein.

Und drumherum die Berge...! Auf denen war ich nicht.

Da wo die Aare in den See mündet, kann man nicht waten, da ist eine Strömung und das Wasser tiefer. Daß die Strömung stark ist, weiß ich, weil ich gegen sie angeschwommen bin, um auf d i e s e s o g e n a n n t e Kleist-Insel zu kommen ... – von der kein Mensch in Thun zu wissen scheint, daß sie so heißt, jedenfalls die Tourismus-Information kennt weder Kleist noch das Kleist-Inseli. Einer wusste es dann doch, und man nannte mir dann eine und kreuzte sie auch auf dem Faltblatt-Plan an (genau da wo die Insel ist, muß man das Blatt wenden, das nicht richtig anschließt). Und daß dieser blinde Fleck in Privatbesitz ist, hatten Sie mir ja schon gesagt, und prophezeit, daß man nicht darauf kann.

Allerdings kommt man von der schmalen Hauptinsel sehr nahe heran, man geht die Promenade entlang, da sitzt auch der Homburg mit seinem Kranz, ein sehr junger Kleistischer Homburg, und um ihn rum trinken ein paar Typen Bier und drehen sich Joints und pinkeln in die Büsche, aber so anständig wie möglich (überhaupt glaube ich, daß alle Schweizer sehr anständig sind). Der Homburg sieht darüber hinweg, der ist auch auf einer Art Trip, sieht Mädchen und Siegstrophäen. Eine saß ihm im Blick, die hat Gitarre gespielt.

Auf der bezeichneten Insel, zu der ein kleiner Steg führt, der in ein verschlossenes Gartentor mündet, sah ich nun eine wunderschöne prunkvolle Villa, Gartenschaukeln, ein Holzhäuschen, verschiedenste Bäume in allen Größen, eine schier aus den Nähten platzende Idylle. Auf den Treppenstufen der Villa saß eine junge Frau und las. Da konnte ich nicht widerstehen und rief hinüber, ob ich sie was fragen dürfe. Sie rief hinüber, ja, klar. Und ich schrie die ganze Promenade voll: IST DAS DIE KLEIST-INSEL??? Das nun wieder (»DIE WAS BITTE...?«) verstand sie nicht gleich (»Die Insel, auf der K L E I S T mal war!!!«), und kam nun ans Tor. Etwas verspätet traf auch ein wilder Hund ein, unter dessen Gekläffe ich versuchte, meine Frage noch mal zu stellen.

Ob das die Insel sei, auf der Kleist einen Sommer mal gewohnt hat.

Ja, sagte sie, dies sei die Insel.

Wahnsinn – toll, da hätte sie ja ein Glück.

Ja, ja, sagt sie und schaut auch gleich ganz dankbar.

Ob ich mal gaaaanz kurz drauf dürfte. Nur mal gucken, ganz kurz.

Das ginge leider nicht, sie sei hier auch nur zu Gast.

(Ich komme mir vor wie der böse Wolf, der die sieben Geißlein überreden will, ihm die Tür zu öffnen.)

Ich will ja auch nicht aufdringlich sein, aber... Autorin sei ich, schriebe an einem Buch über Kleist.

Aha. Das ist ja schön.

Nichts zu machen. Nur meine Telefonnummer schreibt sie sich auf in ihr I-Phone. Ihre Eltern, die ebenfalls hier nur zur Miete wohnten, würden sich dann gegebenenfalls melden.

»Ach, Kann man hier zur Miete wohnen?«

»Nein!«

Nun geht sie wieder zurück zum Haus und liest weiter in ihrem Buch. Ich beginne, die Insel wenigstens zu fotografieren. Das goldene Türschild, den immer noch und immer lauter kläffenden Hund, die Insel von vorne und von hinten. Mit Booten im Vordergrund. Mit Kleist im Vordergrund, mit Zoom und ohne, im Wasser stehend, mit Schwan, ohne Schwan und so weiter und so fort. Ich zeichne die Insel sogar. Meine Kinder beginnen sich zu langweilen.

Sie hatten ja gesagt, bei Inseln wüsste man nicht so genau, ob es einem nicht ginge wie James Bond, wenn man sie unerlaubterweise beträte. Naja. Hier war alles so offensichtlich. Einladend und unerreichbar zugleich. Villa Julia steht an der Pforte. Ich kam mir etwas lächerlich vor. Hätte ich doch nicht gerufen und gefragt, hätte ich doch in geheimer Mission und in Sachen Kleist die Insel in der Dämmerung betreten und unter Hundegekläff wieder verlassen, so aber an der Pforte abgewiesen werden, ist schon frustrierend.

Am nächsten Tag treffe ich Herrn B. vom Kulturamt Thun, der mir bestätigt, die Insel sei in Privatbesitz, man könne nicht drauf, eine alte Dame, eine Frau S. wohne da ganz allein und wolle eher nichts wissen von Kleistverehrern und Germanisten. Man träfe selten jemand an. Ich erzähle, wie eine junge Frau vor der Villa gesessen und ich sie einfach angesprochen hätte.

»Vom Ufer aus?« – »Klar.« – »Seltsam«, sagt er. Ich zeig ihm die Fotos und die Zeichnung. Sehr schön, sagt Herr B. Sehr schön, aber das sei das Kleist-Inseli nicht.

Da sei ich wohl nicht richtig informiert gewesen. Die Kleist-Insel sei die äußerste Insel, ich hätte die davor erwischt.

Toll! Dankeschön, Tourismus-Information! Danke schön, blöde Angeberin mit ihrer elterlichen Villa und Hund und I-Phone (mein Handy hat nicht einmal eine Speicherkarte. Weshalb ich jetzt auch keinen Platz mehr habe für weitere Fotos und Zeit auch nicht mehr, mein Zug geht in ein paar Stunden)!

Ich lösche die meisten Fotos, nur den Schwan nicht, der ist schon sehr schön. Man sieht sogar meinen Sohn darauf, wie er den Schwan nach Kleistscher Manier mit Dreck bewirft. Das lösche ich nicht!

Als ich zur Inselpromenade zurückgehe, ist es viel kälter als am Tag zuvor. Es ist Mittagszeit, es ist still, die Sonne bricht durch die Wolken hindurch, ein leichter Wind weht. Stille. Und das Wasser kräuselt sich. Da liegt sie nun also, die wahre Kleist-Insel. Viel unnahbarer.

Sehr grün, und voller Bäume, ein Weg führt direkt durchs Wasser, diesmal ist das Gelände wirklich abgesperrt. Hunde sind angekündigt, das Objekt sei bewacht.

Heute ist alles anders. Und das, obwohl nur wenige Meter von der gestrigen Insel entfernt, ist viel verwunschener.

Das Objekt lässt sich weder betreten noch näher besehen. Fotografieren erst recht nicht. Wie auch immer man sich stellt, immer ist nur ein Haufen Grün zu sehen, das sich in die Länge zieht. Das könnte sonst wo sein. Sie entzieht sich, diese Insel. Hier hatte er ganz sicher Ruhe. Ich ziehe mich seelenruhig aus und steige langsam in den Fluss.

Die Aare ist kalt, die Strömung treibt mich zur Spitze der Insel, unweit der falschen Kleist-Insel. Dann aber bin ich fast am Ufer, wate gegen die Strömung zurück und fasse ein paar Zweige und Gewächse, die ins Wasser ragen. Durch das Blattwerk sieht man jetzt doch ein kleines Haus. Ich weiß, daß es nicht das von damals ist, aber man könnte es denken. Eine kleine Holzhütte. Mein Herz rast, ich hab ein wenig Angst wegen der Hunde. Weiß auch nicht, warum ich plötzlich denke, daß es mehrere sind. Wenn die falsche Insel schon von einem bewacht ist, dann müsste es hier gleich ein ganzes Rudel sein, lauter Bestien, wie sie Penthesilea bei sich hat. Noch mehr Angst habe ich aber vor jener alten Frau S.

Meine Kinder rufen mir etwas vom anderen Ufer hinüber. Wahrscheinlich ist das alles wieder sehr peinlich. Ich höre es nicht genau, aber irgendwas wie »Laß es doch lieber!«

Ich will hier nicht im Fluss stehen. Ich setze meine Mütze ab, es ist eigentlich die meiner Tochter, eine Ché-Kappe mit Stern darauf und Mini-Tasche mit Reißverschluss. In der hab ich mein Kamera-Handy, Kopf über Wasser und wohl behalten übers Wasser gebracht. Jetzt ist es doch ein bisschen james-bond-mäßig! Und nun fotografiere ich auch. Es ist immer noch in erster Linie grün, was ich da fotografiere. Aber es i s t die Insel! Ich betrete sie, ich vergesse die Hunde, durch die Kamera gesehen ist alles beruhigend. Hier ist er gegangen, von hier aus hat er wahrscheinlich sein Mädli zur Kirche hinübergerudert, sonntags, um dann in der Zwischenzeit angeblich auf einen Berg namens Schreckhorn zu steigen. (Den es aber hier seltsamerweise gar nicht gibt! Nur ein Schildhorn hat es hier, aber auf das kommt man nicht eben mal rauf, während die Haushälterin in der Messe ist. Naja, es ist wohl ein phantastischer Berg, den man im Traum besteigt. Schreckhorn klingt angemessener. Und, denke ich mit Blick auf die andere, die Villabewohnerinnen-Insel): Kleist ist nicht der einzige, der hier gerne ein bisschen angibt!

Nun allerdings zucke ich zusammen. Zweige knacken und brechen, Eine Motorsäge heult auf. Kommt jetzt die alte Frau S. mit einer Kettensäge bewaffnet und richtet ein Blutbad an, ganz ohne Hunde – – – oder schimpft ganz viel?

Ich verlasse hastig Grund und Boden und flüchte mich wieder ins Wasser. Von da aus fühle ich mich wohler (auch sieht man da meinen Schlüpper nicht so), sicher genug, um genauer hinzusehen: Zwei wackere Bauarbeiter oder Gärtner sind da zugange. Aha. Ich zupfe mir meinen BH zurecht, der als Bikinioberteil durchgehen kann, und winke den Männern. Der eine kommt zu mir. Ob man hier wohl mal auf die Insel darf, ganz kurz. Oder ob das Privatbesitz sei? (Saublöde Frage, steht ja unübersehbar am Gittertor!) Der schaut schon ein wenig komisch, aber findet's wohl ganz ok, daß da eine halbnackte Frau im Wasser steht und sich die Insel anschauen will.

Daß die Frau S. nicht hier sei, aber »nur mal luage« sei ok.

Nun wiederum fühle ich mich nicht mehr ganz so wohl. Die Blicke, meine, die der Insel gelten, und die der Männer. »Nur mal luage«. Nicht ganz unkleistisch, all das. Und wieder ist der Speicherplatz meines Handys voll. Und die Uhr schlägt – drei Mal. Der Zug fährt bald, Die Kinder rufen, die Kerle gucken. Kleist hin und her, ich lösche Schwäne und schieße noch drei Fotos. Ein Holzhaus, drei Bäume (!), ein altes Boot – dann schwimme ich doch lieber wieder rüber, einen Steg suchen, wäre vergebens, ein Fährmann erbarmt sich nicht, und das Vordertürchen dieses Gartens bleibt verriegelt.

Ich werde meinen Zug bekommen und am nächsten Tag eine Blasenentzündung.

Nun bin ich wieder zurück und grüße Sie herzlichst

Miriam Sachs

GÜNTHER EMIG

KLEIST-BIBLIOGRAPHIE 1990ff.

FOLGE 21

Kleist-Archiv Sembdner – das nationale bibliographische Zentrum zu Heinrich von Kleist: Sichtung und Sammlung, Aufbereitung und Vermittlung von Informationen im weiten Umkreis von Kleist, das war und ist im Sinne eines »Alleinstellungsmerkmals« ein zentrales Anliegen des Kleist-Archivs Sembdner in Heilbronn. Ein wichtiges Informationsfeld bestand und besteht im Nachweis von Veröffentlichungen; die Klage über die fehlende umfassende Kleist-Bibliographie hat schließlich die Kleist-Forschung im vergangenen (20.) Jahrhundert als Dauerthema begleitet.

Aus einer Notsituation heraus ist deshalb Mitte der 1990er Jahre als bibliographischer Behelf die nach wie vor lieferbare Zusammenstellung *Kleist-Archiv Sembdner, Bestandsergänzungen, Erscheinungsjahr 1990-1995. Bearb. von Günther Emig [...]. Heilbronn 1996*, erschienen, die die Kleist-Literatur von 1990 bis Ende 1995 auf Basis von Sekundärauswertungen der einschlägigen Fachbibliographien enthält und die seitdem ihre Fortsetzung in den *HKB* ab Ausgabe 1 (1996) findet. Damit konnte die laufende bibliographische Verzeichnung für den Zeitraum 1990ff. etabliert werden.

Inzwischen ist die in der letzten *HKB*-Ausgabe angekündigte Kumulation der bibliographischen Daten für die Berichtszeit 2001 bis 2005 erschienen *(Günther Emig: Kleist-Bibliographie. Teil 2: 2001-2005. Heilbronn 2009)*. Die vorgesehene Kumulation für die Literatur der Jahre 1991-2010 könnte freilich sehr viel schneller das Licht der Welt erblicken, wenn das Projekt die Unterstützung erfahren würde, die andere kulturelle Großprojekte genießen dürfen.

Die in nachfolgender Zusammenstellung mitgeteilten Daten entstammen nahezu ausschließlich der Heilbronner Kleist-Sammlung (erkennbar an der Signatur hinter »KLAS: «). In immer weniger Fällen mußte ersatzweise auf die Angaben im »Karlsruher Virtuellen Katalog« (KVK) zurückgegriffen werden; die wenigen in der Heilbronner Sammlung noch fehlenden Titel werden in den nächsten Monaten beschafft. Nachzutragende Titel entnehme man der Diskussionsseite des Kleist-Archivs Sembdner im Internet (http://diskussionsforum.kleist.org – unter dem Stichwort »Heilbronner Kleist-Blätter«). Für Korrekturhinweise und Ergänzungen dankt der Bearbeiter. *G. E.*

Primärliteratur

Kleist, Heinrich von: Amphitryon. Ein Lustspiel nach Molière. Prinz Friedrich von Homburg. Ein Schauspiel. Frankfurt a. M.: Fischer Taschenbuch Verl. 2009. 192 S. (Fischer. 90168. Fischer Klassik)
ISBN 978-3-596-90168-5
Referenz: HKB 21
KLAS: 14412

Kleist, Heinrich von: Der zerbrochne Krug. Ein Lustspiel. [Reprint der Erstausgabe von 1811]. Heilbronn: Kleist-Archiv Sembdner 2008. 174 S. (Kleist, Heinrich von: Werke. Reprints aus dem Bestand des Kleist-Archivs Sembdner. Hrsg. von Günther Emig)
ISBN 978-3-940494-18-4
Referenz: HKB 21
KLAS: 14167

Kleist, Heinrich von: Der Zerbrochene [!] Krug. Ein Lustspiel. (1811). LaVergne, TN [USA]: Dodo Press 2008. 112 S.
ISBN 978-1-4099-3853-8
Referenz: HKB 21
KLAS: 14473

Kleist, Heinrich von: Penthesilea. Ein Trauerspiel. 1808. LaVergne, TN [USA]: Dodo Press 2009. 141 S.
ISBN 978-1-4099-3851-4
Referenz: HKB 21
KLAS: 14472

Kleist, Heinrich von: Die Herrmannsschlacht. Drama in fünf Akten. Neue Bearbeitung nebst Einleitung von Rudolf Genée. [Reprint d. Ausg. Berlin 1871]. Heilbronn: Kleist-Archiv Sembdner 2009. 184 S. (Heilbronner Kleist-Reprints. Hrsg. von Günther Emig)
ISBN 978-3-940494-22-1
Referenz: HKB 21
KLAS: 14168

Kleist, Heinrich von: The battle of Herrmann: A drama. [Translation and critical apparatus by Rachel MagShamhráin. Würzburg: Königshausen & Neumann 2008. XXXVIII,165 S.
ISBN 978-3-8260-3523-4
Referenz: HKB 21
KLAS: 14455

Kleist, Heinrich von: Prinz Friedrich von Homburg. Ein Schauspiel. LaVergne, TN [USA]: Dodo Press 2009. 113 S.
ISBN 978-1-4099-3852-1
Referenz: HKB 21
KLAS: 14474

Kleist, Heinrich von: Prinz Friedrich von Homburg. Ein Schauspiel. Erarb. und mit Anm. vers. von Roland Kroemer u. Christa Melli. Hrsg. von Johannes Diekhans. Paderborn: Schöningh 2009. 185 S. (EinFach Deutsch)
ISBN 978-3-14-022456-7
Referenz: HKB 21
KLAS: 14410

Kleist, Heinrich von: Prinz Friedrich von Homburg. Ein Schauspiel. Mit Materialien, ausgew. von Claus Schlegel. Stuttgart [u. a.]: Klett 2009. 144 S. (Editionen für den Literaturunterricht)
ISBN 978-3-12-352462-2
Referenz: HKB 21
KLAS: 14415

Audiatur et altera pars. Richter und Gerichtsszenen in der geistlichen und weltlichen Literatur. Hrsg. und mit e. Vorw. von Reinhard Georg Birkenstock. München: Dt. Taschenbuch Verl. 2006. 267 S. (dtv. 34298)
ISBN 3-423-34298-6 · 978-3-423-34298-8
[S. 79-92: Kleist: Käthchen, I/2. – S. 98-106: Kleist: Krug, 7. Aufzug (Auszug)]
Referenz: HKB 21
KLAS: 14476

Kleist, Heinrich von: Ausgewählte Schriften. [Gesammelte Kleine [!] Werke]. LaVergne, TN [USA]: Dodo Press 2009. 253 S.
ISBN 978-1-4099-3849-1
[Enthält die acht Erzählungen sowie »Geistererscheinung«]
Referenz: HKB 21
KLAS: 14475

Kleist, Heinrich von: Das Erdbeben in Chili. Die Verlobung in St. Domingo. Mit Materialien, zsgest. von Almuth Meissner.

Stuttgart [u. a.]: Klett 2006. 94 S. (Taschenbücherei. Texte & Materialien)
ISBN 978-3-12-262660-0
Referenz: HKB 21
KLAS: 14423

Kleist, Heinrich von: Das Erdbeben in Chili, Die Marquise von O..., Die Verlobung in St. Domingo. Mit e. Kommentar von Helmut Nobis. Frankfurt a. M.: Suhrkamp 2009. 217 S. (Suhrkamp-BasisBibliothek. 93)
ISBN 978-3-518-18893-4
Referenz: HKB 21
KLAS: 14407

Kleist, Heinrich von: Michael Kohlhaas. Aus einer alten Chronik. <Erstmalig erschienen 1810>. [Norderstedt]: GRIN Verl. 2009. 102 S.
ISBN 978-3-640-25241-1
Referenz: HKB 21
KLAS: 14422

Kleist, Heinrich von: Michael Kohlhaas.
In: Von Mörders Hand. Klassische deutsche Kriminalgeschichten von Alexis, Brentano, David, Feuerbach, Fontane, Grillparzer, Halm, Hebbel, Heyse, Hoffmann, Kleist, Meißner, Schiller, Spieß, Temme und Wichert. Mit 140 alten Bildern, teils nach Vorlagen von Ludwig Richter, C. D. Friedrich, Menzel, Ruge, Hosemann, Piloty u. a. Köln: Komet [2004]. S. 117-200.
ISBN 3-89836-392-9
Referenz: HKB 21 - KB 2 - IBK 2005,3904
KLAS: 14152

Kleist, Heinrich von: Die Marquise von O... Mit Materialien, ausgew. von Nicola König. Stuttgart [u. a.]: Klett 2009. 96 S. (Editionen für den Literaturunterricht)
ISBN 978-3-12-352453-0
Referenz: HKB 21
KLAS: 14408

Kleist, Heinrich von: Die Marquise von O... und andere Prosa. Erarb. von Wilhelm Große. Braunschweig: Schroedel 2009. 272 S. (Texte. Medien)
ISBN 978-3-507-47069-9
Referenz: HKB 21
KLAS: 14409

Kleist, Heinrich von: El juicio de Dios. (El duelo). Trad. de Ursula Toberer. [Madrid]: Rey Lear 2007. 67 S. (Breviarios de Rey Lear. 4)
ISBN 978-84-93524-58-6
Referenz: HKB 21
KLAS: 14446

Kleist, Heinrich von: Über das Marionettentheater.
In: Jacqueline Doyen. [Anläßl. d. Ausst. »Jacqueline Doyen / Claudia Kapp - Preis des Kunstvereins Hannover«. Hrsg.: René Zechlin. Red.: Ute Stuffer]. Hannover: Kunstverein Hannover 2009. S. 29-35.
ISBN 978-3-934421-16-5
[Text dt./engl.]
Referenz: HKB 21
KLAS: 14378

Kleist, Heinrich von u. Karl Biedermann: Briefe an Seine [!] Braut. Charleston, SC: Bibliolife 2009. XXVI,250 S.
ISBN 978-1-110-24300-6
[Enthält Print-on-Demand-Reprint von »Heinrich von Kleists Briefe an seine Braut« (1884)]
Referenz: HKB 21
KLAS: 14454

Sekundärliteratur

Adler, Anthony: [Rez.] Gailus, Andreas: Passions of the sign. 2006.
In: German studies review. Kalamazoo, Mich. 31. 2008. S. 646-647.
Referenz: HKB 21 - BSL 2008,1213
KLAS: 2008/A

Albert, Claudia u. Andreas Disselnkötter: Das »Grotesk-Komische« - Grabbe liest Kleist.
In: Goethe, Grabbe und die Pflege der Literatur. Festschrift zum 65. Geburtstag von Lothar Ehrlich. Hrsg.: Holger Dainat u. Burkhard Stenzel. Mit e. Einl. von Paul Raabe. Bielefeld: Aisthesis Verl. 2008. S. 125-150.
ISBN 978-3-89528-698-8
Referenz: HKB 21
KLAS: 14450

Alt, Peter-André: Poetische Logik verwickelter Verhältnisse. Kleist und die Register des Bösen.
In: Kleist-Jahrbuch 2008/09. Stuttgart [u. a.] 2009. S. 63-81.
ISBN 978-3-476-02280-6
Referenz: HKB 21
KLAS: 14470

Antonsen, Jan Erik: Poetik des Unmöglichen. Paderborn: Mentis Verl. 2007. 416 S. (Explicatio)
ISBN 978-3-89785-116-0
[S. 263-284: Kleist: Das Gespenst als paradigmatische Veranschaulichung des Phantastischen]
[»Bettelweib«]
Referenz: HKB 21 – G 2008,4463
KLAS: 14384

Askarian, Ghorbanali: Dramatische Handlung in Schillers »Wilhelm Tell« und Kleists »Prinz Friedrich von Homburg«. Berlin: Weißensee Verl. 2009. 75 S.
ISBN 978-3-89998-153-7
Referenz: HKB 21
KLAS: 14397

Baer, Gregory W.: Der Film zum »Krug«. A filmic adaptation of Kleist's »Der zerbrochne Krug« in the GDR.
In: Über Gegenwartsliteratur. Interpretationen und Interventionen. Festschrift für Paul Michael Lützeler zum 65. Geburtstag [...]. Hrsg. von Mark W. Rectanus. Bielefeld: Aisthesis Verl. 2008. S. 51-68.
ISBN 978-3-89528-679-7
Referenz: HKB 21 – G 2008,5320
KLAS: 14385

Baker, Anna Elizabeth: The aesthetics of ugliness. 2008. 216 S.
Univ. of Virginia, Diss.
[S. 114-158: The »ugly« woman? Kleist's Kunigunde as the tragic heroine]
Referenz: HKB 21
KLAS: 14426

Banville, John: Love in the wars. A version of »Penthesilea« by Heinrich von Kleist. Oldcastle: Gallery Books 2005. 78 S.
ISBN 1-85235-396-1
Referenz: HKB 21
KLAS:14448

Barthel, Wolfgang: Kleist und Marwitz. Zu Heinrich von Kleists kurzem Besuch in Friedersdorf Mitte September 1811.
In: Heilbronner Kleist-Blätter. Hrsg. von Günther Emig. [Ausg.] 20. Heilbronn: Kleist-Archiv Sembdner 2008. S. 118-135.
ISBN 978-3-940494-18-8
Referenz: HKB 21 – BSL 2008,6443
KLAS: 14172

Becker, Katharina: [Selbstanzeige] Autonomie und Humanität. 2008.
In: Heilbronner Kleist-Blätter. Hrsg. von Günther Emig. [Ausg.] 20. Heilbronn: Kleist-Archiv Sembdner 2008. S. 191-192.
ISBN 978-3-940494-18-8
Referenz: HKB 21 – BSL 2008,6219
KLAS: 14172

Behrendt, Eva: Et lux perpetua. Alte Meister in Berlin: Peter Stein inszeniert am BE einen »Zerbrochnen Krug« mit Klaus Maria Brandauer als Dorfrichter Adam, [...].
In: Theater heute. Berlin. 49. 2008. H. 11. S. 38-42.
Referenz: HKB 21
KLAS: 2008/B

Beil, Ulrich Johannes: Was weiß Literatur? (Post-)Koloniale Diskurse und Kleists »Die Verlobung in St. Domingo«.
In: Geistiger Handelsverkehr. Komparatistische Aspekte der Goethezeit. Für Hendrik Birus zum 16. April 2008. Hrsg. von Anne Bohnenkamp u. Matías Martínez. Göttingen: Wallstein Verl. 2008. S. 37-75.
ISBN 978-3-8353-0246-4
Referenz: HKB 21 – BSL 2008,6446 – G 2008,5321
KLAS: 14386

Beiträge zur Kleist-Forschung. 20. 2006. Hrsg. von Lothar Jordan. Themen: Kleists Briefwechsel. Kleist und Königsberg 1806. Würzburg: Königshausen & Neumann 2008. 167 S.
ISBN 978-3-8260-3823-5

Referenz: HKB 21
KLAS: 14185

Bekes, Peter: Kleists Zeichensetzung. Anekdoten auf dem Prüfstand.
In: Deutschunterricht. Braunschweig. 62. 2009. S. 26-33.
Referenz: HKB 21
KLAS: 2009/B

Bendikowski, Tillmann: Der Tag, an dem Deutschland entstand. Die Geschichte der Varusschlacht. München: Bertelsmann 2008. 271 S.
[S. 147-154, 199-202 u. ö.: zu Kleists »Hermannsschlacht«]
ISBN 978-3-570-01097-6
Referenz: HKB 21
KLAS: 14198

Bennett, Benjamin: Goethe as woman. The undoing of literature. Detroit: Wayne State Univ. Press 2001. 274 S. (Kritik)
ISBN 0-8143-2948-9
[S. 125-148: Heroes and fleabags and women: Gender and representation in »Penthesilea«]
Referenz: HKB 21 - nicht in KB 2!
KLAS: 14173

Bexte, Peter: Die weggeschnittenen Augenlider des Regulus. Zur verdeckten Antikenrezeption in einem Wort Heinrich von Kleists.
In: Kleist-Jahrbuch 2008/09. Stuttgart [u. a.] 2009. S. 254-266.
ISBN 978-3-476-02280-6
Referenz: HKB 21
KLAS: 14470

Bischoff, Doerte: »Dieser wunderliche Zug!« Signifikation, Materialität und Gewalt in Kleists »Amphitryon«.
In: Prima Materia. Beiträge zur transdisziplinären Materialitätsdebatte. Hrsg.: Sigrid G. Köhler, Jan Christian Metzler u. Martina Wagner-Egelhaaf. Königstein/Ts.: Helmer 2004. S. 193-220. (Kulturwissenschaftliche Gender Studies. 6)
ISBN 3-89741-144-X
Referenz: HKB 21 - KB 2 - G 2004,4592
KLAS: 12143

Blamberger, Günter: Ökonomie des Opfers. Kleists Todes-Briefe.
In: Adressat: Nachwelt. Briefkultur und Ruhmbildung. [Kolloquium über Briefkultur und Ruhmbildung ..., das im Herbst 2004 an der TU Dresden stattfand]. Paderborn [u.a.]: Fink 2008. S. 145-160.
ISBN 3-7705-4567-2 · 978-3-7705-4567-4
Referenz: HKB 21 - BSL 2008,6450 - G 2008,1882
KLAS:

Blamberger, Günter: Die Mühen der Ebenen. Dichtung in postheroischen Zeiten. Rede zur Verleihung des Kleist-Preises an Wilhelm Genazino am 25. November 2007 in Berlin.
In: Kleist-Jahrbuch 2008/09. Stuttgart [u. a.] 2009. S. 5-9.
ISBN 978-3-476-02280-6
Referenz: HKB 21
KLAS: 14470

Blamberger, Günter: Vom guten Ton. Rede zur Verleihung des Kleist-Preises an Max Goldt am 23. November 2008 in Berlin.
In: Kleist-Jahrbuch 2008/09. Stuttgart [u. a.] 2009. S. 25-29.
ISBN 978-3-476-02280-6
Referenz: HKB 21
KLAS: 14470

Blumentrath, Hendrik: Politsche Meteorologie. Zu Kleists und Grabbes Hermanns-Dramen.
In: Hermanns Schlachten. Zur Literaturgeschichte eines nationalen Mythos. Hrsg.: Martina Wagner-Egelhaaf. Bielefeld: Aisthesis Verl. 2008. S. 59-79. (Veröffentlichungen der Literaturkommission für Westfalen. 32)
ISBN 978-3-89528-714-5
Referenz: HKB 21
KLAS: 14453

Bohm, Arnd: [Rez.] Gailus, Andreas: Passions of the sign, revolution and language in Kant, Goethe, and Kleist.
In: Seminar. North York, Ont. 44. 2008. S. 385-386.
Referenz: HKB 21
KLAS: 2008/B

Borgards, Roland: Qualifizierter Tod. Zum Schmerz der Hinrichtung in der Rechtsprechung um 1800.
In: Diskrete Gebote. Geschichten der Macht um 1800. Festschrift für Heinrich Bosse. Hrsg. von Roland Borgards u. Johannes Friedrich Lehmann. Würzburg: Königshausen & Neumann 2002. S. 77-98.
ISBN 3-8260-2254-8
[u. a. zur »Verlobung«]
Referenz: HKB 21 - KB 2 - G 2003,1910
KLAS: 7060

Bosco, Lorella: »Das furchtbar-schöne Gorgonenhaupt des Klassischen«. Deutsche Antikebilder (1755-1875). Würzburg: Königshausen & Neumann 2004. 400 S. (Epistemata. Reihe Literaturwissenschaft. 501)
Zugl.: Berlin, Freie Univ., Diss., 2001.
ISBN 3-8260-2730-2
[S. 95-154: Penthesilea, das »Weib halb Furie, halb Grazie«]
Referenz: HKB 21 - KB 2 - G 2004,1159
KLAS: 14146

Bridgham, Fred: Die Gedankenfigur des »Dritten« bei Kleist.
In: Kleist-Jahrbuch 2008/09. Stuttgart [u. a.] 2009. S. 273-302.
ISBN 978-3-476-02280-6
Referenz: HKB 21
KLAS: 14470

Brown, Hilda M.: [Rez.] Allemann, Beda: Heinrich von Kleist. 2005.
In: Arbitrium. Tübingen. 26. 2008. S. 213-216.
Referenz: HKB 21 - BSL 2008,6442
KLAS: 2008/B

Bruggaier, Johannes: Deutsche Klassiker auf der Bühne. Tendenzen im Theater der Gegenwart. Bremen: Ed. Lumière 2006. 242 S.
ISBN 3-934686-41-9
[u. a. zu Andreas Kriegenburgs »Penthesilea«- (1999) und Nicolas Stemanns »Käthchen«-Inszenierung (2003)]
Referenz: HKB 21 - G 2008,6986
KLAS: 14387

Buck, Theo: Versuchte Nähe zu Goethe. Sechs Vorträge. Parkstad Limburg: Erebodos Verl. 2005. 124 S.
ISBN 90-80949-53-1 · 97-890-80949-53-9
[S. 20-39: Goethes »Iphigenie« und Kleists »Penthesilea«]
Referenz: HKB 21 - nicht KB 2!
KLAS: 14416

Burckhardt, Barbara: Das Käthchen und sein Double. Heinrich von Kleist »Käthchen von Heilbronn« (Deutsches Schauspielhaus).
In: Theater heute. Berlin. 50. 2009. H. 7. S. 54.
[Inszenierung: Roger Vontobel]
Referenz: HKB 21
KLAS: 2009/B

Campe, Rüdiger: Intensiv und Extensiv. Kleists »Penthesilea« und falsche Alternativen der Literaturtheorie.
In: Penthesileas Versprechen. Exemplarische Studien über die literarische Referenz. Hrsg.: Rüdiger Campe. Red.: Christiane Arndt u. Malte Wessels. Freiburg i. Br. [u. a.]: Rombach 2008. S. 7-15. (Rombach Wissenschaften. Reihe Litterae. 162)
ISBN 978-3-7930-9536-1
Referenz: HKB 21
KLAS: 14376

Campe, Rüdiger: Zweierlei Gesetz in Kleists »Penthesilea«. Naturrecht und Biopolitik.
In: Penthesileas Versprechen. Exemplarische Studien über die literarische Referenz. Hrsg.: Rüdiger Campe. Red.: Christiane Arndt u. Malte Wessels. Freiburg i. Br. [u. a.]: Rombach 2008. S. 313-341. (Rombach Wissenschaften. Reihe Litterae. 162)
ISBN 978-3-7930-9536-1
Referenz: HKB 21
KLAS: 14376

Clarke, David: Requiem für Michael Kohlhaas: Der Dialog mit den Toten in Christoph Heins »Horns Ende« und »In seiner frühen Kindheit ein Garten«.
In: Literatur im Krebsgang. Totenbeschwörung und »memoria« in der deutschsprachigen Literatur nach 1989. Hrsg. von Arne de Winde u. Anke Gilleir. Amsterdam [u. a.]: Rodopi 2008. S. 159-179. (Amsterdamer Beiträge zur neueren Germanistik. 64)
ISBN 978-90-420-2322-2

Referenz: HKB 21 – BSL 2008,6453 – G 2008,3122
KLAS: 14431

Corkhill, Alan: Heinrich von Kleist's notions of happiness: texts and contexts.
In: Forum for modern language studies. Oxford. 45. 2009. S. 305-324.
Referenz: HKB 21
KLAS: 2009/C

Cuonz, Daniel: Reinschrift. Poetik der Jungfräulichkeit in der Goethezeit. München: Fink 2006. 308 S.
ISBN 3-7705-4336-X
[S. 213-245: Unbefleckbares Erzählen. Kleists »Marquise von O....«]
Referenz: HKB 21 – G 2008,5107
KLAS: 14388

Dane, Gesa: »Zeter und Mordio«. Vergewaltigung in Literatur und Recht. Göttingen: Wallstein Verl. 2005. 312 S.
Zugl.: Göttingen, Univ., Habil.-Schr., 2004.
ISBN 3-89244-861-2
[S. 235-257: Heinrich von Kleist: »Die Marquise von O...«]
Referenz: HKB 21 – KB 2 – IBK 2005,1362
KLAS: 14145

Debriacher, Gudrun: Österreich in preußischen Briefen. Heinrich von Kleist und seine Beziehungen zu Österreich.
In: Beiträge zur Kleist-Forschung. 20. 2006. Hrsg. von Lothar Jordan. Themen: Kleists Briefwechsel. Kleist und Königsberg 1806. Würzburg: Königshausen & Neumann 2008. S. 75-85.
ISBN 978-3-8260-3823-5
Referenz: HKB 21 – G 2008,5323
KLAS: 14185

Degler, Frank: [Rez.] Fiebich, Peggy: Gefährten im Unglück. 2007.
In: Germanistik. Tübingen. 49. 2008. S. 270-271.
Referenz: HKB 21
KLAS: 2008/D

Dorn, Thea: Marleni. Preußische Diven blond wie Stahl. Frankfurt a. M.: Verlag der Autoren 2000. 98 S. (Theaterbibliothek)
ISBN 3-88661-228-7
[Marlene Dietrich und Leni Riefenstahl planen Penthesilea-Film]
Referenz: HKB 21
KLAS: 14263

Dunker, Axel: Kontrapunktische Lektüren. Koloniale Strukturen in der deutschsprachigen Literatur des 19. Jahrhunderts. München [u. a.]: Fink 2008. 193 S.
ISBN 3-7705-4497-8 · 978-3-7705-4497-4
[S. 31-43: »Eine Mischung von Begierde und Angst«. Heinrich von Kleist: »Die Verlobung in St. Domingo«]
Referenz: HKB 21
KLAS: 14463

Eggers, Michael: Die Didaktik des schlechten Beispiels und die Antipädagogik Heinrich von Kleists.
In: Das Beispiel. Epistemologie des Exemplarischen. Hrsg.: Jens Ruchatz ... Mit Beitr. von Safia Azzouni ... Berlin: Kulturverl. Kadmos 2007. S. 241-260. (LiteraturForschung. 4)
ISBN 3-86599-038-X · 978-3-86599-038-9
Referenz: HKB 21 – G 2008,1885
KLAS:

Ehinger, Franziska: Kritik und Reflexion. Pathos in der deutschen Tragödie. Studien zu Andreas Gryphius, Friedrich Schiller, Heinrich von Kleist, Friedrich Hebbel und Conrad Ferdinand Meyer. Würzburg: Königshausen & Neumann 2009. 464 S.
ISBN 978-3-8260-4099-3
[S. 158-246: Pathos in Selbsttäuschung und Manipulation (Heinrich von Kleist)]
Referenz: HKB 21
KLAS: 14398

Emig, Günther: Heinrich von Kleists »Die Hermannsschlacht« (1808).
In: 2000 Jahre Varusschlacht. Mythos. Hrsg. vom Landesverband Lippe. Stuttgart: Theiss 2009. S. 187-190.
ISBN 978-3-8062-2280-7
Referenz: HKB 21 – BSL 2008,6460
KLAS: 14359

Emig, Günther: Kleist-Bibliographie 1990ff.

Folge 20.
In: Heilbronner Kleist-Blätter. Hrsg. von Günther Emig. [Ausg.] 20. Heilbronn: Kleist-Archiv Sembdner 2008. S. 208-238.
ISBN 978-3-940494-18-8
Referenz: HKB 21
KLAS: 14172

Emig, Günther: Heinrich von Kleist Bibliographie. T. 2: 2001-2005. Heilbronn: Kleist-Archiv Sembdner 2009. 246 S. (Heilbronner Kleist-Bibliographien. 3)
ISBN 978-3-940494-20-7
Referenz: HKB 21
KLAS: 14170

Engelstein, Stefani: Anxious anatomy. The conception of the human form in literary and naturalist discourse. Albany, N.Y.: State Univ. of New York Press 2008. XIV,326 S. (SUNY series, studies in the long nineteenth century)
ISBN 978-0-7914-7477-8
[S. 127-132: Kleist's aesthetic appendages]
Referenz: HKB 21
KLAS: 14469

Ergetowski, Ryszard: Co się stało z listami H. von Kleista?
In: Zbliżenia Polska-Niemcy. Wrocław. 3 (36) 2003. S. 177-180
[Was geschah mit Kleists Briefen?]
Referenz: HKB 21 - KB 2 - G 2003,2081
KLAS: 2003/E

Essen, Gesa von: Hermannsschlachten. Germanen- und Römerbilder in der Literatur des 18. und 19. Jahrhunderts. Reprint d. Ausg. Göttingen 1998. 288 S. (Heilbronner Kleist-Reprints. Hrsg. von Günther Emig)
ISBN 978-3-940494-23-8
Referenz: HKB 21
KLAS: 14383

Fetscher, Justus: Schrift verkehrt. Über Kleists Briefwerk.
In: Beiträge zur Kleist-Forschung. 20. 2006. Hrsg. von Lothar Jordan. Themen: Kleists Briefwechsel. Kleist und Königsberg 1806. Würzburg: Königshausen & Neumann 2008. S. 105-128.
ISBN 978-3-8260-3823-5
Referenz: HKB 21 - G 2008,5324
KLAS: 14185

Fischer, Dagmar: Kants Als-Ob-Wendungen in Kleists und Kafkas Prosa. Aufklärung/Kategorischer Imperativ der Pflicht contra Passion/Juvenilität. Frankfurt a. M. [u. a.]: Lang 2009. LXII,343 S.
ISBN 978-3-631-59083-6
Referenz: HKB 21
KLAS: 14403

Fleig, Anne: Das Gefühl des Vertrauens in Kleists Dramen »Die Familie Schroffenstein«, »Der zerbrochne Krug« und »Amphitryon«.
In: Kleist-Jahrbuch 2008/09. Stuttgart [u. a.] 2009. S. 138-150.
ISBN 978-3-476-02280-6
Referenz: HKB 21
KLAS: 14470

Frank, Luanne: No way out: Heinrich von Kleist's »Erdbeben in Chile«.
In: The Lisbon earthquake of 1755. Representations and reactions. Ed. by Theodore E. D. Braun and John B. Radner. Oxford: Voltaire Foundation 2005. S. 265-281. (SVEC. 2005,2)
ISBN 0-7294-0857-4 · 978-0-7294-0857-8
Referenz: HKB 21 - BSL 2008,6463
KLAS: 14471

Frevert, Ute: Gefühle um 1800. Begriffe und Signaturen.
In: Kleist-Jahrbuch 2008/09. Stuttgart [u. a.] 2009. S. 47-62.
ISBN 978-3-476-02280-6
Referenz: HKB 21
KLAS: 14470

Frisch, Elisabeth: Die Ausstellung »Ich natürlich, oder?!« im Kleist-Museum.
In: ALG-Umschau. Berlin. 2008. H. 40. S. 5.
Referenz: HKB 21
KLAS: 2008/F

Genazino, Wilhelm: Die Flucht in die Ohnmacht. Dankrede zum Kleist-Preis.
In: Kleist-Jahrbuch 2008/09. Stuttgart [u. a.] 2009. S. 16-21.

ISBN 978-3-476-02280-6
[Kleist-Preis 2007]
Referenz: HKB 21
KLAS: 14470

Gerigk, Anja: Literarische Hochkomik in der Moderne. Theorie und Interpretationen. Tübingen: Francke 2008. 240 S.
ISBN 978-3-7720-8302-0
[S. 125-136: Heinrich von Kleist, »Der zerbrochne Krug«]
Referenz: HKB 21
KLAS: 14468

Gess, Nicola: Gewalt der Musik. Literatur und Musikkritik um 1800. Freiburg i. Br. [u. a.]: Rombach 2006. 385 S. (Berliner Kulturwissenschaft. 1)
Zugl.: Berlin, Humboldt- Univ. u. Univ. of Princeton, Diss., 2004.
ISBN 978-3-7930-9450-0
[S. 341-354: Kleist und das Erhabene (in) der Musik]
Referenz: HKB 21 - G 2008,5120
KLAS: 14389

Geulen, Eva: [Rez.] Gailus, Andreas: Passions of the sign. 2006.
In: Arbitrium. Tübingen. 27. 2009. S. 79-81.
Referenz: HKB 21
KLAS: 2009/G

Görling, Reinhold: Kleist und der Cyberspace.
In: Gespenster. Erscheinungen - Medien - Theorien. Hrsg. von Moritz Baßler, Bettina Gruber u. Martina Wagner-Egelhaaf. Würzburg: Königshausen & Neumann 2005. S. 189-200.
ISBN 3-8260-2608-X
[u. a. zum »Bettelweib«]
Referenz: HKB 21 - KB 2 - G 2005,6372
KLAS: 14158

Goldt, Max: Rede zur Verleihung des Kleist-Preises 2008.
In: Kleist-Jahrbuch 2008/09. Stuttgart [u. a.] 2009. S. 37-43.
ISBN 978-3-476-02280-6
Referenz: HKB 21
KLAS: 14470

Gomoluch, Susanne: Hitting rock bottom: Reading male syncope in Kleist's »Die Familie Schroffenstein«, »Michael Kohlhaas«, and »Prinz Friedrich von Homburg«. 2009. III,62 S.
Univ. of North Carolina, M.A.
Referenz: HKB 21
KLAS: 14427

Goodman, Katherine R.: Swan song of Prussia? Kleist's »Marquise von O...«.
In: Deutsche Vierteljahrsschrift für Literaturwissenschaft und Geistesgeschichte. Stuttgart. 82. 2008. S. 552-573.
Referenz: HKB 21 - BSL 2008,6467
KLAS: 2008/G

Grabowski, Stanislaus: Das Käthchen von Heilbronn. Roman. [Reprint d. Ausg. Berlin 1869]. T. 1-3. Heilbronn: Kleist-Archiv Sembdner 2009. (Käthchen-Bibliothek. Hrsg. von Günther Emig. 12/I-III). (In 3 Bdn.)
ISBN 978-3-940494-21-4
T. 1: S. 1-383.
T. 2: S. 385-805.
T. 1: S. 807-1200.
Referenz: HKB 21
KLAS: 14162

Grathoff, Dirk: Kleist. Geschichte, Politik, Sprache. Aufsätze zu Leben und Werk Heinrich von Kleists. Nachdr. d. 2., verb. Aufl. Wiesbaden 2000. Mit e. Nachw. von Gunther Nickel. Heilbronn: Kleist-Archiv Sembdner 2008. 253 S. (Heilbronner Kleist-Reprints. Hrsg. von Günther Emig)
ISBN 978-3-940494-12-2
Referenz: HKB 21
KLAS: 14164

Greiner, Bernhard: At Kithaeron Mountain. Stefan Zweig's approach to the daemonic.
In: Stefan Zweig reconsidered. New perspectives on his literary and biographical writings. Ed. by Mark H. Gelber. Tübingen: Niemeyer 2007. S. 139-150. (Conditio judaica. 62)
ISBN 978-3-484-65162-3
Referenz: HKB 21 - G 2008,2897
KLAS: 14390

Greiner, Bernhard: »Penthesilea« – die Peripetie der erhabenen Tragödie.
In: Penthesileas Versprechen. Exemplarische Studien über die literarische Referenz. Hrsg.: Rüdiger Campe. Red.: Christiane Arndt u. Malte Wessels. Freiburg i. Br. [u. a.]: Rombach 2008. S. 189-207. (Rombach Wissenschaften. Reihe Litterae. 162)
ISBN 978-3-7930-9536-1
Referenz: HKB 21
KLAS: 14376

Griffiths, Elystan: Gender, laughter, and the desecration of Enlightenment. Kleist's »Penthesilea« as »Hundekomödie«.
In: Modern language review. Leeds. 104. 2009. S. 453-471.
Referenz: HKB 21
KLAS: 2009/G

Griffiths, Elystan: Hermanns Schlachten: Gender, culture and the German nation in the long eighteenth century.
In: German life and letters. Oxford. 61. 2008. S. 118-136.
Referenz: HKB 21 – BSL 2008,5480
KLAS: 2008/G

Große, Wilhelm: Heinrich von Kleist, Die Marquise von O... und andere Prosa. Arbeitsheft. Braunschweig: Schroedel 2009. 32 S.
ISBN 978-3-507-47169-6
Referenz: HKB 21
KLAS: 14417

Hacks, Peter: Zur Romantik. [Hamburg]: Konkret Literatur Verl. 2008. 127 S.
ISBN 978-3-89458-261-6
[S. 54ff., 102ff. u. ö.: Kleist]
Referenz: HKB 21
KLAS: 14380

Häffner, Patrick: Widerstandsrecht bei Schiller. Frankfurt a. M. [u. a.]: Lang 2005. 166 S. (Europäische Hochschulschriften. Reihe 18: Vergleichende Literaturwissenschaft. 114)
Zugl.: Mannheim, Univ., Diss., 2005.
ISBN 3-631-54085-X
[S. 24-28: Kleist]
Referenz: HKB 21 – KB 2 – IBK 2005,3920
KLAS: 14156

Häker, Horst: Fouqués Gedicht »Abschied von Heinrich von Kleist«.
In: Heilbronner Kleist-Blätter. Hrsg. von Günther Emig. [Ausg.] 20. Heilbronn: Kleist-Archiv Sembdner 2008. S. 110-113.
ISBN 978-3-940494-18-8
Referenz: HKB 21 – BSL 2008,6470
KLAS: 14172

Häker, Horst: Prinzessin Marianne von Preußen in Frankfurt (Oder). Aus ihrem Tagebuch von 1813.
In: Heilbronner Kleist-Blätter. Hrsg. von Günther Emig. [Ausg.] 20. Heilbronn: Kleist-Archiv Sembdner 2008. S. 114-117.
ISBN 978-3-940494-18-8
Referenz: HKB 21
KLAS: 14172

Häker, Horst: Der Traum vom grünen Haus. Eine Kleist-Phantasie.
In: Heilbronner Kleist-Blätter. Hrsg. von Günther Emig. [Ausg.] 20. Heilbronn: Kleist-Archiv Sembdner 2008. S. 104-109.
ISBN 978-3-940494-18-8
Referenz: HKB 21 – BSL 2008,6471
KLAS: 14172

Hainz, Martin A.: Arcus Tangens. Essay zu einem textuellen Phänomen bei Kleist und Celan.
In: Arcadia. Berlin [u. a.]. 42. 2007. S. 309-322.
Referenz: HKB 21 – BSL 2008,6473
KLAS: 2007/H

Halvorsen, Ross E.: Poetics of mistrust: Kleist, Büchner, and the prisoner's dilemma. 2007. VI,160 S.
Cornell Univ., Diss.
[S. 47-80: Commerce and care in »Die Familie Schroffenstein». – S. 115-147: Competitive wagers in the dramatic works of Kleist and Büchner]
Referenz: HKB 21
KLAS: 14429

Hamilton, John T.: Music, madness, and the unworking of language. New York: Columbia Univ. Press 2008. XVIII,252 S. (Columbia

themes in philosophy, social criticism, and the arts)
ISBN 978-0-231-14220-5
[S. 134-158: With arts unknown before. Kleist and the power of music]
Referenz: HKB 21
KLAS: 14477

Haque, Kamaal: [Rez.] Bernofsky, Susan: Foreign words. 2005.
In: Goethe yearbook. Columbia, SC. 14. 2007. S. 254-255.
Referenz: HKB 21 - BSL 2008,2092
KLAS: 2007/H

Harrer, Konrad: La barbarie chez Heinrich von Kleist.
In: Le barbare. Images phobiques et réflexions sur l'altérité dans la culture européenne. Eds.: Jean Schillinger u. PhilippeAlexandre. Bern [u. a.]: Lang 2008. S. 201-211. (Convergences. 45)
ISBN 978-3-03911-473-3
Referenz: HKB 21 - G 2008,5326
KLAS: 14404

Harst, Joachim: Geköpfte Namen. »Reine Gewalt« bei Kleist und Benjamin.
In: Zeitschrift für Ästhetik und allgemeine Kunstwissenschaft. Hamburg. 54. 2009. S. 43-64.
Referenz: HKB 21
KLAS: 2009/H

Haverkamp, Anselm: Diesseits der Oder. Frankfurter Vorlesungen. Ovid, Dante, Antonello da Messina, Bellini, Shakespeare, Donne, Baumgarten, Solger, Hegel, Kleist, Kafka, August Sander, Kantorowicz, Benjamin, Blumenberg, Cavell, Derrida. Berlin: Kulturverl. Kadmos 2008. 265 S.
ISBN 978-3-86599-055-6
[S. 17-29: Schwarz/weiß. Kleists »Verlobung in St. Domingo«, Shakespeares »Othello«]
Referenz: HKB 21
KLAS: 14464

Heddrich, Gesine u. Wolfgang Friedrichs: Heinrich von Kleist, Michael Kohlhaas. Analyse, Unterricht, Materialien. [Ill.: Stéphane Berghe]. Rot a.d. Rot: Krapp & Gutknecht 2008. 96 S.
ISBN 978-3-932609-93-0
Referenz: HKB 21
KLAS: 14405

Heilbronner Kleist-Blätter. Hrsg. von Günther Emig. [Ausg.] 20. Heilbronn: Kleist-Archiv Sembdner 2008. 241 S.
ISBN 978-3-940494-18-8
Referenz: HKB 21 - BSL 2008,6474
KLAS: 14172

Heimböckel, Dieter: Zugängliche Unzugänglichkeit. Heinrich von Kleists Topographie des Fremden.
In: Grenzräume der Schrift. Hrsg.: Achim Geisenhanslüke u. Georg Mein. Bielefeld: Transcript Verl. 2008. S. 95-110. (Literalität und Liminalität. 2)
ISBN 978-3-89942-777-6
Referenz: HKB 21 - BSL 2008,6475 - G 2008,5327
KLAS: 14391

Heinrich von Kleist. Neue Wege der Forschung. Hrsg. von Inka Kording u. Anton Philipp Knittel. 2., durchges. Aufl. Darmstadt: WBG (Wiss. Buchges.) 2009. 299 S.
ISBN 978-3-534-23081-5
Referenz: HKB 21
KLAS: 14399

Heinrich von Kleist.
In: Im letzten Garten. Besuch bei toten Dichtern. Fotos u. Textausw. von Peter Andreas. Mit e. Essay von Günter Kunert. Hildesheim: Gerstenberg 2005. S. 65.
ISBN 3-8067-2940-9
[Foto Kleist-Grab]
Referenz: HKB 21 - KB 2 - IBK 2005,4047
KLAS: 14151

Hermann, Iris: Theater ist schöner als Krieg. Kleists »Hermannsschlacht« auf der Bühne.
In: Hermanns Schlachten. Zur Literaturgeschichte eines nationalen Mythos. Hrsg.: Martina Wagner-Egelhaaf. Bielefeld: Aisthesis Verl. 2008. S. 239-255. (Veröffentlichungen der Literaturkommission für Westfalen. 32)
ISBN 978-3-89528-714-5

Referenz: HKB 21
KLAS: 14453

Hier wird das Herz von Sorgen leer. Das Hirschberger Tal um 1800. Sonderheft zur Ausstellung »Über den Häuptern der Riesen – Kleists schlesische Reise« des Kleist-Museums Frankfurt (Oder) und des Städt. Museums Gerhart-Hauptmann-Haus Jelenia Góra. Hrsg. von Barbara Gribnitz u. Wolfgang de Bruyn. Dresden: Neisse Verl. 2008. 95 S. (Silesia Nova. Vierteljahresschrift für Kultur und Geschichte. Sonderheft)
ISBN 978-3-940310-45-3
Referenz: HKB 21
KLAS: 14374

Hinck, Walter: Gesetz und Spontaneität. Die Vermeidung der Tragödie in Kleists »Prinz Friedrich von Homburg«.
In: Wirkendes Wort. Trier. 58. 2008. S. 17-26.
Referenz: HKB 21 – BSL 2008,6478
KLAS: 2008/H

Hodkinson, James: [Rez.] Ruprecht, Lucia: Dances of the self in Heinrich von Kleist, E. T. A. Hoffmann and Heinrich Heine. 2006.
In: The modern language review. Leeds. 103. 2008. S. 895-896.
Referenz: HKB 21 – BSL 2008,6530
KLAS: 2008/H

Höss, Dieter: Wer war's? 150 Rätselreime mit berühmten Leuten. Mit Zeichn. d. Verf. [Augsburg]: Wißner 2004. 192 S.
ISBN 3-89639-430-4
[S. 80: Kleist]
Referenz: Burkhard Wolter – HKB 21 – nicht KB 2!
KLAS: 14354

Hoffmann, Torsten: Agonale Energie. Kleists »Die heilige Cäcilie« als Gegendarstellung zu Schillers »Geschichte der Niederlande«.
In: Kleist-Jahrbuch 2008/09. Stuttgart [u. a.] 2009. S. 349-372.
ISBN 978-3-476-02280-6
Referenz: HKB 21
KLAS: 14470

Hoffmann, Torsten: »Nehmt Spitzhacken und Hammer!« Funktionen und intermediale Implikationen von Bildzerstörungen bei Friedrich Schiller, Heinrich von Kleist, Wilhelm Busch, Georg Heym und Botho Strauß.
In: Jahrbuch der Deutschen Schillergesellschaft. Göttingen. 52. 2008. S. 289-328.
[S. 298-305: Vom Bildersturm zur Kunstallianz: Heinrich von Kleist]
[zur »Cäcilie«]
Referenz: HKB 21 – BSL 2008,6479 – G 2008,4562
KLAS: 13379

Holbein, Franz von: Deutsches Bühnenwesen. Ein Handbuch für Alle, welche auf irgend eine Weise mit dem Theater in Beziehung stehen, oder sich auch nur für das Innere desselben interessiren. Teil 1. [Reprint d. Ausg. Wien 1853]. Heilbronn: Kleist-Archiv Sembdner 2008. 188 S. (Heilbronner Kleist-Reprints. Hrsg. von Günther Emig)
ISBN 978-3-940494-19-1
Referenz: HKB 21
KLAS: 14166

Horn, Peter: Verbale Gewalt oder Kleist auf der Couch. Über die Problematik der Psychoanalyse von literarischen Texten. Oberhausen: Athena-Verl. 2009. 202 S. (Beiträge zur Kulturwissenschaft. 15)
ISBN 78-3-89896-346-6
Referenz: HKB 21
KLAS: 14379

Husemann, Dirk: Der Sturz des römischen Adlers. 2000 Jahre Varusschlacht. Frankfurt [u. a.]: Campus Verl. 2008. 223 S.
ISBN 978-3-593-38259-3
[S. 183-189: Kleist – die Sprachgewalt der rohen Horde]
Referenz: HKB 21
KLAS: 14195

Jacobs, Carol: Der Dolch der Sprache. Die Rhetorik des Feminismus.
In: Penthesileas Versprechen. Exemplarische Studien über die literarische Referenz. Hrsg.: Rüdiger Campe. Red.: Christiane Arndt u. Malte Wessels. Freiburg i. Br. [u. a.]: Rombach 2008. S. 19-46. (Rombach Wissenschaften. Reihe Litterae. 162)
ISBN 978-3-7930-9536-1

Referenz: HKB 21
KLAS: 14376

Jahraus, Oliver: Held(inn)en der deutschen Klassik.
In: Deutsche Klassik. Epoche - Autoren - Werke. Hrsg. von Rolf Selbmann. Darmstadt: Wiss. Buchges. 2005. S. 208-230.
ISBN 3-534-17548-4
[S. 224-229: Penthesilea und das Problem des Dritten]
Referenz: HKB 21 - KB 2 - IBK 2005,4002
KLAS: 14150

Jahraus, Oliver: [Rez.] Bisky, Jens: Kleist. 2007.
In: Germanistik. Tübingen. 49. 2008. S. 300-301.
Referenz: HKB 21
KLAS: 2008/J

Jahraus, Oliver: [Rez.] Kraft, Herbert: Heinrich von Kleist. 2007.
In: Germanistik. Tübingen. 49. 2008. S. 302.
Referenz: HKB 21
KLAS: 2008/J

Jahraus, Oliver: [Rez.] Schede, Hans-Georg: Heinrich von Kleist. 2008.
In: Germanistik. Tübingen. 49. 2008. S. 810.
Referenz: HKB 21
KLAS: 2008/J

Janz, Rolf-Peter: Der gerahmte Blick. Landschaftsbilder bei Kleist.
In: Beiträge zur Kleist-Forschung. 20. 2006. Hrsg. von Lothar Jordan. Themen: Kleists Briefwechsel. Kleist und Königsberg 1806. Würzburg: Königshausen & Neumann 2008. S. 35-44.
ISBN 978-3-8260-3823-5
Referenz: HKB 21 - G 2008,5328
KLAS: 14185

Jenn, Camille: Barbares et barbarie: représentations dramatiques et fonctions idéologieques dans les dramas patriotiques de Heinrich von Kleist et Christian Dietrich Grabbe.
In: Le barbare. Images phobiques et réflexions sur l'altérité dans la culture européenne. Eds.: Jean Schillinger et PhilippeAlexandre. Bern [u. a.]: Lang 2008. S. 213-232. (Convergences. 45)
ISBN 978-3-03911-473-3
Referenz: HKB 21 - G 2008,5329
KLAS: 14404

Jin, Xiuli: Der Kampf mit dem Dämon. Stefan Zweigs literarische Typisierung des Genialischen. Hamburg: Kovač 2004. 174 S. (Studien zur Germanistik. 9)
Zugl.: Bochum, Univ., Diss., 2004.
ISBN 3-8300-1330-2
[S. 93-137: Zweig vs. Litzmann, Meyer-Benfey und Römer bei seiner literarischen Darstellung von Hölderlin, Kleist und Nietzsche]
Referenz: HKB 21 - KB 2 - G 2004,6597
KLAS: 14147

Johnson, Jonah M.: »A battle as yet not fought«: The tragic consequences of early German idealism. 2009. VII,224 S.
Univ. of Michigan, Diss.
[S. 129-195: Kleist's »so-called Kant crisis« and »she not be named«: tragedy's critique of the wake of Kant]
Referenz: HKB 21
KLAS: 14430

Kaiser, Birgit Mara: Simplicity of sensation. The aesthetics of Kleist and Melville. 2007. IX,269 S.
New York Univ., Diss.
[zu »Verlobung«, »Kohlhaas« und »Käthchen«]
Referenz: HKB 21
KLAS: 14433

Kambas, Chryssoula: [Rez.] Peter, Klaus: Ikarus in Preußen.
In: Germanistik. Tübingen. 49. 2008. S. 810.
Referenz: HKB 21
KLAS: 2008/K

Kauffmann, Bernd: Kleist - der unmögliche Mensch. Bernd Kauffmann zur Eröffnung der Ausstellung »Was für ein Kerl!«. Heinrich von Kleist im »Dritten Reich« in Neuhardenberg und Frankfurt (Oder).
In: Theater der Zeit. Berlin. 63. 2008. H. 10. S. 26-28.

Referenz: HKB 21
KLAS: 2008/K

Kehlmann, Daniel: »...und hör'n die herrlichste Musik«. Eine Rede auf Max Goldt.
In: Kleist-Jahrbuch 2008/09. Stuttgart [u. a.] 2009. S. 33-36.
ISBN 978-3-476-02280-6
[Kleist-Preis 2008]
Referenz: HKB 21
KLAS: 14470

Kemper, Angelika: »Auf, aufgelebt, du alter Adam!«. »Schuld« in der deutschsprachigen Komödie des 18. und frühen 19. Jahrhunderts. St. Ingbert: Röhrig 2007. 455 S. (Mannheimer Studien zur Literatur- und Kulturwissenschaft. 41)
ISBN 978-3-86110-423-0
[S. 302-347: H. v. Kleist: »Der zerbrochne Krug« (1806). - S. 347-379: H. v. Kleist: »Amphitryon. Ein Lustspiel nach Molière« (1807)]
Referenz: HKB 21 - G 2008,1677
KLAS: 14392

Kittsteiner, Heinz Dieter: Adam Müllers Berliner Kämpfe.
In: Paradoxien der Romantik. Gesellschaft, Kultur und Wissenschaft in Wien im frühen 19. Jahrhundert. Hrsg.: Christian Aspalter, Wolfgang Müller-Funk, Edith Saurer, Wendelin Schmidt-Dengler, Anton Tantner. Wien: Facultas Verl. 2006. S. 148-185.
ISBN 3-85114-817-7
Referenz: HKB 21 - BSL 2008,1318
KLAS: 14451

Kittsteiner, H[einz] D[ieter]: Das Preußische Desaster 1806. Jena und Auerstedt.
In: Beiträge zur Kleist-Forschung. 20. 2006. Hrsg. von Lothar Jordan. Themen: Kleists Briefwechsel. Kleist und Königsberg 1806. Würzburg: Königshausen & Neumann 2008. S. 131-137.
ISBN 978-3-8260-3823-5
Referenz: HKB 21 - G 2008,5330
KLAS: 14185

Kleist im Spiegel der Presse. Zeitungsausschnittsammlung. Bd. 7: 2007/II-2008/I. Mit Nachträgen zu Bd. 1-6. Bearb. von Carmen Kessel. Heilbronn: Kleist-Archiv Sembdner 2008. 204 S.
ISBN 978-3-940494-11-5
Referenz: HKB 21
KLAS: 14171

Kleist im Spiegel der Presse. Zeitungsausschnittsammlung. Bd. 8: 2008/II-2009/I. Bearb. von Carmen Kessel. Heilbronn: Kleist-Archiv Sembdner 2009. 271 S.
ISBN 978-3-940494-31-3
Referenz: HKB 21
KLAS: 14465

Kleist oder Die Ordnung der Welt. Hrsg. von Dt. Bühnenverein Landesverband Ost, Ulrich Katzer, Kleist-Museum Frankfurt (Oder), Wolfgang de Bruyn, Messe u. Veranstaltungs GmbH Frankfurt (Oder), Markus Wieners. Red.: Barbara Gribnitz u. a. Berlin: Verl. Theater der Zeit 2008. 227 S. (Recherchen. 57)
ISBN 978-3-940737-13-7
Referenz: HKB 21
KLAS: 14373

Kleist-Handbuch. Leben - Werk - Wirkung. Hrsg. von Ingo Breuer. Stuttgart [u. a.]: Metzler 2009. VIII,495 S.
ISBN 978-3-476-02097-0
Referenz: HKB 21
KLAS: 14400

Kleist-Jahrbuch 2008/09. Im Auftrag des Vorstandes der Heinrich-von-Kleist-Gesellschaft hrsg. von Günter Blamberger, Ingo Breuer, Sabine Doering u. Klaus Müller-Salget. Stuttgart [u. a.]: Metzler 2009. VI,394 S.
ISBN 978-3-476-02280-6
Referenz: HKB 21
KLAS: 114470

Knapp, Gerhard P.: [Rez.] Kaul, Susanne: Poetik der Gerechtigkeit. 2008.
In: Germanistik. Tübingen. 49. 2008. S. 717-718.
Referenz: HKB 21
KLAS: 2008/K

Knittel, Anton Philipp: [Rez.] Fordham, Kim: Trials and tribunals in the dramas of

Heinrich von Kleist. 2007.
In: Germanistik. Tübingen. 49. 2008. S. 808-809.
Referenz: HKB 21
KLAS: 2008/K

Knittel, Anton Philipp: [Rez.] Ruprecht, Lucia: Dances of the self in Heinrich von Kleist, E. T. A. Hoffmann and Heinrich Heine. 2006.
In: Germanistik. Tübingen. 49. 2008. S. 785.
Referenz: HKB 21
KLAS: 2008/K

Köppen, Manuel: Das Entsetzen des Beobachters. Krieg und Medien im 19. und 20. Jahrhundert. Heidelberg: Winter 2005. VII,414 S. (Probleme der Dichtung. 35)
Zugl.: Berlin, Freie Univ., Habil.-Schr., 2004.
ISBN 3-8253-5019-3
[S. 51-90: Von den Schrecken des Krieges: Kleist und Goya]
Referenz: HKB 21 - KB 2 - IBK 2005,3959
KLAS: 14152

Kohlroß, Christian: Ist Literatur ein Medium? Heinrich von Kleists »Über die allmähliche Verfertigung der Gedanken beim Reden« und der »Monolog« des Novalis.
In: Literatur, Wissenschaft und Wissen seit der Epochenschwelle um 1800. Theorie - Epistemologie - komparatistische Fallstudien. Hrsg. von Thomas Klinkert u. Monika Neuhofer. Berlin [u. a.]: de Gruyter 2008. S. 19-33. (Spektrum Literaturwissenschaft. 15)
ISBN 978-3-11-020051-5
Referenz: HKB 21 - G 2008,331
KLAS: 14393

Kommerell, Max: Geist und Buchstabe der Dichtung. Goethe - Schiller - Kleist - Hölderlin. Sonderausg., basierend auf der 6., erg. Aufl. von 1991. Frankfurt a. M.: Klostermann 2009. 374 S. (Klostermann Rote Reihe. 31)
ISBN 978-3-465-04084-2
[S. 243ff.: Die Sprache und das Unaussprechliche. Eine Betrachtung über Heinrich von Kleist]
Referenz: HKB 21 - GBV
KLAS:

Koopmann, Helmut: Ein Menschheitstraum ausgeträumt. Kleists »Das Erdbeben in Chili« und das Ende der Aufklärung.
In: Literatur im Spiel der Zeichen. Festschrift für Hans Vilmar Geppert. Hrsg. von Werner Frick, Fabian Lampart u. Bernadette Malinowski. Tübingen: Francke 2006. S. 141-154.
ISBN 3-7720-8161-4
Referenz: HKB 21 - BSL 2008,6491
KLAS: 14440

Kording, Inka: Mediologische Individualität in den Briefen Heinrich von Kleists.
In: Beiträge zur Kleist-Forschung. 20. 2006. Hrsg. von Lothar Jordan. Themen: Kleists Briefwechsel. Kleist und Königsberg 1806. Würzburg: Königshausen & Neumann 2008. S. 45-63.
ISBN 978-3-8260-3823-5
Referenz: HKB 21 - G 2008,5332
KLAS: 14185

Košenina, Alexander: [Rez.] Bisky, Jens: Kleist. 2007.
In: The modern language review. Leeds. 104. 2009. S. 240-242.
Referenz: HKB 21
KLAS: 2009/K

Košenina, Alexander: [Rez.] Schulz, Gerhard: Kleist. 2007.
In: The modern language review. Leeds. 104. 2009. S. 240-242.
Referenz: HKB 21
KLAS: 2009/K

Kozlik, Andreas: Marbach, Deutsches Literaturarchiv, Dokumentationsstelle: Kleist-Bestände.
In: Heilbronner Kleist-Blätter. Hrsg. von Günther Emig. [Ausg.] 20. Heilbronn: Kleist-Archiv Sembdner 2008. S. 186-190.
ISBN 978-3-940494-18-8
Referenz: HKB 21 - BSL 2008,2355
KLAS: 14172

Kreutzer, Hans Joachim: Blumen und Hafer in der Mark. Fontane und Kleist.
In: Fontane Blätter. [Ausg.] 86. Berlin: Königsdr. 2008. S. 119-144.
Referenz: HKB 21 - BSL 2008,6493 - G

2008,5600
KLAS: 2008/K

Krimmer, Elisabeth: The gender of terror: War as (im)moral institution in Kleist's »Hermannsschlacht« and »Penthesilea«.
In: The German quarterly. Cherry Hill, NJ. 81. 2008. S. 66-85.
Referenz: HKB 21 - BSL 2008,6495
KLAS: 2008/K

Krüger, Ole: Heinrich v. Kleists Hermannsschlacht. Die Ästhetik des deutschen Totalitarismus. Saarbrücken: VDM Verl. Müller 2009. 119 S.
ISBN 978-3-639-15853-3
Referenz: HKB 21
KLAS: 14444

Kundegraber, Erich: Die schwarze Komödie mit doppeltem Boden. Heinrich von Kleists »Der zerbrochne Krug«.
In: »Auf dem Scheiterhaufen der Paragraphen«. Richter als literarische Geschöpfe. Hrsg.: Oliver Scheiber. Wien [u.a.]: Lit 2007. S. 65-74. (Im Spiegel der Literatur. 2)
ISBN 3-8258-0915-3 · 978-3-8258-0915-7
Referenz: HKB 21 - BSL 2008,6496
KLAS: 14442

Kuplic, Thomas B.: Poetics of revolution: Romantic imaginings of the political. 2007. III,226 S.
Univ. of Wisconsin-Madison, Diss.
[S. 105-139: Language, criticism, and romanticism: Heinrich von Kleist's performative revolt against the boundaries of romanticism]
Referenz: HKB 21
KLAS: 14432

Lauer, Kathrin u. Jan Schweitzer: Literarische Schwerterhebung bei Kleist und Grabbe?
In: Arminius/Hermann und die Deutschen. Ein nationaler Mythos. Ein studentisches Ausstellungsprojekt in der Universitätsbibliothek Marburg, 30. April - 21. Juni 2009. Katalog zur Ausstellung. Hrsg. von Volker Losemann u. Barbara Stiewe. Marburg: Selbstverl. Seminar für Alte Geschichte der Philipps-Universität Marburg 2009. S. 43-46.
ISBN 978-3-00-028030-6
Referenz: HKB 21
KLAS: 14418

Lehmann, Johannes F.: Scham und Gewalt. Zum Zusammenhang von Wehrlosigkeit und Scham bei Aristoteles, Kant und Kleist.
In: Schuld und Scham. Hrsg. von Alexandra Pontzen u. Heinz-Peter Preusser. Red.: Dominik Orth. Heidelberg: Winter 2008. S. 27-38. (Jahrbuch Literatur und Politik. 3)
ISBN 978-3-8253-5506-7
Referenz: HKB 21
KLAS: 14461

Lemke, Anja: »Gemüts-Bewegungen«. Affektzeichen in Kleists Aufsatz »Über das Marionettentheater«.
In: Kleist-Jahrbuch 2008/09. Stuttgart [u. a.] 2009. S. 183-201.
ISBN 978-3-476-02280-6
Referenz: HKB 21
KLAS: 14470

Leupold, Dagmar: Die Helligkeit der Nacht. Ein Journal. Roman. München: Beck 2009. 206 S.
ISBN 978-3-406-59071-9
Referenz: HKB 21
KLAS: 14425

Ley, Klaus: »So habe ich das Vergnügen, Sie morgen um elf Uhr in der Augustinerkirche zu finden«. Bildende Kunst und Krisendiagnostik in Kleists »Die Marquise von O...«.
In: Heilbronner Kleist-Blätter. Hrsg. von Günther Emig. [Ausg.] 20. Heilbronn: Kleist-Archiv Sembdner 2008. S. 9-91.
ISBN 978-3-940494-18-8
Referenz: HKB 21 - BSL 2008,6498
KLAS: 14172

Linhardt, Marion: Kleists theatralisches Denken - Theatralität als Argument der Bühne.
In: Bis zum Lorbeer versteig ich mich nicht. Festschrift für Jürgen Hein. Hrsg. von Claudia Meyer. Münster: Ardey-Verl. 2007. S. 181-193.
ISBN 978-3-87023-287-0
Referenz: HKB 21 - BSL 2008,6496

KLAS: 14452

Loch, Rudolf: In »meinem hiesigen isolierten Zustande …«. Kleist in Königsberg 1805/06 zwischen Dienst und Dichtung.
In: Beiträge zur Kleist-Forschung. 20. 2006. Hrsg. von Lothar Jordan. Themen: Kleists Briefwechsel. Kleist und Königsberg 1806. Würzburg: Königshausen & Neumann 2008. S. 149-165.
ISBN 978-3-8260-3823-5
Referenz: HKB 21 – G 2008,5335
KLAS: 14185

Lorenz, Natalie: »Das Gefühl der Unmöglichkeit […] Ihren Erwartungen ganz zu entsprechen«. Heinrich von Kleists Briefe an Behörden.
In: Beiträge zur Kleist-Forschung. 20. 2006. Hrsg. von Lothar Jordan. Themen: Kleists Briefwechsel. Kleist und Königsberg 1806. Würzburg: Königshausen & Neumann 2008. S. 65-73.
ISBN 978-3-8260-3823-5
Referenz: HKB 21 – G 2008,5336
KLAS: 14185

Lü, Yixu u. Anthony Stephens: »Gewaltig die Natur im Menschen«. Affekte und Reflexivität der Sprache in Kleists vollendeten Trauerspielen.
In: Kleist-Jahrbuch 2008/09. Stuttgart [u. a.] 2009. S. 214-231.
ISBN 978-3-476-02280-6
Referenz: HKB 21
KLAS: 14470

Lühl-Wiese, Brigitte: Heinrich von Kleist. Eine Paradoxe. Oberhausen: Athena Verl. 2008. 107 S. (Beiträge zur Kulturwissenschaft. 13)
ISBN 978-3-89896-337-4
Referenz: HKB 21
KLAS: 14323

Lyon, John: Kleist's »Prinz Friedrich von Homburg« and the crisis of masculinity.
In: The Germanic review. Washington, DC. 83. 2008. S. 167-187.
Referenz: HKB 21 – BSL 2008,6506
KLAS: 2008/L

Manabe, Masonori: [Verweigerte Übereilung in der Erkenntniskrise. H. v. Kleists intellektueller Habitus im Pariser Brief].
In: Goethe-Jahrbuch. Internat. Ausg. München. 49. 2007. S. 111-123.
[In japan. Sprache]
Referenz: HKB 21 – BSL 2008,6508
KLAS: 2007/M

Mandelartz, Michael: Die korrupte Gesellschaft. Geschichte und Ökonomie in Kleists »Zerbrochnem Krug«.
In: Kleist-Jahrbuch 2008/09. Stuttgart [u. a.] 2009. S. 303-323.
ISBN 978-3-476-02280-6
Referenz: HKB 21
KLAS: 14470

Mandelartz, Michael: Recht, Ökonomie und Mechanik in Kleists »Findling«.
In: Neue Beiträge zur Germanistik. München. 7. 2008. H. 2. S. 168-187.
Referenz: HKB 21
KLAS: 2008/M

Mandelartz, Michael: Der Zirkel der Geschichte und das »Zergehen in das Absolute«. Kleists »Marionettentheater« und Fichtes Vorträge im Winter 1804.
In: Leben und Geschichte. Studien zur Deutschen Geistesgeschichte des 19. und 20. Jahrhunderts. Hrsg. von Lothar Knatz, Nabuyuki Kobayashi u. Takao Tsunekawa. Würzburg: Königshausen & Neumann 2008. S. 25-42.
ISBN 978-3-8260-3553-1
Referenz: HKB 21
KLAS: 14456

Manthey, Jürgen: Königsberg. Die Geschichte einer Weltbürgerrepublik und der Platz des Dichters Heinrich von Kleist in ihr.
In: Beiträge zur Kleist-Forschung. 20. 2006. Hrsg. von Lothar Jordan. Themen: Kleists Briefwechsel. Kleist und Königsberg 1806. Würzburg: Königshausen & Neumann 2008. S. 139-148.
ISBN 978-3-8260-3823-5
Referenz: HKB 21 – G 2008,5337
KLAS: 14185

Mariño, Francisco Manuel: Goethe y Heinrich von Kleist en el »Sab« de G[ertrudis] Gómez de Avellaneda.
In: Estudios filológicos alemanes. Sevilla. 6. 2004. S. 137-153.
Referenz: HKB 21 - KB 2 - G 2004,4941
KLAS: 2004/M

Martin, James P.: Reading race in Kleist's »Die Verlobung in St. Domingo«.
In: Monatshefte für deutschsprachige Literatur und Kultur. 100. 2008. S. 48-66.
Referenz: HKB 21 - BSL 2008,6509 - G 2008,1903
KLAS: 2008/M

Matthes, Ulrich: Rede auf Wilhelm Genazino zur Verleihung des Kleist-Preises 2007.
In: Kleist-Jahrbuch 2008/09. Stuttgart [u. a.] 2009. S. 10-15.
ISBN 978-3-476-02280-6
Referenz: HKB 21
KLAS: 14470

Maurach, Martin: Eugen Gottlob Winklers »Anekdote aus dem Spanischen Bürgerkrieg«. Kleist-Rezeption zwischen den Weltkriegen und das Bild einer a-politischen Gemeinschaft.
In: Literatur - Kunst - Medien. Festschrift für Peter Seibert zum 60. Geburtstag. Hrsg.: Achim Barsch, Helmut Scheuer u. Georg-Michael Schulz. München: Meidenbauer 2008. S. 105-117. (Kontext. 8)
ISBN 978-3-89975-130-7
Referenz: HKB 21
KLAS: 14457

Maurach, Martin: Modifizierte Antizipation und interlokutorische Retardierung. Zu Spannungseffekten in einigen Erzählanfängen bei Kleist.
In: Zwischen Text und Leser. Studien zu Begriff, Geschichte und Funktion literarischer Spannung. Hrsg. von Ingo Irsigler, Christoph Jürgensen u. Daniela Langer. München: Ed. Text + Kritik 2008. S. 189-207.
ISBN 978-3-888377-915-7
Referenz: HKB 21 - G 2008,5338
KLAS: 14443

Maurach, Martin: Vom Kosmopolitismus zum Nationalismus? Der Freimaurer und Vorsitzende der Kleist-Gesellschaft 1933-1945, Georg Minde-Pouet, und das Kleist-Bild des Nationalsozialismus.
In: Kleist-Jahrbuch 2008/09. Stuttgart [u. a.] 2009. S. 373-389.
ISBN 978-3-476-02280-6
Referenz: HKB 21
KLAS: 14470

McAllister, Grant Profant: [Rez.] Lyon, John B.: Crafting flesh, crafting the self. 2006.
In: The German quarterly. Cherry Hill, NJ. 81. 2008. S. 226-227.
Referenz: HKB 21 - BSL 2008,3639
KLAS: 2008/M

McChesney, Anita: The probability of truth: Framing detection from Heinrich von Kleist to Gerhard Roth. 2005. VI,335 S.
John Hopkins Univ., Diss.
[zum »Kohlhaas«]
Referenz: HKB 21
KLAS: 14434

Mehigan, Tim: Kleist und die Tiere. Zur Frage des ausgeschlossenen Dritten in dem Trauerspiel »Penthesilea«.
In: Penthesileas Versprechen. Exemplarische Studien über die literarische Referenz. Hrsg.: Rüdiger Campe. Red.: Christiane Arndt u. Malte Wessels. Freiburg i. Br. [u. a.]: Rombach 2008. S. 291-311. (Rombach Wissenschaften. Reihe Litterae. 162)
ISBN 978-3-7930-9536-1
Referenz: HKB 21
KLAS: 14376

Mehigan, Tim: [Rez.] Gailus, Andreas: Passions of the sign. 2006.
In: Journal of the Australasian Universities Language and Literature Association. Toowoomba. Nr. 111. 2009. S. 135-139.
Referenz: HKB 21
KLAS: 2009/M

Meid, Volker: Metzler Literatur Chronik. Werke deutschsprachiger Autoren. 3., erw. Aufl. Stuttgart [u. a.]: Metzler 2006. 792 S.
ISBN 978-3-476-02132-8

[S. 321: Schroffenstein. - S. 329: Amphitryon. - S. 332-335: Guiskard, Krug, Penthesilea. - S. 341-344: Käthchen, Erzählungen. - S. 364-365: Hermannsschlacht, Homburg]
Referenz: HKB 21
KLAS: 14225

Menke, Bettine: Die Intertextualität, die Aussetzung der Darstellung und die Formeln der Passion.
In: Penthesileas Versprechen. Exemplarische Studien über die literarische Referenz. Hrsg.: Rüdiger Campe. Red.: Christiane Arndt u. Malte Wessels. Freiburg i. Br. [u. a.]: Rombach 2008. S. 211-252. (Rombach Wissenschaften. Reihe Litterae. 162)
ISBN 978-3-7930-9536-1
Referenz: HKB 21
KLAS: 14376

Mielke, Christine: »Erzählen Sie!«. Heinrich von Kleists Rahmenzyklus »Unwahrscheinliche Wahrhaftigkeiten« im Kontext einer Gattungstheorie des erzählten Erzählens.
In: Wirkendes Wort. Trier. 58. 2008. S. 191-206.
Referenz: HKB 21 - BSL 2008,6512
KLAS: 2008/M

Mosebach, Martin: Schöne Literatur. Essays. München [u. a.]: Hanser 2006. 232 S.
ISBN 978-3-446-20711-0
[S. 18-26: Nichts, nichts! So, so! Tot, tot! Kleists »Penthesiliea« und die Rüpelszenen aus Shakespeares »Sommernachtstraum«]
Referenz: HKB 21
KLAS: 14406

Moser, Christian: Politische Körper - kannibalische Körper. Strategien der Inkorporation in Kleists »Penthesilea«.
In: Penthesileas Versprechen. Exemplarische Studien über die literarische Referenz. Hrsg.: Rüdiger Campe. Red.: Christiane Arndt u. Malte Wessels. Freiburg i. Br. [u. a.]: Rombach 2008. S. 253-290. (Rombach Wissenschaften. Reihe Litterae. 162)
ISBN 978-3-7930-9536-1
Referenz: HKB 21
KLAS: 14376

Mudrak, Andreas: Hören und Lesen im Vergleich. Ein Wahrnehmungsexperiment zur Erzählung »Das Bettelweib von Locarno« von Heinrich von Kleist.
In: Kultur des Hörens. Hrsg. von Ursula Esterl u. Edith Zeitlinger. Innsbruck [u. a.]: StudienVerl. 2008. S. 106-113. (Informationen zur Deutschdidaktik. 32. 2008,1)
Referenz: HKB 21 - BSL 2008,6516
KLAS: 14441

Müller, Heiner: Werke. Hrsg. von Frank Hörnigk. Teil. 8: Schriften. Frankfurt a. M.: Suhrkamp 2005. 717 S.
ISBN 3-518-41496-8
[S. 382-387: Deutschland ortlos. Anmerkung zu Kleist. Rede anläßlich der Entgegennahme des Kleist-Preises. - S. 507-509: Kennst Du Kleists Schrift: »Über das Marionettentheater« … - S. 592: Homburg, Kleists preußischer Traum …]
Referenz: HKB 21 - KB 2 - IBK 2005,3924,4010,4013
KLAS: 14149

Müller-Salget, Klaus: Kleist im Frühjahr 1804. Eine Aufklärung.
In: Kleist-Jahrbuch 2008/09. Stuttgart [u. a.] 2009. S. 251-253.
ISBN 978-3-476-02280-6
Referenz: HKB 21
KLAS: 14470

Müller-Tischler, Ute: »... dass mir auf Erden nicht zu helfen war«. Die Kleist-Ausstellung in Neuhardenberg und Frankfurt (Oder).
In: Theater der Zeit. Berlin. 63. 2008. H. 10. S. 29.
Referenz: HKB 21
KLAS: 2008/M

Mykita-Glensk, Czesława: Heinrich von Kleist i Giacomo Leopardi - determinanty poczucia tragiczności losu.
In: Problemy tragedii i tragizmu. Studia i szkice. Pod red. Haliny Krukowskiej i Jarosława Ławskiego. Białystok: Instytut filologii polskiej Uniwersytetu 2005. S. 609-623. (Czarny romantyzm)
ISBN 83-86064-09-9
Referenz: HKB 21 - IBK 2005,3926 - nicht

KB 2!
KLAS: 14186

Neumann, Gerhard: Bildersturz. Metaphern als generative Kerne in Kleists »Penthesilea«.
In: Penthesileas Versprechen. Exemplarische Studien über die literarische Referenz. Hrsg.: Rüdiger Campe. Red.: Christiane Arndt u. Malte Wessels. Freiburg i. Br. [u. a.]: Rombach 2008. S. 93-124. (Rombach Wissenschaften. Reihe Litterae. 162)
ISBN 978-3-7930-9536-1
Referenz: HKB 21
KLAS: 14376

Neumann, Gerhard: Halkyonische Tage. Von der Leichtigkeit des Schwersten.
In: Figurationen. Köln. 4. 2003. S. 87-98.
[u. a. zum »Homburg«]

Referenz: HKB 21 - KB 2 - G 2004,4811
KLAS: 2003/N

Neumann, Michael: Adel der Tat. Genealogie und Evidenz.
In: Kleist-Jahrbuch 2008/09. Stuttgart [u. a.] 2009. S. 324-348.
ISBN 978-3-476-02280-6
Referenz: HKB 21
KLAS: 14470

»Nicht zu dämpfender Feuergeist«. Heinrich von Kleist in Frankfurt (Oder).
In: Literaturland Brandenburg. Ein Wegweiser zu den literarischen Gedenkstätten des Landes. [Red.: Peter Walther. Fotos: Luise Schröder. Hrsg. im Auftr. des Brandenburgischen Literaturbüros, Potsdam]. Potsdam: Vacat-Verl. 2005. S. 27-29.
ISBN 3-930752-40-9
Referenz: HKB 21 - KB 2 - IBK 2005,3928
KLAS: 14142

Nieberle, Sigrid: Literarhistorische Filmbiographien. Autorschaft und Literaturgeschichte im Kino. Mit einer Filmographie 1909-2007. Berlin [u. a.]: de Gruyter 2008. VIII,400 S. (Media and cultural memory. 7)
Zugl.: Greifswald, Univ., Habil.-Schr., 2006.
ISBN 3-11-020074-0 · 978-3-11-020074-4
[S. 164-170: »Zu den Akten«. (Kleist, 1977). [Kleist-Film von Helma Sanders-Brahms]]
Referenz: HKB 21
KLAS: 14459

Niehaus, Michael: »Das Bettelweib von Locarno«. Vorschlag für eine neue Nutzung eines Lesebuchtextes.
In: Der Deutschunterricht. Seelze. 60. 2008. H. 5. S. 80-88.
Referenz: HKB 21 - BSL 2008,6517
KLAS: 2008/N

Norton, Amanda: Another meditation on »Das Erdbeben in Chili«: Heinrich von Kleist and the work of the reader.
In: The German quarterly. Cherry Hill, NJ. 81. 2008. S. 137-151.
Referenz: HKB 21 - BSL 2008,6518 - G 2008,1916
KLAS: 2008/N

Oergel, Maike: The Amazon state in Kleist's »Penthesilea«. Revolutionary republic of female liberation or anti-individualistic totalitarianism?
In: Publications of the English Goethe Society. 78. 2009. S. 70-80.
Referenz: HKB 21
KLAS: 2009/O

Otto F. Häusler, Malerei, Grafik, Collage. Kunstwissenschaftliche Betrachtung von Andreas Kühne u. Christoph Sorger. Heilbronn: Eigenverl. Häusler 2005. 129 S.
ISBN 3-00-014698-9
[S. 41: Dorfrichter Adam. - S. 56-57: Käthchenreigen. - S. 58: Käthchen-Torso]
Referenz: HKB 21 - nicht KB 2!
KLAS: 14299

Ovm, G. & B.: Das Käthchen von Heilbronn. Nach Heinrich von Kleist dem Volke erzählt. [Reprint d. Ausg. Urfahr-Linz um 1871]. Heilbronn: Kleist-Archiv Sembdner 2009. 68 S. (Käthchen-Bibliothek. Hrsg. von Günther Emig. 14)
ISBN 978-3-940494-25-2
Referenz: HKB 21
KLAS: 14381

Pahl, Katrin: Forging feeling: Kleist's theatrical theory of re-layed emotionality.

In: MLN. Baltimore, Md. 124. 2009. S. 666-682.
Referenz: HKB 21
KLAS: 2009/P

Pahl, Kathrin: Gefühle schmieden. Gefühle sehen. Kleists theatralische Theorie der geschichteten Emotionalität.
In: Kleist-Jahrbuch 2008/09. Stuttgart [u. a.] 2009. S. 151-165.
ISBN 978-3-476-02280-6
Referenz: HKB 21
KLAS: 14470

Pahl, Katrin: »Geliebte, sprich!« - wenn Frauen sich haben.
In: Penthesileas Versprechen. Exemplarische Studien über die literarische Referenz. Hrsg.: Rüdiger Campe. Red.: Christiane Arndt u. Malte Wessels. Freiburg i. Br. [u. a.]: Rombach 2008. S. 165-187. (Rombach Wissenschaften. Reihe Litterae. 162)
ISBN 978-3-7930-9536-1
Referenz: HKB 21
KLAS: 14376

Palaver, Wolfgang: Gott oder mechanischer Gliedermann? Die religiöse Problematik in Kleists Essay »Über das Marionettentheater«.
In: Religion - Literatur - Künste. III: Perspektiven einer Begegnung am Beginn eines neuen Millenniums. Mit einem Vorw. von Paul Kardinal Poupard und dem Brief an die Künstler von Johannes Paul II. Anif/Salzburg: Mueller-Speiser 2001. S. 272-286. (Im Kontext. 15)
ISBN 3-85145-062-0
Referenz: HKB 21 - KB 2 - G 2003,2179
KLAS: 14148

Penthesileas Versprechen. Exemplarische Studien über die literarische Referenz. Hrsg.: Rüdiger Campe. Red.: Christiane Arndt u. Malte Wessels. Freiburg i. Br. [u. a.]: Rombach 2008. 378 S. (Rombach Wissenschaften. Reihe Litterae. 162)
ISBN 978-3-7930-9536-1
Referenz: HKB 21
KLAS: 14376

Perels, Christoph: Heinrich von Kleist im Louvre. Zum Brief an Adolphine von Werdeck, September bis November 1801.
In: Beiträge zur Kleist-Forschung. 20. 2006. Hrsg. von Lothar Jordan. Themen: Kleists Briefwechsel. Kleist und Königsberg 1806. Würzburg: Königshausen & Neumann 2008. S. 13-28.
ISBN 978-3-8260-3823-5
Referenz: HKB 21 - G 2008,5340
KLAS: 14185

Pérez, Ana: Calderón, Kleist y el concepto de tragedia en el romanticismo alemán.
In: Estudios filológicos alemanes. Sevilla. 3. 2003. S. 99-114.
Referenz: HKB 21 - KB 2 - G 2004,4946
KLAS: 2004/P

Perraudin, Michael: Zur Gestik und ihren Bedeutungen in Kleists Erzählungen.
In: German life and letters. Oxford. 61. 2008. S. 154-170.
Referenz: HKB 21 - BSL 2008,6521
KLAS: 2008/P

Poeplau, Anna: [Rez.] Becker, Karina: Autonomie und Humanität. 2008.
In: Goethe-Jahrbuch. Göttingen. 125. 2008. S. 328-330.
Referenz: HKB 21
KLAS: 2008/P

Popa, Carmen: Schwierigkeiten bei der Übersetzung von Kleists Anekdoten.
In: Germanistische Beiträge. Sibiu. 19. 2005. S. 191-205.
Referenz: HKB 21 - BSL 2008,6527
KLAS: 2005/P

Quattrocchi, Luigi: Il mito di Arminio e la poesia tedesca. Roma: Ed. Artemide 2008. 622 S. (Proteo. 36)
ISBN 978-88-7575-064-0
[S. 349-430: Kleist [Hermannsschlacht]]
Referenz: HKB 21 - G 2008,4579
KLAS: 14449

Rahmer, S[igismund]: Heinrich von Kleist als Mensch und Dichter. Nach neuen Quellenforschungen. [Reprint d. Ausg. Berlin 1909]. Heilbronn: Kleist-Archiv Sembdner

2008. IX,453 S. (Heilbronner Kleist-Reprints. Hrsg. von Günther Emig)
ISBN 978-3-940494-13-9
Referenz: HKB 21
KLAS: 14163

Rahmer, Sigismund: Das Kleist-Problem auf Grund neuer Forschungen zur Charakteristik und Biographie Heinrich von Kleists. [Reprint d. Ausg. Berlin 1903]. Heilbronn: Kleist-Archiv Sembdner 2009. VI,182 S. (Heilbronner Kleist-Reprints. Hrsg. von Günther Emig)
ISBN 978-3-940494-26-9
Referenz: HKB 21
KLAS: 14414

Raible, Wilhelm: Historie von dem treuen Käthchen von Heilbronn und dem Ritter Wetter von Strahl. Für's Volk erzählt. [Reprint d. Ausg. Rosenheim 1862. Rosenheimer Volksbücher. 11]. Heilbronn: Kleist-Archiv Sembdner 2009. 56 S. (Käthchen-Bibliothek. Hrsg. von Günther Emig. 15)
ISBN 978-3-940494-29-0
Referenz: HKB 21
KLAS: 14478

Raulet, Gérard: Der opake Punkt des Politischen.
In: Penthesileas Versprechen. Exemplarische Studien über die literarische Referenz. Hrsg.: Rüdiger Campe. Red.: Christiane Arndt u. Malte Wessels. Freiburg i. Br. [u. a.]: Rombach 2008. S. 343-374. (Rombach Wissenschaften. Reihe Litterae. 162)
ISBN 978-3-7930-9536-1
[zu Penthesilea]
Referenz: HKB 21
KLAS: 14376

Raventós Barangé, Anna: Rupture et continuité dans l'après-lumières: Avatars du héros bâtard et d'autre du Rhin.
In: Estudios filológicos alemanes. Sevilla. 6. 2004. S. 301-325
Referenz: HKB 21 - KB 2 - G 2004,5776
KLAS: 2004/R

Richter, Matthias: Heinrich von Kleist, Die Marquise von O... Das Erdbeben in Chili. Klausurtraining. Stuttgart [u. a.]: Klett 2009. 42 S.
ISBN 978-3-12-352447-9
Referenz: HKB 21
KLAS: 14424

Roussel, Martin: »Wie zart sie das Zarte berühren«. Zur Kunst der Berührung bei Kleist.
In: Kleist-Jahrbuch 2008/09. Stuttgart [u. a.] 2009. S. 82-114.
ISBN 978-3-476-02280-6
Referenz: HKB 21
KLAS: 14470

Sachs, Miriam: Kleist. Käthchen. Himmel von Schwaben. Notate und Materialien zur Entstehung einer Inszenierung. Heilbronn: Kleist-Archiv Sembdner 2008. [133] S. (Käthchen-Bibliothek. Hrsg. von Günther Emig. 11)
ISBN 978-3-940494-17-7
Referenz: HKB 21
KLAS: 1416

Sammons, Jeffrey L.: [Rez.] Ruprecht, Lucia: Dances of the self in Heinrich von Kleist, E. T. A. Hoffmann and Heinrich Heine. 2006.
In: Goethe yearbook. Columbia, SC. 16. 2009. S. 270-271.
Referenz: HKB 21
KLAS: 2009/S

Scharold: Carl Gottfried: Würzburg und die umliegende Gegend, für Fremde und Einheimische kurz beschrieben. Mit dem Grundrisse der Stadt und einem LandKärtchen. [Reprint d. Ausg. Würzburg 1805]. Heilbronn: Kleist-Archiv Sembdner 2009. IV,350 S. & 2 Kt. als lose Beil. (Heilbronner Kleist-Reprints. Hrsg. von Günther Emig)
ISBN 978-3-940494-30-6
Referenz: HKB 21
KLAS: 14479

Schede, Hans-Georg: Heinrich von Kleist. Reinbek bei Hamburg: Rowohlt Taschenbuch Verl. 2008. 159 S. (Rowohlts Monographien. 50696)
ISBN 978-3-499-50696-3
Referenz: HKB 21

KLAS: 14411

Schings, Hans-Jürgen: Über einige Grausamkeiten bei Heinrich von Kleist.
In: Kleist-Jahrbuch 2008/09. Stuttgart [u. a.] 2009. S. 115-137.
ISBN 978-3-476-02280-6
Referenz: HKB 21
KLAS: 14470

Schmidbauer, Wolfgang: Kleists Narzißmus.
In: Kleist-Jahrbuch 2008/09. Stuttgart [u. a.] 2009. S. 232-247.
ISBN 978-3-476-02280-6
Referenz: HKB 21
KLAS: 14470

Schmidt, Jochen: Die Aktualisierung des preußisch-stoischen Erbes: Kleists »Prinz Friedrich von Homburg« als patriotischer Appell am Vorabend der Befreiungskriege.
In: Stoizismus in der europäischen Philosophie, Literatur, Kunst und Politik. Eine Kulturgeschichte von der Antike bis zur Moderne. Hrsg. von Barbara Neymeyr, Jochen Schmidt u. Bernhard Zimmermann. Bd. 2. Berlin: de Gruyter 2008. S. 963-974.
ISBN 978-3-11-020405-6
Referenz: HKB 21
KLAS: 14458

Schmidt, Jochen: Heinrich von Kleist. Die Dramen und Erzählungen in ihrer Epoche. 2., unveränd. Aufl. Darmstadt: WBG (Wiss. Buchges.) 2009. 312 S.
ISBN 978-3-534-22253-7
Referenz: HKB 21
KLAS: 14401

Schmitz, André: Grußwort zur Verleihung des Kleist-Preises 2008 an Max Goldt.
In: Kleist-Jahrbuch 2008/09. Stuttgart [u. a.] 2009. S. 30-32.
ISBN 978-3-476-02280-6
Referenz: HKB 21
KLAS: 14470

Schmon, Simone: Machtspruch und Gesetzesherrschaft. Das Staatsverständnis in Heinrich von Kleists »Prinz Friedrich von Homburg«. Köln [u. a.]: Böhlau 2007. 215 S.
ISBN 978-3-412-20009-1
Zugl.: Heidelberg, Univ., Diss., 2006.
Referenz: HKB 21 - BSL 2008,6531 - G 2008,1911
KLAS: 14394

Schneider, Helmut J.: Entzug der Sichtbarkeit. Kleists »Penthesilea« und die klassische Humanitätsdramaturgie.
In: Penthesileas Versprechen. Exemplarische Studien über die literarische Referenz. Hrsg.: Rüdiger Campe. Red.: Christiane Arndt u. Malte Wessels. Freiburg i. Br. [u. a.]: Rombach 2008. S. 127-151. (Rombach Wissenschaften. Reihe Litterae. 162)
ISBN 978-3-7930-9536-1
Referenz: HKB 21
KLAS: 14376

Schneider, Helmut J.: Kleists Ehrgeiz und Ruhmsucht.
In: Kleist-Jahrbuch 2008/09. Stuttgart [u. a.] 2009. S. 202-213.
ISBN 978-3-476-02280-6
Referenz: HKB 21
KLAS: 14470

Schneider-Mizony, Odile: Interjektionen und Interaktion im Theaterdialog.
In: Cahiers d'études germaniques. Aix-en-Provence. 47. 2004. S. 55-66.
[u. a. zum »Krug«]
Referenz: HKB 21 - KB 2 - G 2005,3585
KLAS: 2004/S

Schönert, Jörg: Perspektiven zur Sozialgeschichte der Literatur. Beiträge zu Theorie und Praxis. Tübingen: Niemeyer 2007. 184 S. (Studien und Texte zur Sozialgeschichte der Literatur. 87)
ISBN 3-484-35087-3 · 978-3-484-35087-8
[S. 113-126: Kriminalität und Devianz in den »Berliner Abendblättern«]
Referenz: HKB 21 - BSL 2008,5784
KLAS: 14439

Schuller, Marianne: »Geschlecht« als literaturwissenschaftliche Kategorie? Am Beispiel von Kleists Erzählung »Die Verlobung in St. Domingo«.
In: Geschlechter. Essays zur Gegenwartsliteratur. Hrsg. von Friedbert Aspetsberger u.

Konstanze Fliedl. Innsbruck [u. a.]: Studienverlag 2001. S. 15-24. (Schriftenreihe Literatur des Instituts für Österreichkunde. 12)
Referenz: HKB 21 - KB 2 - G 2002,5478
KLAS: 14154

Schuller, Marianne: Liebe ohne Gleichen. Bildersprache in Kleists Trauerspiel »Penthesilea«.
In: Penthesileas Versprechen. Exemplarische Studien über die literarische Referenz. Hrsg.: Rüdiger Campe. Red.: Christiane Arndt u. Malte Wessels. Freiburg i. Br. [u. a.]: Rombach 2008. S. 47-59. (Rombach Wissenschaften. Reihe Litterae. 162)
ISBN 978-3-7930-9536-1
Referenz: HKB 21
KLAS: 14376

Schuller, Marianne: Zu Gericht sitzen. Vom Essen und Trinken in Kleists Lustspiel »Der zerbrochne Krug«.
In: Die Tischgesellschaft. Philosophische und kulturwissenschaftliche Annäherungen. Hrsg.: Iris Därmann u. Harald Lemke. Bielefeld: Transcript Verl. 2008. S. 157-170. (Edition Moderne Postmoderne)
ISBN 978-3-89942-694-6
Referenz: HKB 21
KLAS: 14462

Schultz, Hartwig: »Empfindungen vor Friedrichs Seelandschaft«. Kritische Edition der Texte von Achim von Arnim, Clemens Brentano und Heinrich von Kleist im Paralleldruck.
In: Empfindungen vor Friedrichs Seelandschaft. Caspar David Friedrichs Gemälde »Der Mönch am Meer«, betrachtet von Clemens Brentano, Achim von Arnim und Heinrich von Kleist. Hrsg.: Lothar Jordan u. Hartwig Schultz. [Frankfurt (Oder)]: Kleist-Museum 2004. S. 38-48. (Katalog des Kleist-Museums. 3)
ISBN 3-938008-04-0
Referenz: HKB 21 - KB 2 - IBK 2005,4028
KLAS: 13582

Schulz, Georg-Michael: Einführung in die deutsche Komödie. Darmstadt: Wiss. Buchges. 2007. 160 S. (Einführungen Germanistik)
ISBN 978-534-16268-0
[S. 103-114: Heinrich von Kleist: »Der zerbrochne Krug«]
Referenz: HKB 21 - G 2008,1004
KLAS: 14395

Scott, Jill: [Rez.] Ruprecht, Lucia: Dances of the self in Heinrich von Kleist, E. T. A. Hoffmann and Heinrich Heine. 2006.
In: Seminar. North York, Ont. 44. 2008. S. 477-479.
Referenz: HKB 21 - BSL 2008,6530
KLAS: 2008/S

Seeba, Hinrich C.: Woher kommt der Hass? Zur Rechtfertigung der Gewalt von Kleist bis Himmler.
In: Hermanns Schlachten. Zur Literaturgeschichte eines nationalen Mythos. Hrsg.: Martina Wagner-Egelhaaf. Bielefeld: Aisthesis Verl. 2008. S. 323-340. (Veröffentlichungen der Literaturkommission für Westfalen. 32)
ISBN 978-3-89528-714-5
Referenz: HKB 21
KLAS: 14453

Seger, Daniel Tobias: Die Kunst als Übergang und Abgrund: Heinrich von Kleists »Künstlerbriefe« und seine Empfindungen vor Raffaels »Verklärung«.
In: Literaturwissenschaftliches Jahrbuch. N. F. Berlin. 49. 2008. S. 145-180.
Referenz: HKB 21 - BSL 2008,6537 - G 2008,5343
KLAS: 2008/S

Sembdner-Korrespondenz in Heilbronn.
In: Heilbronner Kleist-Blätter. Hrsg. von Günther Emig. [Ausg.] 20. Heilbronn: Kleist-Archiv Sembdner 2008. S. 190.
ISBN 978-3-940494-18-8
Referenz: HKB 21
KLAS: 14172

Shu, Ping-Lee: Der Hermaphrodismus in der deutschen Literatur um 1800. 2006. VI,284 S.
Georgetown Univ., Diss.
[S. 120-144: »Penthesilea« von Heinrich von Kleist]

Referenz: HKB 21
KLAS: 14435

Siebert, Eberhard: Heinrich von Kleist. Eine Bildbiographie. Heilbronn: Kleist-Archiv Sembdner 2009. 364 S. (Heilbronner Kleist-Biographien. Hrsg. von Günther Emig. 2)
ISBN 978-3-940494-14-6
Referenz: HKB 21
KLAS: 14445

Siebert, Eberhard: Neues zu Kleists Geburtstag.
In: Heilbronner Kleist-Blätter. Hrsg. von Günther Emig. [Ausg.] 20. Heilbronn: Kleist-Archiv Sembdner 2008. S. 163-166.
ISBN 978-3-940494-18-8
Referenz: HKB 21 - BSL 2008,6539
KLAS: 14172

Siebert, Eberhard: Eine unbekannte Stellungnahme zum Tode Heinrich von Kleists und Henriette Vogels.
In: Heilbronner Kleist-Blätter. Hrsg. von Günther Emig. [Ausg.] 20. Heilbronn: Kleist-Archiv Sembdner 2008. S. 176-181.
ISBN 978-3-940494-18-8
Referenz: HKB 21 - BSL 2008,6540
KLAS: 14172

Siebert, Eberhard: Wann wurde das »herrschaftliche Wohnhaus« in Guhrow erbaut?
In: Heilbronner Kleist-Blätter. Hrsg. von Günther Emig. [Ausg.] 20. Heilbronn: Kleist-Archiv Sembdner 2008. S. 167-175.
SBN 978-3-940494-18-8
Referenz: HKB 21
KLAS: 14172

Siebert, Eberhard: [Rez.] Schulz, Gerhard: Kleist. 2007.
In: Heilbronner Kleist-Blätter. Hrsg. von Günther Emig. [Ausg.] 20. Heilbronn: Kleist-Archiv Sembdner 2008. S. S. 193-197.
ISBN 978-3-940494-18-8
Referenz: HKB 21 - BSL 2008,6535
KLAS: 14172

Simonsen, Maren-Margrethe: Evilness and law in Heinrich von Kleist's story »Michael Kohlhaas«.
In: Understanding evil: An interdisciplinary approach. Ed. by Margaret Sönser Breen. Amsterdam [u. a.]: Rodopi 2003. S. 201-220. (At the interface, probing the boundaries. 2)
ISBN 90-420-0935-7
Referenz: HKB 21 - KB 2 - G 2004,2008
KLAS: 14159

Sng, Zachary: »Inaccurate, as lady linguists often are«: Herodot und Kleist über die Sprache der Amazonen.
In: Penthesileas Versprechen. Exemplarische Studien über die literarische Referenz. Hrsg.: Rüdiger Campe. Red.: Christiane Arndt u. Malte Wessels. Freiburg i. Br. [u. a.]: Rombach 2008. S. 61-91. (Rombach Wissenschaften. Reihe Litterae. 162)
ISBN 978-3-7930-9536-1
Referenz: HKB 21
KLAS: 14376

Söffner, Jan: Penthesileas Zorn.
In: Kleist-Jahrbuch 2008/09. Stuttgart [u. a.] 2009. S. 166-182.
ISBN 978-3-476-02280-6
Referenz: HKB 21
KLAS: 14470

Staberoh, Angela: Wer ist's? 66 deutschsprachige Literatinnen und Literaten zum Erraten. München: LangenMüller 2006. 224 S.
ISBN 978-3-7844-3039-3
[S. 34-36: Um Kopf und Kragen. [Kleist]]
Referenz: Burkhard Wolter - HKB 21
KLAS: 14353

Staengle, Peter: »In okkultistischen Kreisen«. Kleist, Alban Berg und Karl V.
In: Heilbronner Kleist-Blätter. Hrsg. von Günther Emig. [Ausg.] 20. Heilbronn: Kleist-Archiv Sembdner 2008. S. 182-185.
ISBN 978-3-940494-18-8
Referenz: HKB 21 - BSL 2008,6544
KLAS: 14172

Steig, Reinhold: Neue Kunde zu Heinrich von Kleist. [Reprint d. Ausg. Berlin 1902]. Heilbronn: Kleist-Archiv Sembdner 2008. VII,135 S. (Heilbronner Kleist-Reprints. Hrsg. von Günther Emig)
ISBN 978-3-940494-16-0
Referenz: HKB 21

KLAS: 14165

Stein, Peter u. Hartmut Stein: Chronik der deutschen Literatur. Daten, Texte, Kontexte. Stuttgart: Kröner 2008. IX,992 S.
ISBN 978-3-520-84201-5
[S. 316-317: Schroffenstein. - S. 327-331: Amphitryon, Marquise, Penthesilea, Krug. - S. 337-340: Käthchen, Kohlhaas, Marionettentheater, Erzählungen. - S. 367: Homburg]
Referenz: HKB 21
KLAS: 14224

Stenzel, Julia: [Rez.] Ruprecht, Lucia: Dances of the self in Heinrich von Kleist, E. T. A. Hoffmann and Heinrich Heine.
In: KulturPoetik. Göttingen. 8. 2008. S. 291-297.
Referenz: HKB 21 - BSL 2008,6530
KLAS: 2008/S

Stingelin, Martin: [Rez.] Clot, Cécile-Eugénie: Kleist épistolier. 2008.
In: Germanistik. Tübingen. 49. 2008. S. 807-808.
Referenz: HKB 21
KLAS: 2008/S

Stephan, Nicole: Die Spezialbibliothek des Kleist-Museums, Frankfurt (Oder) - ihre Geschichte von 1919 bis 2000.
In: Die Bibliothek der Alma mater Viadrina. Zur Geschichte der einstigen Universitätsbibliothek Frankfurt und ihrer Nachfolger in Wrocław und Frankfurt (Oder). Frankfurt (Oder): Stadtarchiv 2001. S. 42-54. (Historische Schriftenreihe des Stadtarchivs Frankfurt (Oder). 4)
Referenz: HKB 21 - KB 2 - IBK 2001,1027
KLAS: 14141

Stewart, Walter: [Rez.] Lyon, John B.: Crafting flesh, crafting the self. 2006.
In: Goethe yearbook. Columbia, SC. 15. 2008. S. 240-241.
Referenz: HKB 21 - BSL 2008,3639
KLAS: 2008/S

Strauss, Botho: Die Unbeholfenen. Bewußtseinsnovelle. München: Hanser 2007. 122 S.
ISBN 978-3-446-20917-6
[Verarbeitet Motive aus dem Marionettentheater]
Referenz: HKB 21
KLAS: 14292

Suter, Robert: Kleists Hetztheater: eine Genealogie der Bärin.
In: Hermanns Schlachten. Zur Literaturgeschichte eines nationalen Mythos. Hrsg.: Martina Wagner-Egelhaaf. Bielefeld: Aisthesis Verl. 2008. S. 307-321. (Veröffentlichungen der Literaturkommission für Westfalen. 32)
ISBN 978-3-89528-714-5
Referenz: HKB 21
KLAS: 14453

Takagi, Shigemitsu: Der Automat. Die Macht der Zweideutigkeit.
In: Literatur und Naturforschung. Hrsg. von der Japan. Ges. für Germanistik. München: Iudicium Verl. 2005. S. 52-69. (Neue Beiträge zur Germanistik. 4. H. 6. Doitsu bungaku. 128. 2005. Internationale Ausgabe)
ISBN 3-89129-706-8
[u. a. zum »Marionettentheater«]
Referenz: HKB 21 - KB 2 - IBK 2005,1425
KLAS: 14155

Tantanian, Alejandro: Foollyk. Teatro 1. Juegos de damas crueles. La tercera parte del mar. Sumario de la muerte de Kleist. Un cuento alemán. Comedia. Un maestro de Alemania. Estudio crítico a cargo de María Natacha Koss, con un texto de Jorge Dubatti. Buenos Aires, Argentina: Ed. Colihue 2005. 207 S. (Colihue teatro. Dramaturgias argentinas)
ISBN 950-563-502-8
[S. 85-112: Sumario de la muerte de Kleist]
Referenz: HKB 21
KLAS:14447

Theisen, Bianca: »Helden und Köter und Fraun«: Kleists Hundekomödie.
In: Penthesileas Versprechen. Exemplarische Studien über die literarische Referenz. Hrsg.: Rüdiger Campe. Red.: Christiane Arndt u. Malte Wessels. Freiburg i. Br. [u. a.]: Rombach 2008. S. 153-164. (Rombach Wissenschaften. Reihe Litterae. 162)
ISBN 978-3-7930-9536-1

Referenz: HKB 21
KLAS: 14376

Thomas, Christian: [Rez.] Lyon, John B.: Crafting flesh, crafting the self. 2006.
In: German studies review. Kalamazoo, Mich. 31. 2008. S. 197-198.
Referenz: HKB 21 - BSL 2008,3639
KLAS: 2008/T

Thunecke, Jörg: Ein österreichischer Michael Kohlhaas: Ernst Lothars Exilroman »Heldenplatz«.
In: Die Alchemie des Exils. Exil als schöpferischer Impuls. Hrsg.: Helga Schreckenberger. Wien: Verl. Ed. Praesens 2005. S. 67-88.
ISBN 3-7069-0267-2
Referenz: HKB 21 - KB 2 - G 2005,6372
KLAS: 14144

Tieste, Stefanie: Heinrich von Kleist. Seine Werke. Heilbronn: Kleist-Archiv Sembdner 2009. 264 S. (Heilbronner Kleist-Materialien für Schule und Unterricht. Hrsg. von Günther Emig. 2)
ISBN 978-3-940494-15-3
Referenz: HKB 21
KLAS: 14413

Vanoosthuyse, Michel: Ce que dit la bouche d'O.
In: Cahiers d'études germaniques. Aix-en-Provence. 45. 2003. S. 51-59.
Referenz: HKB 21 - KB 2 - G 2003,5590
KLAS: 2003/V

Von der Zensur zum Weltverlag. 350 Jahre Cotta. Hrsg. von Evamarie Blattner u. a. Mit Beitr. von Georg Braungart u. a. Tübingen: Stadtmuseum 2009. 239 S. (Tübinger Kataloge. 85)
ISBN 978-3-910090-95-8
[S. 98-99: Penthesilea]
Referenz: HKB 21
KLAS: 14420

Wagenknecht, Christian: [Rez.] Kleist, Heinrich von: Sämtliche Werke. Hrsg. von Roland Reuß u. Peter Staengle. Brandenburger Ausgabe. Bd. II/9: Sonstige Prosa.
In: Germanistik. Tübingen. 49. 2008. S. 300.
Referenz: HKB 21
KLAS: 2008/W

Wand, Gisela: Heinrich von Kleist, Die Marquise von O…, interpretiert. Freising: Stark 2009. 102 S. (Interpretationshilfe Deutsch Stark. 2400471)
ISBN 978-3-86668-123-1
Referenz: HKB 21
KLAS: 14402

Wedler, Hans: »Staub lieber als ein Weib sein, das nicht reizt«. Suizid als Thema in Kleists »Penthesilea«.
In: Heilbronner Kleist-Blätter. Hrsg. von Günther Emig. [Ausg.] 20. Heilbronn: Kleist-Archiv Sembdner 2008. S. 92-102.
ISBN 978-3-940494-18-8
Referenz: HKB 21
KLAS: 14172

Weigel, Alexander: Holthoff. Leben und Werk eines preußischen Beamten.
In: Kleist-Jahrbuch 2008/09. Stuttgart [u. a.] 2009. S. 267-272.
ISBN 978-3-476-02280-6
Referenz: HKB 21
KLAS: 14470

Weigel, Alexander: Holthoff oder Die Ordnung in Berlin oder Kleists Schatten.
In: Heilbronner Kleist-Blätter. Hrsg. von Günther Emig. [Ausg.] 20. Heilbronn: Kleist-Archiv Sembdner 2008. S. 136-162.
ISBN 978-3-940494-18-8
Referenz: HKB 21 - BSL 2008,6552
KLAS: 14172

Weigel, Alexander: »Ueber das gegenwärtige teutsche Theater«. Lessing, Schiller, Kleist – Theaterkritik als Kritik am Theater.
In: Beiträge zur Geschichte der Theaterkritik. Hrsg.: Gunther Nickel. Tübingen: Francke 2007. S. 37-69. (Mainzer Forschungen zu Drama und Theater. 35)
ISBN 978-3-7720-8207-8
Referenz: HKB 21 - G 2008,7093
KLAS: 14421

Weigel, Alexander: »Und gern möchte ich Dir Alles mittheilen …«.
In: Beiträge zur Kleist-Forschung. 20. 2006. Hrsg. von Lothar Jordan. Themen: Kleists

Briefwechsel. Kleist und Königsberg 1806. Würzburg: Königshausen & Neumann 2008. S. 29-33.
ISBN 978-3-8260-3823-5
Referenz: HKB 21 - G 2008,5346
KLAS: 14185

Weigel, Sigrid: Experimente »in litera«. Gedankenexperimente bei Condillac und Kleist.
In: Von null bis unendlich. Literarische Inszenierungen naturwissenschaftlichen Wissens. Hrsg. von Anne-Kathrin Reulecke. Köln [u. a.] : Böhlau 2008. S. 37-55. (Literatur - Kultur - Geschlecht. Große Reihe. 48)
ISBN 978-3-412-20144-9
Referenz: HKB 21
KLAS: 14467

Weineck, Silke: Zuckende Verzeichnung: Alkmene und die Briefe.
In: Beiträge zur Kleist-Forschung. 20. 2006. Hrsg. von Lothar Jordan. Themen: Kleists Briefwechsel. Kleist und Königsberg 1806. Würzburg: Königshausen & Neumann 2008. S. 87-103.
ISBN 978-3-8260-3823-5
Referenz: HKB 21 - G 2008,5347
KLAS: 14185

Wellmon, Chad: [Rez.] Lyon, John B.: Crafting flesh, crafting the self. 2006.
In: Monatshefte für deutschsprachige Literatur und Kultur. Madison, Wis. 100. 2008. S. 149-151.
Referenz: HKB 21 - BSL 2008,3639
KLAS: 2008/W

Werber, Niels: Die geopolitische Erfindung von Volk und Reich. Heinrich von Kleists »Hermannsschlacht« als Gründungsmythos.
In: Deutsche Gründungsmythen. Hrsg. von Matteo Galli u. Heinz-Peter Preußer. Red.: Udo Franke-Penski. Heidelberg: Winter 2008. S. 91-104. (Jahrbuch Literatur und Politik. 2)
ISBN 978-3-8253-5416
Referenz: HKB 21 - G 2008,1915
KLAS: 14396

Wilk-Mincu, Barbara: [Rez.] Lütteken, Anett: Dichterrenaissance. 2004.
In: Heilbronner Kleist-Blätter. Hrsg. von Günther Emig. [Ausg.] 20. Heilbronn: Kleist-Archiv Sembdner 2008. S. 197-199.
ISBN 978-3-940494-18-8
Referenz: HKB 21 - BSL 2008,6504
KLAS: 14172

Wirth, Günter: Landschaften des Bürgerlichen. Ausgewählte Abhandlungen. Hrsg. von Frank-Lothar Kroll. Berlin: Duncker & Humblot 2008. 416 S. (Literarische Landschaften. 10)
ISBN 3-428-12651-3 · 978-3-428-12651-4
[S. 51-88: Heinrich von Kleist und Adam von Trott zu Solz]
Referenz: HKB 21 - BSL 2008,6553
KLAS: 14438

Wittkowski, Wolfgang: [Rez.] Soboczynski, Adam: Versuch über Kleist. 2007.
In: Heilbronner Kleist-Blätter. Hrsg. von Günther Emig. [Ausg.] 20. Heilbronn: Kleist-Archiv Sembdner 2008. S. 199-203.
ISBN 978-3-940494-18-8
Referenz: HKB 21 - BSL 2008,6541
KLAS: 14172

Wolf, Christa u. Gerhard Wolf: Ins Ungebundene gehet eine Sehnsucht. Projektionsraum Romantik. Frankfurt a. M.: Insel Verl. 2008. 458 S. (Insel-Taschenbuch. 3380)
ISBN 978-3-458-35080-4
[S. 123-218: Wolf, Christa: Kein Ort. Nirgends. - S. 219-223: Wolf, Gerhard: Obduktion. - S. 227-244: Wolf, Christa: Kleists »Penthesilea«]
Referenz: HKB 21
KLAS: 14466

Xu, Lanlan: Masquerade, mimicry and performativity. The staging of female identity in German literature around 1800. 2006. VII,191 S.
Georgetown Univ., Diss.
[S. 68-72: Die Verlobung in St. Domingo]
Referenz: HKB 21
KLAS: 14436

Zelic, Tomislav: The paradox of sovereignty in modern German history plays. 2009.

III,301 S.
Columbia Univ., Diss.
[S. 27-66: »Germaniens Retter und Befreier von Roms Tyrannenjoch or the phantasm of absolute sovereignty in Hermann von Kleist's »Hermannsschlacht« (1808). - S. 67-106: »Ich will das heilige Gesetz des Kriegs (...) durch einen freien Tod verherrlichen« or romantic subjectivity and absolute sovereignty in Heinrich von Kleist's »Prinz Friederich [!] von Homburg« (1811)]
Referenz: HKB 21
KLAS: 14437

Zhao, Leilian: Über die Identitätskrise in Kleists Komödie »Amphitryon«.
In: Literaturstraße. Würzburg. 9. 2008. S. 95-111.
Referenz: HKB 21 - BSL 2008,6555
KLAS: 2008/Z

Zimmermann, K[arl]: Historie vom Käthchen von Heilbronn und vom Ritter Wetter vom Strahl. [Reprint d. Ausg. Erfurt 1841]. Heilbronn: Kleist-Archiv Sembdner 2009. 104 S. (Käthchen-Bibliothek. Hrsg. von Günther Emig. 13)
ISBN 978-3-940494-24-5
Referenz: HKB 21
KLAS: 14382

Zons, Raimar: Deutsche Assassinen. Kleists »Hermannsschlacht«.
In: Hermanns Schlachten. Zur Literaturgeschichte eines nationalen Mythos. Hrsg.: Martina Wagner-Egelhaaf. Bielefeld: Aisthesis Verl. 2008. S. 215-237. (Veröffentlichungen der Literaturkommission für Westfalen. 32)
ISBN 978-3-89528-714-5
Referenz: HKB 21
KLAS: 14453

Zons, Rainer: Mutterliebe. Spuren einer anderen Kultur.
In: Spuren Lektüren. Praktiken des Symbolischen. Hrsg. von Gisela Fehrmann, Erika Linz u. Cornelia Epping-Jäger. München: Fink 2005. S. 299-310.
ISBN 3-7705-3847-1
Referenz: HKB 21 -KB 2 - G 2005,2056
KLAS: 14157

Kleistonline, die Onlinefachzeitschrift (1). Screenshot vom 8. 4. 2008

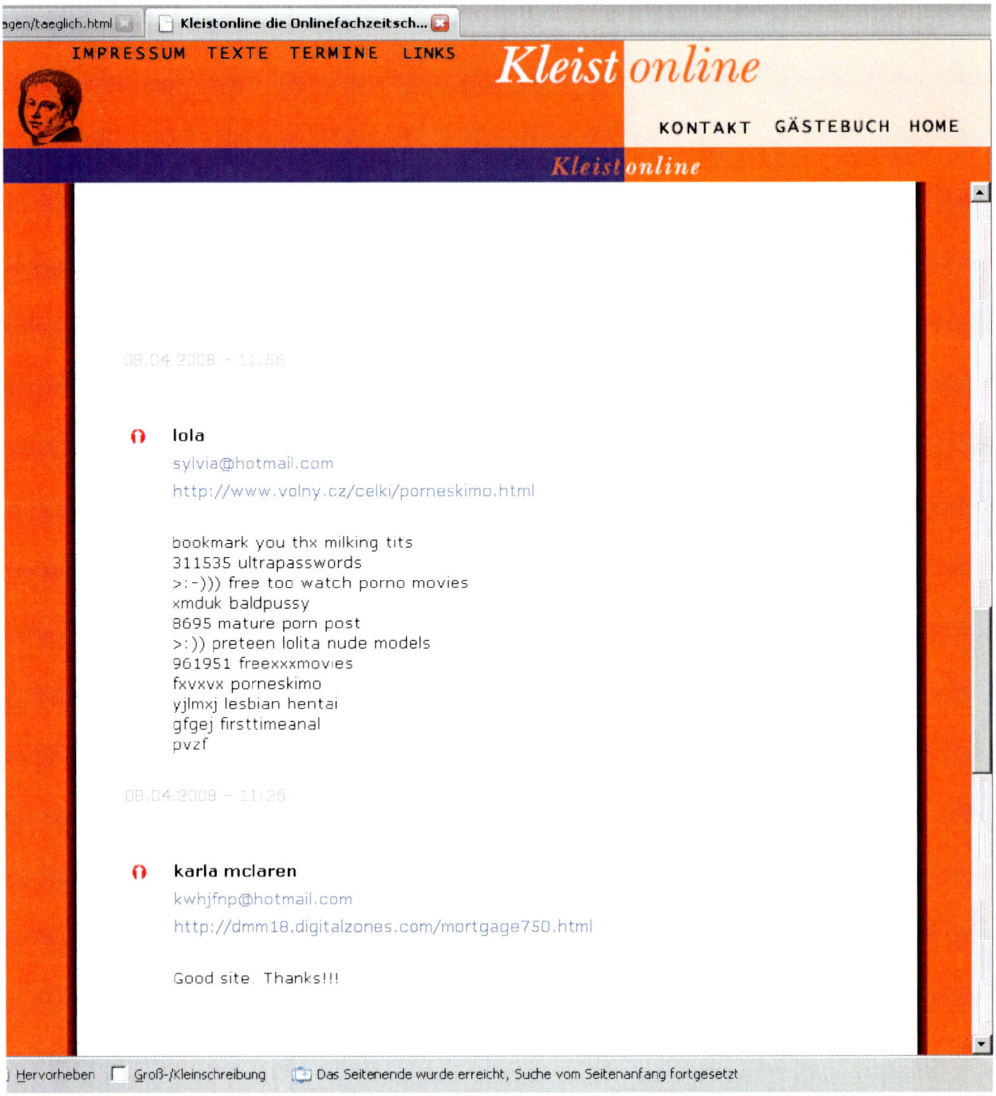

Kleistonline (2), 4. 11. 2008: For the times they are a-changin' (Bob Dylan, 1963)

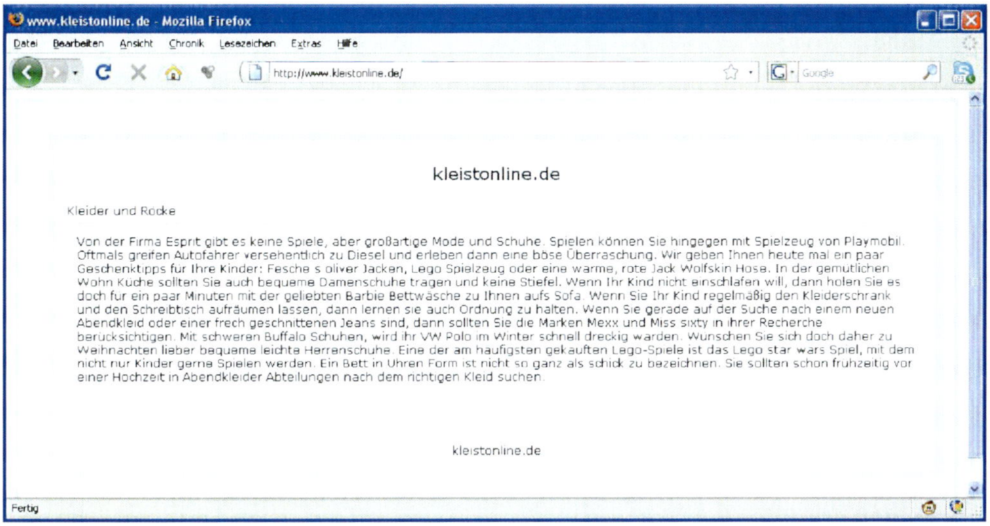

Kleistonline (3), 2. 1. 2009. Was bleibt, sammelt das Internet-Nirwana:

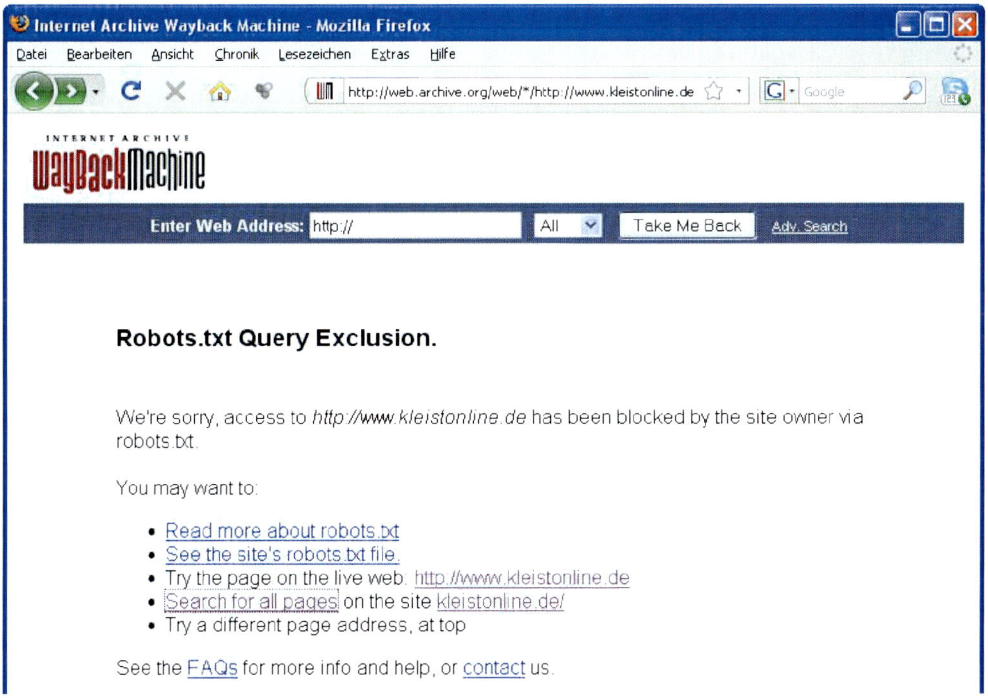

4 mm, manchmal auch mehr. Sie heißt Janin T., ihr Buch trägt den Titel *Die Substituierung des sexuellen Faktums und die implizite Enthüllung erotischen Begehrens in Heinrich von Kleists Novelle »Die Marquise von O...«*, die Maße sind 210 x 148 mm, Gewicht: 111 g, Stärke: 4 mm. Sprache: Deutsch, Einband: Kartoniert / Broschiert, Paperback, erschienen im GRIN Verlag im Mai 2009. Im »Klappentext« steht: »Studienarbeit aus dem Fachbereich Germanistik – Neuere Deutsche Literatur, einseitig bedruckt, Note: 1,0, Humboldt-Universität zu Berlin, Veranstaltung: Hauptseminar: Novellistik im 19. Jahrhundert«. Für 12,99 Euro kann ich das Buch portofrei bestellen. Werde gelegentlich mal nachsehen, wie Janins Professor hieß. Denn Janin ist eine fleißige Buchautorin. Von ihr stammen Titel wie: *Emile Zolas Roman »Germinal« – Im Lichte einer Topographie des Klassenantagonismus; Le portrait de la señora Gamarra dans les Pérégrinations d'une paria de Flora TRISTAN : Une révélation du pouvoir au féminin; Walter Benjamin und der Rundfunk zwischen Theorie und Praxis. Oder wie der Rundfunk den Kasperl überlistet; Über den Roman »Trou de mémoire« von Hubert Aquin. Die »écriture éclatée« und die Bedeutung der Gewalt gegen Frauen im Kontext der nationalen Identitätssuche, Ehekrise? – Das deutsch-französische Tandem während der Osterweiterung im Kontext von Vertiefungs- und/oder Erweiterungsdebatte; Lachen über [M]Auschwitz? Formen und Funktionen des Komischen in Art Spiegelmans Comix »Maus. Die Geschichte eines Überlebenden«; Politische Rhetorik im Nationalsozialismus – Die außen- und innenpolitische Funktion von Joseph Goebbels Sportpalastrede »Wollt ihr den totalen Krieg?«* und schließlich noch *Wolfram von Eschenbach »Willehalm« – Erzähl- und Darstellungstechnik im Kontext der Toleranzfrage.* Zusammen 546 Seiten brutto, Gesamtgewicht 964 g, Gesamtbuchrückenstärke: 36 lfd. mm. Meist hat Janin T. für ihre Manuskripte eine 1,0 bekommen, nur ihr *Ehekrisen*-Buch fällt mit einer 1,3 etwas ab. Ein mißgünstiger Dozent etwa? – Willehalm interessiert mich weniger, mit Ehekrisen kann ich im Moment auch nichts anfangen, ich klicke mich also durch, schaue mir interessiert an, was dieser Verlag mit dem grinsenden Smilie als Logo sonst noch zu bieten hat. Stichwortsuche: »Heinrich von Kleist«. Treffer: über 500 Bücher. Mein Gott! Wo Günther Emig pro Jahr bereits 200 neue Bücher und Aufsätze zu Kleist bibliographiert! Und jetzt die noch dazu. Die hoffentlich in meiner Bibliothek vorhanden sind. Oder soll ich als fleißiger Kleist-Forscher mit meiner Bank wegen einem Dispo verhandeln? – Ich entscheide mich spontan erst einmal für das Buch von Jimbo J., *Kleist, Heinrich von – Erschließung und Interpretation der der [!] »Anekdote aus dem letzten preußischen Kriege«*, denn das ist »kostenlos«, klicke auf den Button »Sofort als pdf downloaden«, und schon befindet sich das Buch im Warenkorb. 99 Cent soll ich zahlen. Ist das, weil im Bagatellbereich angesiedelt, die neue Definition von kostenlos? Irritiert schaue ich mich auf der Seite um, scrolle schließlich nach unten und finde den kostenlosen »Volltext (computergeneriert)«. Und lese jetzt auch die Beschreibung zu diesem Werk: »Institution/Hochschule: Keine. Tags: Heinrich von Kleist, Anekdote. Kategorie: Referat / Schulaufsatz. Jahr: 2000. Seiten: 5. Sprache: Deutsch. Archivnummer: V96568. ISBN (E-Book): 978-3-638-

09244-9. Dateigröße: 49 KB«. Schulaufsatz, ISBN, E-Book (was ich mit »Buch« übersetze)?? Ich klicke mich zurück auf die Begrüßungsseite: »Über uns«. Und erfahre: »GRIN Verlag für akademische Texte. Der GRIN Verlag hat sich seit der Gründung im Jahr 1998 auf die Veröffentlichung akademischer Texte spezialisiert – im Internet und auf dem Buchmarkt. Der GRIN Verlag steht damit als erstes Unternehmen für User Generated Quality Content. Die Verlagsseiten GRIN.com, Hausarbeiten.de und Diplomarbeiten24 bieten für Hochschullehrer und Studenten die ideale Plattform, wissenschaftliche Texte wie Studien, Seminar-, Diplom- oder Doktorarbeiten und wissenschaftliche Aufsätze einem breiten Publikum zu präsentieren. Mit über zwei Millionen Besuchern pro Monat auf den Verlagsseiten erreichen sie eine riesige Zahl an Nutzern. Die Autoren entscheiden frei, ob sie mit ihren Arbeiten Geld verdienen oder sie kostenfrei zur Verfügung stellen wollen. Autoren können ihre Texte auch kostenlos als Buch publizieren – sie erhalten dabei eine ISBN und ein hohes Honorar pro Verkauf. Die Bücher sind im Buchhandel und in Hunderten Buchportalen wie Amazon.de erhältlich. Den Autoren entstehen bei einer Veröffentlichung keine Kosten. Der GRIN Verlag hat bereits über 30.000 Bücher und 90.000 E-Books auf den Markt gebracht. Den Nutzern bietet eine ausgefeilte Suchtechnologie ein riesiges Archiv zu allen Fachbereichen – Wissensdurstige finden Antworten auf nahezu jede Frage.« – Verlag für akademische Texte! Ja, wenn das so ist! Vielleicht hat der GRIN-Verlag in Jimbo J. den *Special Content* gerochen, der unsereinem noch verborgen bleibt, wer weiß: Jimbo J. hat inzwischen vielleicht Abitur gemacht, studiert, promoviert, habilitiert sich, wird Professor und Honorarprofessor dazu. Wenn das dann nicht akademisch ist! Werde doch mal auf dem Dachboden nachschauen, ob ich nicht noch einen alten Schulaufsatz finde. Schließlich bin ich ja auch so etwas wie ein Akademiker.

Kleist und die Finanzkrise. »Warum sich nur keiner findet, der dem bösen Geiste der Welt die Kugel durch den Kopf jagt, sagt Rolf Hochhuth. Er zitiert Kleist, 1805, über Napoleon. Den Rest, den er auf der Rowohlt-Party gesagt hat über Banker und Krise, dürfen wiederum wir nicht zitieren, nur so viel: Hochhuth rät, in Eigenheim zu investieren, er hat ein Gedicht über die Krise geschrieben, zwanzig Zeilen lang, kleistinspiriert, hat er leider nicht dabei, will er aber mailen.« *(Tobias Rüther: Empfang bei Rowohlt. Bewaffnete in der Schirn. Frankfurter Allgemeine Zeitung, 16. 10. 2008)*

Wer Kleist braucht. »Daniel Schuhmachers Heimatstadt Pfullendorf steht Kopf: Auch zwei Tage nach dem großen Triumph von Daniel bei der Castingshow ›Deutschland sucht den Superstar‹ (DSDS) ist das Thema in der badischen Kleinstadt noch allgegenwärtig. [...] Daniels großen Triumph am Samstag verfolgten sogar mehr als sechs Millionen. Darunter befanden sich auch die ehemaligen Klassenkameraden des ›Superstars‹ aus Riedlingen an der Donau. Hier hatte Daniel die Wirtschaftsoberschule besucht, seit dem 26. März ist er aber offiziell abgemeldet. Und eigentlich sollten die Schüler auch nicht am Samstag vor dem Fernseher sitzen, sondern sich im Ulmer Theater ein Stück von Heinrich von Kleist ansehen. ›Aber meinen

Schülern konnte ich an diesem Abend unmöglich den Wert einer Kleist-Aufführung näher bringen‹, erzählt Lehrer Dieter Volgnandt. Und mal ehrlich: Wer braucht Kleist, wenn er Schuhmacher haben kann?« *(Schwäbische Zeitung, 11. 5. 2009)*

Neue Wege der Veröffentlichung. In *HKB* 15, S. 110f. konnte ich die Buchausgabe eines noch zu korrigierten Sammelband-Manuskriptes bestaunen. Jetzt ist die (hoffentlich ordentlich) Korrektur gelesene Version (die als 2., durchgesehene Auflage 2009 firmiert) herausgekommen. Mal sehen, ob bei einer 3. Auflage das Literaturverzeichnis aktualisiert sein wird. Wäre ja schließlich auch zuviel verlangt gewesen: Korrektur *und* Fortschreibung genannten Verzeichnisses bis zur Gegenwart.

Vom Messen. Wissenschaftlichkeit, so ein guter Freund mit exzellenten Beziehungen in dieses und jenes Gremium, Wissenschaftlichkeit solle in Zukunft, die eine zertifizierende sei, nicht mehr nur nach der Anzahl der Titel auf der Publikationsliste und der Gesamtzahl der Fußnoten, sondern nach dem *Verhältnis von Text und Fußnote pro Seite* ermittelt werden. Für ein rationelles Meßverfahren gebe es im Augenblick allerdings noch ein Problem: Denn mit dem reinen Auszählen von Zeilenzahlen sei es nicht getan, weil Fußnotentexte in der Regel kleiner gesetzt werden als der eigentliche Text, so daß auf gleicher Quadratzentimeterfläche ungleich mehr Fußnoten-Buchstaben untergebracht werden können als im normalen Fließtext. Es gelte also ein einfaches, doch zuverlässiges Berechnungsschema zu finden, bei dem auch ein(e) hilfswissenschaftlich tätige(r) ErstsemesterIn oder eine in den Beruf zurückkehrende Hausfrau ohne weitere Schulung zum zählende Einsatz komme. Inhaltlich gesehen diskutiere man im Augenblick ein gestuftes Bewertungssystem, wobei eine untere Grenzlinie im Gespräch sei: 30:70-Text/Fußnotenrelation und darunter gelten fortan als unakademisch. Zumutbar sei, daß man pro Druckseite mit maximal drei Zeilen auskommen könne (»Fasse Dich kurz!«), zumal ein Mehr an Buchstaben den Erkenntniswert nicht zwingend erhöhe. Die intensivierte Fußnotenproduktion selbst sei dank »paste and copy« nicht mit mehr Arbeit verbunden, damit leist- und zumutbar. – Ich gebe gern zu, daß mich derartige Planungen zutiefst ratlos machen. Aber glücklicherweise muß ich sie ja nicht verstehen. *H. H.*

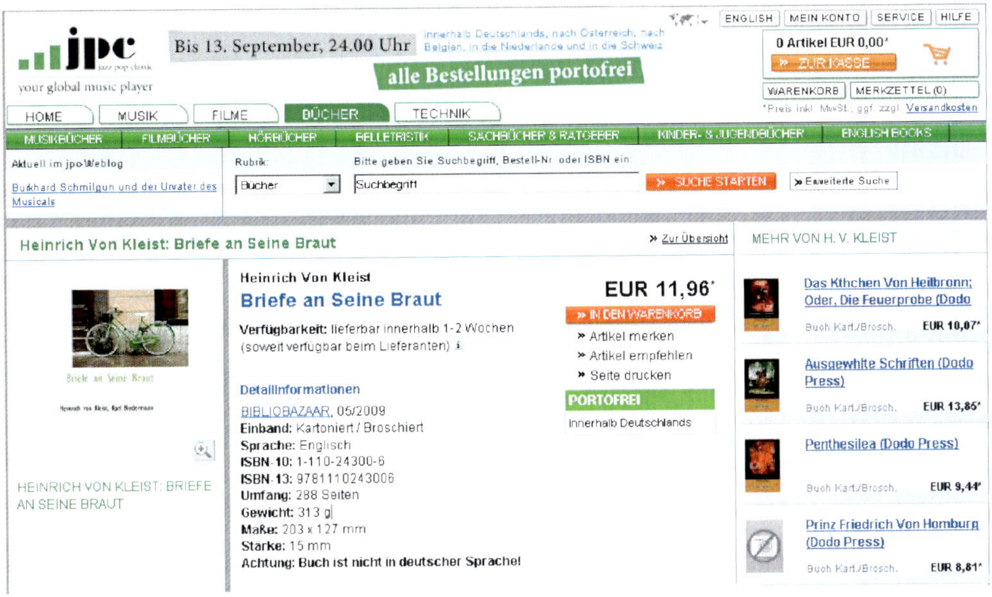

On demand – für den, der's braucht

Wer eine Ausgabe von Kleists Briefen an seine Braut in nicht-deutscher Sprache lesen will und bei jpc bestellt, erhält ein hübsch gebundenes Werk mit zeitgemäßem Umschlag: Kleist in Berlin, sein Fortbewegungsmittel startklar vor der Haustür, um den soeben beendeten Brief an Wilhelmine noch rechtzeitig vor Schalterschluß beim Postamt Berlin-Mitte einzuliefern. Unglaublich? Stimmt vielleicht alles gar nicht? Wo doch moderne Autoren zwar radeln, aber nicht per Snail-, sondern per E-Mail kommunizieren? Ach! Und dann entpuppt sich die nichtdeutsche Ausgabe auch als ein Reprint der Biedermannschen von 1884 – dummerweise nicht nur in »deutscher« Schrift, sondern auch noch in deutscher Sprache; jedenfalls aber unlesbar für einen Durchschnittsdeutschen jüngeren Jahrgangs dank veralteter Typographie.